HIGH SCHOOL

ENGLISH I 자습서

민찬규 교과서편

Features

Lesson Guide

학습 목표의 점검과 확인

전 학년에서 학습한 의사소통 기능과 언어 형식을 점검 및 확인하고, 해당 단원에서 학습할 주요 내용을 살펴봅니다.

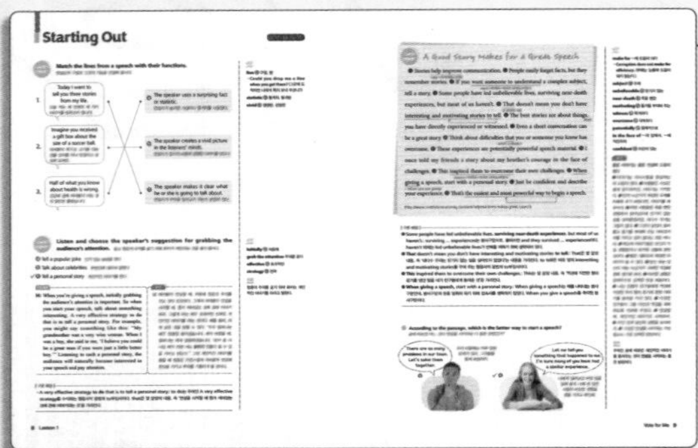

Starting Out

단원 주제의 배경지식 활성화

해당 단원의 학습 주제와 연관된 간단한 듣기 활동과 읽기 활동을 통해 준비 학습을 할 수 있습니다.

Listen & Speak 1, 2

듣고 말하기 활동

실생활의 다양한 대화 또는 담화를 이용한 듣기와 말하기 활동으로, 학습할 의사소통 기능을 자연스럽게 학습합니다.

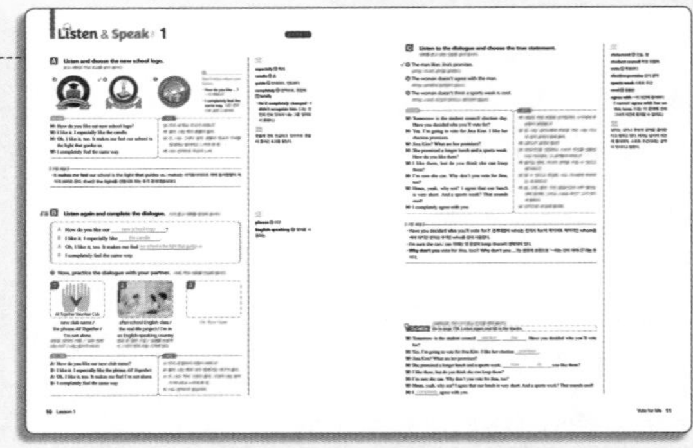

Real-life Project

듣기와 말하기 통합 활동

듣고 말하기 활동에서 학습한 표현을 일상생활과 연결된 과업을 통해 실질적으로 사용할 수 있습니다.

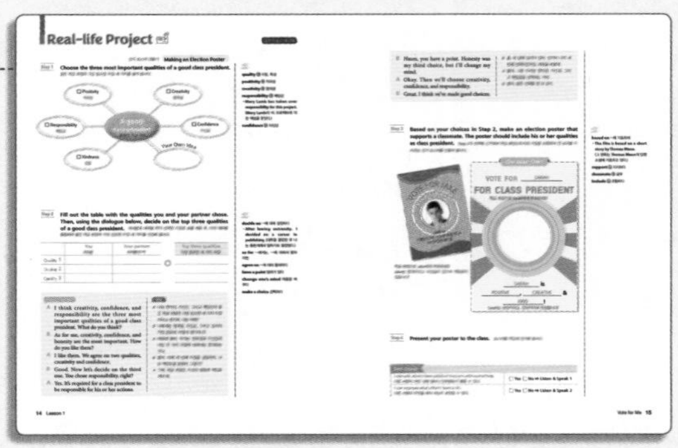

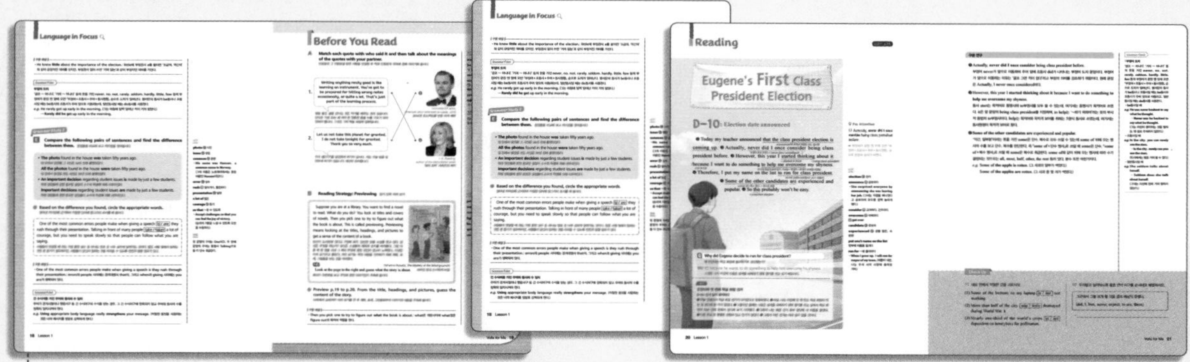

Read 다양한 글감을 이용한 읽기 활동

- **Language in Focus** 읽기 활동에서 배울 핵심 어휘, 표현, 어법을 다양한 활동으로 익힙니다.
- **Before You Read** 읽기 활동에 필요한 배경지식과 읽기 전략을 학습합니다.
- **Read** 다양한 주제의 읽을거리를 이용하여 새로운 지식과 정보를 얻고, 다른 여러 나라의 문화를 이해합니다. 읽기 중 이해 점검 과제와 추가 활동을 이용하여 글의 흐름과 유용한 구조를 익힐 수 있습니다.
- **After You Read** 글의 구조와 세부 내용을 이해했는지 확인하며, 응용 과업을 통해 종합적 이해력을 높입니다.

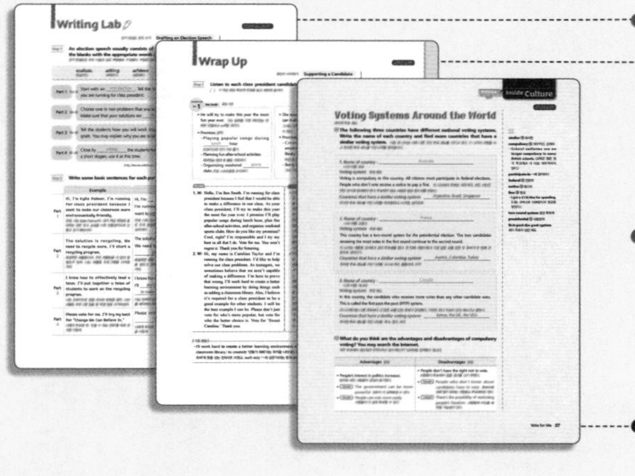

Writing Lab 일상생활 속 글쓰기 활동

학습한 표현과 언어 형식을 활용하여 편지, 도표, 이야기 구성 등 다양한 형태의 글쓰기를 완성합니다. 예시 글 제시와 문단 분석 등 단계별 글쓰기가 가능합니다.

Wrap Up 단원 복습 활동

다양한 과제를 완성함으로써 단원 학습 목표의 학습 성취도를 점검합니다.

Inside Culture 타 문화 탐구 활동

단원의 주제와 연관된 흥미로운 여러 나라의 문화를 살펴보고 자기 주도적 추가 탐구 학습을 합니다.

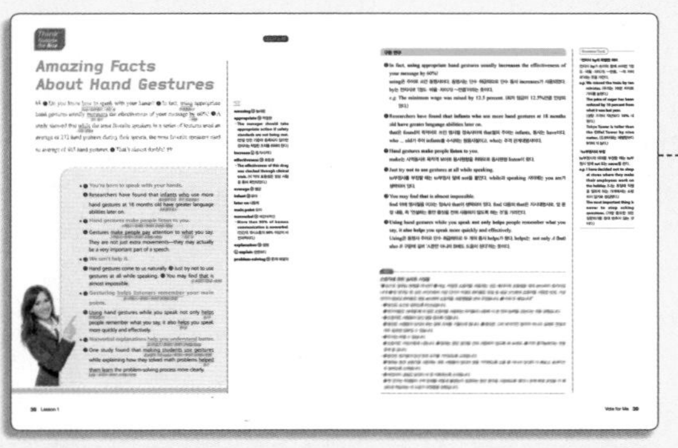

Think Outside the Box 창의적 사고 활동

단원의 주제를 확장하여 창의적 사고가 증진되는 글을 읽고 활동합니다.

Contents

LESSON 1

Vote for Me

Check what you already know. 알고 있는 것에 표시해 봅시다.

- ☐ Are you satisfied with your new glasses?
  너의 새 안경에 만족하니?
- ☐ You have to finish the report today.
  너는 오늘 그 보고서를 끝내야 한다.

- ☐ **Here comes the bus.**
  버스가 오고 있다.
- ☐ **The story was** fun and **we were** into it.
  그 이야기는 재미있었고 우리는 거기에 푹 빠져들었다.

Think Ahead What makes a good class president?

무엇이 훌륭한 학급 회장을 만드나요?

Sample A good class president needs to have leadership and good listening skills.
훌륭한 학급 회장은 리더쉽과 잘 듣는 능력을 지닐 필요가 있다.

In this lesson, I will ...

이 단원에서, 나는 …

Listening & Speaking	Reading	Writing	Culture
• learn to ask others how satisfied they are with something. 사람들이 무엇에 대해 얼마나 만족하는지 묻는 방법을 배울 것이다. • learn to express what others have to do. 사람들이 해야 할 일을 표현하는 방법을 배울 것이다.	• read about an election process for class president. 학급 회장 선거 과정에 관하여 읽을 것이다.	• write an election speech. 선거 연설문을 쓸 것이다.	• learn about different voting systems around the world. 세계의 다양한 투표 제도에 관해 배울 것이다.

Key Expressions

- How do you like ...?
  ~가 어떠니?
- It's required for ~ to ... .
  ~가 …해야 한다.
- **Never did I once consider** being class president before.
  나는 이전에 단 한 번도 학급 회장이 되는 것을 생각해 본 적이 없었다.
- **Important decisions** regarding student issues **are** made by just a few students. 학생 쟁점들에 관한 중요한 결정들이 소수의 학생에 의해 이루어진다.

Starting Out

교과서 pp.10~11

Let's Think

Match the lines from a speech with their functions.
연설문의 구절과 그것의 기능을 연결해 봅시다.

1. Today I want to tell you three stories from my life.
오늘 저는 제 인생의 세 가지 이야기를 말하고자 합니다. — ⓒ

2. Imagine you received a gift box about the size of a soccer ball.
여러분이 축구공 크기쯤 되는 선물 상자를 하나 받았다고 상상해 보세요. — ⓑ

3. Half of what you know about health is wrong.
건강에 관해 여러분이 아는 것의 절반은 틀렸습니다. — ⓐ

ⓐ The speaker uses a surprising fact or statistic.
연설자가 놀라운 사실이나 통계치를 사용한다.

ⓑ The speaker creates a vivid picture in the listeners' minds.
연설자가 청자의 마음에 생생한 이미지를 만든다.

ⓒ The speaker makes it clear what he or she is going to talk about.
연설자가 무엇을 말하고자 하는지 분명히 한다.

Let's Listen

Listen and choose the speaker's suggestion for grabbing the audience's attention. 듣고 청중의 주의를 끌기 위해 화자가 제안하는 것을 골라 봅시다.

ⓐ Tell a popular joke 인기 있는 농담을 한다
ⓑ Talk about celebrities 유명인에 대하여 말한다
✔ⓒ Tell a personal story 개인적인 이야기를 한다

Script

M: When you're giving a speech, initially grabbing the audience's attention is important. So when you start your speech, talk about something interesting. A very effective strategy to do that is to tell a personal story. For example, you might say something like this: "My grandmother was a very wise woman. When I was a boy, she said to me, 'I believe you could be a great man if you were just a little better boy.'" Listening to such a personal story, the audience will naturally become interested in your speech and pay attention.

해석

남: 여러분이 연설할 때, 처음에 청중의 주의를 끄는 것이 중요하다. 그래서 여러분이 연설을 시작할 때, 뭔가 재미있는 것에 관해 이야기하라. 그렇게 하는 매우 효과적인 전략은 개인적인 이야기를 하는 것이다. 예를 들어, 이와 같은 것을 말할 수 있다. "우리 할머니는 매우 현명한 분이셨습니다. 제가 어렸을 때, 할머니는 제게 말씀하셨습니다. '네가 좀 더 나은 애가 되면 너는 훌륭한 인물이 될 수 있을 거라고 믿는다.'" 그런 개인적인 이야기를 들을 때 청중은 자연스럽게 여러분의 연설에 관심을 가지고 주의를 기울이게 될 것이다.

| 구문 해설 |

• A very effective strategy **to do** that is to tell a personal story.: to do는 주어인 A very effective strategy를 수식하는 형용사적 용법의 to부정사이다. that은 앞 문장의 내용, 즉 '연설을 시작할 때 뭔가 재미있는 것에 관해 이야기하는 것'을 가리킨다.

어구

line ⓜ 구절, 행
• **Could you drop me a *line* when you get there?** (그곳에 도착하면 나에게 쪽지 보내 주겠니?)
statistic ⓜ 통계치, 통계량
vivid ⓗ 생생한, 선명한

어구

initially ⓑ 처음에
grab the attention 주의를 끌다
effective ⓗ 효과적인
strategy ⓜ 전략

힌트

청중의 주의를 끌기 위해 화자는 개인적인 이야기를 하라고 말한다.

A Good Story Makes for a Great Speech

❶ Stories help improve communication. ❷ People easily forget facts, but they remember stories. ❸ If you want someone to understand a complex subject, tell a story. ❹ Some people have led unbelievable lives, surviving near-death experiences, but most of us haven't. ❺ That doesn't mean you don't have interesting and motivating stories to tell. ❻ The best stories are about things (that) you have directly experienced or witnessed. ❼ Even a short conversation can be a great story. ❽ Think about difficulties that you or someone you know has overcome. ❾ These experiences are potentially powerful speech material. ❿ I once told my friends a story about my brother's courage in the face of challenges. ⓫ This inspired them to overcome their own challenges. ⓬ When giving a speech, start with a personal story. ⓭ Just be confident and describe your experience. ⓮ That's the easiest and most powerful way to begin a speech.

help+목적어(동사원형) / want+목적어+목적격 보어(to부정사) / 앞 문장의 내용 / 목적격 관계대명사 / inspire+목적어+목적격 보어(to부정사) / = When you are giving

(http://www.seattlebusinessmag.com/article/good-story-makes-great-speech)

| 구문 해설 |

❹ Some people have led unbelievable lives, **surviving near-death experiences**, but most of us haven't.: surviving ... experiences는 분사구문으로, 풀어쓰면 and they survived ... experiences이다. haven't 뒤에는 led unbelievable lives가 반복을 피하기 위해 생략되어 있다.

❺ **That** doesn't mean you don't have interesting and motivating stories **to tell**.: That은 앞 문장 내용, 즉 '대다수 우리는 믿기지 않는 삶을 살아오지 않았다'는 내용을 가리킨다. to tell은 바로 앞의 interesting and motivating stories를 꾸며 주는 형용사적 용법의 to부정사이다.

⓫ **This** inspired them to overcome their own challenges.: This는 앞 문장 내용, 즉 '역경에 직면한 형이 용기를 냈던 일을 내가 친구들에게 들려준 것'을 가리킨다.

⓬ **When giving a speech,** start with a personal story.: When giving a speech는 때를 나타내는 분사구문인데, 분사구문의 뜻을 명확히 하기 위해 접속사를 생략하지 않았다. When you give a speech를 축약한 분사구문이다.

◎ **According to the passage, which is the better way to start a speech?**
글에 따르면 어느 것이 연설을 시작하는 더 좋은 방법인가?

There are so many problems in our town. Let's solve them together.
우리 마을에는 아주 많은 문제가 있어. 그것들을 함께 해결하자.
ⓐ
✓ⓑ
Let me tell you something that happened to me. I'm sure many of you have had a similar experience.
나에게 일어났던 어떤 일을 말해 줄게. 너희 중 많은 사람이 비슷한 경험을 했을 거라고 확신해.

어구

make for ~에 도움이 되다
· **Corruption does not *make for* efficiency.** (부패는 능률에 도움이 되지 않는다.)
subject ⓝ 주제
unbelievable ⓐ 믿기지 않는
near-death ⓐ 죽을 뻔한
motivating ⓐ 동기를 부여해 주는
witness ⓥ 목격하다
overcome ⓥ 극복하다
potentially ⓐⓓ 잠재적으로
in the face of ~의 앞에서, ~에 직면하여
confident ⓐ 자신이 있는

해석

좋은 이야기는 좋은 연설에 도움이 된다

❶ 이야기는 의사소통을 향상하는 데 도움이 된다. ❷ 사람들은 사실은 쉽게 망각하지만, 이야기는 기억한다. ❸ 만약 누군가가 복잡한 주제를 이해해 주기 바란다면, 이야기를 해 주어라. ❹ 어떤 사람들은 죽을 뻔한 경험에서 살아남으며 믿기지 않는 삶을 살아왔겠지만, 대다수 우리는 그렇지 않다. ❺ 그것이 당신이 흥미롭고 동기를 부여해 주는 이야깃거리를 가지고 있지 않다는 것은 아니다. ❻ 최고의 이야기들은 당신이 직접 경험했거나 목격한 것들에 관한 것이다. ❼ 짧은 대화조차 위대한 이야기가 될 수 있다. ❽ 당신 또는 당신이 아는 누군가가 극복한 역경에 관해 생각해 보라. ❾ 이러한 경험은 잠재적으로 강력한 연설 재료이다. ❿ 나는 언젠가 친구들에게 역경에 직면한 우리 형의 용기에 관한 이야기를 들려준 적이 있다. ⓫ 이것은 친구들이 그들 자신의 역경을 극복하도록 격려해 주었다. ⓬ 연설할 때, 개인적인 이야기로 시작하라. ⓭ 자신 있게 당신의 경험을 묘사하라. ⓮ 그것은 연설을 시작하는 가장 쉽고도 가장 강력한 방법이다.

힌트

주어진 글에 따르면 개인적인 이야기를 들려주는 것이 연설을 시작하는 좋은 방법이다.

Listen & Speak 1

교과서 p.12

A Listen and choose the new school logo.

듣고 새로운 학교 로고를 골라 봅시다.

ⓐ 

✓ⓑ 

ⓒ 

Don't miss when you listen.
- How do you like ...? ~가 어떠니?
- I completely feel the same way. 나도 전적으로 같은 느낌이야.

Script

M: How do you like our new school logo?
W: I like it. I especially like the candle.
M: Oh, I like it, too. It makes me feel our school is the light that guides us.
W: I completely feel the same way.

해석

남: 우리 새 학교 로고가 어떠니?
여: 좋아. 나는 특히 촛불이 좋아.
남: 오, 나도 그것이 좋아. 촛불이 학교가 우리를 안내하는 빛이라고 느끼게 해 줘.
여: 나도 전적으로 똑같이 느껴.

| 구문 해설 |

- It **makes** me **feel** our school is the light **that** guides us.: make는 사역동사이므로 뒤에 동사원형이 목적격 보어로 온다. that은 the light를 선행사로 하는 주격 관계대명사이다.

어구

especially 부 특히
candle 명 초
guide 동 안내하다, 인도하다
completely 부 전적으로, 완전히 유 **totally**
- **He'd *completely* changed—I didn't recognize him.** (그는 완전히 변해 있어서 나는 그를 알아보지 못했다.)

힌트

촛불에 관해 언급하고 있으므로 촛불이 들어간 로고를 찾는다.

B Listen again and complete the dialogue. 다시 듣고 대화를 완성해 봅시다.

A How do you like our ___new school logo___?
B I like it. I especially like ___the candle___.
A Oh, I like it, too. It makes me feel ___our school is the light that guides us___.
B I completely feel the same way.

◎ **Now, practice the dialogue with your partner.** 이제, 짝과 대화를 연습해 봅시다.

1 
All Together Volunteer Club

new club name / the phrase *All Together* / I'm not alone
새로운 동아리 이름 / '모두 함께'라는 어구 / 나는 혼자가 아니다

2 

after-school English class / the real-life project / I'm in an English-speaking country
방과 후 영어 수업 / 실생활 프로젝트 / 내가 영어 사용 국가에 있다

3 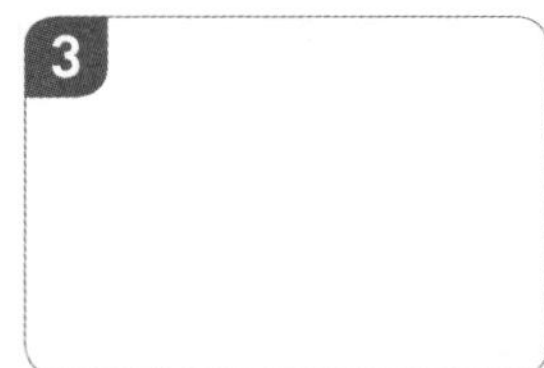

On Your Own

예시 대화

A: How do you like our new club name?
B: I like it. I especially like the phrase *All Together*.
A: Oh, I like it, too. It makes me feel I'm not alone.
B: I completely feel the same way.

해석

A: 우리 새 동아리 이름이 어떠니?
B: 좋아. 나는 특히 '모두 함께'라는 어구가 좋아.
A: 오, 나도 역시 그것이 좋아. 그것이 나는 혼자가 아니라고 느끼게 해 줘.
B: 나도 전적으로 동감이야.

어구

phrase 명 어구
English-speaking 형 영어를 사용하는

C Listen to the dialogue and choose the true statement.

대화를 듣고 맞는 진술을 골라 봅시다.

✔ ⓐ The man likes Jina's promises.
남자는 지나의 공약을 좋아한다.

ⓑ The woman doesn't agree with the man.
여자는 남자에게 동의하지 않는다.

ⓒ The woman doesn't think a sports week is cool.
여자는 스포츠 주간이 멋지다고 생각하지 않는다.

Script

W: Tomorrow is the student council election day. Have you decided who you'll vote for?
M: Yes. I'm going to vote for Jina Kim. I like her election promises.
W: Jina Kim? What are her promises?
M: She promised a longer lunch and a sports week. How do you like them?
W: I like them, but do you think she can keep them?
M: I'm sure she can. Why don't you vote for Jina, too?
W: Hmm, yeah, why not? I agree that our lunch is very short. And a sports week? That sounds cool!
M: I completely agree with you.

해석

여: 내일은 학생 위원회 선거일이야. 누구에게 투표할지 결정했니?
남: 응. 나는 김지나에게 투표할 거야. 나는 지나의 선거 공약이 맘에 들어.
여: 김지나? 공약이 뭔데?
남: 점심시간을 연장하고 스포츠 주간을 만들겠다고 약속했어. 그 공약들이 어떠니?
여: 좋기는 한데, 지나가 공약을 지킬 수 있다고 생각하니?
남: 할 수 있다고 확신해. 너도 지나에게 투표하는 게 어떠니?
여: 흠, 그래, 좋아. 우리 점심시간이 너무 짧다는 것에 동의해. 그리고 스포츠 주간? 그거 멋지게 들린다.
남: 전적으로 네 말에 동의해.

| 구문 해설 |

- Have you decided **who** you'll vote for?: 관계대명사 who는 전치사 for의 목적어로 목적격인 whom을 써야 하지만 편의상 주격인 who를 많이 사용한다.
- I'm sure she can.: can 뒤에는 앞 문장의 keep them이 생략되어 있다.
- **Why don't you** vote for Jina, too?: Why don't you ...?는 권유의 표현으로 '~하는 것이 어떠니?'라는 뜻이다.

Dictation 158쪽으로 가서 다시 듣고 빈칸을 채워 봅시다.
Go to page 158. Listen again and fill in the blanks.

W: Tomorrow is the student council __election__ __day__. Have you decided who you'll vote for?
M: Yes. I'm going to vote for Jina Kim. I like her election __promises__.
W: Jina Kim? What are her promises?
M: She promised a longer lunch and a sports week. __How__ __do__ you like them?
W: I like them, but do you think she can keep them?
M: I'm sure she can. Why don't you vote for Jina, too?
W: Hmm, yeah, why not? I agree that our lunch is very short. And a sports week? That sounds cool!
M: I __completely__ agree with you.

어구

statement ⓜ 진술, 말
student council 학생 위원회
vote ⓢ 투표하다
election promise 선거 공약
sports week 스포츠 주간
cool ⓗ 훌륭한
agree with ~의 의견에 동의하다
- **I cannot *agree with* her on this issue.** (나는 이 문제에 관해 그녀의 의견에 동의할 수 없어요.)

힌트

남자는 김지나 후보의 공약을 좋아한다고 말하고 있다. 여자는 남자의 의견에 동의하며, 스포츠 주간이라는 공약이 멋지다고 말한다.

Listen & Speak 2

교과서 p.13

A Listen and choose what the speakers are talking about.

듣고 두 사람이 무엇에 관해 대화하는지 골라 봅시다.

ⓐ 

ⓑ 

✔ ⓒ 

Don't miss when you listen.

- It's required for ~ to ... .
  ~가 …해야 한다.
- Let me see.
  어디 봅시다.

Script

W: I can't sign up to this website.
M: Let me see. Oh, it's required for you to use special characters in your password.
W: Really? I didn't know that. Thank you.
M: No problem.

해석

여: 이 웹사이트에 가입할 수가 없어.
남: 어디 보자. 오, 패스워드에 특수 문자를 넣어야 해.
여: 정말? 몰랐어. 고마워.
남: 천만에.

| 구문 해설 |

- Oh, it's required **for you to use** special characters in your password.: 「it ~ for *A* to *B*」 구문으로 'A가 B하는 것이 ~하다'는 뜻이다. 여기서 it은 가주어이며 「for A」가 to부정사의 의미상 주어이다.

어구

sign up 가입하다
- She ***signed up*** for evening classes at a community college. (그녀는 지역 대학의 야간 강좌에 가입했다.)

require ⓓ 요구하다
special character 특수 문자

힌트

두 사람은 웹사이트 가입을 위한 비밀번호 설정에 관해 대화하고 있다.

B Listen again and complete the dialogue. 다시 듣고 대화를 완성해 봅시다.

A I can't ___sign up to this website___.
B Let me see. Oh, it's required for you to ___use special characters in your password___.
A Really? I didn't know that. Thank you.
B No problem.

◎ Now, practice the dialogue with your partner. 이제, 짝과 대화를 연습해 봅시다.

1 

open this file on my computer / upgrade the software
이 파일을 내 컴퓨터에서 열다 / 소프트웨어를 상향하다

2 

submit this application form / fill in all the fields in the form
이 지원서 양식을 제출하다 / 지원서 양식의 빈칸을 다 채우다

3 

On Your Own

예시 대화

A: I can't submit this application form.
B: Let me see. Oh, it's required for you to fill in all the fields in the form.
A: Really? I didn't know that. Thank you.
B: No problem.

해석

A: 이 지원서를 제출할 수가 없어.
B: 어디 보자. 오, 넌 이 양식의 모든 칸을 채워야 해.
A: 정말? 몰랐어. 고마워.
B: 천만에.

어구

submit ⓓ 제출하다
application ⓜ 지원(서)
form ⓜ 양식, 형식
fill in (서류의) 빈칸을 채우다

C Listen to the dialogue and choose the appropriate words for (A) and (B). 대화를 듣고 빈칸 (A)와 (B)에 적절한 말을 골라 봅시다.

The woman's script is very ____(A)____, so she'll make it ____(B)____.
여자의 대본은 매우 ____(A)____ 해서, 그녀는 그것을 ____(B)____ 만들 것이다

	(A)		(B)
ⓐ	difficult 어려운	—	easier 더 쉽게
✓ⓑ	long 긴	—	shorter 더 짧게
ⓒ	boring 지루한	—	more interesting 더 흥미롭게

Script

M: Hi, Jenny, have you finished writing your speech for the speech contest?
W: Yes, I have, but I think I need to make some changes in the script. Can you help me, Mike?
M: Sure. May I see your script?
W: Here you are.
M: Oh, Jenny, it looks too long.
W: Really? You think so?
M: Yes. You know, it's required for participants to keep their speech under three minutes.
W: Oh, I didn't know that. Then, I'll shorten my script. Thanks, Mike.

해석

남: 안녕, Jenny, 말하기 대회에서 사용할 연설문을 다 썼니?
여: 응, 다 썼는데, 내 원고를 좀 고쳐야 할 거 같아. 도와줄 수 있니, Mike?
남: 그래. 네 원고를 보여 줄래?
여: 여기 있어.
남: 오, Jenny, 원고가 너무 긴 것 같아.
여: 정말? 그렇게 생각하니?
남: 응, 있잖아, 참가자들은 3분 안에 연설을 끝내야 해.
여: 오, 몰랐어. 그럼, 내 원고를 줄일게. 고마워, Mike.

| 구문 해설 |

- Hi, Jenny, have you **finished writing** your speech for the speech contest?: finish는 동명사를 목적어로 취한다.
- Oh, Jenny, it **looks too long**.: look은 2형식 동사로 보어가 필요한데, 보어로 형용사구 too long이 쓰였다.
- Oh, I didn't know **that**.: that은 앞 문장 전체 내용을 가리킨다.

어구

script ⓜ 원고, 대본
participant ⓜ 참가자
ⓢ **participate** 참가하다
shorten ⓢ 줄이다, 짧게 하다

힌트

여자는 연설을 3분 이내에 끝내야 하는 것을 모르고 원고를 너무 길게 썼다.

158쪽으로 가서 다시 듣고 빈칸을 채워 봅시다.

Dictation Go to page 158. Listen again and fill in the blanks.

M: Hi, Jenny, have you finished ____writing____ your speech for the ____speech____ contest?
W: Yes, I have, but I think I need to make some ____changes____ in the script. Can you help me, Mike?
M: Sure. May I see your script?
W: Here you are.
M: Oh, Jenny, it looks too long.
W: Really? You think so?
M: Yes. You know, it's ____required____ ____for____ participants to keep their speech under three minutes.
W: Oh, I didn't know that. Then, I'll ____shorten____ my script. Thanks, Mike.

Real-life Project

교과서 pp.14~15

선거 포스터 만들기 **Making an Election Poster**

Step 1 **Choose the three most important qualities of a good class president.**
좋은 학급 회장의 가장 중요한 자질 세 가지를 골라 봅시다.

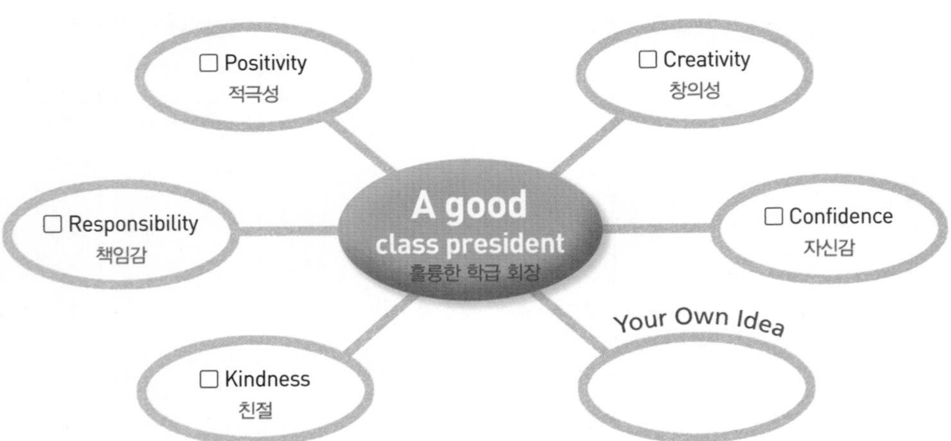

어구

quality 명 자질, 특성
positivity 명 적극성
creativity 명 창의성
responsibility 명 책임감
· Mary Lamb has taken over ***responsibility*** for this project. (Mary Lamb이 이 프로젝트에 대한 책임을 맡았다.)
confidence 명 자신감

Step 2 **Fill out the table with the qualities you and your partner chose. Then, using the dialogue below, decide on the top three qualities of a good class president.** 여러분과 여러분 짝이 선택한 자질로 표를 채운 후, 아래 대화를 활용하여 좋은 학급 회장의 가장 중요한 자질 세 가지를 선정해 봅시다.

	You 여러분	Your partner 여러분의 짝		Top three qualities 가장 중요한 세 가지 자질
Quality 1			➔	
Quality 2				
Quality 3				

Sample Dialogue

A I think creativity, confidence, and responsibility are the three most important qualities of a good class president. What do you think?
B As for me, creativity, confidence, and honesty are the most important. How do you like them?
A I like them. We agree on two qualities, creativity and confidence.
B Good. Now let's decide on the third one. You chose responsibility, right?
A Yes. It's required for a class president to be responsible for his or her actions.

해석

A 나는 창의성, 자신감, 그리고 책임감이 좋은 학급 회장의 가장 중요한 세 가지 자질이라고 생각해. 너는 어때?
B 나에게는 창의성, 자신감, 그리고 정직이 가장 중요해. 어떻게 생각하니?
A 마음에 들어. 우리는 창의성과 자신감이라는 두 가지 자질에 대해서는 동의하는구나.
B 좋아. 이제 세 번째 자질을 결정하자. 너는 책임감을 골랐어, 그렇지?
A 그래. 학급 회장은 자신의 행동에 책임을 져야 해.

어구

decide on ~에 대해 결정하다
· After leaving university, I ***decided on*** a career in publishing. (대학을 졸업한 후 나는 출판계에서 일하기로 결정했다.)
as for ~에게는, ~에 대해서 말하자면
agree on ~에 대해 동의하다
have a point 일리가 있다
change one's mind 마음을 바꾸다
make a choice 선택하다

B Hmm, you have a point. Honesty was my third choice, but I'll change my mind.	B 흠, 네 말에 일리가 있어. 정직이 나의 세 번째 선택이었지만, 마음을 바꿀게.
A Okay. Then we'll choose creativity, confidence, and responsibility.	A 좋아. 그럼 우리는 창의성, 자신감, 그리고 책임감을 선택하는 거야.
B Great. I think we've made good choices.	B 좋아. 좋은 선택을 한 것 같아.

Step 3 **Based on your choices in Step 2, make an election poster that supports a classmate. The poster should include his or her qualities as class president.** Step 2의 선택에 근거하여 학급 회장으로서의 자질을 포함해서 한 급우를 지지하는 선거 포스터를 만들어 봅시다.

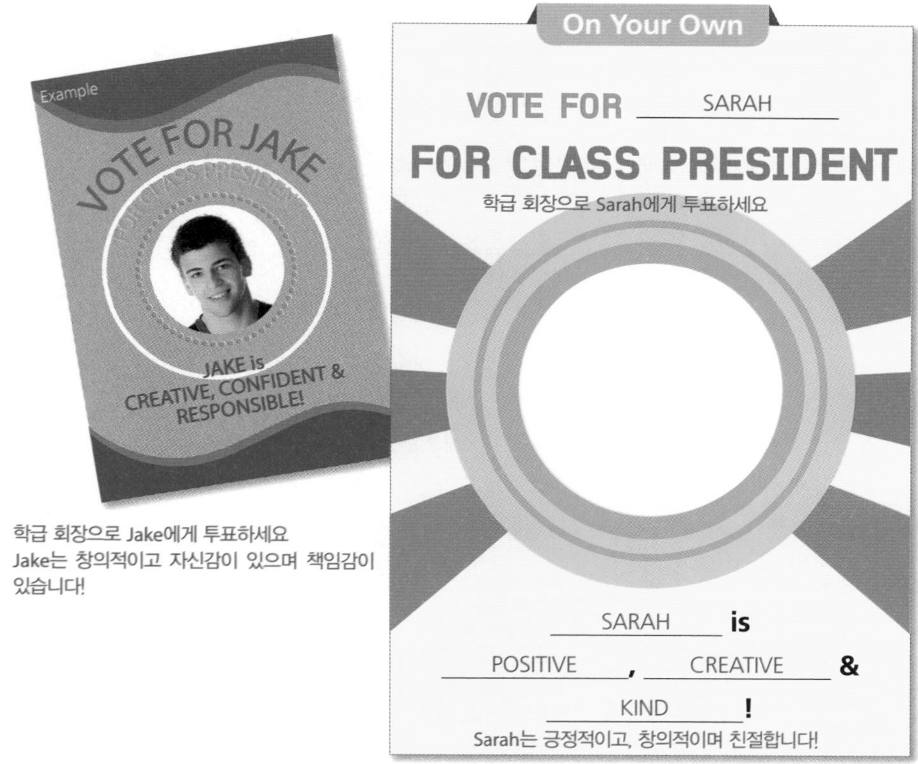

Example
VOTE FOR JAKE
FOR CLASS PRESIDENT
JAKE is
CREATIVE, CONFIDENT &
RESPONSIBLE!
On Your Own
VOTE FOR SARAH
FOR CLASS PRESIDENT
학급 회장으로 Sarah에게 투표하세요
SARAH is
POSITIVE, CREATIVE &
KIND!
Sarah는 긍정적이고, 창의적이며 친절합니다!

학급 회장으로 Jake에게 투표하세요
Jake는 창의적이고 자신감이 있으며 책임감이 있습니다!

Step 4 **Present your poster to the class.** 포스터를 학급에 전시해 봅시다.

Self-Check

I can ask others how satisfied they are with something. 다른 사람이 어떤 것에 얼마나 만족했는지 물을 수 있다.	☐ Yes ☐ No ➡ Listen & Speak 1
I can express what others have to do. 다른 사람이 무엇을 해야 하는지 표현할 수 있다.	☐ Yes ☐ No ➡ Listen & Speak 2

어구

based on ~에 기초하여
- **The film is *based on* a short story by Thomas Mann.** (그 영화는 **Thomas Mann**의 단편 소설에 기초하고 있다.)

support 동 지지하다
classmate 명 급우
include 동 포함하다

Language in Focus

교과서 pp.16-17

A Guess the meanings of the words in bold from the contexts.

굵게 표시된 단어의 뜻을 문맥에서 추측해 봅시다.

1. I want to do something to help me **overcome** my shyness.
나는 부끄러움을 극복하는 데 도움이 되는 무언가를 하고 싶어.

He managed to **overcome** all difficulties in his path to the top.
그는 정상까지 가는 길의 모든 어려움을 가까스로 극복했다.

overcome: 극복하다

2. Offer **reasonable** ways to solve those problems.
그 문제들을 해결하기 위한 합리적인 방법들을 제시하라.

A **reasonable** person wouldn't believe such nonsense.
합리적인 사람은 그런 터무니없는 이야기를 믿지 않을 거야.

reasonable: 합리적인

| 구문 해설 |

- Offer reasonable ways **to solve** those problems.: to solve는 reasonable ways를 수식하는 형용사적 용법의 to부정사이다.
- **A reasonable person** wouldn't believe such nonsense.: 평범한 직설법 문장으로 보이지만 사실은 주어가 가정법의 조건절과 같은 역할을 하고 있다. 즉 주어 A reasonable person은 '어떤 사람이 합리적인 사람이라면'이라는 뜻이다.

어구

shyness ⓜ 부끄러움

manage to 가까스로 ~하다

- The small dog ***managed to*** survive the fire. (그 작은 개는 불길 속에서 가까스로 살아남았다.)

path ⓜ 길, 행로

offer ⓢ 제시하다, 제공하다

nonsense ⓜ 터무니없는 이야기

힌트

overcome은 '극복하다'라는 뜻의 동사이고, reasonable은 '합리적인'이라는 뜻의 형용사이다.

B Circle the appropriate words.

적절한 단어에 동그라미 표시를 해 봅시다.

1. I felt like I had [butterflies / bees] in my stomach.
나는 조마조마하였다.

2. While other candidates were [passing / delivering] their speeches, I could not pay attention to them.
다른 후보자들이 연설하는 동안, 나는 그들에게 집중할 수 없었다.

3. I look forward [to / for] another chance in the next election.
나는 다음 선거에서 또 다른 기회를 가질 것을 고대한다.

On Your Own Write your own sentences using the words and expressions given in A and B.
A와 B의 단어와 표현을 사용하여 자신만의 문장을 써 봅시다.

Sample

I keep trying to overcome my laziness. 나는 내 게으름을 극복하려고 계속 노력한다.
I had butterflies in my stomach when I entered the house.
나는 집에 들어갈 때 긴장했다.

| 구문 해설 |

- I look forward **to another chance** in the next election.: to는 전치사이므로 뒤에 명사(구)나 동명사(구)가 와야 한다.
  e.g. I look forward to **meeting** you soon. (곧 당신을 만날 것을 고대합니다.)

어구

candidate ⓜ 후보

힌트

have a butterfly in one's stomach 조마조마하다, 긴장하다

deliver a speech 연설하다

look forward to ~을 기대하다

Word Study

C **Pay attention to the words in bold and talk with your partner about how they are used.** 굵게 표시된 단어에 집중해서 그것들이 어떻게 사용되었는지 짝과 이야기해 봅시다.

- The tour **includes** a boat trip to the beautiful island off the coast.
  그 여행은 해안에서 떨어진 아름다운 섬까지 가는 보트 여행을 포함한다.
  As class president, I will listen to everybody's voice, **including** those of shy students.
  학급 회장으로 나는 수줍음 많은 학생의 목소리를 포함하여 모두의 목소리를 듣겠습니다.
- Her parents always **regarded** her as the smartest of their children.
  그녀의 부모님은 항상 그녀를 자식 중 가장 똑똑한 자식으로 여겼다.
  Important decisions **regarding** field trips are made by just a few students.
  현장 학습에 관한 중요한 결정들이 그저 몇 명의 학생에 의해 이루어진다.

◎ Complete the sentences using the given words.
주어진 단어를 사용하여 문장을 완성해 봅시다.

1. Five people are coming, __including__ John. (include)
   John을 포함하여 다섯 사람이 오고 있다.
2. The place we are staying at __includes__ free breakfast. (include)
   우리가 머무르고 있는 그곳은 무료 조식을 포함한다.
3. I have a question __regarding__ the project. (regard)
   그 프로젝트에 관한 질문이 있어요.

⊕ Think of more words like *including* and *regarding*.
'including(~을 포함하여)'과 'regarding(~에 관하여)' 같은 단어를 더 생각해 봅시다.

Word Group

considering ~을 고려하면
concerning ~에 관하여
following ~에 이어서

| 구문 해설 |

- The place we are staying at includes free breakfast.: The place includes free breakfast.와 We are staying at the place.라는 두 문장을 한 문장으로 만든 것이다.

어구

off the coast 해안에서 떨어진
shy 형 부끄럼 많은, 소심한
regard 동 여기다, ~으로 생각하다
decision 명 결정
field trip 현장 학습

힌트

동사에 -ing가 붙어 전치사가 된 형태이다.

힌트

2의 경우 문장의 동사가 없으므로 빈칸에 동사가 들어가야 한다.

Grammar Study 1

D **Compare the following pairs of sentences and find the difference between them.** 문장들을 비교해 보고 차이점을 찾아봅시다.

- **I never once considered** being class president before.
  = **Never did I once consider** being class president before.
  나는 이전에 단 한 번도 학급 회장이 되는 것을 생각해 본 적이 없었다.
- **I knew little** about his skill at giving speeches.
  = **Little did I know** about his skill at giving speeches.
  나는 그의 연설 기술에 관해 거의 알지 못했다.

◎ Based on your findings, complete the sentences.
알아낸 바에 근거하여 문장을 완성해 봅시다.

1. I never expected to work as an actor.
   나는 배우로 일하게 될 거라고 결코 예상치 못했다.
   ⇨ Never __did I expect__ to work as an actor.
2. He knew little about the importance of the election.
   그는 그 선거의 중요성에 관해 거의 알지 못한다.
   ⇨ Little __did he know__ about the importance of the election.

어구

consider 동 생각해 보다, 고려하다
give a speech 연설하다
expect 동 예상하다
명 **expectation** 기대
actor 명 남자 배우
cf. **actress** 명 여자 배우

힌트

부정어가 문장의 앞으로 나가게 되면 「부정어+조동사+주어+동사원형」의 순서로 바뀌게 된다.

Language in Focus

| 구문 해설 |

- He knew **little** about the importance of the election.: little에 부정관사 a를 붙이면 '조금의, 약간의'와 같이 긍정적인 의미를 갖지만, 부정관사 없이 쓰면 '거의 없는'과 같이 부정적인 의미를 가진다.

Grammar Point

부정어 도치

'결코 ~ 아니다', '거의 ~ 아니다' 등의 뜻을 가진 never, no, not, rarely, seldom, hardly, little, few 등의 부정어가 문장 맨 앞에 오면 「부정어+조동사+주어+동사원형」 순으로 도치가 일어난다. 평서문의 동사가 be동사나 조동사일 때는 be동사와 조동사가 주어 앞으로 이동하는데, 일반동사일 때는 do동사를 사용한다.

e.g. He rarely got up early in the morning. (그는 아침에 일찍 일어난 적이 거의 없었다.)
→ **Rarely did he get** up early in the morning.

Grammar Study 2

E **Compare the following pairs of sentences and find the difference between them.** 문장들을 비교해 보고 차이점을 찾아봅시다.

- **The photo** found in the house **was** taken fifty years ago.
  집 안에서 발견된 그 사진은 50년 전에 촬영되었다.
  All the photos found in the house **were** taken fifty years ago.
  집 안에서 발견된 모든 사진은 50년 전에 촬영되었다.
- **An important decision** regarding student issues **is** made by just a few students.
  학생 쟁점들에 관한 중요한 결정이 소수의 학생에 의해 이루어진다.
  Important decisions regarding student issues **are** made by just a few students.
  학생 쟁점들에 관한 중요한 결정들이 소수의 학생에 의해 이루어진다.

◉ Based on the difference you found, circle the appropriate words.
알아낸 차이점에 근거하여 적절한 단어에 동그라미 표시를 해 봅시다.

One of the most common errors people make when giving a speech [is / are] they rush through their presentation. Talking in front of many people [take / takes] a lot of courage, but you need to speak slowly so that people can follow what you are saying.
사람들이 연설할 때 하는 가장 흔한 실수 중 하나는 발표 중 너무 급하게 달려가는 것이다. 많은 사람 앞에서 말하는 것은 큰 용기가 필요하지만, 사람들이 당신이 말하는 것을 따라올 수 있도록 천천히 말할 필요가 있다.

| 구문 해설 |

- One of the most common errors people make when giving a speech is they rush through their presentation.: errors와 people 사이에는 관계대명사 that이, 그리고 when과 giving 사이에는 you are가 생략되어 있다.

Grammar Point

긴 수식어를 가진 주어와 동사의 수 일치

주어가 관계사절이나 형용사구 등 긴 수식어구의 수식을 받는 경우, 그 긴 수식어구에 현혹되지 말고 주어와 동사의 수를 정확히 일치시켜야 한다.

e.g. **Using** appropriate body language really **strengthens** your message. (적절한 몸짓을 사용하는 것은 너의 메시지를 정말로 강력하게 한다.)

어구

photo ⓜ 사진
issue ⓜ 쟁점
common ⓗ 흔한
- His name was Hansen, a ***common*** name in Norway. (그의 이름은 노르웨이에서는 흔한 이름인 Hansen이었다.)

error ⓜ 실수
rush ⓓ 달려가다, 돌진하다
presentation ⓜ 발표
a lot of 많은
courage ⓜ 용기
so that ~할 수 있도록
- Accept challenges ***so that*** you can feel the joy of victory. (승리의 기쁨을 느낄 수 있도록 도전을 수용하라.)

힌트

첫 문장의 주어는 One이고, 두 번째 문장의 주어는 동명사 Talking으로 둘 다 단수 취급한다.

Before You Read

교과서 p.18

A Match each quote with who said it and then talk about the meanings of the quotes with your partner.

인용문과 그 인용문을 말한 사람을 연결한 후 짝과 인용문의 의미에 관해 이야기해 봅시다.

1. Writing anything really good is like learning an instrument. You've got to be prepared for hitting wrong notes occasionally, or quite a lot. That's just part of the learning process.

정말 좋은 글을 쓴다는 것은 악기를 배우는 것과 같습니다. 당신은 가끔 또는 꽤 여러 번 엉뚱한 음을 누를 각오가 되어 있어야 합니다. 그것은 그저 학습 과정의 일부입니다.

2. Let us not take this planet for granted. I do not take tonight for granted. Thank you so very much.

우리 별[지구]을 당연하게 여기지 맙시다. 저는 오늘 밤을 당연하게 여기지 않습니다. 대단히 감사합니다.

ⓐ 

Leonardo DiCaprio, American actor who won an Oscar, 2016
2016년 오스카상을 받은 미국 배우

ⓑ 

J. K. Rowling, author of the *Harry Potter* series
'해리 포터' 시리즈의 저자

어구

instrument ⓜ 악기, 도구
be prepared for ~할 준비가 되어 있다
note ⓜ 음, 음표
occasionally ⓟ 가끔
ⓤ **sometimes, from time to time, every now and then**
process ⓜ 과정, 절차
take ... for granted ~을 당연하게 여기다

힌트

2는 오스카상 수상식에서 남우주연상을 받은 사람이 한 연설 중 일부이다.

B Reading Strategy: Previewing 읽기 전략: 미리 보기

Suppose you are at a library. You want to find a novel to read. What do you do? You look at titles and covers of novels. Then you pick one to try to figure out what the book is about. This is called previewing. Previewing means looking at the titles, headings, and pictures to get a sense of the content of a book.

당신이 도서관에 있다고 가정해 보자. 당신은 읽을 소설을 찾고 싶다. 당신은 무엇을 하는가? 당신은 소설들의 제목과 표지를 바라본다. 그런 다음 책 한 권을 꺼내 그 책이 무엇에 관한 것인지 알고자 노력한다. 이것은 미리 보기라고 불린다. 미리 보기는 책의 내용을 짐작하기 위해 제목, 표제, 그림들을 보는 것을 의미한다.

(Johanna Hurwitz, *The Mystery of the Missing Lunch*)
사라진 점심 도시락의 비밀

e.g. Look at the page to the right and guess what the story is about.
페이지 오른쪽을 보고 무엇에 관한 이야기인지 추측해 봅시다.

◈ Preview p.19 to p.20. From the title, headings, and pictures, guess the content of the story.

19쪽에서 20쪽까지 미리 보기를 한 후 제목, 표제, 그림들로부터 이야기의 내용을 추측해 봅시다.

어구

previewing ⓜ 미리 보기
suppose ⓢ 가정하다
novel ⓜ 소설
figure out 알아내다, 이해하다
heading ⓜ 표제
get a sense of 짐작하다, 엿보다
content ⓜ 내용

| 구문 해설 |

• Then you pick one to try to figure out **what** the book is about.: what은 의문사이며 what절은 figure out의 목적어 역할을 한다.

Reading

교과서 p.19

Eugene's First Class President Election

D-10: Election date announced

❶ Today my teacher announced that the class president election is coming up. ❷ Actually, never did I once consider being class president before. ❸ However, this year I started thinking about it [because I want to do something to help me overcome my shyness]. ❹ Therefore, I put my name on the list to run for class president. ❺ Some of the other candidates are experienced and popular. ❻ So this probably won't be easy.

(that the class president election is coming up: announced의 목적어 역할을 하는 명사절 / never did I once consider: 부정어 도치 구문(= I never once considered ...) / started thinking: = started to think / it: = being class president / [because ...]: 이유 부사절 / to help me overcome: 부사적 용법의 to부정사 / help+목적어+목적격 보어(동사원형) / to run for: 부사적 용법의 to부정사(~하기 위해서) / Some of the other candidates are: some of+복수 명사 ⇒ 복수로 받음 / this: = president election)

Q Why did Eugene decide to run for class president?
왜 유진이는 학급 회장에 출마하기로 결심했는가?

정답: It's because he wants to do something to help him overcome his shyness.
그것은 그가 자신의 수줍은 성격을 극복하기 위해 뭔가를 하고 싶기 때문이다.

해석

유진이의 첫 번째 학급 회장 선거

D-10: 선거 일이 공지되다

❶ 오늘 선생님이 학급 회장 선거가 다가온다고 말씀하셨다. ❷ 사실, 나는 이전에 단 한 번도 학급 회장이 되는 걸 생각해 본 적이 없었다. ❸ 그렇지만 올해는 수줍은 성격을 극복하기 위해 뭔가를 하고 싶어서 학급 회장이 되는 것에 관해서 생각해 보기 시작했다. ❹ 그래서 나는 회장 선거 후보 명단에 내 이름을 올렸다. ❺ 다른 후보 중 몇몇은 경험이 있고 인기가 많았다. ❻ 그래서 이번 선거는 아마 쉽지 않을 것이다.

Pay Attention

L3 Actually, **never did I once consider** being class president before.

➡ 부정어가 문장 맨 앞에 오면 「부정어+조동사+주어+동사원형」 순으로 문장의 순서가 바뀐다.

어구

election 명 선거

announce 동 공표하다
- She surprised everyone by ***announcing*** she was leaving her job. (그녀는 직장을 떠나겠다고 공표하여 모두를 깜짝 놀라게 했다.)

consider 동 고려하다, 간주하다

overcome 동 극복하다
유 get over

candidate 명 후보자

experienced 형 경험 많은, 숙련된

put one's name on the list 명부에 이름을 올리다

run for ~에 출마하다
- When I grow up, I will ***run for*** mayor of my town. (어른이 되면, 나는 우리 시의 시장에 출마할 거야.)

구문 연구

❷ Actually, **never did I once consider** being class president before.

부정어 never가 앞으로 이동하여 주어 앞에 조동사 did가 나타나는 부정어 도치 문장이다. 부정어가 앞으로 이동하는 이유는 '결코 그런 적이 없다'라고 부정의 의미를 강조하기 위함이다. 원래 문장은 Actually, I never once considered이다.

❸ However, this year I **started thinking** about **it** because I want to do something **to help** me **overcome** my shyness.

동사 start는 목적어로 동명사와 to부정사를 모두 쓸 수 있는데, 여기서는 동명사가 목적어로 쓰였다. it은 앞 문장의 being class president를 지칭하며, to help는 '~하기 위하여'라는 뜻의 부사적 용법의 to부정사이다. help는 목적어와 목적격 보어를 취하는 5형식 동사로 쓰였는데, 여기서는 동사원형이 목적격 보어로 왔다.

❺ **Some of the other candidates are** experienced and popular.

'약간, 일부분'이라는 뜻을 가진 some은 단수, 복수로 모두 쓰일 수 있는데 some of 뒤에 오는 명사의 수를 보고 단수, 복수를 판단한다. 즉 「some of+단수 명사」로 쓰일 때 some은 단수, 「some of+복수 명사」로 쓰일 때 some은 복수로 취급한다. some of와 같이 뒤에 오는 명사에 따라 수가 결정되는 것으로는 all, most, half, other, the rest 등이 있다. 분수 또한 마찬가지다.

e.g. Some of **the apple is** rotten. (그 사과의 일부가 썩었다.)
Some of **the apples are** rotten. (그 사과 중 몇 개가 썩었다.)

Grammar Check

부정어 도치

'결코 ~ 아니다', '거의 ~ 아니다' 등의 뜻을 가진 **never, no, not, rarely, seldom, hardly, little, few** 등의 부정어가 문장 맨 앞에 오면 「부정어+조동사+주어+동사원형」 순으로 도치가 일어난다. 평서문의 동사가 **be**동사나 조동사일 때는 **be**동사와 조동사가 주어 앞으로 이동하고, 일반동사일 때는 **do**동사를 사용한다.

• **be**동사일 때

e.g. **He was never hesitant to say what he thought.**
→ **Never was he hesitant to say what he thought.**
(그는 자신이 생각하는 것을 말하는 데 결코 주저하지 않았다.)

• 조동사일 때

e.g. **In the city, you can rarely see the stars.**
→ **In the city, rarely can you see the stars.**
(도시에서는 별을 거의 볼 수 없다.)

• 일반동사일 때

e.g. **She seldom talks about herself.**
→ **Seldom does she talk about herself.**
(그녀는 자신에 관해 거의 말하지 않는다.)

Check Up

01 네모 안에서 적절한 것을 고르시오.

(1) Some of the buttons on my laptop [is / are] not working.

(2) More than half of the city [was / were] destroyed during World War Ⅱ.

(3) Nearly one-third of the world's crops [is / are] dependent on honeybees for pollination.

02 우리말과 일치하도록 괄호 안의 어구를 순서대로 배열하시오.

그곳에서 그를 보게 될 것을 결코 예상치 못했다.
(did, I, him, never, expect, to see, there)

→ ____________________

교과서 p.20

D-5: Preparing for my speech

❶ I wondered how I could win the election, so I asked my older sister for help. ❷ When she was in high school, she was elected class president a couple of times. ❸ She stressed that I should focus on my speech. ❹ Little did I know that she was good at giving speeches, but I trusted her. ❺ She gave me some useful tips.

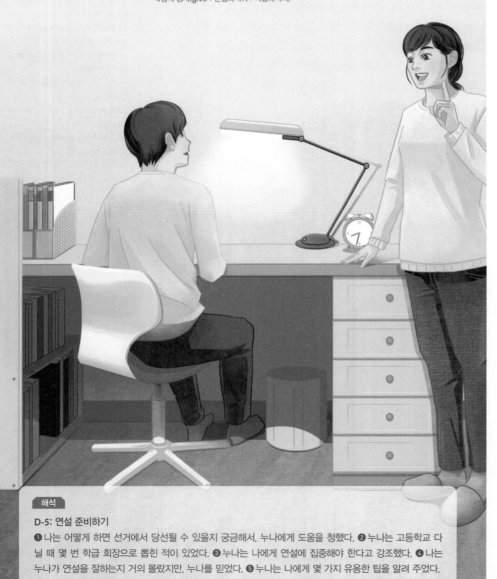

간접의문문(의문사+주어+동사)
ask *A* for *B*: A에게 B를 요청하다
생략 가능
수동태
stressed의 목적어절
부정어 도치 구문 (= I knew little ...)
be good at: ~을 잘하다
4형식 동사(give+간접목적어+직접목적어)

해석

D-5: 연설 준비하기

❶나는 어떻게 하면 선거에서 당선될 수 있을지 궁금해서, 누나에게 도움을 청했다. ❷누나는 고등학교 다닐 때 몇 번 학급 회장으로 뽑힌 적이 있었다. ❸누나는 나에게 연설에 집중해야 한다고 강조했다. ❹나는 누나가 연설을 잘하는지 거의 몰랐지만, 누나를 믿었다. ❺누나는 나에게 몇 가지 유용한 팁을 알려 주었다.

Pay Attention

L5 Little did I know that she was good at giving speeches, but I trusted her.

➡ 부정어가 문장 맨 앞에 오면 「부정어+조동사+주어+동사원형」 순으로 도치가 일어난다.

어구

stress 동 강조하다
유 **emphasize**

tip 명 조언, 묘책
· **He gave me a useful *tip* for growing tomatoes.** (그는 토마토를 키우는 것에 관한 유용한 조언을 내게 해 주었다.)

prepare for ~을 준비하다

a couple of 두 개의

give a speech 연설하다
유 **deliver a speech**
· **She *gave a speech* in French at the conference.** (그녀는 학회에서 프랑스어로 연설했다.)

구문 연구

❶ I wondered **how I could win the election**, so I **asked** my older sister **for** help.
how I could win the election만 떼어서 완전한 문장을 만들면 How could I win the election?(내가 어떻게 하면 선거에서 당선될 수 있을까?)이라는 의문문이 된다. 의문문이 평서문에 들어와 wondered의 목적어로 쓰이고 있으며, 이렇게 의문문이 다른 문장의 일부가 된 경우를 간접의문문이라고 한다. 간접의문문은 의문문의 어순이 아니라 「의문사+주어+동사」의 평서문 어순을 취하는 점에 유의한다. ask *A* for *B*는 'A에게 B를 요청하다'라는 뜻의 표현이다.

❷ When **she was** in high school, she **was elected class president** a couple of times.
When으로 시작하는 부사절과 주절의 주어가 일치하고 be동사가 쓰였으므로 부사절의 주어와 동사인 she was는 생략할 수 있다. was elected는 수동태이며 동사 elect는 「elect+목적어(사람)+목적격 보어((to be)+직책)」의 형태로 사용된다. 즉 이 문장에서는 class president 앞에 to be가 생략되어 있다.

❸ She stressed **that** I should **focus on** my speech.
that 이하는 stressed의 목적어절이다. focus on은 '~에 집중하다'라는 뜻이다.

❹ **Little did I know** that she was good at giving speeches, but I trusted her.
부정어 little이 부정적 의미를 강조하기 위해 앞으로 이동한 부정어 도치 문장이다. 도치가 일어나지 않았다면 다음과 같이 「주어+부정어+동사」의 형태가 된다.
I little knew that she was good at giving speeches, but I trusted her.

❺ She **gave** me some useful tips.
give는 4형식으로 사용되는 동사로, 이 문장에서 me는 간접목적어, some useful tips는 직접목적어이다. 4형식 문장은 대개 의미에 큰 차이 없이 전치사를 이용하여 3형식 문장으로 바꿔 쓸 수 있다.
➡ She gave some useful tips (목적어) to me (부사구).
〈give+직접목적어(some useful tips)+전치사+간접목적어(me)〉

Grammar Check

›간접의문문
간접의문문은 의문문이 다른 문장에 들어가 그 문장의 일부로 쓰이는 경우를 말한다. 의문사가 있는 의문문은 「의문사+주어+동사」의 형태가, 의문사가 없는 의문문은 「**if/whether**+주어+동사」의 형태가 된다.
• 의문사가 있을 때
e.g. **What does Cindy want to be?** (Cindy는 무엇이 되고 싶어 하니?)
→ **I don't know what Cindy wants to be.** (나는 Cindy가 무엇이 되고 싶어 하는지를 모른다.)
• 의문사가 없을 때
e.g. **Does he like *gimchi*?** (그가 김치를 좋아하니?)
→ **I don't know if he likes *gimchi*.** (나는 그가 김치를 좋아하는지 모른다.)

›부사절에서 주어, 동사의 생략
when, though, while 등으로 시작하는 부사절의 주어가 주절의 주어와 같고, 동사가 **be**동사일 때 주어와 동사를 생략할 수 있다.
e.g. **While (I was) reading the article, I was reminded of my father's birthday.** (그 기사를 읽다가 나는 아버지의 생신이 떠올랐다.)
Though (he was) full, he couldn't stop eating the ice cream. (비록 배가 불렀지만, 그는 아이스크림 먹는 것을 멈출 수 없었다.)

Check Up

01 네모 안에서 적절한 것을 고르시오.

(1) They don't know what [the picture means / does the picture mean] to me.
(2) Can you tell me if [did I make / I made] any mistakes?
(3) I wonder how long [it will / will it] take to finish the work.

02 우리말과 일치하도록 괄호 안의 어구를 순서대로 배열하시오.

그 질문을 받았을 때 그는 기억이 나지 않는다고 말했다.
(he couldn't remember, the question, when asked, he said)

→ ______________________________

Reading

교과서 p.21

Tip 1 ❶ Concentrate on your classmates' needs, not yours. ❷ Choose two or three main problems. ❸ Then, offer reasonable ways to solve them.

not on your needs의 축약형

Tip 2 ❹ Keep your messages clear. ❺ Use short sentences and phrases such as 'As your class president ...' and 'My goal is ... .'

5형식 동사+목적어+목적격 보어 / ~와 같은

Tip 3 ❻ Use pauses. ❼ Particularly, pause before introducing your most important points. ❽ The brief stops will help your classmates follow you more closely.

전치사 / before의 목적어(동명사) / help+목적어+목적격 보어(동사원형)

Tip 4 ❾ Practice using effective body language and eye contact. ❿ Using appropriate body language really strengthens your message. ⓫ Also, maintaining eye contact with the students enables them to feel (that) you're trustworthy.

동명사(practice의 목적어) / 주어(동명사) / 단수 동사 / 주어(동명사) / 단수 동사 / 목적격 보어

Q Why are pauses important before introducing important points?
중요한 부분을 이야기하기 전에 멈추는 것이 왜 중요한가?

정답: It's because the brief stops help your classmates follow you more closely.
왜냐하면, 잠시 멈추는 것이 학급 친구들이 너의 말을 더 주의 깊게 따라오도록 돕기 때문이다.

Q+ Besides the four speech tips given above, what other tips can you think of? 위에 주어진 네 가지 연설 요령 외에 어떤 다른 요령이 생각나는가?

Sample Practice your speech in advance in front of a small group of people.
작은 규모의 사람들 앞에서 미리 연설을 연습하라.

해석

팁1 ❶ 네가 원하는 것이 아닌 너의 반 친구들이 원하는 것에 집중해. ❷ 두세 가지의 주요 문제를 골라. ❸ 그러고 나서 그것들을 해결할 수 있는 합리적인 방법을 제시해.

팁2 ❹ 너의 의견을 명확하게 전달해라. ❺ '여러분의 학급 회장으로서', '제 공약은'과 같은 짧은 문장과 어구를 사용해.

팁3 ❻ 잠시 멈추기를 사용해. ❼ 특히 너의 말 중 가장 중요한 부분을 이야기하기 전에 잠시 멈춰. ❽ 잠시 멈추는 것은 학급 친구들이 너의 말을 더 주의 깊게 따라오도록 도와줄 거야.

팁4 ❾ 효과적인 몸짓과 눈 맞춤을 연습해. ❿ 적절한 몸짓을 사용하는 것은 너의 메시지를 정말로 강력하게 해 줘. ⓫ 또한 학생들과 눈 맞춤을 유지하는 것은 그들이 네가 매우 신뢰 있는 사람이라고 느끼게 해 줘.

Pay Attention

L11 **Using** appropriate body language really **strengthens** your message.

L12 Also, **maintaining** eye contact with the students **enables** them to feel you're trustworthy.

➡ Using, maintaining과 같은 동명사 주어는 단수로 취급하여 동사도 단수에 맞춰 쓴다.

어구

reasonable ⓗ 합리적인 ⓤ **rational** ⓑ **unreasonable**

goal ⓜ 목표

pause ⓜ 일시 정지 ⓓ 일시 정지[중단]하다

contact ⓜ 접촉

enable ⓓ 가능하게 하다
- **The machine *enables* us to create copies without losing quality.** (그 기계는 품질의 손상 없이 복제품을 만들 수 있게 해 준다.)

trustworthy ⓗ 신뢰할 수 있는 ⓤ **credible**

concentrate on ~에 집중하다

구문 연구

❶ Concentrate on your classmates' needs, **not yours**.
yours는 your needs를 가리킨다. yours 앞에는 반복을 피하기 위해 on이 생략되었다.

❸ Then, offer reasonable ways **to solve** them.
to solve는 reasonable ways를 수식하는 형용사적 용법의 to부정사이다.

❹ **Keep your messages clear**.
keep은 5형식 동사로 your messages가 목적어, clear가 목적격 보어이다.

❼ Particularly, pause **before introducing** your most important points.
전치사 뒤에 오는 동사는 전치사의 목적어이므로 동명사 형태가 되어야 하므로 전치사 before 뒤에 동명사 introducing이 사용되었다.

❽ The brief stops will **help** your classmates **follow** you more closely.
help는 준사역동사로 목적격 보어로 to부정사와 동사원형 모두 쓸 수 있다. 여기서는 동사원형 follow가 왔다.

❾ **Practice using** effective body language and eye contact.
using은 Practice의 목적어로 쓰인 동명사이다.

❿ **Using** appropriate body language really **strengthens** your message.
Using은 이 문장의 주어이며 동명사인데, 동명사 주어는 단수 취급한다. 주어가 단수이므로 동사 strengthens가 왔다.

⓫ Also, **maintaining** eye contact with the students **enables** them **to feel** you're trustworthy.
문장의 주어는 동명사 maintaining이므로 동사 enables가 왔다. 주어와 동사 사이가 멀고 중간에 복수 명사가 있지만, 주어의 수에 영향을 주지 않으므로 주의해야 한다. enable은 5형식 동사로 쓰여 목적격 보어로 to부정사(to feel)를 취한다. feel과 you're 사이에는 명사절 접속사 that이 생략되어 있다.

Grammar Check

긴 수식어구를 가진 주어와 동사의 수 일치

문장의 주어가 긴 수식어구의 수식을 받으면 주어와 동사 사이의 거리가 멀지만, 그럼에도 불구하고 주어와 동사의 수는 일치시켜야 한다. 즉 주어가 복수이면 복수 동사를, 주어가 단수이면 단수 동사를 사용한다. 주어를 수식하는 수식어구로는 관계사절, 현재분사, 과거분사, to부정사구, 형용사구, 전치사구, 동격절이 있다.

- 주어가 관계사절의 수식을 받을 때

e.g. **The books [I borrowed from the library] are missing.**
(내가 도서관에서 빌린 책들이 분실되었다.)

- 주어가 과거분사의 수식을 받을 때

e.g. **Many words [used in English] are borrowed from other languages.** (영어에서 사용되는 많은 단어가 실은 다른 언어에서 차용된 것이다.)

- 주어가 to부정사구의 수식을 받을 때

e.g. **The best way [to look at the stars] is to lie on the ground in an open field, far from the lights of the city.**
(별을 바라보는 최선의 방법은 도시의 빛에서 멀리 떨어진 탁 트인 벌판의 땅에 눕는 것이다.)

Check Up

01 다음 문장에서 틀린 부분을 찾아 바르게 고치시오.

(1) Understanding different cultures are not easy but very important.

(2) Watching foreign movies are a great way to learn a new language.

02 우리말과 일치하도록 주어진 어구를 활용하여 영작하시오.

> 적절한 몸짓을 이용하는 것은 그들이 너의 메시지를 이해하는 데 도움이 된다.
>
> (understand, your message, help, using appropriate body language)

→ ______________________________

교과서 p.22

D-Day: Delivering my speech

❶ I felt like I had butterflies in my stomach. ❷ While other candidates were delivering their speeches, I could not pay attention to them. ❸ When it was my turn, I took a deep breath and started my speech.

(felt like: ~할 것 같다 / have butterflies in one's stomach: 긴장되다 / delivering: 연설하다 / pay attention to: ~에 집중하다 / turn: 차례 / took a deep breath: 심호흡하다)

❹ My fellow classmates, my name is Eugene Park.

❺ I would like to be your sophomore class president. ❻ As some of you may know, I don't have any student council experience like most of the other candidates. ❼ However, I believe I would make the best president because I clearly understand your needs. ❽ The class president should not only be your representative, but also your friend.

(would like to: ~하고 싶다 / As: 접속사(~하는 것과 같이) / like: 전치사(~처럼) / make: 2형식 동사(~이 되다) / the best president: 보어 / not only A but also B: A뿐만 아니라 B도)

Q Why does Eugene think he would make the best president?
왜 유진이는 자신이 최고의 학급 회장이 될 것으로 생각하나?

정답: He thinks so because he clearly understands students' needs.
자신이 학생들의 요구 사항을 정확히 이해하기 때문에 그렇게 생각한다.

해석

D-Day: 연설하기

❶ 나는 속이 조마조마했다. ❷ 다른 후보들이 연설할 때, 나는 그들의 연설에 집중할 수가 없었다. ❸ 내 차례가 되자, 나는 숨을 깊이 들이쉬고 연설을 시작했다.

❹ 급우 여러분, 저는 박유진입니다.

❺ 저는 여러분의 2학년 학급 회장이 되고 싶습니다. ❻ 여러분 중 몇몇이 알고 있듯이, 저는 대부분의 다른 후보들처럼 학생 회 경험이 전혀 없습니다. ❼ 하지만 저는 여러분의 요구 사항을 정확히 이해하기 때문에 최고의 회장이 되리라 믿습니다. ❽ 학급 회장은 여러분의 대표일뿐만이 아니라 여러분의 친구여야 합니다.

One More Step

L2 I felt like I had butterflies in my stomach.
= I was ________.
나는 속이 조마조마했다.
– 나는 ________.

ⓐ satisfied 만족한
ⓑ delighted 기쁜
✓ⓒ nervous 초조한
ⓓ regretful 후회하는

➡ have butterflies in one's stomach는 '긴장되어 속이 조마조마하다'라는 뜻이다.

어구

sophomore 명 2학년생

council 명 심의회, 위원회

representative 명 대표자
- We elected him to be our *representative.* (우리는 그를 우리 대표로 선출했다.)

have butterflies in one's stomach 속이 조마조마하다
- I *had butterflies in my stomach* before I gave that talk in Venice. (나는 베네치아에서 연설을 하기 전에 속이 조마조마했다.)

deliver a speech 연설하다

pay attention to ~에 집중하다
유 focus on

take a breath 숨을 쉬다

구문 연구

❶ I felt like I **had butterflies in my stomach.**
have butterflies in one's stomach는 글자 그대로의 뜻은 '배 속에 나비들이 있는 것 같다'는 것인데 긴장되어 마음속이 조마조마할 때 사용하는 표현이다.

❷ **While** other candidates were delivering their speeches, I could not pay attention to **them**.
While은 접속사로 '~하는 동안'이라는 뜻이다. them은 their speeches, 즉 '다른 후보자들의 연설'을 가리킨다.

❺ When it was my **turn**, I **took a deep breath** and started my speech.
turn은 '차례'라는 뜻의 명사로 쓰였고, take a deep breath는 '심호흡하다'라는 뜻의 표현이다.

❻ **As** some of you may know, I don't have any student council experience **like** most of the other candidates.
As는 접속사로 '~하는 것과 같이'라는 뜻이다. like는 전치사로 '~와 같은'이라는 뜻이다.

❼ However, I believe I would **make** the best president because I clearly understand your needs.
make는 '~이 되다'라는 뜻의 2형식 동사로 쓰였다. 따라서 뒤에 온 the best president는 목적어가 아니라 주격 보어이다.

❽ The class president should **not only** be your representative, **but also** your friend.
not only *A* but also *B*는 'A뿐만이 아니라 B도 역시'라는 뜻이다. *B* as well as *A*의 표현과 바꿔 쓸 수 있다. not only와 but also 뒤에 오는 표현은 문법적으로 동등한 병렬 구조를 이루어야 한다.

Grammar Check

›like *vs.* alike
like가 전치사로 쓰일 때는 '~처럼', '~와 같이'라는 뜻이며, 바로 뒤에 명사(구)가 목적어로 나와야 한다. 반면 **alike**는 형용사로 '~와 같은', '비슷한'이라는 뜻이며 명사를 수식하지 않고 서술적으로 쓰인다.
e.g. **I wish I could run like Usain Bolt.** (내가 우사인 볼트처럼 달릴 수 있으면 좋겠다.)
The two boys are alike in looks, but not in personality. (그 두 소년은 외모는 비슷하지만, 성격은 그렇지 않다.)

›make가 2형식 동사로 쓰이는 경우
동사 **make**가 **become**처럼 '~가 되다'라는 뜻으로 쓰일 때는 **become**처럼 바로 뒤에 보어가 나온다.
e.g. **The girl will make a good scholar.** (그녀는 훌륭한 학자가 될 거야.)
I'm sure Jeff and Betty will make a good couple. (나는 **Jeff**와 **Betty**가 훌륭한 부부가 될 거라고 확신해.)

Check Up

01 다음 문장에서 틀린 부분을 찾아 바르게 고치시오.

(1) Please stop acting alike a fool.

(2) Suppose that two countries were exactly like in every respect.

02 우리말과 일치하도록 주어진 어구를 활용하여 영작하시오.

연사의 말에 집중해 주세요.
(pay attention to, the speaker, what, says)

→ ______________________

Reading

교과서 p.23

❶ My goal is that as your class president, I will make sure (that) every student has a voice. ❷ Often, important decisions regarding student issues like field trips and school athletic events are made by just a few students. ❸ As class president, I will listen to every student's voice, including those of shy students. ❹ One method is by using various ways to collect opinions, such as notes and SNS messages.

❺ Also, one of my main goals as your class president will be to create a hobby day. ❻ We need to have more fun at school. ❼ So I plan on making a hobby day when we all have chances to do or enjoy each other's favorite hobbies. ❽ Experiencing one another's hobbies will allow us to get to know each other more deeply. ❾ So I hope in the distant future, we will say, "Hey, (do you) remember our sophomore year? That was very fun."

(보어절 / ~로서(자격) / 확실히 하다 / every: 단수 취급 / 단수 동사 / 주어 / ~에 관한(전치사) / ~와 같은(전치사) / 동사(수동태) / ~로서(자격) / ~을 포함하여(전치사) / = voices / 형용사적 용법 / ~와 같은 / 명사적 용법(보어) / 관계부사절 / 주어(동명사) / allow+목적어+목적격 보어(to부정사): ~에게 …하도록 허락하다)

Q For students to get to know each other more deeply, what does Eugene promise to create?
학생들이 서로를 더 깊이 알게 되도록 유진이는 무엇을 만들겠다고 약속하는가?

정답: He promises to create a hobby day. 그는 취미의 날을 만들겠다고 약속한다.

Q+ Are you for or against using SNS messages to collect students' opinions? Why?
여러분은 학생들의 의견을 모으기 위해 SNS 메시지를 사용하는 것에 찬성하는가, 반대하는가? 그 이유는?

Sample I'm for using SNS messages because information can be shared almost immediately. 정보가 거의 즉시 공유될 수 있기 때문에 나는 SNS 메시지 사용에 찬성한다.

해석

❶ 여러분의 학급 회장으로서 제 목표는 모든 학생이 자신의 목소리가 있음을 확실히 하겠다는 것입니다. ❷ 종종 현장 학습과 학교 운동회와 같은 학생 쟁점에 관한 중요한 결정들이 단지 소수의 학생에 의해 이루어집니다. ❸ 학급 회장으로서 저는 수줍음 많은 학생의 목소리를 포함해 모든 학생의 목소리를 듣겠습니다. ❹ 한 가지 방법은 쪽지나 SNS 메시지와 같은 의견을 모으는 다양한 방법들을 사용하는 것입니다. ❺ 또한, 여러분의 학급 회장으로서 제 주요 목표 중 하나는 바로 '취미의 날'을 만들겠다는 것입니다. ❻ 우리는 학교에서 좀 더 즐거움을 누릴 필요가 있습니다. ❼ 그래서 저는 학생들이 서로 가장 좋아하는 취미를 하거나 즐길 기회를 모두 가지는 '취미의 날'을 만드는 계획을 하고 있습니다. ❽ 서로의 취미를 경험해 보는 것은 우리가 서로를 더욱더 깊이 알 수 있도록 해 줄 것입니다. ❾ 그래서 저는 먼 미래에, 우리가 "야, 우리 2학년 때 기억나? 진짜 재밌었는데!"라고 이야기하기를 기대합니다.

Pay Attention

L2 Often, important decisions **regarding** student issues like field trips and school athletic events are made by just a few students.

➡ regarding은 전치사로 '~에 관한'이라는 뜻이다.

L4 As class president, I will listen to every student's voice, **including** those of shy students.

➡ including은 전치사로 '~을 포함하여'라는 뜻이다.

Highlight

L2&L5 Highlight the uses of the expression *every student* and compare them with the following:

- *All students* have their own voices.
- I will listen to *all students'* voices.

'every student' 표현에 표시하고 다음과 비교해 봅시다.

- 모든 학생이 자신의 목소리를 갖고 있다.
- 나는 모든 학생의 소리를 들을 것이다.

➡ every 다음에는 단수 명사가, all 다음에는 복수 명사가 온다.

어구

regarding 전 ~에 관하여

various 형 다양한
유 **diverse**

- **We had *various* problems on our journey, including a flat tire.** (우리는 여행 중에 타이어 펑크를 포함하여 다양한 문제를 겪었다.)

distant 형 먼
반 **near**

make sure 확실히 하다

field trip 현장 학습

구문 연구

❶ My goal is **that as** your class president, I will make sure every student has a voice.

that ... has a voice는 is의 보어로 쓰인 명사절이며, as는 '~로서'라는 뜻으로 자격을 나타내는 전치사이다. make sure 뒤에는 접속사 that이 생략되어 있다.

❷ Often, **important decisions regarding** student issues like field trips and school athletic events **are made** by just a few students.

regarding은 '~에 관하여'라는 뜻의 전치사이며, regarding ... events는 주어 important decisions를 수식하는 수식어구이다. 문장의 주어는 important decisions이며 동사는 수동태로 쓰인 are made이다. 긴 수식어구가 삽입되어 주어와 동사 사이의 거리가 상당히 멀기 때문에 주어와 동사의 수 일치에 주의해야 한다.

❸ As class president, I will listen to every student's voice, **including those** of shy students.

including은 전치사로 '~을 포함하여'라는 뜻이다. those는 바로 앞에 쓰인 명사 voice의 반복을 피하기 위해 사용된 대명사이며 voices를 나타낸다.

❹ One method is by using various ways **to collect** opinions, **such as** notes and SNS messages.

to collect는 various ways를 수식하는 형용사적 용법의 to부정사이고, such as는 '~와 같은'이라는 뜻이다.

❺ Also, one of my main goals as your class president will be **to create** a hobby day.

to create는 주격 보어로 쓰인 명사적 용법의 to부정사이며 '만드는 것'이라는 뜻이다.

❼ So I plan on **making** a hobby day **when** we all have chances to do or enjoy each other's favorite hobbies.

making은 바로 앞의 전치사 on의 목적어로 쓰인 동명사이다. when 이하는 관계부사절로 바로 앞의 a hobby day를 수식한다.

❽ **Experiencing** one another's hobbies will **allow us to get** to know each other more deeply.

Experiencing은 동명사 주어이다. allow는 「allow+목적어+목적격 보어(to부정사)」의 구조를 가지며 '~가 …하도록 허용하다'라는 뜻이다.

Grammar Check

>전치사로 쓰이는 현재분사

regarding(~에 관하여), **including**(~을 포함하여) 등은 원래 현재분사이지만, 뒤에 오는 명사와 함께 사용되는 전치사로 사용이 굳어진 경우이다. 이와 같은 단어들로는 **considering** (~을 고려하면), **concerning**(~에 관하여), **following**(~에 이어서) 등이 있다.

e.g. **My grandpa's attitudes are very modern, considering his age.** (우리 할아버지의 자세는 그의 연세를 고려하면 매우 현대적이시다.)

I've received a letter from the tax authorities concerning my tax returns. (나는 세금 환급에 관해서 세무서에서 우편물 한 통을 받았다.)

Oil prices are certain to rise following the agreement to limit production. (석유 가격이 생산 제한 협정에 이어서 확실히 오를 것이다.)

>allow *vs.* let

'~가 …하도록 허용하다'라는 뜻을 가지는 동사 **allow**는 언뜻 보면 **let**, **make**, **have** 등 사역동사와 비슷해 보인다. 그러나 **allow**는 사역동사가 아니며 사역동사와 다르게 목적격 보어로 **to**부정사를 취한다.

- **allow**+목적어+목적격 보어(**to**부정사)

e.g. **She doesn't allow her kids to watch TV late at night.** (그녀는 아이들이 밤늦게 **TV** 보도록 허용하지 않는다.)

- **let**+목적어+목적격 보어(동사원형)

e.g. **She doesn't let her kids watch TV late at night.** (그녀는 아이들이 밤늦게 **TV** 보도록 내버려 두지 않는다.)

Check Up

01 다음 문장에서 틀린 부분을 찾아 바르게 고치시오.

(1) The manager called a meeting regarded the project.

(2) She wrote a letter concerned the problem.

02 우리말과 일치하도록 주어진 어구를 활용하여 영작하시오.

나의 부모님은 내가 파티에 가도록 허용하지 않으신다.
(go to parties, allow, my parents)

→ ______________________

교과서 p.24

❶ Finally, [if ^ elected your class president], I will highly consider
(I am) 조건 부사절
your concerns. ❷ I will be a powerful voice because I'm just
the same as you. ❸ You can come to me for anything ^ you
~와 똑같은 (that)
ever need and I'll always be willing to listen and help. ❹ I hope
기꺼이 ~하다
^ you make the right choice. ❺ Vote for me, Eugene. ❻ Thank
(that)
you.

After the election

❼ Even though I didn't win the election, I learned many things
비록 ~이지만
about preparing for and delivering an election speech. ❽ Most
= preparing for an election speech + delivering an election speech
importantly, I feel more confident in myself and feel proud of
문장 부사 재귀 용법
myself. ❾ I look forward to another chance in the next election.
재귀 용법 ~을 기대하다(to는 전치사)

Q+ Which of Eugene's election promises do you think is the best? Why?
유진이의 선거 공약 중 어느 것이 가장 좋다고 생각하는가? 그 이유는?

Sample I think creating a hobby day is the best promise because it would allow students to have more fun at school.
나는 취미의 날을 만드는 것이 가장 좋은 공약이라고 생각하는데 왜냐하면 그것이 학생들로 하여금 학교에서 더 많은 재미를 갖게 해 줄 것이기 때문이다.

해석

❶ 마지막으로 제가 학급 회장으로 선출된다면, 저는 여러분의 고민을 크게 고려할 것입니다. ❷ 저는 여러분과 똑같은 사람이기 때문에 강력한 목소리가 될 것입니다. ❸ 여러분은 원하는 것이 있으면 언제든 저를 찾아오면 되고, 저는 항상 기꺼이 듣고 도와드릴 것입니다. ❹ 저는 여러분이 올바른 선택을 하길 바랍니다. ❺ 유진, 저에게 투표해 주세요. ❻ 감사합니다.

선거 후

❼ 비록 난 당선되지 못했지만, 선거 연설을 준비하고 연설하는 것에 관해 많은 것을 배웠다. ❽ 가장 중요한 것은, 나는 내 자신에 더욱더 자신감을 가지게 되었고 나에게 자부심을 느끼게 되었다는 것이다. ❾ 나는 다음 선거에서 또 다른 기회를 기대해 본다.

One More Step

L10 What could the expression *look forward to* be replaced with?
'look forward to'를 대체할 수 있는 것은 무엇인가?

ⓐ might miss 그리워할지 모른다
ⓑ rarely need 거의 필요하지 않다
✓ⓒ eagerly await 간절히 기다리다
ⓓ don't anticipate 기대하지 않다

➡ look forward to는 '~을 학수고대하다'라는 뜻이다.

어구

highly 부 크게, 대단히
- **The two men are *highly* suspicious of each other.** (그 두 사람은 서로를 몹시 의심한다.)

concern 명 걱정

confident 형 자신이 있는

be willing to 기꺼이 ~하다
- **They need an assistant who *is willing to* stay for six months.** (그들은 6개월 동안 기꺼이 머물 보조원이 필요하다.)

look forward to ~을 학수고대하다

구문 연구

❶ Finally, if elected your class president, I will highly consider your concerns.
if와 elected 사이에 I am이 생략되어 있다. 부사절에서 주어가 주절의 주어와 같고 동사가 be동사일 때 주어와 be동사를 생략할 수 있다.

❷ I will be a powerful voice because I'm just **the same as** you.
the same as는 '~와 같은'이라는 뜻으로 종류가 같음을 표현할 때 사용한다.

❸ You can come to me for anything you ever need and I'll always **be willings to** listen and help.
anything과 you 사이에 목적격 관계대명사 that이 생략되어 있다. be willing to는 '기꺼이 ~하다'라는 뜻이다. listen과 help가 모두 willing to에 이어지는 동사이다.

❼ **Even though** I didn't win the election, I learned many things about preparing for and delivering an election speech.
Even though는 양보의 부사절을 이끄는 접속사로 '비록 ~이지만'이라는 뜻이다. 전치사 about의 목적어로 preparing for (an election speech)와 delivering an election speech 두 개의 동명사구가 쓰였으며, 반복되는 부분이 생략되었다.

❽ **Most importantly**, I feel more confident in **myself** and feel proud of **myself**.
Most importantly는 문장 부사로, 문장 전체를 수식한다. The most important thing is that … .으로 바꿔 쓸 수 있다. 두 개의 myself는 각각 전치사 in과 of의 목적어로 쓰인 재귀 용법의 재귀대명사이다. 재귀대명사가 재귀 용법으로 쓰일 때는 생략할 수 없다. 반면, 강조 용법으로 쓰인 재귀대명사는 생략할 수 있다.

❾ **I look forward to** another chance in the next election.
look forward to는 '~을 학수고대하다'라는 뜻인데 이때 to는 전치사이기 때문에 목적어로 명사(구)나 동명사(구)가 와야 한다.

Grammar Check

> 양보의 부사절을 이끄는 접속사

though, although, even though, even if 등의 접속사는 모두 '비록 ~이지만', '비록 ~이더라도'라는 양보의 뜻을 가진다. 이런 접속사가 쓰인 부사절을 양보의 부사절이라고 한다.

e.g. **Although they live in poverty, they always have big smiles on their faces.** (비록 그들은 가난하게 살지만, 그들은 늘 얼굴에 환한 미소를 짓고 있다.)

Even though you have good intentions and do the right thing, sometimes things can go wrong. (비록 당신이 좋은 의도를 가지고 옳은 일을 하더라도, 때로는 상황이 나빠질 수 있다.)

> 전치사 to를 포함하는 관용 표현

look forward to처럼 **to**부정사의 **to**가 아니라 전치사 **to**를 포함하고 있어서 바로 뒤에 동사가 나올 때 주의해야 하는 관용 표현들이 있다.

- **be used[accustomed] to** ~에 익숙하다

e.g. **I'm used to getting up at 5 a.m.** (나는 오전 5시에 일어나는 데 익숙하다.)

- **object to** ~에 반대하다

e.g. **We strongly objected to canceling the exhibition.** (우리는 전시회를 취소하는 것에 강력히 반대했다.)

- **contribute to** ~에 기여하다

e.g. **Technology has contributed to improving our lives.** (기술은 우리 삶을 향상하는 데 기여해 왔다.)

Check Up

01 네모 안에서 적절한 것을 고르시오.

(1) We are looking forward to [hear / hearing] from him.

(2) The term "Hispanic" is used to [identify / identifying] people, nations, and cultures that have historical links to Spain.

02 우리말과 일치하도록 괄호 안의 어구를 바르게 배열하시오.

비록 야위었지만, 그 개는 건강해 보였다.
(looked, though, healthy, thin, the dog)

→ ______________________

After You Read

교과서 p.25

A Based on Eugene's speech, check T or F.

Eugene의 연설에 근거하여 T, F에 표시해 봅시다.

1. Eugene believes he would make the best president because he clearly understands the students' needs. ✓T F

2. To listen to everybody's voice, Eugene will collect opinions by having a weekly class discussion. T ✓F

3. Eugene plans on making a hobby day when the students all have chances to do or enjoy each other's favorite hobbies. ✓T F

4. Eugene will always be willing to listen to the students' needs and help. ✓T F

B Listen to the dialogue and answer the questions.

대화를 듣고 질문에 답해 봅시다.

1. What is the relationship of the speakers? 화자들의 관계는 무엇인가?

ⓐ Student 학생 — Student 학생　　ⓑ Student 학생 — Teacher 교사

✓ⓒ Student 학생 — Class president 학급 회장

2. What will the speakers do? 화자들은 무엇을 할 것인가?

ⓐ They will practice their election speeches. 선거 연설을 연습할 것이다.

✓ⓑ They will tell James to have a hobby day. 취미의 날을 하자고 James에게 말할 것이다.

ⓒ They will vote in the class president election. 학급 회장 선거에서 투표할 것이다.

Script

M: Hey, Sarah, who did you vote for today?
W: I voted for James. I'm glad that he was elected because he has great leadership.
M: Yeah. James served as class president last year, right?
W: Right. What about you? Who did you vote for?
M: I voted for Eugene. I like his hobby day idea. How do you like it?
W: Actually, I like it, too. A hobby day is a great idea.
M: Then, why don't we tell James to have a hobby day?
W: Why not? I'm sure he'll like it, too.

C Discuss the strengths and weaknesses of Eugene's speech with your partner.

유진이의 연설의 장단점에 관해 짝과 토론해 봅시다.

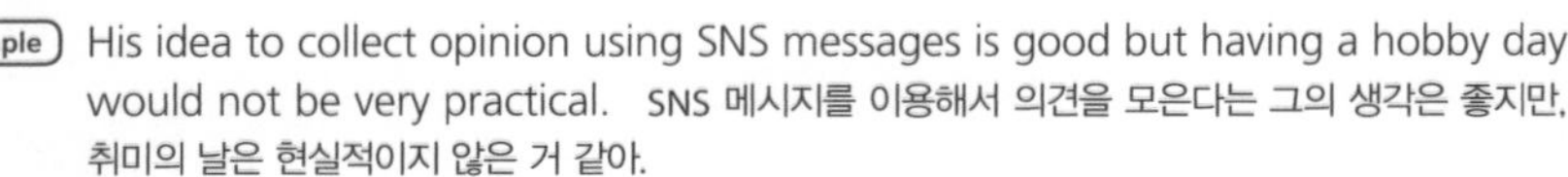

Sample His idea to collect opinion using SNS messages is good but having a hobby day would not be very practical. SNS 메시지를 이용해서 의견을 모은다는 그의 생각은 좋지만, 취미의 날은 현실적이지 않은 거 같아.

Self-Check	How much do you understand?	If you need help,
Words	☆☆☆☆☆	look up the words you still don't know. 모르는 어휘 찾아보기
Structures	☆☆☆☆☆	review the "Pay Attention" sections. Pay Attention 복습하기
Contents	☆☆☆☆☆	read the text again while focusing on its meaning. 의미에 집중하며 본문 다시 읽기

어구

weekly ⓗ 매주의, 주 1회의

힌트

유진이는 모든 학생의 의견을 듣기 위해 쪽지나 SNS 같은 것을 이용할 것이라고 했다.

해석

1. 유진이는 자신이 학생들의 요구 사항을 정확히 이해하기 때문에 최고의 회장이 되리라 믿고 있다.
2. 모두의 목소리를 듣기 위해 유진이는 주간 학급 회의를 개최하여 의견을 모을 것이다.
3. 유진이는 학생들이 다른 학생들이 가장 좋아하는 취미를 즐길 기회를 가지는 취미의 날을 만들 계획이다.
4. 유진이는 학생들의 요구 사항을 항상 기꺼이 듣고 도울 것이다.

어구

relationship ⓜ 관계
practice ⓢ 연습하다
elect ⓢ (투표로) 선출하다
actually ⓟ 사실

힌트

두 사람은 학급 회장 선거가 끝난 후에 어떤 후보에게 투표했는지에 관해 대화하고 있다.

해석

남: 안녕, Sarah, 너 오늘 누구에게 투표했니?
여: 난 James에게 투표했어. 그가 훌륭한 리더십을 가지고 있어서 그가 선출되어 기뻐.
남: 그래. James는 작년에도 학급 회장을 했어, 맞지?
여: 맞아. 너는 어때? 누구에게 투표했니?
남: 나는 유진이에게 투표했어. 그의 취미의 날 아이디어가 좋았거든. 너는 그거 어때?
여: 사실, 나도 마음에 들었어. 취미의 날은 아주 좋은 생각이야.
남: 그럼, James에게 취미의 날을 하자고 말하는 게 어때?
여: 안 될 것 없지. 분명히 그도 좋아할 거야.

Writing Lab

교과서 pp.26~27

선거 연설문 초안 쓰기 **Drafting an Election Speech**

Step 1 **An election speech usually consists of the following parts. Fill in the blanks with the appropriate words given in the box.**
선거 연설문은 주로 다음과 같은 부분들로 구성된다. 적절한 단어로 빈칸을 채워 봅시다.

realistic 현실적인	**asking** 부탁하기	**achieve** 성취하다	**introduction** 소개

Part 1 Start with an introduction. Tell the students who you are and why you are running for class president.

Part 2 Choose one or two problems that you want to solve as class president. Make sure that your solutions are realistic.

Part 3 Tell the students how you will work together to achieve your goals. You may explain why you are qualified to be class president.

Part 4 Close by asking the students for their votes. If you developed a short slogan, use it at this time.

(http://www.wikihow.com/Write-a-High-School-President-Speech)

Step 2 **Write some basic sentences for each part.** 각 부분에 대한 기본 문장을 써 봅시다.

	Example	On Your Own
Part 1	Hi, I'm Kylie Palmer. I'm running for class president because I want to make our classroom more environmentally friendly. 안녕, 나는 Kylie Palmer야. 내가 학급 회장에 출마하는 것은 우리 교실을 더욱 친환경적으로 만들고 싶기 때문이야.	Hi, I'm Tom Jones. I'm running for class president because I want to create a positive and inviting environment in our classroom. 안녕, 나는 Tom Jones야. 내가 학급 회장에 출마하는 것은 우리 교실에 긍정적이고 기분 좋은 분위기를 만들고 싶어서야.
Part 2	The solution is recycling. We need to recycle more. I'll start a recycling program. 해결책은 재활용이야. 우린 재활용을 더 많이 할 필요가 있어. 나는 재활용 프로그램을 시작할 거야.	The solution is making birthday posters. We need to make them together. I'll start birthday poster project. 해결책은 생일 포스터 제작이야. 우리는 그것을 함께 만들 필요가 있어. 나는 생일 포스터 프로젝트를 시작할 거야.
Part 3	I know how to effectively lead a team. I'll put together a team of students to work on the recycling program. 나는 효과적으로 팀을 이끄는 방법을 알아. 나는 재활용 프로그램 일을 할 학생 팀을 조직하겠어.	I know how to work with a group of people. I'll put together a team of students to make birthday celebration posters. 나는 단체와 협력하는 법을 알아. 나는 생일 축하 포스터를 제작하는 학생 팀을 조직하겠어.
Part 4	Please vote for me. I'll try my best for "Change We Can Believe In." 나에게 투표해 줘. '믿을 수 있는 변화'를 위해 최선을 다할게.	Please vote for me. I'll try my best for "Great Steps Forward". 나에게 투표해 줘. '전진하는 위대한 발걸음'을 위해 최선을 다할게.

어구

run for ~에 출마하다
solve ㉠ 해결하다
make sure 확실히 하다
solution ㉢ 해결책
goal ㉢ 목표
qualified ㉢ 자격이 있는, 적임의 ㉢ competent
slogan ㉢ 표어, 선전 문구

힌트

가장 먼저 자신을 소개하고, 학급 회장 출마의 이유와 공약을 말한 후 투표를 부탁한다.

해석

Part 1 소개로 시작하라. 학생들에게 당신이 누구인지 그리고 왜 학급 회장에 출마하는지 말하라.

Part 2 학급 회장으로서 해결하고자 하는 한두 가지 문제를 선정하라. 당신의 해결책이 현실적임을 확실히 하라.

Part 3 당신의 목표를 성취하기 위해 당신이 어떻게 협력할지 학생들에게 말하라. 왜 당신이 학급 회장이 될 자격이 있는지 설명해도 좋다.

Part 4 학생들에게 투표를 부탁하며 끝맺어라. 짧은 표어를 개발했다면, 이 시점에 그것을 사용하라.

어구

environmentally friendly 친환경적인
recycling ㉢ 재활용하기
effectively ㉢ 효과적으로
put together 구성하다
positive ㉢ 긍정적인
inviting ㉢ 기분 좋은, 상쾌한
- The room looked cozy and *inviting*. (그 방은 아늑하고 좋아 보였다.)

celebration ㉢ 축하
- Such good news deserves a *celebration*! (그런 좋은 소식은 축하를 받아야지!)

step ㉢ 발걸음
forward ㉢ 앞으로

Step 3 **Based on the information in Step 1 and Step 2, write your own class president election speech.**
Step 1과 Step 2의 정보에 근거하여 학급 회장 선거 연설문을 써 봅시다.

Example

Hi, I'm Kylie Palmer. I'm running for class president because I've noticed that there's an environmental issue to be dealt with in our classroom. Our classroom needs to become more environmentally friendly.

The way to deal with this issue is recycling. We need to recycle more. Therefore, to make our classroom more eco-friendly, I'll start a recycling program.

Actually, never have I served as a class president before. But I've played basketball for years and I know very well how to be an effective team leader. I'll put together a team of students to work on the recycling program.

Please vote for me. I'll try my best for "Change We Can Believe In."

해석

안녕, 나는 Kylie Palmer야. 내가 학급 회장에 출마하는 것은 우리 교실 내에서 처리되어야 할 환경 문제가 있음을 깨달았기 때문이야. 우리 교실은 더 친환경적이 될 필요가 있어.
이 문제를 다루는 방법은 재활용이야. 우리는 재활용을 더 많이 할 필요가 있어. 따라서 우리 교실을 더 친환경적으로 만들기 위해 나는 재활용 프로그램을 시작할 거야.
사실, 나는 이전에 학급 회장으로 봉사해 본 적이 전혀 없어. 하지만 나는 수년 동안 농구를 해 왔고 효과적인 팀 리더가 되는 방법을 아주 잘 알아. 나는 재활용 프로그램을 할 학생 팀을 조직하겠어.
나에게 투표해 줘. '믿을 수 있는 변화'를 위해 최선을 다할게.

On Your Own

(Sample) Hi, I'm Tom Jones. I'm running for class president because I want to create a positive and inviting environment in our classroom.

The solution is making birthday posters. We need to make them together. I'll start a birthday poster project. I know how to work with a group of people. I'll put together a team of students to make birthday celebration posters.

Please vote for me. I'll try my best for "Great Steps Forward."

해석

안녕, 나는 Tom Jones야. 내가 학급 회장에 출마하는 것은 우리 교실에 긍정적이고 기분 좋은 분위기를 만들고 싶어서야.
해결책은 생일 포스터 제작이야. 우리는 그것을 함께 만들 필요가 있어. 나는 생일 포스터 프로젝트를 시작할 거야. 나는 단체와 협력하는 법을 알아. 나는 생일 축하 포스터를 제작하는 학생 팀을 조직하겠어.
나에게 투표해 줘. '전진하는 위대한 발걸음'을 위해 최선을 다할게.

Self-Edit Read your speech and correct any mistakes. 연설문을 읽고 잘못된 부분이 있으면 고쳐 봅시다.

Top Tips

▸ "Change We Can Believe In" was the slogan that former U.S. president Barack Obama used to focus on reform across the United States.

Step 4 **Read your partner's speech and check the following:**
짝의 연설문을 읽고 다음을 점검해 봅시다.

Peer Feedback

- I understand what he / she intends to say in the speech. 연설의 의도를 잘 이해한다. ☆ ☆ ☆ ☆ ☆
- I think that his / her speech is easy to follow. 연설은 이해하기 쉽다. ☆ ☆ ☆ ☆ ☆
- I think the words in his / her speech are correctly used. 연설 속 단어들이 바르게 사용되었다. ☆ ☆ ☆ ☆ ☆
- I think the sentences in his / her speech are grammatically correct. 연설 속 문장들이 문법적으로 정확하다. ☆ ☆ ☆ ☆ ☆

어구

notice ⓢ 알아차리다
issue ⓜ 문제, 논쟁점
deal with ~을 처리하다
- **The government must *deal with* the problem of high unemployment.** (정부는 높은 실업 문제를 처리해야 한다.)

therefore ⓑ 그러므로
eco-friendly ⓗ 친환경적인

Top Tips
'우리가 믿는 것을 바꾸자'는 전직 미국 대통령인 버락 오바마가 미국 전역의 개편에 중점을 두기 위해 사용했던 구호였다.

Wrap Up

교과서 p.28

후보자 지지하기 **Supporting a Candidate**

Step 1 **Listen to each class president candidate's speech and take notes.**
각 학급 회장 후보의 연설을 듣고 메모해 봅시다.

Candidate No. 1 Ben Smith 후보 1번

- He will try to make this year the most fun year ever. 그는 올해를 가장 재미있는 한 해로 만들려고 노력할 것이다.
- Promises 공약:
  - Playing popular songs during lunch hour
    점심시간에 인기 가요 틀기
  - Planning fun after-school activities
    재미있는 방과 후 활동 계획하기
  - Organizing weekend sports clubs 주말 스포츠클럽 조직하기

후보 2번 Caroline Taylor Candidate No. 2

- She wants to prove that teenagers can make a difference.
  그녀는 10대가 변화를 일으킬 수 있음을 입증하고자 한다.
- Promises 공약:
  - Creating a better learning environment by adding a classroom library
    학급 문고를 추가하여 더 나은 학습 환경 만들기
  - Being the best example herself
    그녀 자신이 최고의 모범이 되기

Script

1. M: Hello, I'm Ben Smith. I'm running for class president because I feel that I would be able to make a difference in our class. As your class president, I'll try to make this year the most fun year ever. I promise I'll play popular songs during lunch hour, plan fun after-school activities, and organize weekend sports clubs. How do you like my promises? Cool, right? I'm responsible and I try my best in all that I do. Vote for me. You won't regret it. Thank you for listening.

2. W: Hi, my name is Caroline Taylor and I'm running for class president. I'd like to help solve our class problems. As teenagers, we sometimes believe that we aren't capable of making a difference. I'm here to prove that wrong. I'll work hard to create a better learning environment by doing things such as adding a classroom library. Also, I believe it's required for a class president to be a good example for other students. I will be the best example I can be. Please don't just vote for who's more popular, but vote for who the better choice is. Vote for "Sweet Caroline." Thank you.

해석

1. 안녕하세요, 저는 Ben Smith입니다. 제가 학급 회장에 출마하는 것은 제가 우리 반의 변화를 이룰 수 있을 것 같기 때문입니다. 여러분의 학급 회장으로서 저는 올해를 가장 재미있는 한 해로 만들도록 하겠습니다. 저는 점심시간에 인기 가요를 틀어 드리고 재미있는 방과 후 활동을 계획하고 주말 스포츠클럽을 조직하겠습니다. 저의 공약이 어떠세요? 멋지죠? 저는 책임감이 강하고 제가 하는 모든 일에 최선을 다합니다. 저에게 투표하세요. 후회하지 않을 겁니다. 들어 주셔서 감사합니다.
2. 안녕하세요, 제 이름은 Caroline Taylor이고 학급 회장에 출마했습니다. 저는 우리 반의 문제점을 해결하는 데 도움이 되고 싶어요. 10대로서 우리는 때때로 우리가 변화를 이룰 수 없다고 믿습니다. 저는 그것이 틀렸음을 입증하기 위해 이 자리에 섰습니다. 저는 학급 문고를 추가하는 등의 일을 함으로써 더 나은 학습 환경을 만들기 위해 열심히 일하겠습니다. 또한, 저는 학급 회장이 다른 학생들의 좋은 모범이 되어야 한다고 믿습니다. 저는 가능한 한 최고의 모범이 되겠습니다. 그저 더 인기 있는 사람에게 투표하지 말고, 더 나은 선택이 되는 사람에게 투표하세요. '친절한 Carolin'에게 투표하세요. 감사합니다.

| 구문 해설 |

- I'll work hard **to create** a better learning environment **by** doing things **such as** adding a classroom library.: to create는 '만들기 위해'라는 목적을 나타내는 부사적 용법의 to부정사이다. by는 '~함으로써'의 뜻을 갖는 전치사로 쓰였고, such as는 '~와 같은'이라는 뜻의 표현이다.

어구

candidate 명 후보자
take note 메모하다
organize 동 조직하다
- She has been designated to ***organize*** the event. (그녀는 그 행사를 조직하기 위해 임명되었다.)

prove 동 입증하다
명 **proof** 증거
teenager 명 10대
make a difference 변화를 일으키다
example 명 모범, 본보기
regret 동 후회하다
be capable of ~을 할 수 있다
- The port ***is capable of*** handling 10 million tons of coal a year. (그 항구는 일 년에 백만 톤의 석탄을 처리할 수 있다.)

Step 2 **Using the given expressions below, talk with your partner about which of the two would be a better class president.**
아래 주어진 표현을 활용하여 두 사람 중 누가 더 나은 학급 회장이 될지 이야기해 봅시다.

- How do you like ____________'s promises? ________의 공약이 어떠니?
- It's required for a class president to … . 학급 회장은 ~해야 해.

(Sample) I find Caroline's promises great. It's required for a class president to be the best example for students to follow.
나는 Caroline의 공약이 굉장하다고 생각해. 학급 회장은 학생들이 따르는 최고의 모범이 되어야 해.

Step 3 **Write a short speech supporting your favored candidate and present it to the class.** 마음에 드는 후보를 지지하는 짧은 연설문을 쓰고 발표해 봅시다.

I support (Ben / (Caroline)). Among (his / (her)) promises, creating a better learning environment by adding a classroom library is the promise that I like the most. I never thought of such a good idea. It is required for a class president to be the best example for students to follow and I think (Ben / (Caroline)) will be able to be a good class president. Thank you.

Rewrite the underlined sentence starting with *Never*.
'Never'를 이용하여 밑줄 친 부분을 바꿔 써 봅시다.

⇨ Never did I think of such a good idea.

Grammar Review

> 부정어 도치
'절대 ~ 아니다', '거의 ~ 아니다' 등의 뜻을 가진 **never, no, not, rarely, seldom, hardly, little, few** 등 부정어가 문장 맨 앞에 오면 「부정어+조동사+주어+동사」 순으로 주어와 조동사 사이의 도치가 일어난다. 문장의 동사가 be동사나 조동사일 때는 be동사와 조동사가 주어 앞으로 이동하는데, 일반동사일 때는 do동사를 사용한다.
e.g. I never dreamed of going abroad. (나는 해외에 나가리라고 절대 꿈꾸지 않았다.)
→ **Never did I dream** of going abroad.

> 긴 수식어구를 가진 주어와 동사의 수 일치
문장의 주어가 긴 수식어구의 수식을 받으면 주어와 동사 사이의 거리가 멀어도 주어와 동사의 수는 일치시켜야 한다. 즉, 주어가 복수이면 복수 동사를, 주어가 단수이면 단수 동사를 사용한다. 주어를 수식하는 수식어구로는 관계사절, 현재분사, 과거분사, to부정사, 형용사구, 전치사구, 동격절 등이 있다.
e.g. **One useful way** to use drones in the future **is** as part of a delivery system. (미래에 드론을 이용하기 위한 유용한 방법은 운반 수단으로서이다.)

해석

나는 Caroline을 지지해. 그녀의 공약 중 학급 문고를 추가하여 더 나은 학습 환경을 만드는 것이 내가 제일 좋아하는 공약이야. 나는 그렇게 좋은 생각을 해 본 적이 없어. 학급 회장은 학생들이 따르는 최고의 모범이 되어야 하고 나는 Caroline이 좋은 학급 회장이 될 수 있다고 생각해. 고마워.

힌트

부정어가 강조를 위해 문장 맨 앞으로 이동하면 주어, 동사가 도치되어 「부정어+조동사+주어+동사원형」의 어순이 된다.

Check Up

01 네모 안에서 적절한 것을 고르시오.

(1) Little [I did / did I] think that my brother would win the prize.

(2) Never [he did / did he] make that mistake again.

(3) Rarely [they do / do they] know what their decisions mean.

02 우리말과 일치하도록 주어진 어구를 활용하여 영작하시오.

문자 메시지를 많은 사람에게 동시에 보내는 것은 효과적인 의사소통 방법이다.

(sending, a text message, simultaneously, efficient, way to communicate)

→ ________________________________

교과서 p.29

Voting Systems Around the World

세계의 투표 제도

The following three countries have different national voting systems. Write the name of each country and find more countries that have a similar voting system. 다음 세 나라는 서로 다른 국민 투표 제도를 가지고 있다. 각 나라의 이름을 쓰고 유사한 투표 제도를 가진 나라를 찾아봅시다.

1. Name of country : Australia
나라 이름: 호주

Voting system 투표 제도

Voting is compulsory in this country. All citizens must participate in federal elections. People who don't vote receive a notice to pay a fine. 이 나라에서 투표는 의무이다. 모든 시민은 연방 선거에 참여해야 한다. 투표하지 않는 사람은 벌금 통지서를 받는다.

Countries that have a similar voting system Argentina, Brazil, Singapore
유사한 투표 제도를 가진 나라들: 아르헨티나, 브라질, 싱가포르

2. Name of country : France
나라 이름: 프랑스

Voting system 투표 제도

This country has a two-round system for the presidential election. The two candidates receiving the most votes in the first round continue to the second round.
이 나라는 대통령 선거에서 결선 투표제를 한다. 첫 번째 라운드에서 가장 많은 표를 받은 두 후보가 두 번째 라운드로 넘어간다.

Countries that have a similar voting system Austria, Colombia, Turkey
유사한 투표 제도를 가진 나라들: 오스트리아, 콜롬비아, 터키

3. Name of country : Canada
나라 이름: 캐나다

Voting system 투표 제도

In this country, the candidate who receives more votes than any other candidate wins. This is called the first-past-the-post (FPTP) system.
이 나라에서는 다른 후보보다 더 많은 표를 받는 후보가 당선된다. 이것은 최다 득표자 당선 제도라고 불린다.

Countries that have a similar voting system Kenya, the UK, the USA
유사한 투표 제도를 가진 나라들: 케냐, 영국, 미국

What do you think are the advantages and disadvantages of compulsory voting? You may search the Internet.
의무 투표제의 장단점이 무엇이라고 생각하는가? 인터넷을 검색해도 됩니다.

Advantages 장점	Disadvantages 단점
• People's interest in politics increases. 정치에 대한 사람들의 관심이 증가한다. • Sample The government can be more powerful. 정부가 더 강력해질 수 있다. • Sample People can vote more easily. 사람들이 더 쉽게 투표할 수 있다.	• People don't have the right not to vote. 사람들이 투표하지 않을 권리를 갖지 못한다. • Sample People who don't know about candidates have to vote. 후보자에 대해 알지 못하는 사람들도 투표해야만 한다. • Sample There's the possibility of restricting people's freedom. 사람들의 자유를 제한할 가능성이 있다.

어구

similar ⓗ 유사한

compulsory ⓗ 의무적인, 강제의
• School uniforms are no longer *compulsory* in many British schools. (교복은 많은 영국 학교에서 더 이상 의무적이지 않다.)

participate in ~에 참석하다

federal ⓗ 연방의

notice ⓜ 통지서

fine ⓜ 벌금
• I got a $150 *fine* for speeding. (나는 과속으로 150달러의 벌금을 받았다.)

two-round system 결선 투표제

presidential ⓗ 대통령의

first-past-the-post system 최다 득표자 당선 제도

교과서 p.30

Amazing Facts About Hand Gestures

❶ Do you know how to speak with your hands? ❷ In fact, using appropriate hand gestures usually increases the effectiveness of your message by 60%! ❸ A study showed that while the least favorite speakers in a series of lectures used an average of 272 hand gestures during their speech, the most favorite speakers used an average of 465 hand gestures. ❹ That's almost double!

(how+to부정사: ~하는 법 / using: 주어(동명사) / increases: 단수 동사 / by: ~만큼 / while: ~하는 반면에)

- ❺ **You're born to speak with your hands.**

  ❻ Researchers have found that infants who use more hand gestures at 18 months old have greater language abilities later on.

  (infants: 종속절의 주어 / who: 주격 관계대명사 / have: 종속절의 동사)

- ❼ **Hand gestures make people listen to you.**

  (make people listen: 사역동사+목적어+목적격 보어(동사원형))

  ❽ Gestures make people pay attention to what you say. ❾ They are not just extra movements—they may actually be a very important part of a speech.

  (make people pay: 사역동사+목적어+목적격 보어(동사원형) / what: ~하는 것)

- ❿ **We can't help it.**

  ⓫ Hand gestures come to us naturally. ⓬ Just try not to use gestures at all while speaking. ⓭ You may find that is almost impossible.

  (that: 앞 문장의 내용을 가리킴)

- ⓮ **Gesturing helps listeners remember your main points.**

  (helps listeners remember: 준사역동사+목적어+목적격 보어(동사원형))

  ⓯ Using hand gestures while you speak not only helps people remember what you say, it also helps you speak more quickly and effectively.

  (Using: 주어(동명사) / helps: 동사1 / helps: 동사2)

- ⓰ **Nonverbal explanations help you understand better.**

  (help you understand: 준사역동사+목적어+목적격 보어(동사원형))

  ⓱ One study found that making students use gestures while explaining how they solved math problems helped them learn the problem-solving process more clearly.

  (making students use gestures: make+목적어+목적격 보어(동사원형) / helped: 동사 / them learn: help+목적어+목적격 보어(동사원형))

어구

amazing ⓗ 놀라운

appropriate ⓗ 적절한

- The manager should take ***appropriate*** action if safety standards are not being met. (만일 안전 기준이 충족되지 않으면 관리자는 적절한 조치를 취해야 한다.)

increase ⓢ 증가시키다

effectiveness ⓜ 효용성

- The ***effectiveness*** of this drug was checked through clinical trials. (이 약의 효용성은 임상 시험을 통해 확인되었다.)

average ⓜ 평균

infant ⓜ 유아

later on 나중에

main point 요지

nonverbal ⓗ 비언어적인

- More than 90% of human communication is ***nonverbal***. (인간의 의사소통의 90% 이상이 비언어적이다.)

explanation ⓜ 설명

ⓢ **explain** 설명하다

problem-solving ⓗ 문제 해결의

구문 연구

❷ In fact, **using** appropriate hand gestures usually **increases** the effectiveness of your message **by** 60%!
using은 주어로 쓰인 동명사이다. 동명사는 단수 취급하므로 단수 동사 increases가 사용되었다. by는 전치사로 '(정도·비율·차이가) ~만큼'이라는 뜻이다.
e.g. The minimum wage was raised **by** 12.5 percent. (최저 임금이 12.5%만큼 인상되었다.)

❻ Researchers have found **that infants who** use more hand gestures at 18 months old **have** greater language abilities later on.
that은 found의 목적어로 쓰인 명사절 접속사이며 that절의 주어는 infants, 동사는 have이다. who ... old가 주어 infants를 수식하는 형용사절이고, who는 주격 관계대명사이다.

❼ Hand gestures **make** people **listen** to you.
make는 사역동사로 목적격 보어로 동사원형을 취하므로 동사원형 listen이 왔다.

⓬ Just try **not to use** gestures at all while speaking.
to부정사를 부정할 때는 to부정사 앞에 not을 붙인다. while과 speaking 사이에는 you are가 생략되어 있다.

⓭ You may find **that** is almost impossible.
find 뒤에 명사절을 이끄는 접속사 that이 생략되어 있다. find 다음의 that은 지시대명사로, 앞 문장 내용, 즉 '연설하는 동안 몸짓을 전혀 사용하지 않도록 하는 것'을 가리킨다.

⓯ **Using** hand gestures while you speak **not only helps** people remember what you say, it **also helps** you speak more quickly and effectively.
Using은 동명사 주어로 단수 취급하므로 두 개의 동사 helps가 왔다. helps는 not only *A* (but) also *B* 구문에 걸려 'A뿐만 아니라 B에도 도움이 된다'라는 뜻이다.

Grammar Check

›전치사 by의 특별한 의미
전치사 **by**가 숫자와 함께 쓰이면 '(정도·비율·차이가) ~만큼, ~의 차이로'라는 뜻을 가진다.
e.g. **We missed the train by ten minutes.** (우리는 **10**분 차이로 기차를 놓쳤다.)
The price of sugar has been reduced by 10 percent from what it was last year. (설탕 가격이 작년보다 **10%** 내렸다.)
Tokyo Tower is taller than the Eiffel Tower by nine meters. (도쿄타워는 에펠탑보다 **9**미터 더 높다.)

›to부정사의 부정
to부정사의 의미를 부정할 때는 **to**부정사 앞에 **not** 또는 **never**를 쓴다.
e.g. **I have decided not to shop at stores where they make their employees work on the holiday.** (나는 휴일에 직원을 일하게 하는 가게에서는 쇼핑하지 않기로 결심했다.)
The most important thing is never to stop asking questions. (가장 중요한 것은 질문하기를 절대 멈추지 않는 것이다.)

해석

손동작에 관한 놀라운 사실들

"❶ 손으로 말하는 방법을 아나요? ❷ 사실, 적절한 손동작을 사용하는 것은 메시지의 효용성을 대개 60%까지 증가시킵니다! ❸ 한 연구는 한 강의 시리즈에서 가장 인기가 적었던 화자들은 연설 중 평균 272회의 손동작을 사용한 반면, 가장 인기가 많았던 화자들은 평균 465회의 손동작을 사용했음을 보여 주었습니다. ❹ 거의 두 배입니다!"

- ❺ 당신은 손으로 말하도록 타고났습니다.
❻ 연구자들은 18개월 때 더 많은 손동작을 사용하는 아기들이 나중에 더 큰 언어 능력을 갖는다는 것을 밝혔습니다.
- ❼ 손동작은 사람들이 당신 말을 듣도록 만듭니다.
❽ 몸짓은 사람들이 당신이 하는 말에 주의를 기울이게 합니다. ❾ 몸짓은 그저 부가적인 동작이 아니라 실제로 연설의 아주 중요한 일부일 수 있습니다.
- ❿ 우리는 어쩔 수 없습니다.
⓫ 손동작은 자연스럽게 나옵니다. ⓬ 말하는 동안 몸짓을 전혀 사용하지 않도록 해 보세요. ⓭ 거의 불가능하다는 것을 알게 될 겁니다.
- ⓮ 몸짓은 청자들이 당신 말의 요지를 기억하도록 도와줍니다.
⓯ 말하는 동안 손동작을 사용하는 것은 사람들이 당신의 말을 기억하도록 도울 뿐 아니라 당신이 더 빠르고 효과적으로 말하도록 도와줍니다.
- ⓰ 비언어적 설명은 당신이 더 잘 이해하도록 도와줍니다.
⓱ 한 연구는 학생들이 수학 문제를 어떻게 풀었는지 설명하는 동안 몸짓을 사용하도록 했더니 문제 해결 과정을 더 확실하게 학습하는 데 도움이 되었음을 밝혔습니다.

Useful Hand Gestures

"❶ Here are some pictures and descriptions of hand gestures used in English-speaking countries. ❷ Effective gestures make your speech more powerful. ❸ Practice them (= gestures) and be a great speaker yourself (강조의 재귀대명사(생략 가능))."

1. ❹ How many?

❺ When you say a number, show the corresponding number with your fingers. ❻ This makes the number easier to remember (easier를 수식하는 부사적 용법의 to부정사) for the audience.

2. ❼ A tiny bit

❽ Any time (= Whenever) you want to emphasize a small amount of something, show it by almost putting your thumb and index finger together.

3. ❾ Small, medium, large

❿ To show what level something is, lower or raise your arm with your hand parallel (with+목적어+형용사: …을 ~한 채) to the ground.

4. ⓫ Me

⓬ When you want to indicate yourself (목적어로 쓰인 재귀대명사(생략 불가)), bring your hand in toward your heart or chest.

5. ⓭ You

⓮ You can do this open hand gesture to make (부사적 용법의 to부정사) the audience feel included or (to) highlight that something (that절의 주어) you are talking about applies (that절의 동사) to the people you are speaking to. ⓯ Make sure to use open hands for this gesture. ⓰ Don't point a finger at someone.

▪ ⓱ Try giving the following speech using the appropriate gestures.

"⓲ Do you know that 1 out of 3 kids in the U.S. uses a smartphone before he or she learns how to talk (~하는 법)? ⓳ They play games and watch movies on it. ⓴ Don't you think that's a serious problem? ㉑ In my opinion, spending (주어(동명사)) time on a smartphone at such a young age can have bad effects on children's development. ㉒ It's (가주어) necessary for parents (to부정사의 의미상 주어) to wait (진주어) until their children are older before letting them use a smartphone (let+목적어+목적격 보어(동사원형)). ㉓ Thank you."

어구

description ⓜ 설명
English-speaking ⓗ 영어를 사용하는, 영어권의
powerful ⓗ 강력한
corresponding ⓗ 대응하는, 상응하는
- Investment in the railways will bring a ***corresponding*** improvement in services. (철도에 대한 투자는 그에 상응하는 서비스 개선을 가져올 것이다.)

audience ⓜ 청중
tiny ⓗ 작은
emphasize ⓓ 강조하다
thumb ⓜ 엄지손가락
index finger 집게손가락
lower ⓓ 내리다, 낮추다
- The voting age was ***lowered*** from 21 to 18. (투표 연령이 21세에서 18세로 낮춰졌다.)

raise ⓓ 위로 올리다
parallel ⓗ 평행의
- He leaned forward so that his body was almost ***parallel*** to the ground. (그는 앞으로 숙여서 몸이 지면과 거의 평행이 되도록 했다.)

indicate ⓓ 가리키다
toward ⓙ ~을 향하여
highlight ⓓ 강조하다

구문 연구

❶ Here are some pictures and descriptions of hand gestures used in English-speaking countries.
used 앞에 주격 관계대명사와 be동사인 that are가 생략되어 있다.

❸ Practice **them** and be a great speaker **yourself**.
them은 지시대명사로 앞 문장의 gestures를 가리키며, yourself는 a great speaker를 강조하는 재귀대명사로 생략할 수 있다.

❽ **Any time** you want to emphasize a small amount of something, show it **by** almost putting your thumb and index finger together.
Any time은 Whenever와 같은 뜻으로 '~할 때마다'라는 뜻이다. Every time, Each time으로 바꿔 쓸 수 있다. 「by V-ing」는 '~함으로써'의 뜻이다.

❿ To show what level something is, lower or raise your arm **with your hand parallel** to the ground.
「with+목적어+형용사/분사/부사」는 '~한 채', '~하면서'라는 뜻으로 동시에 일어나는 일을 묘사할 때 사용한다.

⓬ When you want to indicate **yourself**, bring your hand in toward your heart or chest.
주어와 목적어가 동일한 사람일 때 목적어는 반드시 재귀대명사 형태를 사용해야 한다. 목적어로 쓰인 재귀대명사는 반드시 필요한 문장 성분이므로 생략할 수 없다.

㉒ **It**'s necessary **for parents to wait** until their children are older **before letting** them **use** a smartphone.
It은 가주어이고, to wait 이하가 진주어이다. for parents는 to부정사의 의미상 주어이다. before가 전치사이므로 목적어로 동명사 letting이 쓰였고, let은 사역동사이므로 목적격 보어로 동사원형 use가 쓰였다.

Grammar Check

명사구 형태의 접속사
얼핏 보기에 명사구처럼 보이지만 절과 절을 연결하는 접속사 역할을 하는 표현들이 있다.
- **every time, any time, each time**: ~할 때마다
e.g. **Every time I hear that song, I think of my childhood.**
(그 노래를 들을 때마다, 나는 나의 어린 시절을 생각한다.)
- **the moment, the instant**: ~하자마자
e.g. **The instant you receive her email, please let me know.**
(그녀의 이메일을 받자마자, 나에게 알려 주세요.)

with+목적어+형용사/분사/부사
'~한 채'의 뜻을 나타내기 위해 사용되는 구문이다.
e.g. **Never talk with your mouth full.** (입에 음식이 가득한 채 절대 말하지 마라.)
I fell asleep with the TV on.
(나는 TV를 켜 둔 채 잠이 들었다.)

해석

유용한 손동작들
"❶ 여기에 영어 사용 국가에서 사용되는 손동작에 대한 몇 가지 사진과 설명이 있습니다. ❷ 효과적인 몸짓은 당신의 연설을 더 강력하게 만듭니다. ❸ 몸짓을 연습해서 훌륭한 연설가가 돼 보세요."
1. ❹ 몇 개?
❺ 숫자를 말할 때, 해당하는 숫자를 손가락으로 보여 주세요. ❻ 이것은 그 숫자를 청중들이 더 쉽게 기억하도록 합니다.
2. ❼ 아주 조금
❽ 무언가의 적은 양을 강조하고 싶을 때는 언제든 엄지와 검지를 거의 붙여 보여 주세요.
3. ❾ 소, 중, 대
❿ 무언가의 정도가 어떠한지 보여 주고 싶다면, 손이 지면과 수평을 이루게 한 채 팔을 내리거나 올리세요.
4. ⓫ 나
⓬ 당신 자신을 가리키고 싶을 때는 당신의 심장이나 가슴 쪽으로 손을 가져오세요.
5. ⓭ 여러분
⓮ 청중들이 포함되어 있다고 느끼게 하고 싶거나 당신이 말하고 있는 그 어떤 것이 당신이 말하는 청중들에게 적용됨을 강조하기 위해 이 펼친 손동작을 사용할 수 있습니다. ⓯ 이 몸짓을 위해서는 손을 펼치세요. ⓰ 누군가를 손가락으로 가리키지 마세요.
⓱ 적절한 동작을 사용하며 다음 연설을 해 보세요.
"⓲ 미국에서 세 명 중 한 명의 아이가 말하는 법을 배우기도 전에 스마트폰을 사용한다는 것을 알고 있나요? ⓳ 그들은 스마트폰으로 게임을 하고 영화를 봅니다. ⓴ 그것이 심각한 문제라고 생각하지 않나요? ㉑ 제 생각에는, 그렇게 어린 나이에 스마트폰에 시간을 보내는 것은 아이들의 발달에 나쁜 영향을 끼칠 수 있습니다. ㉒ 부모들은 자녀들이 스마트폰을 사용하도록 허용하기에 앞서 자녀들이 나이가 들 때까지 기다릴 필요가 있습니다. ㉓ 감사합니다."

Word Play

A. Match the words with their correct meanings. 단어와 올바른 뜻을 서로 연결해 봅시다.

1. election 선거
2. overcome 극복하다
3. tip 팁
4. reasonable 합리적인
5. trustworthy 믿을 만한
6. council 위원회
7. various 다양한
8. distant 먼
9. concern 걱정
10. confident 자신감 있는

ⓐ to succeed in dealing with a problem 문제를 처리하는 데 성공하다
ⓑ a group of people who are chosen to make official decisions about something 어떤 것에 대하여 공식적인 결정을 내리도록 선택된 사람들의 집단
ⓒ different from each other 서로 다른
ⓓ an occasion when people vote for someone to represent them 자신들을 대표할 사람을 위해 투표하는 행사
ⓔ far away from where you are or far away in time 당신이 있는 곳에서 멀리 떨어지거나 시간상 먼
ⓕ sensible and fair 분별이 있고 공정한
ⓖ a feeling of worry, or something that worries you 걱정하는 마음 또는 당신을 걱정하게 하는 어떤 것
ⓗ a useful suggestion or piece of information that someone gives you 누군가가 당신에게 해 주는 유용한 제안이나 정보
ⓘ certain about your abilities and not nervous or frightened 당신의 능력에 관해 확신하며 초조하거나 두렵지 않은
ⓙ able to be relied on as honest or truthful 정직하고 진실하다고 믿을 수 있는

어구

succeed in ~에 성공하다
official 형 공식적인
occasion 명 행사
sensible 형 분별 있는
fair 형 공정한
ability 명 능력
nervous 형 초조한
truthful 형 믿을 만한

B. Fill in the blanks with the appropriate words from the exercise above.

위에서 적절한 단어를 찾아 빈칸을 채워 봅시다.

1. There are __various__ ways of solving the problem.
   그 문제를 해결하는 다양한 방법이 있다.
2. We have __reasonable__ cause not to believe his words.
   우리는 그의 말을 믿지 않을 합리적인 이유가 있다.
3. I am __confident__ about my ability to do the job.
   나는 그 일을 해낼 내 능력에 자신이 있다.
4. In the __distant__ past, the Earth's climate was a lot different than now.
   먼 과거에 지구의 기후는 지금과 크게 달랐다.
5. The city __council__ is considering a ban on plastic bags.
   시 의회는 비닐봉지 사용 금지를 고려하고 있다.
6. She gave me a helpful __tip__ about growing plants at home.
   그녀는 집에서 식물을 키우는 데 관한 유용한 조언을 해 주었다.
7. She tried hard to __overcome__ her shyness.
   그녀는 수줍음을 극복하기 위해 열심히 노력했다.
8. The results of the __election__ will be announced tonight.
   선거 결과는 오늘 밤에 발표될 것이다.
9. Not everything you read on the Internet is __trustworthy__.
   인터넷에서 읽는 전부가 신뢰할 만한 것은 아니다.
10. There is some __concern__ that the economy might worsen.
   경제가 악화될지 모른다는 걱정이 다소 있다.

어구

cause 명 이유
climate 명 기후
consider 동 고려하다
ban 명 금지 동 금지하다
announce 동 발표하다
economy 명 경제, 경제학
worsen 동 악화되다

단원 평가

[01~02] 주어진 문장이 들어가기에 가장 적절한 곳을 고르시오.

01

Also, I believe it's required for a class president to be a good example for other students.

W: Hi, my name is Caroline Taylor and I'm running for class president. I'd like to help solve our class problems. (①) As teenagers, we sometimes believe that we aren't capable of making a difference. I'm here to prove that wrong. (②) I'll work hard to create a better learning environment by doing things such as adding a classroom library. (③) I will be the best example I can be. (④) Please don't just vote for who's more popular, but vote for who the better choice is. (⑤) Vote for 'Sweet Caroline.' Thank you.

02

How do you like them?

W: Tomorrow is the student council election day. Have you decided who you'll vote for?
M: Yes. I'm going to vote for Jina Kim. I like her election promises.
W: Jina Kim? What are her promises? (①)
M: She promised a longer lunch and a sports week. (②)
W: I like them, but do you think she can keep them? (③)
M: I'm sure she can. Why don't you vote for Jina, too? (④)
W: Hmm, yeah, why not? I agree that our lunch is very short. And a sports week? That sounds cool! (⑤)
M: I completely agree with you.

03 자연스러운 대화가 되도록 ⓐ~ⓓ를 바르게 배열하시오.

ⓐ No problem.
ⓑ Let me see. Oh, it's required for you to use special characters in your password.
ⓒ Really? I didn't know that. Thank you.
ⓓ I can't sign up to this website.

(　　)－(　　)－(　　)－(　　)

04 대화의 빈칸에 들어갈 말로 가장 적절한 것은?

M: Hey, Sarah, who did you vote for today?
W: I voted for James. I'm glad that he was elected because he has great leadership.
M: Yeah. James served as class president last year, right?
W: Right. What about you? Who did you vote for?
M: I voted for Eugene. I like his hobby day idea. How do you like it?
W: Actually, I like it, too. A hobby day is a great idea.
M: Then, why don't we tell James to have a hobby day?
W: Why not? ______________________

① I'll vote for Eugene, too.
② I'm sure he'll like it, too.
③ A hobby day sounds boring.
④ I'm sorry you lost the election.
⑤ I haven't decided who to vote for.

05 네모 안에서 적절한 것을 고르시오.

(1) The place we are staying at [includes / including] a free breakfast.

(2) Her parents always [regarded / regarding] her as the smartest of their children.

(3) We received a notice [concerned / concerning] the meeting.

06 (A), (B), (C)의 각 네모 안에서 가장 적절한 것은?

> One of the most common errors people make when giving a speech (A) [is / are] they rush through their presentation. (B) [Talk / Talking] in front of many people takes a lot of courage, but you need to speak slowly so that they can follow (C) [that / what] you are saying.

	(A)		(B)		(C)
①	is	……	Talk	……	that
②	are	……	Talk	……	that
③	is	……	Talk	……	what
④	are	……	Talking	……	what
⑤	is	……	Talking	……	what

07 우리말을 참고하여 주어진 단어를 바르게 배열하시오.

> I wondered (1) 내가 어떻게 선거에 당선될 수 있는지, so I asked my older sister for help. When she was in high school, she was elected class president a couple of times. She stressed that I should focus on my speech. (2) 나는 거의 몰랐다 she was good at giving speeches, but I trusted her. She gave me some useful tips.

(1) ______________________________

(the election, I, how, could, win)

(2) ______________________________

(I, know, that, little, did)

08 다음 글의 밑줄 친 부분 중, 문맥상 낱말의 쓰임이 적절하지 않은 것은?

> Today my teacher announced that the class president election is coming up. Actually, never did I once consider being class president before. ① However, this year I started thinking about it because I want to do something to help me ② overcome my shyness. Therefore, I put my name on the list to ③ run for class president. Some of the other candidates are ④ experienced and popular. So this probably won't be ⑤ hard.

[09~11] 다음 글을 읽고, 물음에 답하시오.

> **Tip 1** Concentrate on your classmates' needs, not yours. Choose two or three main problems. Then, offer reasonable ways to solve them.
>
> **Tip 2** Keep your messages clear. Use short sentences and phrases such as 'As your class president ...' and 'My goal is ... .'
>
> **Tip 3** Use pauses. Particularly, pause before introducing your most important points. The brief stops will help your classmates follow you more closely.
>
> **Tip 4** Practice (use) effective body language and eye contact. Using appropriate body language really ___(A)___ your message. Also, maintaining eye contact with the students ___(B)___ them to feel you're trustworthy.

09 윗글의 제목으로 가장 적절한 것은?

① How to Stop Being Shy
② Four Tips for Future Teachers
③ Qualities of a Good Class President
④ How to Be a Good Conversationalist
⑤ Class President Election Speech Tips

10 괄호 안의 단어를 알맞은 형태로 고치시오.

→ ______________________

11 윗글의 빈칸 (A), (B)에 들어갈 적절한 말을 주어진 단어를 활용하여 쓰시오.

(A) ____________________ (strong)

(B) ____________________ (able)

[12~14] 다음 글을 읽고, 물음에 답하시오.

My fellow classmates, my name is Eugene Park. I would like to be your sophomore class president. As some of you may know, I don't have any student council experience like most of the other candidates. However, I believe I would make the best president because I clearly understand your needs. The class president should not only be your representative, but also your friend.

My goal is (A) [that / what] as your class president, I will make sure every student has a voice. Often, important decisions regarding student issues like field trips and school athletic events (B) [are / being] made by just a few students. As class president, I will listen to every student's voice, including (C) [that / those] of shy students. One method is by using various ways to collect opinions, such as notes and SNS messages.

Also, one of my main goals as your class president will be to create a hobby day. We need to have more fun at school. So I plan on making a hobby day when we all have chances to do or enjoy each other's favorite hobbies! Experiencing one another's hobbies will allow us to get to know each other more deeply. So I hope in the distant future, we will say, "Hey, remember our sophomore year? That was very fun."

<u>Finally, if electing your class president, I will highly consider your concerns.</u> I will be a powerful voice because I'm just the same as you. You can come to me for anything you ever need and I'll always be willing to listen and help. I hope you make the right choice. Vote for me, Eugene. Thank you.

12 유진이에 관한 내용과 일치하지 <u>않는</u> 것은?

① 이전에 학생회 임원의 경험이 없다.
② 학생들의 요구를 잘 안다고 믿고 있다.
③ 학생 의견을 알기 위해 여러 방법을 쓸 것이다.
④ 취미의 날을 개최하려고 한다.
⑤ 본인의 목소리는 내지 않으려 한다.

13 윗글의 (A), (B), (C) 각 네모 안에서 가장 적절한 것은?

	(A)		(B)		(C)
①	that	……	are	……	that
②	that	……	being	……	that
③	that	……	are	……	those
④	what	……	being	……	those
⑤	what	……	are	……	those

14 윗글의 밑줄 친 문장에서 어법상 <u>틀린</u> 부분을 찾아 바르게 고치시오.

____________________ → ____________________

15 다음 글의 밑줄 친 부분 중 어법상 <u>틀린</u> 것은?

Do you know how to speak with your hands? In fact, ① <u>use</u> appropriate hand gestures usually increases the effectiveness of your message ② <u>by</u> 60%! A study showed that while ③ <u>the least favorite</u> speakers in a series of lectures used an average of 272 hand gestures during ④ <u>their</u> speech, the most favorite speakers used an average of 465 hand gestures. That's ⑤ <u>almost</u> double!

LESSON

2

From Palette to Plate: Food as Art

Check what you already know.

알고 있는 것에 표시해 봅시다.

- ☐ Do you think I should learn how to cook?
  내가 요리하는 법을 배워야 한다고 생각하니?
- ☐ He lives in Seoul. Am I right?
  그는 서울에 살아. 내 말이 맞지?

- ☐ The house **where** she lives is very spacious.
  그녀가 사는 집은 매우 넓다.
- ☐ She is **as tall as** her mother.
  그녀는 자기 어머니만큼 키가 크다.

Think Ahead **Some people say that cooking is an art form. What do you think?**

어떤 사람들은 요리가 예술의 형태라고 말합니다. 어떻게 생각하나요?

Sample I agree because cooking food needs a creative mind.
나는 음식을 요리하는 것은 창의적인 사고가 필요하기 때문에 동의한다.

In this lesson, I will ... 이 단원에서, 나는 …

Listening & Speaking	Reading	Writing	Culture
• learn to ask others for advice. 사람들에게 충고를 구하는 방법을 배울 것이다. • learn to ask others for confirmation. 다른 이들에게 확인을 요청하는 방법을 배울 것이다.	• read about food art. 음식 예술에 관해 읽을 것이다.	• write my own noodle recipe. 나만의 국수 조리법을 쓸 것이다.	• learn about different food customs around the world. 세계의 음식 관습에 관해 배울 것이다.

Key Expressions

- What would you do if ...? 만약 ~한다면 어떻게 할래?
- You haven't seen ..., have you? ~을 본 적 없지, 그렇지?
- This single-portion meal is packed in a box to take with you **wherever** you go. 이 1인분의 식사는 상자에 포장되어 있어서 어디든지 들고 다닐 수 있다.
- Eating a great meal can be **as rewarding an experience as** looking at the *Mona Lisa*. 훌륭한 식사를 하는 것은 '모나리자'를 보는 것만큼 가치 있는 경험일 수 있다.

Starting Out

교과서 pp.34~35

Which one do you think is the most artistic? Why do you think so?
어떤 것이 가장 예술적이라고 생각하는가? 왜 그렇게 생각하는가?

A wall painting by Banksy
Banksy가 그린 벽화

MIT Ray and Maria Stata Center
MIT Ray and Maria Stata 센터

Royal cuisine of Vietnam
베트남의 궁중 요리

Sample I think the wall painting by Banksy is the most artistic because it is not only beautiful but also full of significant messages.
나는 Bansky의 벽화가 아름다울 뿐 아니라 중요한 메시지가 가득하기 때문에 가장 예술적이라고 생각한다.

어구

artistic ⓗ 예술적인
wall painting 벽화
royal ⓗ 궁중의, 왕실의
cuisine ⓜ 요리, 요리법
- This restaurant is famous for its spicy ***cuisine***. (이 식당은 매운 요리로 유명하다.)

Listen and choose what the speaker is talking about.
듣고 화자가 무엇에 관하여 말하는지 골라 봅시다.

ⓐ How she became a cook 그녀는 어떻게 요리사가 되었는가
ⓑ What makes cooking difficult 무엇이 요리를 어렵게 만드는가
✓ⓒ Why students should learn how to cook 왜 학생들이 요리법을 배워야 하는가

Script

W: Hello, students. I'm here to tell you why you should learn how to cook. First of all, by learning to cook you'll learn about eating healthy, which is an important habit to have. Second, cooking for yourself can boost your confidence. Third, you can learn how to work as a team while cooking. Fourth, you can feel the importance of helping others while serving food. It's no exaggeration to say that cooking improves your life greatly. So why don't you experience the benefits of cooking from today?

해석

여: 학생 여러분, 안녕하세요. 저는 여러분이 요리를 왜 배워야 하는지 알려 주기 위해 이 자리에 섰습니다. 무엇보다도, 요리를 배움으로써 여러분은 건강하게 먹는 법에 관해 배울 것입니다. 이것은 가져야 할 중요한 습관입니다. 둘째로 스스로 요리하는 것은 여러분의 자신감을 높여 줄 수 있습니다. 셋째, 여러분은 요리하면서 팀으로 일하는 방법을 배울 수 있습니다. 넷째, 요리를 대접할 때 다른 사람을 돕는 것의 중요성을 느낄 수 있습니다. 요리가 여러분의 삶을 크게 향상한다고 말하는 것은 과장이 아닙니다. 그러니 오늘부터 요리의 유익한 이점들을 경험해 보는 게 어때요?

| 구문 해설 |

- First of all, by learning to cook you'll learn about eating healthy, **which** is an important habit to have.: which는 계속적 용법의 관계대명사로, '그리고 그것은(and it)'이라는 뜻이다.
- Third, you can learn how to work as a team while cooking.: while과 cooking 사이에는 주절의 주어인 you와 be동사, 즉 you are가 생략되어 있다.

어구

healthy ⓗ 건강한
habit ⓜ 습관
for oneself 혼자 힘으로, 스스로
boost ⓢ 끌어올리다
- People want the government to take action to ***boost*** the economy. (사람들은 경제를 부흥시키기 위해 정부가 조치를 취해 주기를 원한다.)

confidence ⓜ 자신감
exaggeration ⓜ 과장
improve ⓢ 향상하다
greatly ⓑ 크게
benefit ⓜ 이익, 이점

힌트
화자는 요리를 배움으로써 얻을 수 있는 이점들에 대해 말하고 있다.

The Meaning of Cooking

❶ Some of my favorite childhood memories are of spending days with my mom in the kitchen. ❷ She baked bread and cookies, and made all kinds of soup. ❸ I also remember watching (과거에 ~했던 것을 기억하다) cooking shows with her on TV. ❹ I guess my training as (~로서) a cook began back then. ❺ Everything (that) my mom made tasted and looked good (2형식 동사), and was often fun to make. ❻ I learned a lot from her. ❼ On top of that, my mom occasionally invited some of our elderly neighbors to our house and served them food. ❽ We ate, talked, played games, and laughed. ❾ Many of my childhood memories are of eating and sharing food. ❿ For me, this is what cooking is all about: creating experiences (about의 목적어1) and making memories (about의 목적어2) that (주격 관계대명사) last far (비교급 강조) longer than the meals themselves (강조 용법).

(Doug Janousek, *Home Cookin' Illustrated*)

해석

요리의 의미

❶ 내가 가장 좋아하는 어린 시절의 추억 중 일부는 부엌에서 엄마와 함께 보낸 날들에 관한 것이다. ❷ 엄마는 빵과 쿠키를 굽고 온갖 종류의 수프를 만드셨다. ❸ 나는 또 엄마와 함께 TV 요리 쇼를 시청하던 것도 기억난다. ❹ 요리사로서 나의 훈련은 그때 시작되었던 같다. ❺ 엄마가 만드시는 모든 것은 맛있었고 보기 좋았으며 종종 만드는 것 자체가 재미있었다. ❻ 나는 엄마로부터 많은 것을 배웠다. ❼ 게다가 엄마는 이따금 이웃의 노인분들을 우리 집으로 초대하여 음식을 대접했다. ❽ 우리는 먹고 떠들고 게임을 즐겼으며 웃었다. ❾ 나의 어린 시절 추억 중 많은 것이 음식을 먹고 나누는 것에 관한 것이다. ❿ 나에게는 이것이야말로 요리의 본질이다. 즉 경험을 창조하고 식사 자체보다 훨씬 더 오래 지속되는 추억들을 만드는 것이다.

구문 해설

❶ I also **remember watching** cooking shows with her on TV.: 「remember+동명사」는 '(과거에) ~한 것을 기억하다'라는 뜻이다. 반면 「remember+to부정사」는 '(미래에) ~할 것을 기억하다'라는 뜻이다.

❷ Everything my mom made **tasted** and **looked good**, and was often fun to make.: tasted and looked good은 tasted good과 looked good이 합쳐진 어구이며, taste와 look은 2형식 동사로 뒤에 형용사를 보어로 취한다.

어구

childhood 명 어린 시절
- She had a very happy ***childhood.*** (그녀는 무척 행복한 어린 시절을 보냈다.)

memory 명 기억, 추억

cook 동 요리사 명 요리하다

taste 동 ~한 맛이 나다

on top of that 게다가

occasionally 부 이따금
- I see him ***occasionally*** in town. (나는 그를 시내에서 이따금 본다.)

last 동 지속하다

far 부 (비교급 앞에서) 훨씬

◎ **What does cooking or food mean to you? Fill in each blank and talk with your partner.** 요리나 음식은 여러분에게 어떤 의미인가? 빈칸을 채우고 짝과 대화해 봅시다.

What does cooking mean to you?
요리가 너에게 무엇을 의미하니?
It means sharing to me. Food tastes better when I share it with others.
그것은 나에게 나눔을 의미해. 음식은 타인과 함께 나눌 때 더 맛있어.

[Example] 예시 • sharing / share it with others 나눔 / 타인과 함께 나누다 • beauty / think it is beautiful 아름다움 / 그것이 아름답다고 생각하다

Listen & Speak 1

교과서 p.36

A Listen and choose what the man would do if he lived in Paris.

듣고 만일 남자가 파리에 산다면 무엇을 하고 싶어 하는지 골라 봅시다.

ⓐ 
✔ ⓑ 
ⓒ 

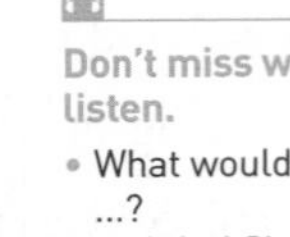

Don't miss when you listen.
- What would you do if ...?
  ~라면 뭐 할 거니?
- I'm thinking of ... .
  ~을 생각 중이야.

Script

W: What would you do if you lived in Paris?
M: I would learn how to cook.
W: Oh, that sounds interesting.
M: Actually, I'm thinking of becoming a cook in the future.

해석

여: 네가 파리에 산다면 너는 뭐 할 거니?
남: 나는 요리하는 법을 배울 거야.
여: 오, 그거 재미있네.
남: 사실, 나는 앞으로 요리사가 될까 생각 중이야.

| 구문 해설 |

- What **would** you **do if** you **lived** in Paris?: 현재의 사실과 다른 상황을 가정하여 말하는 가정법 과거 문장이다.

어구

actually ㊮ 사실, 실은
in the future 미래에

B Listen again and complete the dialogue. 다시 듣고 대화를 완성해 봅시다.

A What would you do if you lived in ___Paris___?
B I would learn ___how to cook___.
A Oh, that sounds interesting.
B Actually, I'm thinking of becoming ___a cook___ in the future.

⊙ Now, practice the dialogue with your partner. 이제, 짝과 대화를 연습해 봅시다.

1 
New York / how to dance / a dancer
뉴욕 / 춤추는 법 / 댄서

2 
Rome / how to speak Italian / a translator
로마 / 이탈리아어를 말하는 법 / 통역사

3 
On Your Own

예시 대화

A: What would you do if you lived in New York?
B: I would learn how to dance.
A: Oh, that sounds interesting.
B: Actually, I'm thinking of becoming a dancer in the future.

해석

A: 네가 뉴욕에 산다면, 너는 무엇을 할 거니?
B: 나는 춤추는 법을 배우고 싶어.
A: 오, 그거 재미있네.
B: 사실, 나는 앞으로 댄서가 될까 생각 중이야.

어구

Italian ㊔ 이탈리아어
translator ㊔ 통역사, 번역가

C Listen and choose what the woman realizes through the dialogue.

듣고 여자가 대화를 통해 깨닫는 것을 골라 봅시다.

ⓐ She realizes that superhero movies are very interesting.
그녀는 슈퍼히어로 영화가 아주 재미있음을 깨닫는다.

ⓑ She realizes that superheroes are different from ordinary people.
그녀는 슈퍼히어로들이 평범한 사람들과 다름을 깨닫는다.

✔ⓒ She realizes that she doesn't need to be a superhero to achieve her dream.
그녀는 꿈을 이루기 위해 슈퍼히어로가 될 필요는 없음을 깨닫는다.

Script

M: Wow, that was a great movie, wasn't it?
W: Yeah. After watching superhero movies, I always feel like a superhero.
M: Really? Hey, what would you do if you really were a superhero?
W: Well, I would spend my life helping people in need. That's my dream.
M: That's cool. But how?
W: I'd make a lot of tasty and healthy food and give it to people for free.
M: Wait a minute. You can do that now.
W: Oh, you're right. I don't need to be a superhero to do that.

해석

남: 와, 이거 대단한 영화야, 그렇지 않니?
여: 그래. 슈퍼히어로 영화를 보고 나면, 내가 항상 슈퍼히어로가 된 느낌이 들어.
남: 정말? 야, 너 정말 슈퍼히어로가 된다면 뭐 할 거니?
여: 글쎄, 나는 어려운 사람들을 도우면서 살 거야. 그게 내 꿈이야.
남: 좋은 생각이야. 하지만 어떻게?
여: 맛있고 건강에 좋은 음식을 많이 만들어서 공짜로 사람들에게 줄 거야.
남: 잠깐. 그건 지금도 할 수 있어.
여: 오, 네 말이 맞다. 그렇게 하는 데 슈퍼히어로가 될 필요는 없지.

| 구문 해설 |

- **After watching** superhero movies, I always feel like a superhero.: 주절과 종속절의 주어가 같을 때 반복을 피하기 위해 종속절의 주어를 생략할 수 있는데 이때 동사를 분사 형태로 바꾼다. 이런 구문을 분사구문이라고 한다. 분사구문에서 접속사는 생략하지만, 분사구문의 뜻을 명확하게 하기 위해 남겨 둘 수도 있다.
- **I'd** make a lot of tasty and healthy food and give **it** to people for free.: I'd는 I would의 줄임말로 '~할 텐데'라는 뜻을 가진 가정법 표현이다. it은 a lot of tasty and healthy food를 가리킨다.
- You can do **that** now.: that은 앞 문장의 내용, 즉 '맛있고 건강에 좋은 음식을 많이 만들어 공짜로 사람들에게 주는 것'을 말한다.

159쪽으로 가서 다시 듣고 빈칸을 채워 봅시다.
Dictation Go to page 159. Listen again and fill in the blanks.

M: Wow, that was a great movie, wasn't it?
W: Yeah. __After__ __watching__ superhero movies, I always feel like a superhero.
M: Really? Hey, what __would__ __you__ do if you really were a superhero?
W: Well, I would spend my life helping people in need. That's my dream.
M: That's cool. But how?
W: I'd make a lot of __tasty__ and __healthy__ food and give it to people for free.
M: Wait a minute. You can do that now.
W: Oh, you're right. I don't need to be a superhero to do that.

어구

in need 곤경에 처한, 궁핍한
- I just hope that the money goes to those who are most ***in need.*** (저는 그저 그 돈이 가장 어려운 사람들에게 가기를 희망합니다.)

tasty ⓗ 맛있는
- I thought the food was very ***tasty.*** (나는 그 음식이 아주 맛있다고 생각했다.)

healthy ⓗ 건강에 좋은
- Fresh fruit and vegetables form an important part of a ***healthy*** **diet.** (신선한 과일과 채소는 건강에 좋은 식사의 중요한 부분을 이룬다.)

for free 무료로

힌트

여자의 꿈은 슈퍼히어로가 되어 어려운 사람들에게 맛있고 몸에 좋은 음식을 공짜로 나눠 주는 것인데 사실 그것은 굳이 슈퍼히어로가 되지 않아도 가능한 일임을 깨닫는다.

Listen & Speak 2

교과서 p.37

A Listen and choose what the speakers are talking about.

듣고 화자들이 무엇에 관해 이야기하고 있는지 골라 봅시다.

✓ ⓐ 

ⓑ 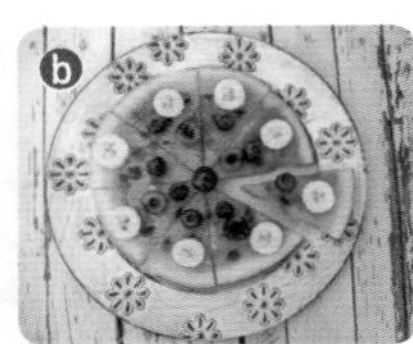

ⓒ 

Don't miss when you listen.

- You haven't ..., have you?
  ~한 적 없지, 그렇지?
- I've never seen anything like this before.
  나는 전에 이런 것을 전혀 본 적이 없어.

Script

W: You haven't seen a rose made out of a watermelon, have you?
M: No, I haven't. How is that possible?
W: Look at this video. A man makes a watermelon into the shape of a rose.
M: Wow, that's amazing! I've never seen anything like this before.

해석

여: 수박으로 만들어진 장미 본 적 없지, 그렇지?
남: 응, 없어. 그게 어떻게 가능하지?
여: 이 비디오를 봐. 한 남자가 수박으로 장미 모양을 만들어.
남: 와, 그거 놀랍다! 나는 전에 이런 것을 전혀 본 적이 없어.

| 구문 해설 |

- You haven't seen a rose made out of a watermelon, **have you**?: have you는 부가의문문이다. 부가의문문은 무엇을 물어보기보다는 자신의 말에 동의나 확인, 다짐을 받으려고 할 때 사용한다.

어구

watermelon ⓜ 수박
possible ⓗ 가능한
shape ⓜ 모양
amazing ⓗ 놀라운, 굉장한
ⓤ astonishing
- **The *amazing* thing is that it was kept secret for so long.** (놀라운 것은 그것이 그렇게 오랫동안 비밀로 지켜졌다는 것이다.)

힌트

두 사람은 수박으로 장미 모양을 만드는 것에 관해 대화하고 있다.

B Listen again and complete the dialogue. 다시 듣고 대화를 완성해 봅시다.

A You haven't seen ___a rose___ made out of ___a watermelon___, have you?
B No, I haven't. How is that possible?
A Look at this video. A man makes ___a watermelon___ into the shape of ___a rose___.
B Wow, that's amazing! I've never seen anything like this before.

◎ **Now, practice the dialogue with your partner.** 이제, 짝과 대화를 연습해 봅시다.

1 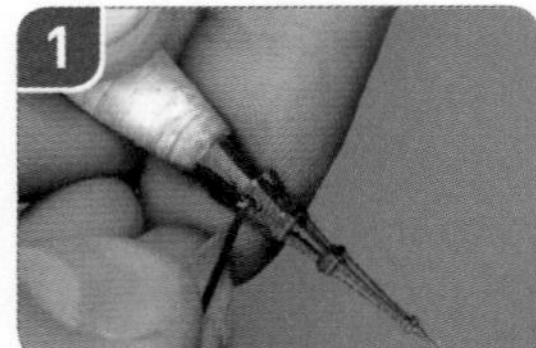

the Eiffel Tower / a pencil / a pencil / the Eiffel Tower
에펠탑 / 연필 / 연필 / 에펠탑

2 

a dolphin / a banana / a banana / a dolphin
돌고래 / 바나나 / 바나나 / 돌고래

3 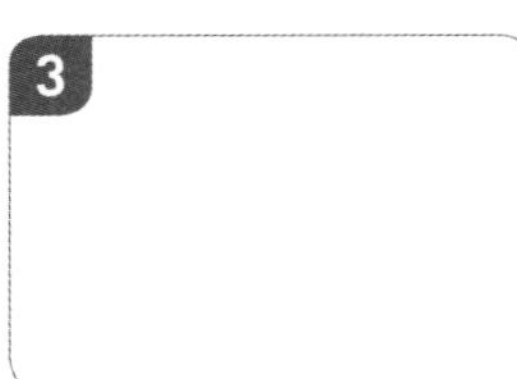

On Your Own

어구

the Eiffel Tower 에펠탑
dolphin ⓜ 돌고래

예시 대화

A: You haven't seen a dolphin made out of a banana, have you?
B: No, I haven't. How is that possible?
A: Look at this video. A man makes a banana into the shape of a dolphin.
B: Wow, that's amazing! I've never seen anything like this before.

해석

A: 바나나로 만든 돌고래 본 적 없지, 그렇지?
B: 응, 없어. 그게 어떻게 가능하지?
A: 이 비디오를 봐. 한 남자가 바나나로 돌고래 모양을 만들어.
B: 와, 그거 놀랍다! 나는 전에 이런 것을 전혀 본 적이 없어.

C Listen and complete the sentence. 듣고 문장을 완성해 봅시다.

People who skip breakfast tend to ___gain___ ___weight___ because they are likely to eat ___more___ in a day.
아침을 거르는 사람들은 하루에 더 먹기 때문에 살이 찌는 경향이 있다.

Script

W: You look tired. Did you go to bed late last night?
M: No, I'm just really hungry.
W: Hungry? John, you skipped breakfast, didn't you?
M: Yeah. I've skipped it for the past two weeks to lose weight.
W: But, John, people who skip breakfast tend to gain weight instead of losing it.
M: Really? Are you sure?
W: Trust me. If you skip breakfast, you end up eating more for lunch and dinner.
M: I think you're right. I'll think again about skipping breakfast.

해석

여: 너 피곤해 보여. 어젯밤 늦게 잤니?
남: 아니, 나는 정말 배고플 뿐이야.
여: 배고파? John, 너 아침을 걸렀지, 그렇지 않니?
남: 응. 지난 2주 동안 체중을 줄이기 위해 아침을 걸렀어.
여: 하지만 John, 아침을 거르는 사람들은 체중이 주는 게 아니라 느는 경향이 있어.
남: 정말? 확실해?
여: 내 말을 믿어. 아침을 거르면 결국 점심과 저녁을 더 먹게 돼.
남: 네 말이 맞는 거 같아. 아침 거르는 것에 대해 다시 생각해 볼게.

구문 해설

- John, you skipped breakfast, **didn't you**?: didn't you는 부가의문문으로 자신의 말을 확인하기 위한 의문문이다.
- But, John, people **who** skip breakfast tend to gain weight instead of losing **it**.: who는 people을 선행사로 하는 주격 관계대명사이다. it은 weight를 가리킨다.

어구

skip breakfast 아침 식사를 거르다

lose weight 체중이 줄다
- I could ***lose weight*** after I stopped eating sugar. (나는 설탕 섭취를 그만둔 후에 체중을 줄일 수 있었다.)

gain weight 체중이 늘다

end up 결국 ~하게 되다
- You'll ***end up*** penniless if you continue to spend like that. (그런 식으로 계속 소비하면 너는 무일푼이 될 거야.)

힌트

여자는 체중을 줄이기 위해 아침을 거르는 사람들이 결국은 점심과 저녁을 더 먹음으로써 오히려 체중이 늘어나는 경향이 있다고 말하고 있다.

Dictation 159쪽으로 가서 다시 듣고 빈칸을 채워 봅시다. Go to page 159. Listen again and fill in the blanks.

W: You look tired. Did you go to bed late last night?
M: No, I'm just really hungry.
W: Hungry? John, you skipped breakfast, ___didn't___ ___you___?
M: Yeah. I've skipped it for the past two weeks to ___lose___ ___weight___.
W: But, John, people who skip breakfast tend to ___gain___ weight instead of losing it.
M: Really? Are you sure?
W: ___Trust___ me. If you skip breakfast, you end up eating more for lunch and dinner.
M: I think you're right. I'll think again about skipping breakfast.

Real-life Project

교과서 pp.38~39

한국 음식에 관한 동영상 만들기 **Making a Video Clip on Korean Food**

Step 1 **The following are the top 5 Korean foods chosen by visitors to Korea. Guess their rankings.**
한국 방문객들이 선정한 5대 한국 음식을 보고 순위를 추측해 봅시다.

(Korea Culture & Tourism Institute, 2015)

어구

visitor ⓜ 방문객

ranking ⓜ 순위

- **Last year he rose from 266th to 35th in the tennis world *rankings*.** (작년에 그는 테니스 세계 순위가 **266**위에서 **35**위로 상승했다.)

Step 2 **Using the dialogue below, choose the top Korean food that your group would like to introduce to visitors to Korea.**
아래 대화를 활용하여 여러분 모둠에서 한국 방문객들에게 소개하고 싶은 최고의 한국 음식을 골라 봅시다.

Sample Dialogue

A Have a look at this. These are the top 5 Korean foods chosen by visitors to Korea.

B Hmm... . I love all of them. They're all so tasty.

A Right. What would you do if you had to recommend one to a person visiting Korea?

B I'd recommend *bulgogi* first. I'm sure most visitors would like it.

A I agree. But how about visual appearance? To me, *bibimbap* looks more attractive than *bulgogi*.

B Yeah, you have a point. *Bibimbap* is both delicious and very colorful, isn't it?

A Definitely. You know, what looks good tastes good.

B Okay. Then, let's choose *bibimbap* as the top Korean food to introduce to visitors to Korea.

해석

A: 이걸 봐. 한국 방문객들이 선정한 5대 한국 음식이야.

B: 흠…. 내가 다 좋아하는 거야. 모두 아주 맛있어.

A: 맞아. 한국 방문객에게 한 가지를 추천해야 한다면 어떻게 하겠니?

B: 나는 불고기를 먼저 추천하겠어. 대부분의 방문객이 그걸 좋아할 거라고 확신해.

A: 동의해. 하지만 시각적인 모양은 어떨까? 나에게는 비빔밥이 불고기보다 더 매력적으로 보여.

B: 그래, 네 말에 일리가 있어. 비빔밥은 맛도 좋고 색깔도 아주 화려해, 그렇지 않니?

A: 그렇고 말고. 너도 알다시피 보기 좋은 것이 맛도 좋아.

B: 좋아. 그럼 한국 방문객에게 소개할 최고의 한국 음식으로 비빔밥을 선택하자.

어구

introduce ⓢ 소개하다

have a look at ~을 보다

tasty ⓗ 맛있는

recommend ⓢ 추천하다

most ⓗ 대부분의

visual ⓗ 시각의, 시각적인

- **The mirrors provide a *visual* stimulus for the babies.** (거울은 아기들에게 시각적 자극을 제공해 준다.)

appearance ⓜ 모양, 외모

attractive ⓗ 매력적인

have a point 일리가 있다

delicious ⓗ 맛있는

colorful ⓗ 화려한, 다채로운

definitely ⓟ (대답으로) 그렇고 말고, 명확한 ⓤ **certainly**

Step 3 **Make a video clip that introduces your group's top Korean food.**
여러분 모둠이 뽑은 최고의 한국 음식을 소개하는 동영상을 만들어 봅시다.

	Example	On Your Own
1 Decide the title of the video. 동영상의 제목을 결정하라.	*Bibimbap*: A Must to Try! 비빔밥: 꼭 먹어 봐야 할 음식!	Sample *Bulgogi*: The Best Korean Cuisine! 불고기: 최고의 한국 음식!
2 Decide what you want to say in the video. 동영상에서 말하고 싶은 것을 결정하라.	What would you do if you could try only one food in Korea? Your best choice would be to try *bibimbap*. To eat it, you use a spoon to mix steamed rice with vegetables, meat, and *gochujang*. *Bibimbap* is both delicious and very colorful. It tastes so good that you'd fall in love at first bite. 한국에서 한 가지 음식만 먹을 수 있다면 무엇을 먹겠습니까? 여러분에게 최고의 선택은 비빔밥을 먹는 것입니다. 비빔밥을 먹기 위해 여러분은 숟가락을 사용해 채소, 고기, 고추장과 함께 밥을 비비면 됩니다. 비빔밥은 맛도 있고 색깔도 매우 화려합니다. 비빔밥은 맛이 너무 좋아서 한 입 먹자마자 사랑에 빠질 것입니다.	Are you new to Korea and want to eat a delicious Korean meal? Then, I highly recommend you to try *bulgogi*. *Bulgogi* is Korean barbecued beef. It is usually served with steamed rice and vegetables, and has a wonderfully unique flavor that no one can deny. You've got to try it! 한국에 처음 오셔서 맛있는 한국 음식을 먹고 싶으신가요? 그렇다면 여러분에게 불고기를 강력 추천합니다. 불고기는 한국식 소고기 바비큐 요리입니다. 불고기는 보통 밥과 채소와 함께 제공되며 누구도 부인할 수 없는 매우 독특한 맛을 가지고 있습니다. 여러분은 불고기를 먹어 봐야 합니다!
3 Decide when and where you will shoot your video. 언제, 어디에서 동영상을 촬영할지 결정하라.	On Monday afternoon in the cooking lab at school 월요일 오후, 학교 요리 실습실	On Friday afternoon in the classroom 금요일 오후, 교실

Step 4 **Present your video clip to the class.** 동영상을 학급에 소개해 봅시다.

Self-Check

I can ask others for advice. 다른 사람들에게 충고를 구할 수 있다.	☐ Yes ☐ No ➡ Listen & Speak 1
I can ask others for confirmation. 다른 사람들에게 확인을 요청할 수 있다.	☐ Yes ☐ No ➡ Listen & Speak 2

어구

video clip 동영상

must 명 반드시 해야 하는 것, 필수품
- **If you live in the country a car is a *must*.** (시골에 산다면 자동차는 필수품이다.)

spoon 명 숟가락

mix 동 섞다, 비비다

steamed rice 찐 밥

vegetable 명 채소
- **He runs a fruit and *vegetable* stall in the market.** (그는 시장에서 과일과 채소 판매점을 운영한다.)

fall in love 사랑에 빠지다
- **I was 20 when I first *fell in love*.** (내가 처음으로 사랑에 빠졌을 때 나는 20살이었다.)

at first bite 한입 먹어 보면

Language in Focus

교과서 pp.40-41

A Guess the meanings of the words in bold from the contexts.

굵게 표시된 단어의 뜻을 문맥에서 추측해 봅시다.

1. Food artists **dedicate** their time to turning edibles into visuals.
음식 예술가들은 먹을 수 있는 것을 시각에 호소하는 것으로 바꾸는 데 시간을 바친다.

At 12, my sister decided to **dedicate** her life to serving others.
열두 살 때 내 여동생은 자신의 삶을 타인에게 봉사하는 데 바치기로 결심했다.

dedicate: (시간, 생애 등을) 바치다

2. Have you ever had a **fabulous** meal that you can still remember to this day?
오늘까지 기억할 수 있는 멋진 음식을 먹어 본 적이 있나요?

It was such a **fabulous** day that everybody enjoyed the garden party.
아주 화창한 날이어서 모두가 가든파티를 즐겼다.

fabulous: 멋진, 굉장한

| 구문 해설 |

- Food artists **dedicate** their time **to turning** edibles into visuals.: dedicate *A* to *B*는 'B하는 데 A를 바치다'라는 뜻이며, 여기서 to는 전치사이므로 동명사 turning이 쓰였다.
- It was **such** a fabulous day **that** everybody enjoyed the garden party.: such ~ that ...은 '너무 ~해서 …하다'라는 뜻이다.

어구

dedicate ⓢ (시간, 생애 등을) 바치다
edible ⓜ 식료품, 음식 ⓗ 먹을 수 있는, 식용의
visual ⓜ 시각에 호소하는 것 ⓗ 시각의
fabulous ⓗ 멋진, 굉장한

힌트

dedicate는 주로 dedicate *A* to *B*의 형태로 쓰이며, fabulous는 '멋진, 굉장한'이라는 뜻이다.

B Find the appropriate meanings of the expressions in bold.

굵게 표시된 표현들의 적절한 뜻을 찾아봅시다.

1. Maybe you've seen special desserts **from time to time**. ⓑ
아마 당신은 때때로 특별한 디저트를 보았을 것이다.

2. Many food artists save their works **with the help of** modern technology. ⓒ
많은 음식 예술가들은 현대 기술의 도움으로 자신의 작품을 보존한다.

3. Food must be consumed before it **goes bad**. ⓐ
음식은 상하기 전에 먹어야 한다.

ⓐ To become spoiled 상하다　ⓑ Now and then 때때로　ⓒ Thanks to ~덕분에

On Your Own Write your own sentences using the words and expressions given in A and B.
A와 B의 단어와 표현을 사용하여 자신만의 문장을 써 봅시다.

Sample

You look fabulous in those jeans. 그 청바지를 입으니 멋져 보여요.
With the help of her family, Naomi opened her first shop in 1999.
가족의 도움으로 Naomi는 1999년에 그녀의 첫 번째 가게를 열었다.

어구

dessert ⓜ 후식
modern ⓗ 현대적인, 현대의
technology ⓜ 기술
consume ⓢ ~을 다 먹다, 소비하다
- We recommend that this wine should be *consumed* within six months. (이 와인은 6개월 이내에 먹어야 한다고 제안 드립니다.)

spoiled ⓗ 상한
now and then 때때로
thanks to ~덕분에
- *Thanks to* recent research, effective treatments are now available. (최근의 연구 덕분에 효과적인 치료들이 이제 이용 가능하다.)

힌트

from time to time 때때로
with the help of ~의 도움으로
go bad 상하다

Word Study

C Pay attention to the words in bold and talk about their meanings with your partner.

굵게 표시된 단어들에 집중해서 그것들의 의미에 관해 짝과 이야기해 봅시다.

- It's amazing what people can make out of **edible** things.
  먹을 수 있는 것으로 무엇을 사람들이 만들어 낼 수 있는지가 놀랍다.
- There are certain **edible** insects that many people love to **eat**.
  많은 사람이 즐겨 먹는 어떤 먹을 수 있는 곤충들이 있다.

◎ Complete the sentences using the given words.
주어진 단어를 사용하여 문장을 완성해 봅시다.

1. The ___audio___ of the movie was difficult to hear. It was not ___audible___. (audio)
그 영화의 소리는 듣기 힘들었다. 그것은 들리지 않았다.
2. The new ___horror___ movie earned ___horrible___ reviews. (horror) 그 신작 공포 영화는 끔찍한 비평을 받았다.

⊕ Think of more words ending with *-ible*. '-ible'로 끝나는 단어들을 생각해 봅시다.

Word Group

visible, terrible

볼 수 있는, 무시무시한

| 구문 해설 |

- **The audio of the movie was difficult to hear.**: **difficult**(힘든), **easy**(쉬운), **possible**(가능한), **impossible**(불가능한) 등의 형용사는 사람이 주어일 때는 보어로 쓰이지 않으며, 주어가 사물이나 가주어 **it**일 때 보어로 쓰인다. 이 문장의 경우 **It was difficult to hear the audio of the movie.**로 바꿔 쓸 수 있다.

어구

edible ⓗ 먹을 수 있는
- **The vegetables were old but still looked *edible*.** (그 채소는 오래 되었지만, 여전히 먹을 수 있어 보였다.)

certain ⓗ 어떤
insect ⓜ 곤충
audio ⓜ 소리
horror ⓜ 공포
earn ⓢ 얻다, 획득하다
- **Companies must *earn* a reputation for honesty.** (기업은 정직하다는 평판을 얻어야 한다.)

review ⓜ 비평

힌트

명사에 -ible을 붙이면 '~할 수 있는', '~한'이라는 뜻을 가진 형용사가 된다.

Grammar Study 1

D Compare the following pairs of sentences and find the difference between them. 문장들을 비교해 보고 차이점을 찾아봅시다.

- Bento is packed in a box to take with you **any place where** you go.
  Bento is packed in a box to take with you **wherever** you go.
  벤토는 어디든 들고 다닐 수 있도록 상자에 포장되어 있다.
- You can have lunch **any place where** you like.
  You can have lunch **wherever** you like.
  너는 네가 원하는 어디서든 점심을 먹어도 된다.

◎ Based on your findings, complete the sentences.
알아낸 바에 근거하여 문장을 완성해 봅시다.

1. 

Any place where she went, she took her dog with her.
⇨ ___Wherever___ she went, she took her dog with her.
어디에 가든 그녀는 개를 데리고 다녔다.

2. The plant grows any place where there is water nearby.
⇨ The plant grows ___wherever___ there is water nearby.
그 식물은 근처에 물이 있는 곳이라면 어디든지 자란다.

어구

pack ⓢ 포장하다
nearby ⓑ 근처에

힌트

any place where는 '어디든지'라는 뜻으로 wherever로 바꿔 쓸 수 있다.

Language in Focus

| 구문 해설 |

• Bento is packed in a box **to take** with you any place where you go.: to take는 목적의 뜻을 가진 부사적 용법의 to부정사이다.

Grammar Point

복합관계부사 wherever

장소를 강조하여 '~하는 곳은 어디에서든지(any place where)'라는 뜻으로 복합관계부사 wherever를 쓸 수 있다.
e.g. Sit **wherever** you like. (어디든 네가 앉고 싶은 곳에 앉아.)

Grammar Study 2

E Compare the following pairs of sentences and find the difference between them.

문장들을 비교해 보고 차이점을 찾아봅시다.

• I've never read **a novel as interesting as** this.
I've never read **as interesting a novel as** this.
나는 이것만큼 흥미로운 소설을 결코 읽은 적이 없다.

• Eating a great meal can be **an experience as rewarding as** looking at the *Mona Lisa*.
Eating a great meal can be **as rewarding an experience as** looking at the *Mona Lisa*.
훌륭한 식사를 하는 것은 '모나리자'를 보는 것만큼 가치 있는 경험일 수 있다.

◎ Based on your findings, complete the sentences.
알아낸 바에 근거하여 문장을 완성해 봅시다.

1. For good health, adequate sleep is a requirement as important as healthy food.
= For good health, adequate sleep is as __important a requirement__ as healthy food.
건강을 위해서 적절한 수면은 건강에 좋은 음식만큼 중요한 필요조건이다.

2. I hope I can be a cook as imaginative as my mother.
= I hope I can be as __imaginative a cook__ as my mother.
나는 내가 어머니만큼 상상력이 풍부한 요리사가 될 수 있기를 바란다.

어구

novel 명 소설

rewarding 형 가치 있는, 득이 되는
• **Caring for the elderly is *rewarding*.** (노인들을 돌보는 것은 보람이 있다.)

adequate 형 적절한

requirement 명 필요조건, 필수품

healthy 형 건강한, 건강에 좋은

imaginative 형 상상의, 상상력이 풍부한
• **He was *imaginative* beyond all our expectations.** (그는 우리의 기대보다 상상력이 풍부했다.)

힌트

관사+명사+as+형용사+as
= as+형용사+관사+명사+as
(~만큼 …한)

| 구문 해설 |

• **Eating** a great meal can be an experience as rewarding as looking at the *Mona Lisa*.: Eating은 동명사 주어이다.

Grammar Point

동등 비교 구문

같거나 비슷한 것을 비교하여 말할 때 사용하는 구문으로 as ~ as가 있는데, as와 as 사이에 명사가 올 때는 「as+형용사+관사+명사+as」의 어순이 된다. 형용사와 관사의 어순이 일반적인 어순과 다르기 때문에 특히 주의해야 한다.

Before You Read

교과서 p.42

A Choose two ingredients from each work of food art.

각각의 음식 예술에서 두 가지 재료를 골라 봅시다.

1. 

☐ Banana 바나나 ☑ Corn 옥수수 ☑ Carrot 당근

2. 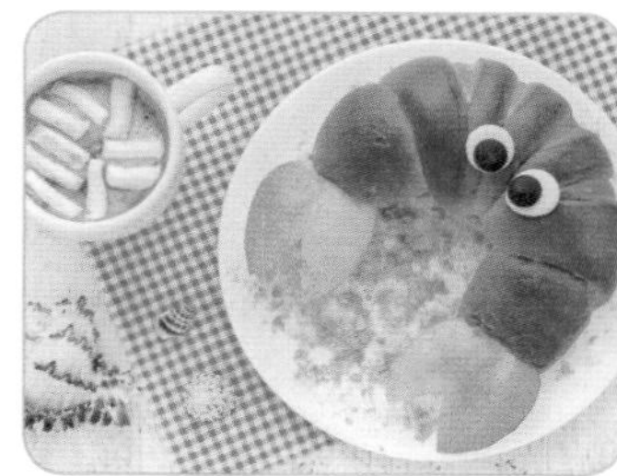

☑ Bread 빵 ☑ Apple 사과 ☐ Mushroom 버섯

3. 

☑ Ham 햄 ☐ Onion 양파 ☑ Bread 빵

어구

ingredient 명 재료
corn 명 옥수수
carrot 명 당근
mushroom 명 버섯
onion 명 양파

B Reading Strategy: Comparing and Contrasting 독해 전략: 비교·대조하기

Comparing and contrasting shows how two or more people, places, or things are alike or different. Words and expressions that signal comparing and contrasting are *but*, *however*, *yet*, *although*, *similarly*, *while*, and *on the other hand*.

비교·대조하기는 둘 이상의 사람, 장소, 또는 사물이 어떻게 유사한지 또는 다른지를 보여 준다. 비교, 대조하기를 나타내는 단어와 표현들은 'but(그러나), however(그러나), yet(그러나), although(비록 ~지만), similarly(유사하게), while(~인 반면), on the other hand(한편)' 등이다.

e.g.

People thought Craig would never win the competition. To their surprise, **however**, he won first prize.

사람들은 Craig가 결코 그 대회에서 우승하지 못할 것으로 생각했다. 그러나 놀랍게도 그가 우승했다.

어구

compare 동 비교하다
contrast 동 대조하다
signal 동 신호로 알리다, 나타내다
• She ***signaled*** Tom to be silent. (그녀는 Tom에게 조용히 하라고 신호를 보냈다.)
competition 명 대회, 경쟁
to one's surprise 놀랍게도

◈ Write a logical ending to the final sentence below.

아래 문장에 이어질 논리적 결말을 써 봅시다.

Food elicits many different reactions in people. Some people are drawn by taste, of course. Others, however, Sample might be tempted by its smells and visual appearance.

해석 음식은 사람들에게서 여러 다양한 반응을 이끌어 낸다. 어떤 사람들은 물론 음식의 맛에 끌리기도 한다. 그러나 어떤 사람들은 음식의 냄새나 모양에 끌리기도 한다.

힌트

however(그러나)는 앞뒤의 내용이 대조적임을 나타낸다. 따라서 어떤 사람들은 음식의 맛에 끌리지만 다른 사람들은 음식의 다른 측면에 끌린다는 내용이 이어지는 것이 자연스럽다.

| 구문 해설 |

• **Comparing and contrasting shows** how two or more people, places, or things are alike or different.: 이 문장의 주어인 Comparing and contrasting은 '비교·대조하기'라는 하나의 개념을 나타내므로 단수 취급한다. 따라서 동사 show 또한 뒤에 s를 붙여 단수 동사 형태를 취하고 있다.

Reading

교과서 p.43

Eat with Your Eyes!

❶ Food elicits many different reactions in people. ❷ Some people are drawn by taste, of course. ❸ Others, however, might be tempted by its smells and visual appearance. ❹ For thousands of years, people have sought not only to make food taste better, but they have also taken great steps to make food smell and look better.

(Some: 전체 중 일부는 ~ / are drawn: 수동태 / Others: 전체 중 일부를 제외한 나머지는 … / not only A but also B: A뿐만 아니라 B도 / to make: 형용사적 용법의 to부정사)

❺ Have you ever been to a really fancy restaurant? ❻ Maybe you've seen special desserts in the windows of bakeries or dessert shops from time to time. ❼ Look at the Korean rice cakes below. ❽ They almost appear too beautiful to eat. ❾ But really, no one wants to eat something that doesn't look delicious!

(Have you ever been: 현재완료(경험) / from time to time: 가끔 / too ~ to: 너무 ~해서 …할 수 없다 / that: 주격 관계대명사)

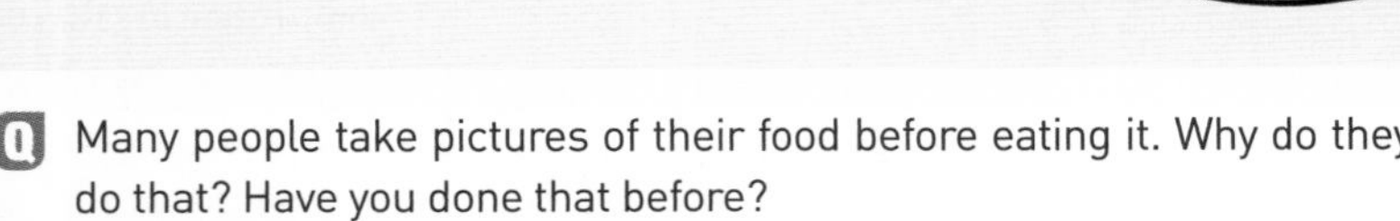

Q Many people take pictures of their food before eating it. Why do they do that? Have you done that before?
많은 사람이 음식을 먹기 전에 음식 사진을 찍는다. 왜 그렇게 할까? 여러분은 그렇게 해 본 적이 있는가?

Sample I think they take pictures of their food before eating it because the food looks beautiful and delicious. I've done that before.
사람들이 음식을 먹기 전에 음식 사진을 찍는 것은 그 음식이 아름답고 맛있어 보이기 때문이라고 생각한다. 나도 이전에 그렇게 해 본 적이 있다.

해석

눈으로 먹다!

❶음식은 사람들에게서 여러 다양한 반응을 끌어낸다. ❷어떤 사람들은 물론 음식의 맛에 끌리기도 한다. ❸그러나 어떤 사람들은 음식 냄새와 모양에 끌리기도 한다. ❹수천 년 동안 사람들은 음식의 맛을 더 좋게 만들기 위해 노력했을 뿐만 아니라, 음식이 더 맛있는 냄새가 나고 더 예뻐 보이게 만드는 데에도 큰 발전을 이뤄 냈다.

❺여러분은 정말 멋진 식당에 가 본 적이 있는가? ❻아마도 여러분은 때때로 빵집이나 디저트 가게의 창문을 통해 특별한 디저트들을 본 적이 있을 것이다. ❼아래 한국의 떡 사진을 보라. ❽떡들은 너무 아름다워 보여서 먹을 수 없을 정도이다. ❾하지만 정말 누구도 먹음직스럽지 않은 음식을 먹고 싶어 하지는 않는다!

Highlight

L1&L2 Highlight *Some* and *Others* and compare them with the words in bold in the following:

- There were three spoons on the table. ***One*** is here. Where are ***the others***?

'Some'과 'Others'에 표시한 후 아래 문장의 굵게 표시된 단어들과 비교해 봅시다.

- 테이블 위에 숟가락이 세 개 있었다. 하나는 여기 있는데 나머지는 어디 있는가?

➡ 수를 정확히 알지 못하는 두 가지 부류를 말할 때 '일부는 ~, 다른 일부는 …'라는 뜻으로 some과 others를 사용한다. 반면 전체 수를 정확히 알고 '하나는 ~, 나머지는 …'라는 뜻을 나타낼 때 one과 the others를 사용한다.

어구

elicit ⓢ 끌어내다, 이끌어 내다
㊌ **draw**
- **I tried to *elicit* a smile from my brother.** (나는 남동생에게서 미소를 끌어 내려고 애썼다.)

seek ⓢ 노력하다, 추구하다

fancy ⓗ 멋진, 대단히 좋은

dessert ⓜ 디저트, 후식

from time to time 때때로
㊌ **sometimes**

구문 연구

❷ **Some** people are drawn by taste, of course.
전체 수를 알지 못하는 대상에 대해 '일부는 ~, 나머지 일부는 …'라고 말할 때 some과 Others를 사용한다.

❸ **Others, however**, might be tempted by **its** smells and visual appearance.
Others는 바로 앞 문장의 Some과 연결되어 '나머지 일부는'이라는 뜻을 갖는다. however는 문장 맨 앞에 쓰기도 하고 주어 뒤에 쓰기도 한다. its는 it의 소유격이며, 첫 문장의 food를 가리킨다.

❹ **For thousands of years**, people have sought not only to make food taste better, but they have also taken great steps to make food smell and look better.
특정 기간을 나타내는 말과 함께 '얼마 동안'이라고 할 때는 during을, 숫자와 함께 '얼마 동안'이라고 할 때는 for를 쓴다.
e.g. **during** the vacation (방학 중에), **during** his lifetime (그의 일생 동안)
for three minutes (3분 동안)

❺ **Have you ever been to** a really fancy restaurant?
Have you over been to ...?는 '~에 가 본 적이 있니?'라고 경험을 묻는 표현이다.
e.g. A: **Have you ever been to** Paris? (파리에 가 본 적이 있니?)
B: Yes, I have (been to Paris). / No, I haven't (been to Paris).
(응, (가 본 적이) 있어. / 아니, (가 본 적이) 없어.)
cf. have gone to: ~에 가 버렸다 (그래서 지금 이곳에는 없다)
e.g. They **have gone to** Paris. (그들은 파리로 가 버렸다.)

❽ They almost **appear too beautiful to eat**.
appear와 seem은 '~해 보이다'라는 뜻의 2형식 동사로 형용사 beautiful이 보어로 사용되었다.
「too+형용사/부사+to부정사」는 '너무 ~해서 …할 수 없다'라는 뜻이다.

Grammar Check

› 부정대명사
수가 알려지지 않은, 즉 수가 정해지지 않은 것을 대신하는 대명사를 부정대명사라고 한다.

one	하나
the other	둘 중 나머지 하나
some	전체 중 복수의 일부
others	전체 중 복수의 일부를 제외한 나머지 〈수를 모를 때〉
the others	전체 중 복수의 일부를 제외한 나머지 〈수를 알 때〉
another	하나 더

- **one ~, the other ...**

e.g. **She has two daughters. One is a teacher and the other is a cook.** (그녀는 딸이 둘 있다. 한 명은 교사, 다른 한 명은 요리사이다.)

- **one ~, the others ...**

e.g. **I bought five books online. One is in good condition, but the others are not.** (나는 온라인으로 책을 다섯 권 구입했다. 하나는 상태가 좋은데, 나머지는 그렇지 않다.)

- **some ~, others ...**

e.g. **There were lots of kids playing on the playground. Some were playing football, and others were playing basketball.** (운동장에서 많은 아이가 놀고 있었다. 일부는 축구를 하고 있었고, 다른 아이들은 농구를 하고 있었다.)

Check Up

01 네모 안에서 적절한 것을 고르시오.

(1) I tried all the dishes on the table. Some were good, but [others / the others] were average.

(2) She has two kittens. One is black and [another / the other] is all white.

(3) He bought six books. Two of them were for his son, and [others / the others] were for his wife.

02 우리말과 일치하도록 주어진 단어들을 바르게 배열하시오.

당신은 이전에 한국에 가 본 적이 있나요?
(to Korea, ever, been, have, before, you)

→ ______________________

교과서 p.44

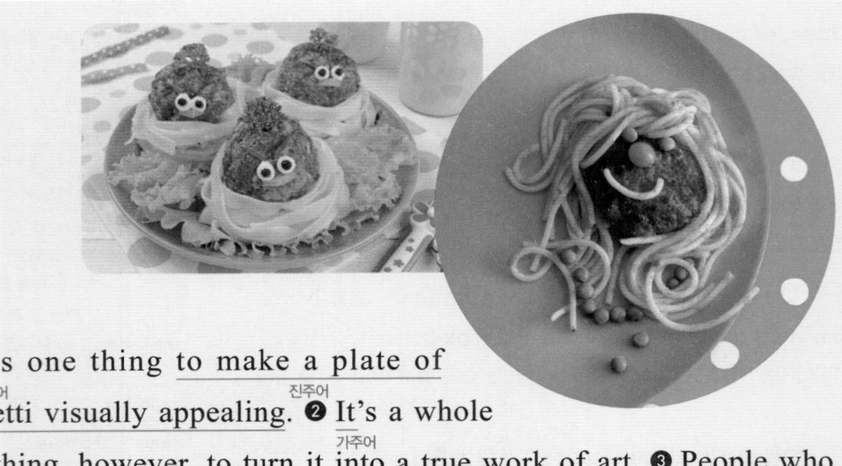

❶ It's one thing to make a plate of spaghetti visually appealing. ❷ It's a whole other thing, however, to turn it into a true work of art. ❸ People who dedicate their time to turning edibles into visuals are often called food artists.

(가주어 It / 진주어 to make ~ appealing; 가주어 it / 진주어 to turn ~ art; 주어 People / 동사(수동태) are called; dedicate *A* to *B*: A를 B에 바치다; turn *A* into *B*: A를 B로 바꾸다)

❹ Art has featured food for thousands of years. ❺ In fact, you may have made art (that is) featuring food as the subject in art class. ❻ You have drawn or painted a bowl of fruit, haven't you?

(현재완료(계속) has featured; may have p.p.: ~했을지 모른다; 현재완료(경험) have drawn or painted; 부가의문문 haven't you?)

❼ Some brave souls have taken the step from painting pictures of fruit to making art out of the fruit itself. ❽ For example, there's a video of an artist (who is) turning a watermelon into a rose on the Internet. ❾ Of course, vegetables, pasta, and many other types of food can be made into art, too. ❿ It's simply amazing what people can make out of edible things.

(from *A* to *B*: A에서 B까지; (가공을 거쳐) ~로 만들어지다 be made into; 가주어 It / 진주어 what ~ things)

Q What do food artists do?
음식 예술가들은 무엇을 하는가?
정답: They dedicate their time to turning edibles into visuals.
그들은 먹을 수 있는 것을 시각에 호소하는 것으로 바꾸는 데 시간을 바친다.

해석

❶❷ 그런데 스파게티 한 접시를 먹음직스럽게 보이게 하는 것과 그것을 진정한 예술 작품으로 보이게 하는 것은 완전히 다른 일이다. ❸ 먹을 수 있는 것을 시각에 호소하는 것으로 바꾸는 데 자신의 시간을 들이는 사람들은 종종 음식 예술가라고 불린다.
❹ 예술은 수천 년 동안 음식을 크게 다뤄 왔다. ❺ 사실, 여러분은 미술 시간에 음식을 주제로 하는 예술 작품을 만들어 봤을 것이다. ❻ 여러분은 과일 그릇을 그려 보거나 색을 칠해 본 적이 있다, 그렇지 않은가?
❼ 몇몇 용감한 이들은 과일을 그리는 것에서 과일 그 자체에서 예술을 만드는 것까지 발전을 이뤄 냈다. ❽ 예를 들어, 인터넷에는 수박을 장미로 바꿔 놓는 예술가의 영상이 있다. ❾ 물론 채소와 파스타, 그리고 다른 많은 종류의 음식들도 예술로 만들어질 수 있다. ❿ 먹을 수 있는 것으로부터 사람들이 무엇을 만들어 낼 수 있는지가 그저 놀랍기만 하다.

One More Step

L4 What could the word *dedicate* be replaced with?
dedicate 대신 쓸 수 있는 단어는 무엇인가?
ⓐ convey 전달하다
✓ⓑ devote (시간, 노력 등을) 바치다
ⓒ notify 통지하다
ⓓ associate 연합하다, 연상하다
➡ dedicate와 devote 모두 '(시간, 노력, 생애 등을) 바치다'라는 뜻을 갖는다.

Pay Attention

L7 **You have** drawn or painted a bowl of fruit, **haven't you?**
➡ haven't you?는 부가의문문이다. 부가의문문은 자신의 말에 동의나 확인, 다짐을 받을 때 사용한다.

어구

plate ⓜ 접시
dedicate ⓢ (시간, 생애 등을) 바치다
· He ***dedicated*** himself to protecting the rights of the homeless. (그는 노숙자들의 권리를 보호하는 데 자신을 바쳤다.)
edible ⓜ 먹을 수 있는 것, 음식
feature ⓢ 크게 다루다
· The film ***featured*** Glenn Miller and His Orchestra. (그 영화는 Glenn Miller와 그의 오케스트라를 크게 다루었다.)
subject ⓜ 주제
bowl ⓜ 그릇, 사발
watermelon ⓜ 수박
take the step 노력하다, 한 걸음 나아가다
turn *A* into *B* A를 B로 바꾸다

구문 연구

❶, ❷ **It**'s **one thing to make** a plate of spaghetti visually appealing. **It**'s **a whole other thing**, however, **to turn** it into a true work of art.
두 문장의 주어는 가주어로 쓰인 It이며, 각각 to make, to turn 이하가 진주어이다. 'A와 B는 별개이다,' 'A와 B는 전혀 다른 일이다'라는 뜻을 나타내기 위해 흔히 사용되는 구문이 *A* is one thing. *B* is another.인데, 이 문장의 one thing, a whole other thing 역시 같은 뜻을 갖는다.

❸ **People who dedicate their time to turning** edibles **into** visuals **are** often **called** food artists.
People이 주어, 수동태 are called가 문장의 동사이다. who는 주어 People을 수식하는 주격 관계대명사이다. dedicate는 dedicate *A* to *B*와 같은 형식으로 사용되며, '(시간, 생애 등을) ~에 바치다'라는 뜻이다. 이때 to는 전치사이므로 B 자리에는 명사(구)나 동명사(구)가 와야 한다. turn *A* into *B*는 'A를 B로 바꾸다'라는 뜻이다.

❺ In fact, you **may have made** art featuring food as the subject in art class.
「may have p.p.」는 '~했을지 모른다'라는 뜻으로 과거에 대한 약한 추측의 의미를 나타낸다. art와 featuring 사이에 「주격 관계대명사+be동사」, 즉 that is가 생략되어 있다.

❼ Some brave souls have **taken the step from painting** pictures of fruit **to making** art out of the fruit itself.
take the step은 '한걸음 내딛다, 진일보하다'라는 뜻이다. from *A* to *B*는 'A에서 B까지'라는 뜻이며 이때 from과 to는 모두 전치사이므로 A와 B 자리에 동사가 올 경우 이 문장에서처럼 동명사(painting, making)를 써야 한다.

❽ For example, there's a video of an artist turning a watermelon into a rose on the Internet.
artist와 turning 사이에 「주격 관계대명사+be동사」, 즉 that is가 생략되어 있다.

❿ **It**'s simply amazing **what** people can make out of edible items.
It은 가주어이고 what 이하가 진주어다.

Grammar Check

> *A* is one thing, *B* is another.
'A와 B는 전혀 별개이다'라는 뜻을 갖는 관용적 표현이다. **another** 대신 **other thing**을 쓰기도 한다.
e.g. **Knowledge is one thing, wisdom is another.**
(지식과 지혜는 별개의 것이다.)
Getting a job is one thing. Keeping it is another.
(직업을 얻는 것과 그것을 유지하는 것은 별개의 것이다.)

> 조동사의 관용적 표현
「조동사+**have p.p.**」는 사용되는 조동사에 따라 특별한 의미를 가진다.
- **may have p.p.**: ~했을지 모른다
e.g. **She may have been to the party.** (그녀는 그 파티에 갔을지도 모른다.)
- **must have p.p.**: ~했음에 틀림없다
e.g. **He must have been to the party.** (그녀는 그 파티에 간 것이 틀림없다.)
- **should have p.p.**: ~했어야 했다
e.g. **She should have been to the party.** (그녀는 그 파티에 갔었어야 했다.)
- **can't have p.p.**: ~했을 리가 없다
e.g. **She can't have been to the party.** (그녀가 그 파티에 갔을 리가 없다.)

Check Up

01 네모 안에서 적절한 것을 고르시오.

(1) The man looks familiar. We [may / should] have met before.

(2) I regret that I lied to them. I [should / can't] have told them the truth.

02 우리말과 일치하도록 주어진 어구를 바르게 배열하시오.

아는 것과 가르치는 것은 별개의 것이다.

(is another, to know, and, is one thing, to teach)

→ ______________________

교과서 p.45

❶ The Japanese, for example, have created a new form of cuisine known as *bento*, which means portable lunch meal. ❷ This single-portion meal is packed in a box to take with you wherever you go. ❸ Bento boxes usually include rice, meat, and vegetables arranged in an artful way to create a picture. ❹ These edible pieces of art can resemble animals, nature scenes, and even celebrities and characters from popular culture, and can make eating healthy foods fun.

(The Japanese: the+형용사 = 복수 명사 / known as: (which is) / which: 관계대명사 계속적 용법(= and it) / wherever: 복합관계부사(any place where) / arranged: (that are) / resemble: ~와 닮다(타동사) / make eating healthy foods fun: make+목적어+목적격 보어)

❺ Unlike art that hangs in a museum, though, food art does not last long. ❻ It must be consumed before it goes bad. ❼ Many of today's food artists save their works with the help of modern technology. ❽ They take photographs of their works of edible art before they're eaten and then post them online.

(Unlike: ~와 달리(전치사) / that: 주격 관계대명사 / It: = food art / must be consumed: 조동사 수동태 (must+be+p.p.) / before: 접속사 / it: = food art / with the help of: ~의 도움으로 / take: 동사1 / before: 접속사 / post: 동사2 / them: = photographs of their works of edible art)

Q How do many of today's food artists save their works?
오늘날 많은 음식 예술가들은 어떻게 자신들의 작품을 보존하는가?

정답: They save their works with the help of modern technology.
그들은 현대 기술의 도움을 받아 작품을 보존한다.

해석

❶ 예를 들어, 일본인들은 벤토라고 알려진 새로운 형태의 요리를 만들어 냈는데, 그것은 들고 다닐 수 있는 점심을 뜻한다. ❷ 이 1인분의 식사는 상자에 포장되어 있어서 어디든지 들고 다닐 수 있다. ❸ 벤토는 보통 밥과 고기, 채소를 포함하고 있는데, 그림 작품을 만들기 위해 예술적인 방식으로 배열되어 있다. ❹ 이 먹을 수 있는 예술품은 동물, 자연 경관, 심지어는 유명 인사나 대중문화의 캐릭터를 닮을 수 있고, 건강에 좋은 음식 먹는 것을 재미있게 만들 수 있다.

❺ 한편 미술관에 걸려 있는 예술 작품과는 다르게 음식 예술 작품은 오래 지속되지 않는다. ❻ 음식 예술 작품은 상하기 전에 꼭 먹어야만 한다. ❼ 오늘날의 많은 음식 예술가들은 현대 기술의 도움으로 그들의 작품을 보존한다. ❽ 그들은 음식 예술 작품이 먹어서 없어지기 전에 사진을 찍어 온라인에 게시한다.

Pay Attention

L5 This single-portion meal is packed in a box to take with you **wherever** you go.

➡ wherever는 any place where, 즉 '어디든지'라는 뜻의 복합관계부사이다.

Highlight

L17–L19 Highlight *They, they,* and *them* and identify what each of the words refers to.
'They, they, them'에 표시하고 각 단어가 무엇을 가리키는지 알아봅시다.

- They → Many of today's food artists
- they → their works of edible art
- them → photographs of their works of edible art

어구

cuisine ⓜ 요리, 요리법

portable ⓗ 들고 다닐 수 있는
- ***Portable*** **devices are becoming increasingly popular.** (휴대용 장치들이 점점 인기를 얻고 있다.)

portion ⓜ (음식의) 1인분

arrange ⓢ 배열하다
ⓤ **organize**
- **His books are neatly** ***arranged*** **in alphabetical order.** (그의 책들은 알파벳순으로 깔끔하게 배열되어 있다.)

resemble ⓢ ~와 닮다

celebrity ⓜ 유명인

consume ⓢ 다 먹어 버리다, 소비하다

with the help of ~의 도움으로

구문 연구

❶ **The Japanese**, for example, have created a new form of cuisine known as *bento*, **which** means portable lunch meal.
「the+형용사」는 복수 명사의 뜻을 나타내므로 the Japanese는 '일본인들'이라는 뜻이다. known 앞에는 주격 관계대명사와 be동사, 즉 which[that] is가 생략되어 있다. which는 계속적 용법의 관계대명사로 '그리고 그것은(and it)'의 뜻이다.

❷ This single-portion meal is packed in a box to take with you **wherever** you go.
wherever는 '어디든지'라는 뜻으로 any place where 또는 no matter where로 바꿔 쓸 수 있다.

❹ These edible pieces of art can **resemble** animals, nature scenes, and even celebrities and characters from popular culture, and can **make eating healthy foods fun**.
resemble은 '~와 닮다'라는 뜻의 타동사이므로 바로 뒤에 목적어를 취한다. 사역동사 make의 목적어로 동명사구 eating healthy foods(건강에 좋은 음식 먹는 것을), 목적격 보어로 형용사 fun(재미있는)이 쓰였다.

❺ Unlike art **that hangs** in a museum, though, food art does not last long.
that은 art를 수식하는 주격 관계대명사로 쓰였고, hang은 타동사로 '~을 걸다, 매달다'라는 뜻이고, 자동사로는 '걸려 있다, 매달려 있다'라는 뜻을 갖는데 여기서는 자동사로 쓰였다.

❻ **It must be consumed before it** goes bad.
It과 it 모두 앞 문장의 food art를 가리킨다. must be consumed는 「조동사+be+p.p.」 형태의 조동사 수동태이다. before는 '~하기 전에'라는 뜻의 접속사로 쓰여 뒤에 절이 왔다.

❽ **They take** photographs of their works of edible art **before** they're eaten and then **post them** online.
문장의 주어는 They이고 동사는 take와 post이다. 주어 They는 앞 문장의 Many of today's food artists를 가리키고, them은 photographs of their works of edible art를 가리킨다.

Grammar Check

›복합관계부사
wherever처럼 절을 연결하는 관계사의 기능, 동사를 수식하는 부사의 기능을 함께 가지고 있는 관계부사에 **-ever**가 붙어 '~든지'의 뜻이 추가된 것을 복합관계부사라고 한다. 복합관계부사는 **any ...** 또는 **no matter ...**로 바꿔 쓸 수 있다.

- **wherever**: 어디든지

e.g. **You may sit wherever you like.**
= **You may sit any place where you like.**
= **You may sit no matter where you like.**
(당신이 좋은 곳 어디든지 앉아도 됩니다.)

- **whenever**: 언제든지

e.g. **You can ask for help whenever you need it.** (도움이 필요할 때 언제든지 요청하세요.)

- **however**: 어떻게든지

e.g. **She always went to work however ill she felt.** (그녀는 아무리 아파도 항상 직장에 나갔다.)

›자동사로 착각하기 쉬운 타동사
우리말 뜻의 영향으로 자동사로 착각하기 쉬운 타동사들이 있다. 타동사이므로 전치사 등을 쓰면 안 되고 바로 뒤에 목적어를 써야 한다.

- **resemble** (~와 닮다)
- **discuss** (~을 의논하다)
- **reach** (~에 도달하다)
- **access** (~에 접근하다)
- **join** (~에 가입하다)
- **attend** (~에 참가하다)
- **approach** (~에 접근하다)

Check Up

01 다음 문장에서 틀린 부분을 찾아 바르게 고치시오.

(1) Have you discussed about the matter with your family?

(2) We reached at Chicago after driving for two days.

(3) You need a password to access toward the database.

02 우리말과 일치하도록 주어진 어구를 활용하여 영작하시오.

어디에 머무르든 성수기에는 예약이 필수적이다.

(a reservation, wherever, during the high season, essential)

→ ______________________

Reading

교과서 p.46

❶ Of course, many chefs would argue that every dish they prepare is a work of art. ❷ They view the work of their hands as an art form in and of itself.

that절의 주어 (that) 동사 / ~로서(전치사) / = in itself+of itself

❸ What do you think? ❹ Is cuisine an art form all its own? ❺ Some would argue no, since there's nothing left at the end of a meal. ❻ Others would argue that eating a great meal can be just as rewarding an experience as looking at the *Mona Lisa*.

그 자체로 / 복수의 전체 중 일부는 / 접속사(~이니까) / 일부를 제외한 나머지 / 명사절 접속사 / that절의 동명사 주어 / 동등 비교

❼ Have you ever had a fabulous meal that you can still remember to this day? ❽ If so, then you might believe, like many, that the preparation and consumption of a delicious meal can excite the senses just like any permanent work of art.

현재완료(경험) / 목적격 관계대명사 / 만약 그렇다면 (앞 문장 내용을 받음)

Q Why do some people argue that food is not an art form?
왜 어떤 사람들은 음식이 예술이 아니라고 주장하는가?

정답: It's because there's nothing left at the end of a meal.
식사 후에 아무것도 남지 않기 때문이다.

Q Have you recently seen a work of art that you really like? What is it and why do you like it so much?
최근에 정말 마음에 드는 예술 작품을 본 적이 있는가? 그것이 무엇이며 그것이 왜 그렇게 마음에 드는가?

Sample I recently saw a piece of food art called *Vegetable Face*. I really like it because it looks like a real person.
최근에 '채소 얼굴'이라는 음식 예술 작품을 보았다. 그것이 실제 사람처럼 보여서 정말 좋아한다.

해석

❶물론 많은 요리사는 그들이 준비하는 모든 음식이 예술 작품이라고 주장할 것이다. ❷그들은 자신의 손으로 만든 결과물을 원래 그리고 그 자체로 예술 형태로 본다.
❸여러분은 어떻게 생각하는가? ❹요리 자체가 하나의 예술 형태인가? ❺어떤 이들은 식사를 끝마친 후에 아무것도 남아 있지 않으므로 아니라고 주장할 것이다. ❻어떤 이들은 훌륭한 식사를 하는 것은 '모나리자'를 보는 것만큼 가치 있는 경험일 수 있다고 주장할 것이다.
❼여러분은 오늘날까지도 기억 나는 훌륭한 식사를 한 적이 있는가? ❽그렇다면, 아마 많은 사람처럼 여러분도 맛있는 식사를 준비하고 먹는 것 자체가 영구적인 예술 작품이 그렇듯이 감각을 자극할 수 있다고 믿을 수도 있다.

Pay Attention

L6 Others would argue that eating a great meal can be just **as rewarding an experience as** looking at the *Mona Lisa*.

➡ '~만큼 어떠어떠한 무엇'의 뜻을 나타낼 때 「as+형용사+관사+명사+as」를 쓴다.

Highlight

L9 Highlight *If so* and think of its meaning.
'If so'에 표시하고 그 의미를 생각해 봅시다.

➡ so는 앞 문장의 내용을 받는다. (If you have ever had a fabulous meal that you can still remember to this day)

One More Step

L10 Write the verb form of each word.
각 단어의 동사형을 써 봅시다.

ⓐ preparation 준비
⇨ prepare

ⓑ consumption 소비
⇨ consume

➡ -tion은 동사에 붙어서 명사형을 만드는 접미사이다.

어구

chef ⓜ 요리사, 주방장
argue ⓢ 주장하다
rewarding ⓗ 가치 있는
fabulous ⓗ 훌륭한, 멋진
- We had a ***fabulous*** time at the party. (우리는 파티에서 멋진 시간을 보냈다.)

preparation ⓜ 준비
consumption ⓜ 소비
permanent ⓗ 영구적인
㊒ lasting
- The accident left him with ***permanent*** brain damage. (그 사고는 그에게 영구적인 뇌 손상을 남겼다.)

to this day 오늘날까지

구문 연구

❶ Of course, many chefs would argue that **every dish** they prepare **is** a work of art.
that절의 주어는 every dish로, 의미는 '모든 음식'이지만 every는 단수 취급하므로 단수 동사 is가 쓰였다. dish와 they 사이에 목적격 관계대명사가 생략되어 있다.

❷ They view the work of their hands **as** an art form **in and of itself**.
as는 '~로서'의 뜻이다. in and of itself는 in itself(원래, 그 자체로서)와 of itself(저절로, 제 스스로)를 합친 표현이다.

❺ **Some** would argue no, **since** there's nothing left at the end of a meal.
Some은 복수의 전체 중 복수의 일부를 나타낼 때 쓰는 표현으로 여기서는 '어떤 사람들은'의 뜻이다. since는 '~이므로, ~이기 때문에'라는 뜻의 접속사로 쓰였다.

❻ **Others** would argue that **eating** a great meal can be just **as rewarding an experience as** looking at the *Mona Lisa*.
Others는 앞 문장의 Some이 가리키는 사람들을 제외한 '그 밖의 사람들'을 가리킨다. eating은 that절의 동명사 주어이다. 동등한 두 가지 대상을 비교할 때 「as ... as」 구문을 사용하며, 여기서는 「as+형용사+관사+명사+as」 구문을 사용했다.

❼ **Have you ever had** a fabulous meal **that** you can still remember to this day?
Have you ever had ...?는 '~해 본 적 있나요?'라고 과거의 경험을 묻는 현재완료시제이다. that은 remember의 목적어로 쓰인 관계대명사이다.

❽ **If so**, then you might believe, like many, that the preparation and consumption of a delicious meal can excite the senses just like any permanent work of art.
If so는 '만약 그렇다면'이라는 뜻이다. If는 접속사, so는 부사인데, so는 앞 문장 전체 절을 받는다. 즉 If you have ever had a fabulous meal that you can still remember to this day를 축약한 것이다.

Grammar Check

> 전치사+재귀대명사

재귀대명사는 전치사와 결합하여 다양한 의미를 나타낸다.

- **for oneself**: 혼자 힘으로

e.g. **Finally, he solved the problem for himself.** (마침내 그는 혼자 힘으로 그 문제를 풀었다.)

- **by oneself**: 홀로, 외롭게

e.g. **She decided to stay by herself the day she turned 20.** (그녀는 20살이 되던 날을 혼자 지내기로 결심했다.)

- **of oneself**: 저절로, 자기 스스로

e.g. **If allowed to remain still, muddy water will gradually become clear of itself.** (가만히 있도록 내버려 둔다면, 흙탕물은 차츰 저절로 맑아질 것이다.)

- **in oneself**: 원래, 그 자체로는

e.g. **Your plan is all right in itself.** (네 계획 자체는 괜찮아.)

- **beside oneself**: (흥분하여) 제정신이 아닌

e.g. **He was almost beside himself with joy.** (그는 기뻐서 거의 제정신이 아니었다.)

> 동등 비교

동등한 두 가지 대상을 비교할 때 「**as**+형용사/부사+**as**」 구문을 사용한다. 특히 비교 대상이 「관사+형용사+명사」 구조일 때는 「**as**+형용사+관사+명사+**as**」 또는 「관사+명사+**as**+형용사+**as**」 구문을 사용한다.

e.g. **Self-publishing is not as simple a process as it sounds.**
= **Self-publishing is not a process as simple as it sounds.**
(1인 출판은 들리는 것만큼 간단한 과정이 아니다.)

Check Up

01 다음 문장에서 틀린 부분을 찾아 바르게 고치시오.

(1) No one helped them. They collected the evidence all by itself.

(2) Susan could not speak. She was beside oneself with anger.

02 우리말과 일치하도록 어구를 바르게 배열하시오.

그들의 도움을 받는 것은 내가 생각한 것만큼 좋은 해결책이 아니었다.

(as I thought, getting their help, a solution, was not, as good)

→ ______________________

After You Read 1

교과서 p.47

A Match the two parts of the sentences to form complete sentences.

문장을 연결하여 완전한 문장을 만들어 봅시다.

1. People are attracted to food not only for its taste •　　• ⓐ are often called food artists.
2. People who dedicate their time to turning edibles into visuals •　　• ⓑ but also for its smell and visual appearance.
3. Some food artists make art •　　• ⓒ with the help of modern technology.
4. Food art does not last long, so many food artists save their works •　　• ⓓ out of fruit, vegetables, pasta, and many other types of food.

B Listen to what two students say and fill in the blanks.

두 학생의 말을 듣고 빈칸을 채워 봅시다.

1. 

When I hear the word "food," the word "__beauty__" comes to my mind first. I believe food decorating is __one of the best art forms__. '음식'이라는 단어를 들을 때, '아름다움'이라는 단어가 가장 먼저 제 마음에 떠오릅니다. 저는 음식 장식이 최고의 예술 형태 중 하나라고 믿습니다.

2. When I hear the word "food," the word "__medicine__" comes to my mind first. I believe food is __the best medicine__. '음식'이라는 단어를 들을 때, '약'이라는 단어가 가장 먼저 제 마음에 떠오릅니다. 저는 음식이 최고의 약이라고 믿습니다.

Script

1. W: When I hear the word "food," the word "beauty" comes to my mind first. That's because beautiful food creates strong feelings inside of me. I believe food decorating is one of the best art forms.
2. M: When I hear the word "food," the word "medicine" comes to my mind first. That's because food and medicine both make people healthy and happy. I believe food is the best medicine.

C What comes to your mind first when you hear the word "food"? Share your ideas with your partner.

'음식'이라는 단어를 들을 때 무엇이 가장 먼저 마음에 떠오르는가? 짝과 이야기해 봅시다.

When I hear the word "food," the word "(Sample) family" comes to my mind first. I believe __food is best when I eat with my family__. '음식'이라는 단어를 들을 때, 나는 '가족'이라는 단어가 가장 먼저 내 마음에 떠올라. 나는 음식이 가족과 함께 먹을 때 최고라고 믿어.

Self-Check	How much do you understand?	If you need help,
Words	☆☆☆☆☆	look up the words you still don't know. 모르는 어휘 찾아보기
Structures	☆☆☆☆☆	review the "Pay Attention" sections. Pay Attention 복습하기
Contents	☆☆☆☆☆	read the text again while focusing on its meaning. 의미에 집중하며 본문 다시 읽기

어구

attract ⓢ 매혹하다
dedicate ⓢ (시간, 생애 등을) 바치다
edible ⓜ 먹을 수 있는 것
appearance ⓜ 모양
with the help of ~의 도움을 받아
last ⓢ 지속하다

해석

1. 사람들은 음식의 맛뿐만 아니라 그것의 냄새와 시각적 모양에 끌린다.
2. 먹을 수 있는 것을 시각에 호소하는 것으로 바꾸는 데 시간을 보내는 사람들은 종종 음식 예술가로 불린다.
3. 일부 음식 예술가들은 과일, 채소, 파스타, 그 밖의 여러 종류의 음식으로 예술을 만든다.
4. 음식 예술은 오래 지속되지 않아서 많은 음식 예술가들은 현대 기술의 도움으로 그들의 작품을 보존한다.

어구

decorate ⓢ 장식하다, 꾸미다
medicine ⓜ 약

힌트

여자는 음식 장식이 최고의 예술 형태 중 하나라고 생각하고, 남자는 음식이 최고의 약이라고 생각한다.

해석

1. 여: '음식'이라는 단어를 들을 때, '아름다움'이라는 단어가 가장 먼저 제 마음에 떠오릅니다. 아름다운 음식은 제 마음 속에 강한 느낌을 만들어 주기 때문입니다. 저는 음식 장식이 최고의 예술 형태 중 하나라고 믿습니다.
2. 남: '음식'이라는 단어를 들을 때, '약'이라는 단어가 가장 먼저 제 마음에 떠오릅니다. 음식과 약은 둘 다 사람들을 건강하고 행복하게 해 주기 때문입니다. 저는 음식이 최고의 약이라고 믿습니다.

Writing Lab

교과서 pp.48~49

자신만의 면 조리법 만들기 **Creating Your Own Noodle Recipe**

Step 1 **Read the following recipe and fill in the blanks with the appropriate words.** 다음 조리법을 읽고 적절한 단어로 빈칸을 채워 봅시다.

Wide noodles with pork and dried mushrooms
돼지고기와 마른 버섯을 넣은 넓적한 국수

Ingredients 재료

- 1 package of flat wide noodles 넓적한 면 1봉지
- 1 pound of pork 돼지고기 1파운드
- dried mushrooms 마른 버섯
- 1/4 cup of honey 꿀 ¼컵
- 1/4 cup of soy sauce 간장 ¼컵
- ginger, garlic, black pepper 생강, 마늘, 후추

Heat 가열하다
Cook 조리하다
Slice 얇게 썰다
Pour (물을) 붓다

1. Slice the pork into strips and cook it for 4 minutes on each side in a frying pan. __Pour__ the honey and soy sauce onto the pork.
   돼지고기를 길게 썰고 4분간 프라이팬에서 각 면을 익힌다. 돼지고기 위에 꿀과 간장을 붓는다.
2. __Slice__ the mushrooms and put them in another pan with 1 cup of boiling water. Let it stand for 30 minutes.
   버섯을 얇게 썰어 물 1컵과 함께 다른 팬에 넣는다. 30분간 둔다.
3. __Cook__ the noodles according to the directions on the package. When finished, wash them with cold water.
   봉지의 지시에 따라 면을 삶는다. 완성되면 찬물로 씻는다.
4. __Heat__ a frying pan, add oil, the noodles, mushrooms, ginger, garlic, and black pepper, and then cook everything for 2 minutes. It's done! 프라이팬을 가열하여 기름, 면, 버섯, 생강, 마늘, 후추를 넣은 후 2분간 익힌다. 완성되었다!

Step 2 **Make sentences using the cooking verbs and ingredients of your choice.** 요리 동사와 여러분이 선택한 재료를 사용해 문장을 만들어 봅시다.

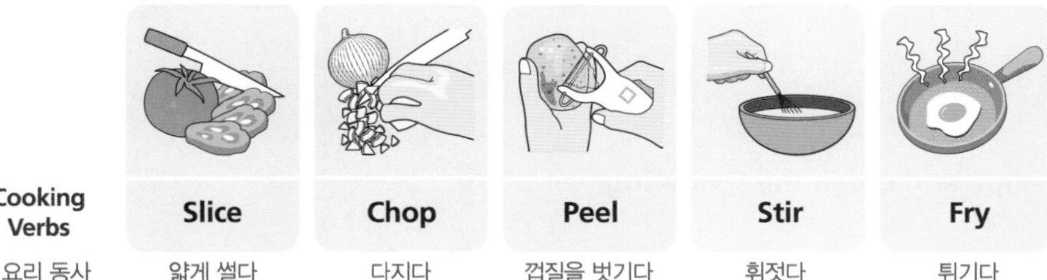

Cooking Verbs 요리 동사	Slice 얇게 썰다	Chop 다지다	Peel 껍질을 벗기다	Stir 휘젓다	Fry 튀기다

- Slice the mushrooms and fry them in a pan with oil.
  버섯을 얇게 썰어 기름과 함께 팬에서 튀겨라.
- Sample Chop the onion and place it in a small bowl.
  양파를 다져서 작은 그릇에 담아라.
- Sample Peel and slice the onion and fry it in a pan for 2 minutes.
  양파의 껍질을 벗기고 얇게 썰어 팬에서 2분간 튀겨라.

어구

noodle ⓜ 국수
recipe ⓜ 조리법
ingredient ⓜ (요리의) 재료
- He created a wonderful meal from very few ***ingredients.*** (그는 몇 안 되는 재료로 멋진 식사를 만들어 냈다.)

package ⓜ 봉지, 포장
flat ⓗ 편평한
pork ⓜ 돼지고기
mushroom ⓜ 버섯
soy sauce 간장
ginger ⓜ 생강
garlic ⓜ 마늘
black pepper 후추
strip ⓜ 길고 가느다란 조각
frying pan 프라이팬
stand ⓓ 그대로 있다
direction ⓜ 지시문

힌트

꿀과 간장은 붓고(pour), 버섯은 얇게 썰고(slice), 면은 조리하고(cook), 프라이팬은 가열한다(heat).

어구

cooking verb 요리와 관련된 동사
chop ⓓ 다지다
peel ⓓ 껍질을 벗기다
stir ⓓ 휘젓다
fry ⓓ 튀기다

Step 3 Based on the information in step 1 and step 2, create your own noodle recipe.

Step 1과 Step 2의 정보에 근거하여 자신만의 국수 조리법을 만들어 봅시다.

Write the name of your noodle dish and draw a picture of it.

여러분의 국수 요리의 이름을 쓰고 그림을 그려 봅시다.

Ingredients 재료

- 1package of noodles 면 1봉지
- 2 onions 양파 2개
- ½ can of corn 옥수수 ½캔
- 1 carrot 당근 1개
- ¼ cup of soy sauce 간장 ¼컵
- ¼ cup of barbecue sauce 바비큐 소스 ¼컵

Enjoy Delicious Corn Noodles

Wherever You Are!

맛있는 옥수수 국수를 어디서든 즐기세요!

This is my own noodle recipe. Its name is Corn Noodles.

Its ingredients are 1 package of noodles, 2 onions, ½ can of corn, 1 carrot, ¼ cup of soy sauce, and ¼ cup of barbecue sauce.

To cook the dish, first, place the noodles in a bowl and cook them for 4 minutes.

Second, slice the onions and fry them in a pan with oil for 2 minutes.

Third, add the corn, carrot, soy sauce, and barbecue sauce in the pan and fry them for 3 minutes.

Fourth, add the cooked noodles in the pan and stir everything well.

Now, it's done. It'll be as good a dish as you can find in any top restaurant.

Help yourself!

이것은 나만의 국수 요리법이고, 이름은 옥수수 국수입니다. 재료는 면 1봉지, 양파 2개, 옥수수 ½캔, 당근 1개, 간장 ¼컵 그리고, 바비큐 소스 ¼컵입니다. 이 요리를 하려면 먼저, 면을 그릇에 넣고 4분간 익힙니다. 두 번째로, 양파를 얇게 썰어 2분간 프라이팬에서 기름으로 튀깁니다. 세 번째로, 옥수수, 당근, 간장 그리고 바비큐 소스를 프라이팬에 넣고 3분간 튀깁니다. 네 번째로, 요리된 면을 프라이팬에 넣고 전체를 잘 섞습니다. 이제 완성입니다. 최고의 식당에서 찾을 수 있는 요리만큼이나 좋을 것입니다. 마음껏 드세요!

어구

Help yourself. 마음껏 드세요.

Self-Edit Read your recipe and correct any mistakes.

조리법을 읽고 잘못된 부분이 있으면 고쳐 봅시다.

Step 4 Read your partner's recipe and check the following:

짝의 조리법을 읽고 다음을 점검해 봅시다.

Peer Feedback

- I understand what he / she intends to say in the recipe. 조리법에서 의도하는 바를 이해한다. ☆ ☆ ☆ ☆ ☆
- I think that his / her recipe is easy to follow. 조리법은 이해하기 쉽다. ☆ ☆ ☆ ☆ ☆
- I think most of the words in the recipe are correctly used. 조리법 속 단어들이 대체로 바르게 사용되었다. ☆ ☆ ☆ ☆ ☆
- I think most of the sentences in the recipe are grammatically correct. 조리법 속 대부분의 문장이 문법적으로 정확하다. ☆ ☆ ☆ ☆ ☆

Wrap Up

교과서 p.50

음식 예술가가 되는 법 **How to Be a Food Artist**

Step 1 **Listen and answer the questions.** 듣고 질문에 답해 봅시다.

1. What is the relationship of the speakers? 화자들의 관계는 무엇인가?

ⓐ Photographer 사진작가 — Cook 요리사
✔ⓑ Show host 쇼 진행자 — Guest 게스트
ⓒ Grocer 식료품 상인 — Customer 손님

2. Which of the following is the woman's opinion? 다음 중 여자의 의견은 어느 것인가?

ⓐ Never copy other people's food art ideas.
타인의 음식 예술 아이디어를 절대 표절하지 마라.
ⓑ Being a food artist is never fun or interesting.
음식 예술가가 되는 것은 즐거움도 재미도 없다.
✔ⓒ What matters most is to love cooking first.
가장 중요한 것은 먼저 요리를 사랑하는 것이다.

Script

M: Welcome to *Cook Master*. I'm Brian Lee. Today's guest is food artist Mary Robinson. Hello, Mary?
W: Hello, Brian. Nice to meet you.
M: It's such an honor to interview you. First of all, how did you find your passion to become a food artist?
W: I have always loved food and wanted it to look good. One day I saw wonderful pieces of food art on the Internet.
M: Oh, so you got motivated to make your own food art, didn't you?
W: Yes. Actually, I tried copying every piece of food art I saw. It was so much fun.
M: What would you do if a person wanted to become a food artist?
W: I'd tell him or her to love cooking first. I think that's what matters most.

해석

남: *Cook Master*에 오신 것을 환영합니다. 저는 Brian Lee입니다. 오늘의 손님은 음식 예술가이신 Mary Robinson입니다. 안녕하세요, Mary?
여: 안녕하세요, Brian. 만나서 반갑습니다.
남: 당신을 인터뷰하게 되어 큰 영광입니다. 무엇보다도, 음식 예술가가 되겠다는 열정을 어떻게 발견하셨나요?
여: 저는 늘 음식을 좋아했고 음식이 예뻐 보이기를 원했어요. 어느 날 저는 인터넷에서 멋진 음식 예술 작품들을 봤습니다.
남: 오, 그래서 당신만의 음식 예술을 만들자는 동기를 얻게 되었군요, 그렇지 않은가요?
여: 맞아요. 사실 저는 제가 본 모든 음식 예술 작품들을 따라 해 보았어요. 무척 재미있었답니다.
남: 어떤 분이 음식 예술가가 되고 싶어 한다면, 어떻게 하시겠어요?
여: 그분께 먼저 요리를 사랑하라고 말하겠습니다. 그 점이 가장 중요하다고 생각해요.

| 구문 해설 |

- Actually, I **tried copying** every piece of food art I saw.: 「try+동명사」는 '~을 시험 삼아 해 보다'라는 뜻이다. 반면 「try+to부정사」는 '~하려고 애쓰다'라는 뜻이다. I saw 앞에는 목적격 관계대명사 that이 생략되어 있다.
- **What would you do if** a person wanted to become a food artist?: What would you do if ...?는 '~한다면 무엇을 하겠는가?'라는 뜻이다. 현재 사실이 아닌 상황을 가정하여 말하는 가정법 과거 문장이어서 조건절의 동사도 wanted로 과거시제가 되었다.

어구

photographer ⓜ 사진작가
show host 쇼 진행자
grocer ⓜ 식료품 상인
customer ⓜ 손님, 고객
copy ⓢ 복제하다, 표절하다
- **Their competitors soon *copied* the idea.** (그들의 경쟁자들은 곧 그 아이디어를 베꼈다.)

matter ⓢ 중요하다
- **The news may not *matter* to you, but it *matters* a lot to me!** (그 뉴스가 너에게는 중요하지 않을지 모르지만, 나에게는 무척 중요해!)

힌트

'Cook Master'라는 프로그램에 음식 예술가가 초대되어 프로그램 진행자와 나누는 대화이다. 여자는 요리를 사랑하는 것이 중요하다고 말하고 있다.

Step 2 **Listen again and fill in the blanks.** 다시 듣고 빈칸을 채워 봅시다.

Hello, I'm Mary Robinson. I have always loved food and wanted it to look good. One day I saw wonderful pieces of food art on the ___Internet___. I tried ___copying___ every piece of food art I saw. It was so much fun. So I became a ___food___ ___artist___.

안녕하세요. 저는 Mary Robinson입니다. 저는 늘 음식을 좋아했고 음식이 예뻐 보이기를 원했어요. 어느 날 저는 인터넷에서 멋진 음식 예술 작품들을 봤습니다. 저는 제가 본 모든 음식 예술 작품들을 따라 해 보았어요. 무척 재미있었습니다. 그래서 저는 음식 예술가가 되었어요.

Step 3 **Suppose that you were Mary Robinson and that your partner wanted to become a food artist. Make a list of useful advice that you would give your partner and tell it to him or her.**

여러분이 Mary Robinson이고 여러분의 짝이 음식 예술가가 되고 싶어 한다고 가정하고, 짝에게 해 주고 싶은 유용한 조언의 목록을 만들고 짝에게 말해 봅시다.

List of Advice 조언 목록

1. Wherever you go, take a camera to take pictures of food.
   네가 어디에 가든 음식 사진을 찍을 수 있도록 카메라를 가져가.
2. Wherever you are, try to discover the best local restaurants.
   네가 어디에 있든 그 지역의 가장 좋은 식당을 찾아봐.
3. Try to find as many recipes as possible.
   조리법을 가능한 한 많이 찾아봐.

Top Tips

- **Wherever** you are, try to love the food you eat.
- Take pictures of **as** many pieces of food art **as** possible.

• 네가 어디에 있든 네가 먹는 음식을 사랑하려고 해 봐.
• 가능한 한 음식 예술 작품 사진을 많이 찍어 봐.

힌트

• wherever는 '어디든지'라는 뜻으로 any place where나 no matter where로 바꿔 쓸 수 있다.
• as ... as possible은 '가능한 한 ~하게'라는 뜻이다.

Grammar Review

› 복합관계부사

wherever, whenever, however처럼 절을 연결하는 관계사의 기능, 동사를 수식하는 부사의 기능을 함께 가지고 있는 관계부사에 -ever가 붙어 '~든지'의 뜻이 추가된 단어들을 복합관계부사라고 한다. 복합관계부사는 any ... 또는 no matter ...로 바꿔 쓸 수 있다.

› 동등 비교 구문

동등한 두 가지 대상을 비교할 때 「as ... as」 구문을 사용한다. 특히 비교 대상이 「관사+형용사+명사」 구조일 때는 「as+형용사+관사+명사+as」 또는 「관사+명사+as+형용사+as」 구문을 사용한다.

Check Up

01 네모 안에서 적절한 것을 고르시오.

(1) Technology made it possible for us to take music [however / wherever] we went.

(2) I think of my parents [wherever / whenever] I'm depressed.

02 우리말과 일치하도록 주어진 어구를 활용하여 영작하시오.

그것은 내가 기대한 만큼 아름다운 집이었다.
(as, beautiful, a house, expect)

→ ______________________

세계의 음식 관습

Food Customs Around the World

교과서 p.51

There are different food customs around the world. Fill in the blanks with the appropriate country names.
세계에는 여러 음식 관습이 있다. 빈칸에 적절한 나라 이름을 써 봅시다.

India 인도	Thailand 태국	Ethiopia 에티오피아	Japan 일본

1 In ___Ethiopia___, people feed each other with their hands. It's a gesture that builds trust and social bonds between people.
에티오피아에서는 사람들이 손으로 상대방에게 음식을 먹여 준다. 그것은 사람들 사이에 신뢰와 사회적 결속을 쌓는 행동이다.

2 In ___Thailand___, it's considered impolite to put food in your mouth using a fork.
태국에서는 포크를 사용하여 음식을 입에 넣는 것이 실례로 여겨진다.

3 Making noises when having hot soup is acceptable in ___Japan___.
뜨거운 국을 먹을 때 소리를 내는 것이 일본에서는 허용된다.

4 In ___India___, food is considered corrupted once it touches your plate, so you shouldn't offer anyone a taste.
인도에서는 음식이 일단 당신의 접시에 닿으면 부패했다고 여겨지기 때문에 당신을 그것을 먹어 보라고 다른 사람에게 권해서는 안 된다.

어구

customs 명 관습
trust 명 신뢰
bond 명 결속
impolite 형 무례한
acceptable 형 허용되는
- Discrimination on grounds of race is not *acceptable*. (인종을 이유로 차별하는 것은 용납되지 않는다.)

corrupt 동 더럽히다, 썩게 하다
- They say that violence on television *corrupts* the minds of children. (텔레비전에 나오는 폭력이 아이들의 마음을 오염시킨다고 한다.)

plate 명 접시
taste 명 시식, 맛보기

An empty plate may mean different things in different cultures. Search the Internet and fill in the blanks with the appropriate words.
문화마다 빈 접시는 서로 다른 의미이다. 인터넷에서 찾아 적절한 단어로 빈칸을 채워 봅시다.

compliment 칭찬	polite 예의 바른	enjoyed 즐겼다	rude 무례한	insult 모욕하다

Chinese culture 중국 문화	In China, it is ___polite___ to leave a little food on your plate. An empty plate could ___insult___ your hosts, implying that they did not serve you enough. 중국에서는 접시에 약간의 음식을 남기는 것이 예의 바르다. 빈 접시는 주인이 당신에게 음식을 충분히 대접하지 않았음을 암시하여 주인을 모욕할 수 있다.
Indian culture 인도 문화	An empty plate means that the guest ___enjoyed___ the meal very much. It can be a(n) ___compliment___ to the host. 빈 접시는 손님이 식사를 아주 좋아했음을 의미한다. 그것은 주인에게 칭찬이 될 수 있다.

어구

empty 형 텅 빈
compliment 명 칭찬
- I take it as a *compliment* when people say I look like my mother. (사람들이 내가 어머니를 닮았다고 말할 때 나는 그것을 칭찬으로 받아들인다.)

polite 형 예의 바른
반 **impolite**
rude 형 무례한
- It's *rude* not to say "Thank you" when you are given something. (네가 무언가를 받았을 때 "고맙습니다"라고 말하지 않는 것은 무례한 거야.)

insult 동 모욕하다
host 명 주인
imply 동 암시하다

교과서 p.52

Debate About Food Art

❶ **In groups of four, debate the following topic: Food is art.**

1 ❷ Groups split up into two teams. ❸ One (둘 중 하나) team is the pro side, and the other (둘 중 나머지) team is the con side. ❹ Two people in the group should be pros and two people should be cons.

2 ❺ Teams discuss their position (pro or con) and come up with (생각해 내다) supporting statements for them.

3 ❻ Teams deliver their statements.

4 ❼ Students discuss (타동사) the opposing side's arguments and come up with counter-arguments.

5 ❽ Students deliver counter-arguments.

6 ❾ Students make closing statements.

PROS: FOOD IS ART

Janet Miranda

❿ In my opinion, any creative skill is a form of art. ⓫ Cooking food needs both a creative mind and art skills (both *A* and *B*: A와 B 둘 다). ⓬ What would you do if you were a chef at a restaurant? (가정법 과거 (현재 사실과 다른 가정)) ⓭ You would keep creating (keep+V-ing: 계속 ~하다) new recipes, wouldn't you? (부가의문문) ⓮ That's why food is art. ⓯ Just like (~와 똑같이) making music or poetry, cooking requires skillfully combining (동명사(목적어)) different things. ⓰ Anyone can mix and match random ingredients together, but not everyone (부분 부정 (모두가 ~한 것은 아니다)) can cook well. ⓱ Understanding (주어) the relationships between the ingredients and their interactions is (동사) crucial to (전치사) creating successful dishes. ⓲ This conscious openness is precisely what is at the heart of any creative process, regardless of (~에 관계없이) what we do and the medium ^(that) we use.

⓳ Of course, food is art. ⓴ I love cooking. ㉑ The smell (주어) that (주격 관계대명사) comes from food is (동사) awesome and it makes me feel good (make+목적어+목적격 보어(동사원형)). ㉒ Peeling and chopping vegetables, stirring a pot of soup or sauce, or baking (주어) while you let your mind wander (let+목적어+목적격 보어(동사원형)) from your worries is what cooking is about. ㉓ All these cooking actions give me a great deal of satisfaction, just like looking at great paintings or listening to music does (대동사 (= gives me a great deal of satisfaction)). ㉔ And in fact, everything in life is beautiful, isn't it? (부가의문문) ㉕ I believe ^(that) almost everything is art.

(http://www.huffingtonpost.com/faisal-hoque/how-cooking-boost-creativ_b_6443504.html)

Matthew Solomon

어구

debate 명 토론 동 토론하다
split up 나누다
pro 명 찬성
con 명 반대
come up with 생각해 내다
- He ***came up with*** a new way to use up cold chicken. (그는 차가운 닭고기를 활용하는 새로운 방법을 생각해 냈다.)

supporting 형 받치는, 뒷받침하는
statement 명 진술
deliver 동 (의견을) 말하다
argument 명 주장
counter-argument 명 반론
chef 명 요리사
poetry 명 시
skillfully 부 솜씨 좋게
combine 동 결합하다
relationship 명 관계
interaction 명 상호 작용
crucial 형 중요한
- Her work has been ***crucial*** to the project's success. (그녀의 업무는 그 프로젝트의 성공에 중요했다.)

conscious 형 의식적인
openness 명 개방성
precisely 부 정확히
regardless of ~에 관계없이
medium 명 수단, 매개체
awesome 형 멋진
peel 동 껍질을 벗기다
chop 동 다지다
stir 동 휘젓다
wander 동 돌아다니다, 방랑하다
- We spent the morning ***wandering*** around the old part of the city. (우리는 구시가를 돌아다니며 아침을 보냈다.)

satisfaction 명 만족

구문 연구

❸ **One** team is the pro side, and **the other** team is the con side.
둘 중에서 하나를 말할 때는 one, 나머지 하나를 말할 때는 the other를 쓴다.

❼ Students **discuss** the opposing side's arguments and come up with counter-arguments.
discuss는 '~에 관하여 토론하다'라는 뜻의 타동사이므로 바로 뒤에 목적어가 온다.

⓬ What **would** you **do if you were** a chef at a restaurant?
현재 사실과 다른 상황을 가정하여 말하는 가정법 과거 문장이다. 주절과 조건절의 시제가 모두 과거임에 주의한다.

㉒ Peeling and chopping vegetables, stirring a pot of soup or sauce, or baking while you let your mind wander from your worries **is** what cooking is about.
문장의 주어는 Peeling ... baking이고, 동사는 is이다. 동명사로 이어진 내용이 개별적인 것이 아니라 요리를 한다는 하나의 개념으로 묶이기 때문에 단수로 취급한다. while ... worries는 '네가 너의 마음이 걱정으로부터 떨어져 마음대로 돌아다니게 하며'라는 뜻이다.

㉓ All these cooking actions give me a great deal of satisfaction, just like looking at great paintings or listening to music **does**.
does는 바로 앞 내용의 반복을 피하기 위해 사용된 대동사이다. gives me a great deal of satisfaction, 즉 '나에게 큰 만족감을 준다'라는 뜻이다.

Grammar Check

> 대동사
동사의 반복을 피하기 위해 사용하는 동사를 대동사라고 한다. 앞에 나온 동사가 조동사일 때는 조동사를 그대로 쓰고, **be**동사일 때는 **be**동사를, 일반동사일 때는 **do**를 쓴다.

• 조동사일 때
e.g. **I cannot swim, but my brother can.** (나는 수영을 못하지만, 내 동생을 할 수 있다.)

• **be**동사일 때
e.g. **People thought I was very lucky, and actually I was!** (사람들은 내가 아주 운이 좋다고 생각했고 실제로 나는 그러했다!)

• 일반동사일 때
e.g. **Memory selects single important images, just as the camera does.** (카메라가 그렇게 하듯이 기억은 개개의 중요한 이미지들을 선택한다.)

해석

음식 예술에 관한 토론

❶ 네 명씩 모둠을 이루어 다음 주제로 토론하시오. "음식은 예술이다."

1. ❷ 모둠을 두 팀으로 나눈다. ❸ 한 팀은 찬성 측, 다른 팀은 반대 측이다. ❹ 모둠에서 두 사람은 찬성 측, 두 사람은 반대 측이 되어야 한다.
2. ❺ 팀은 각자의 입장(찬성 또는 반대)을 논의하고 그 입장을 뒷받침하는 진술문을 생각해 둔다.
3. ❻ 팀은 진술문을 발표한다.
4. ❼ 학생들은 상대편의 주장에 관해 논의하고 반론을 생각해 낸다.
5. ❽ 학생들은 반론을 발표한다.
6. ❾ 학생들이 마무리 발언을 한다.

찬성: 음식은 예술이다

Janet Miranda

❿ 내 생각에는 어떤 창의적 기술도 다 예술의 한 형식이야. ⓫ 음식을 요리하는 것은 창의적 마음과 예술적 기교가 모두 필요해. ⓬ 네가 식당의 요리사라면 어떻게 하겠니? ⓭ 새로운 조리법을 계속 창조할 거야, 그렇지 않니? ⓮ 그게 바로 음식이 예술인 이유야. ⓯ 음악이나 시를 만드는 것처럼 요리도 서로 다른 것들을 솜씨 있게 결합하는 것을 요하지. ⓰ 아무 재료나 섞는 것은 누구든 할 수 있지만, 모두가 요리를 잘하는 건 아니야. ⓱ 재료들 사이의 관계와 상호 작용을 이해하는 것이 성공적인 음식을 만드는 데 결정적이야. ⓲ 우리가 무엇을 하는지와 우리가 사용하는 수단과 상관없이, 이러한 의식적 개방성이 바로 창의적 과정의 본질이지.

Matthew Solomon

⓳ 당연히 음식은 예술이야. ⓴ 나는 요리하는 것을 좋아해. ㉑ 음식에서 나는 향기는 근사하며 나를 기분 좋게 만들지. ㉒ 마음속 걱정을 멀리한 채 채소의 껍질을 벗겨 썰고 수프나 소스 그릇을 젓거나 빵을 굽는 것이야말로 요리의 본질이야. ㉓ 이 모든 요리 행위들은 위대한 미술 작품을 보거나 음악을 듣는 것이 나에게 큰 만족감을 주는 것과 같은 큰 만족감을 줘. ㉔ 그리고 사실 삶의 모든 것이 아름답잖아, 그렇지 않니? ㉕ 나는 거의 모든 것이 예술이라고 믿어.

CONS: FOOD IS NOT ART

Kathy Grace

❶ True art lasts a long time, but not food. (food does not last a long time의 축약) ❷ If one person eats a piece of cake, for example (예를 들면), then another cannot eat the same piece of cake. ❸ Some people may say that the same kind of food can be reproduced over and over again. ❹ But do you value (타동사) a copy (복제품) of a van Gogh painting? ❺ No! ❻ It is only the original work that (주격 관계대명사) has value.

Adam Clark

❼ What is the purpose of food? ❽ Do you go to restaurants to see food? (부사적 용법의 to부정사(~하기 위해)) ❾ Never. ❿ You go to restaurants to eat, (부사적 용법의 to부정사(~하기 위해)) ultimately to survive! (부사적 용법의 to부정사(~하기 위해)) ⓫ The purpose of food is to be eaten, not to be seen. (주격 보어(명사적 용법)) ⓬ Food is unlike forms of art in this way. ⓭ People go to museums and listen to music to be entertained, not to survive. (부사적 용법의 to부정사)

(http://artblog.catherinehoman.com/food-is-not-art/)

ANOTHER PERSPECTIVE

Elliott Wilkinson

⓮ Is food art? ⓯ Well, sometimes it can be, but other times it is simply a craft. ⓰ Let's think of other art forms. ⓱ Painting can be a form of art, but probably not when you're painting your walls. ⓲ Writing can be a form of art, but not when you're writing down a grocery list. ⓳ Photography can be an art form, but not when you're taking pictures of friends at a party. ⓴ Art is more the attitude than the medium. (more *A* than *B*: B라기보다는 A) ㉑ Every part of the human experience could be turned into an art form. ㉒ The same is true of (~에도 적용되다) food. ㉓ Cooking can be beautiful enough (형용사+enough) to be called art, but it can also just be about making food taste good.

(https://www.quora.com/Is-cooking-a-form-of-art)

- **㉔ Some think food is art, others don't, and still others have different ideas. ㉕ How about you?**

어구

reproduce ⓢ 재생산하다
- **The printing was too faint to *reproduce* well.** (인쇄가 너무 희미해서 잘 복사되지 않았다.)

value ⓢ 가치 있게 여기다, 평가하다 ⓝ 가치
- **I've always *valued* her advice.** (나는 언제나 그녀의 조언을 가치 있게 여겨 왔다.)

purpose ⓝ 목적

ultimately ⓐ 궁극적으로

entertain ⓢ 즐겁게 하다

perspective ⓝ 관점

craft ⓝ 기능, 기술

grocery ⓝ 식료품

photography ⓝ 사진 촬영

attitude ⓝ 태도

medium ⓝ 수단, 매개체
- **They told the story through the *medium* of dance.** (그들은 춤이라는 수단을 통해 이야기를 했다.)

be true of ~에도 적용되다, ~도 마찬가지이다

구문 연구

❶ True art lasts a long time, but **not food**.
not food는 food does not last a long time에서 앞부분과 반복되는 내용을 생략한 것이다.

❹ But do you **value** a copy of a van Gogh painting?
value는 '~을 가치 있게 여기다', '~을 평가하다'라는 뜻의 타동사이므로 바로 뒤에 목적어가 나온다.

⓫ The purpose of food is **to be eaten**, **not to be seen**.
to be eaten과 to be seen은 둘 다 is의 보어로 쓰인 주격 보어로 명사적 용법의 to부정사이다. to부정사의 부정은 to 앞에 not을 붙인다.

⓭ People go to museums and listen to music **to be entertained, not to survive**.
entertain은 '~을 즐겁게 하다'라는 뜻의 타동사이다. 따라서 '즐겁기 위해 음악을 듣다'라는 뜻을 나타내기 위해 수동태가 되었다. to be entertained와 to survive는 목적을 나타내는 부사적 용법의 to부정사이고, to부정사의 부정은 to 앞에 not을 붙이므로 not to survive의 형태가 되었다.

⓴ Art is **more** the attitude **than** the medium.
more *A* than *B*는 'B라기보다 오히려 A'라는 뜻이다.

㉓ Cooking can be **beautiful enough** to be called art, but it can also just be about making food taste good.
'충분히', '~하기에 충분한'이라는 뜻의 enough는 형용사나 부사의 뒤에서 수식한다.
e.g. I was **foolish enough** to believe the lies. (나는 그 거짓말들을 믿을 만큼 어리석었다.)

Grammar Check

>반복되는 어구의 생략
굳이 쓰지 않더라도 앞뒤 문맥을 통해 짐작할 수 있는 반복되는 어구는 생략할 수 있다.
e.g. I don't know if they believe in him or **not**.
(= I don't know if they believe in him or if they don't believe in him.)
(나는 그들이 그를 믿는지 믿지 않는지 알지 못한다.)
The food was very good, but **not** the price.
(= The food was very good, but the price was not good.)
(음식은 매우 좋았지만, 가격은 그렇지 못했다.)

해석

반대: 음식은 예술이 아니다

Kathy Grace

❶ 진정한 예술은 오랜 시간 지속되지만, 음식은 그렇지 않아. ❷ 예를 들어, 한 사람이 케이크 조각을 먹어 버리면, 다른 사람은 똑같은 케이크 조각을 먹을 수 없어. ❸ 어떤 사람들은 똑같은 종류의 음식이 거듭 재생산될 수 있다고 말할지도 몰라. ❹ 하지만 너는 반 고흐 작품의 복제품을 가치 있게 생각하니? ❺ 아니야! ❻ 가치 있는 것은 오직 원작뿐이야.

Adam clark

❼ 음식의 목적이 뭐니? ❽ 너는 음식을 보기 위해 식당에 가니? ❾ 절대 아니야. ❿ 너는 식당에 먹으러 가고, 궁극적으로는 생존하기 위해 가! ⓫ 음식의 목적은 먹는 것이지 보여지는 것이 아니야. ⓬ 음식은 이런 점에서 예술 형식과 달라. ⓭ 사람들은 생존하기 위해서가 아니라, 즐거움을 얻기 위해 미술관에 가고 음악을 들어.

또 다른 관점

Elliot Wilkinson

⓮ 음식이 예술이냐고? ⓯ 음, 때로는 그럴 수 있지만, 그 외에는 그저 기능이야. ⓰ 다른 예술 형식을 생각해 봐. ⓱ 그림을 그리는 것은 예술 형식이 될 수 있지만, 벽에 페인트를 칠할 때는 아닐 거야. ⓲ 글쓰기도 예술 형식이 될 수 있지만, 식료품 목록을 써 내려갈 때는 아니야. ⓳ 사진도 예술 형식이 될 수 있지만, 파티에서 친구들의 사진을 찍을 때는 아니야. ⓴ 예술은 수단이라기보다는 태도야. ㉑ 인간 경험의 모든 부분이 예술 형식으로 바뀔 수 있어. ㉒ 음식도 마찬가지야. ㉓ 요리가 예술로 불릴 만큼 충분히 아름다울 수도 있지만, 그것은 또 그저 음식을 맛있게 만드는 것일 수도 있어.

㉔ 어떤 사람들은 음식이 예술이라고 생각하고 다른 사람들은 그렇지 않다고 생각하며 또 다른 사람들은 서로 다른 의견을 가지고 있다.
㉕ 여러분은 어떠한가?

Word Play

Complete the crossword puzzle. 십자말풀이를 완성해 봅시다.

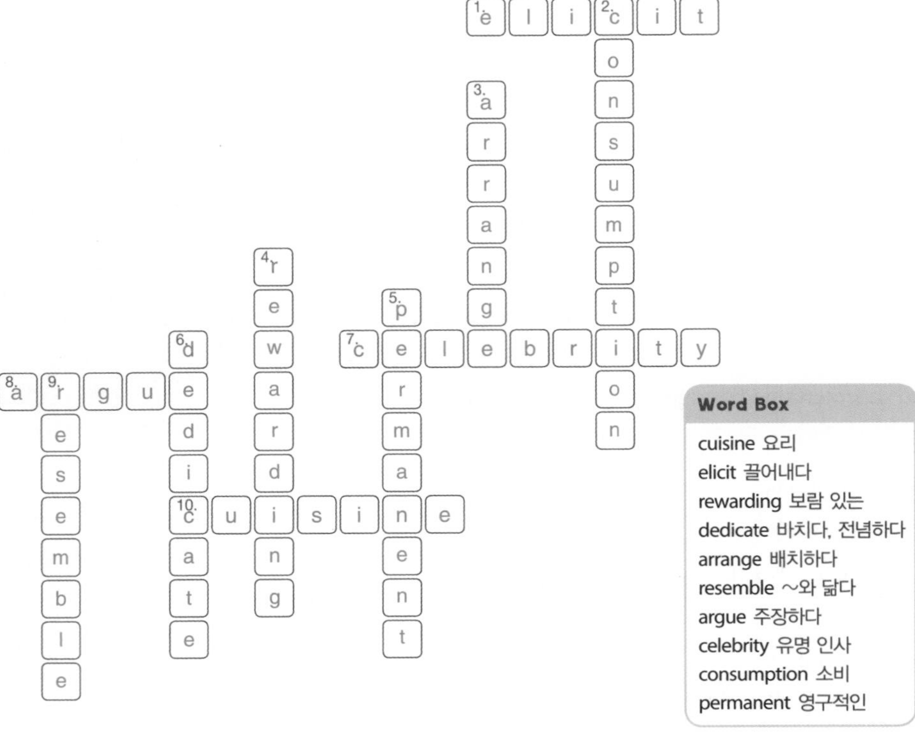

Word Box
cuisine 요리
elicit 끌어내다
rewarding 보람 있는
dedicate 바치다, 전념하다
arrange 배치하다
resemble ~와 닮다
argue 주장하다
celebrity 유명 인사
consumption 소비
permanent 영구적인

▶ Across ▶

1. She tried to __elicit__ the support of other committee members.
그녀는 다른 위원들의 지지를 끌어내려고 애썼다.

7. After the accident, he suddenly became a __celebrity__.
그 사고 이후 그는 갑자기 유명 인사가 되었다.

8. Some people __argue__ that technology has negative effects.
어떤 사람들은 기술이 부정적인 효과가 있다고 주장한다.

10. This restaurant is famous for its excellent __cuisine__.
이 식당은 탁월한 요리로 유명하다.

어구
support 명 지지
committee 명 위원회
negative 형 부정적인

▼ Down ▼

2. The meat was not good for human __consumption__.
그 고기는 사람이 먹기에 좋지 않았다.

3. Can you please help me __arrange__ my furniture?
제가 가구 배치하는 것을 좀 도와주겠어요?

4. Our trip to India was a very __rewarding__ experience.
우리의 인도 여행은 매우 보람 있는 경험이었다.

5. The disease can cause __permanent__ damage to the brain.
그 질병은 두뇌에 영구적인 손상을 일으킬 수 있다.

6. He has tried to __dedicate__ his life to helping poor people.
그는 가난한 사람들을 돕는 데 자신의 인생을 바치려고 애써 왔다.

9. Some people actually __resemble__ their pets.
어떤 사람들은 자신의 애완동물과 실제로 닮았다.

어구
furniture 명 가구
disease 명 질병
damage 명 해, 손해

단원 평가

01 다음 담화의 주제로 가장 적절한 것은?

> **W:** Hello, students. I'm here to tell you why you should learn how to cook. First of all, by learning to cook you'll learn about eating healthy, which is an important habit to have. Second, cooking for yourself can boost your confidence. Third, you can learn how to work as a team while cooking. Fourth, you can feel the importance of helping others while serving food. It's no exaggeration to say that cooking improves your life greatly.

① benefits of cooking
② healthy cooking tips
③ how to become a cook
④ importance of teamwork
⑤ good habits to have in life

02 대화의 빈칸에 들어갈 말로 가장 적절한 것은?

> **M:** Wow, that was a great movie, wasn't it?
> **W:** Yeah. After watching superhero movies, I always feel like a superhero.
> **M:** Really? Hey, what would you do if you really were a superhero?
> **W:** Well, I would spend my life helping people in need. That's my dream.
> **M:** That's cool. But how?
> **W:** I'd make a lot of tasty and healthy food and give it to people for free.
> **M:** Wait a minute. ______________________________
> **W:** Oh, you're right. I don't need to be a superhero to do that.

① You can do that now.
② I forgot to bring my phone.
③ Let's watch a superhero movie.
④ I'm sorry I'm not a superhero.
⑤ I want to help people in need.

03 자연스러운 대화가 되도록 ⓐ~ⓓ를 바르게 배열하시오.

> ⓐ No, I haven't. How is that possible?
> ⓑ You haven't seen a rose made out of a watermelon, have you?
> ⓒ Wow, that's amazing! I've never seen anything like this before.
> ⓓ Look at this video. A man makes a watermelon into the shape of a rose.

(　　)–(　　)–(　　)–(　　)

04 여자의 의견으로 가장 적절한 것은?

> **W:** You look tired. Did you go to bed late last night?
> **M:** No, I'm just really hungry.
> **W:** Hungry? John, you skipped breakfast, didn't you?
> **M:** Yeah. I've skipped it for the past two weeks to lose weight.
> **W:** But, John, people who skip breakfast tend to gain weight instead of losing it.
> **M:** Really? Are you sure?
> **W:** Trust me. If you skip breakfast, you end up eating more for lunch and dinner.
> **M:** I think you're right. I'll think again about skipping breakfast.

① 건강을 위해 밤에 일찍 잠자리에 드는 것이 좋다.
② 체중 조절은 운동을 통해 하는 것이 좋다.
③ 아침 식사를 안 하면 오히려 체중이 증가한다.
④ 배고픔 정도는 견뎌야 어떤 고난도 이길 수 있다.
⑤ 아침 식사를 하는 것이 두뇌 활동에 도움이 된다.

05 다음 글의 밑줄 친 부분 중 어법상 틀린 것은?

> Some of my favorite childhood memories are of spending days with my mom in the kitchen. She baked bread and cookies, and made all kinds of soup. I also remember ①to watch cooking shows with her on TV. I guess my training as a cook began back then. Everything my mom made tasted and looked good, and was often fun ②to make. I learned a lot from her. On top of that, my mom occasionally invited some of our elderly neighbors to our house and served ③them food. We ate, talked, played games, and laughed. ④Many of my childhood memories are of eating and sharing food. For me, this is what cooking is all about: creating experiences and making memories that last ⑤far longer than the meals themselves.

06 네모 안에서 어법상 가장 적절한 것을 고르시오.

(1) The fog was so thick that the road was barely [vision / visible].

(2) Their conversation was clearly [audio / audible].

07 다음 글의 요지로 가장 적절한 것은?

> I love cooking. The smell that comes from food is awesome and it makes me feel good. Peeling and chopping vegetables, stirring a pot of soup or sauce, or baking while you let your mind wander from your worries is what cooking is about. All these cooking actions give me a great deal of satisfaction, just like looking at great paintings or listening to music does. And in fact, everything in life is beautiful, isn't it?

① 요리를 하려면 고도의 집중력이 필요하다.
② 요리를 하면 인생의 교훈을 배울 수 있다.
③ 음식은 예술 작품 못지않게 만족감을 준다.
④ 음식은 모양이나 맛보다 향이 더 중요하다.
⑤ 모든 사람이 다 요리를 잘하는 것은 아니다.

[08~09] 다음 글을 읽고, 물음에 답하시오.

> Food elicits many different reactions in people. Some people are drawn by taste, of course. _________, however, might be tempted by (A) [its / their] smells and visual appearance. For thousands of years, people have sought not only to make food taste better, but they have also taken great steps (B) [made / to make] food smell and look better.
>
> Have you ever been to a really fancy restaurant? Maybe you've seen special desserts in the windows of bakeries or dessert shops from time to time. Look at the Korean rice cakes below. They almost appear too (C) [beautiful / beautifully] to eat. But really, no one wants to eat something that doesn't look delicious!

08 윗글의 빈칸에 들어갈 말로 가장 적절한 것은?

① Other ② Another ③ Others
④ The other ⑤ The others

09 윗글의 (A), (B), (C) 네모 안에서 가장 적절한 것은?

	(A)		(B)		(C)
①	its	……	made	……	beautiful
②	its	……	to make	……	beautiful
③	its	……	made	……	beautifully
④	their	……	to make	……	beautiful
⑤	their	……	made	……	beautifully

10 밑줄 친 This가 가리키는 것으로 가장 적절한 것은?

> This shows how two or more people, places, or things are alike or different. Words and expressions that signal this are *but, however, yet, although, similarly, while*, and *on the other hand.*

① Making predictions ② Using context clues
③ Summarizing the story ④ Using graphic organizers
⑤ Comparing and contrasting

[11~12] 다음 글을 읽고, 물음에 답하시오.

It's one thing to make a plate of spaghetti visually appealing. It's a whole other thing, ___(A)___, to turn it into a true work of art. People who dedicate their time to turning edibles into visuals are often called food artists.

Art has featured food for thousands of years. In fact, you may have made art featuring food as the subject in art class. You have drawn or painted a bowl of fruit, haven't you?

Some brave souls have taken the step from painting pictures of fruit to making art out of the fruit itself. ___(B)___, there's a video of an artist turning a watermelon into a rose on the Internet. Of course, vegetables, pasta, and many other types of food can be made into art, too. It's simply amazing what people can make out of edible items.

11 윗글의 주제로 가장 적절한 것은?

① efforts to turn food into art
② various materials for art classes
③ difference between cooking and art
④ types of food that make you healthy
⑤ artists who struggle for their dreams

12 윗글의 빈칸 (A)와 (B)에 들어갈 말로 가장 적절한 것은?

	(A)		(B)
①	however	……	Likewise
②	however	……	For example
③	therefore	……	Otherwise
④	therefore	……	In addition
⑤	for instance	……	Nevertheless

[13~15] 다음 글을 읽고, 물음에 답하시오.

The Japanese, for example, have created a new form of cuisine known as *bento*, which means portable lunch meal. This single-portion meal is packed in a box ______________________. Bento boxes usually include rice, meat, and vegetables arranged in an artful way to create a picture. (①) These edible pieces of art can resemble animals, nature scenes, and even celebrities and characters from popular culture, and can make eating healthy foods fun. (②)

Unlike art that hangs in a museum, though, food art does not last long. (③) Many of today's food artists save their works with the help of modern technology. (④) They take photographs of their works of edible art before they're eaten and then post them online. (⑤)

13 다음 문장이 들어가기에 가장 적절한 곳은?

It must be consumed before it goes bad.

① ② ③ ④ ⑤

14 윗글의 빈칸에 들어갈 적절한 말을 주어진 단어를 이용하여 쓰시오.

you, take, to, wherever, with, you, go

→ ______________________

15 윗글의 둘째 단락에서 다음 뜻에 해당하는 단어를 찾아 쓰시오.

suitable or safe for eating

→ ______________________

LESSON

3

Green Choices for Tomorrow

Check what you already know. 알고 있는 것에 표시해 봅시다.

- ☐ I feel bad when people throw garbage on the road. 사람들이 길에 쓰레기를 버리는 것을 보면 기분이 좋지 않다.
- ☐ Should I take any actions immediately? 내가 즉시 어떤 행동을 취해야 하나?
- ☐ Tell me a reason **for which** we should make green choices. 우리가 환경친화적인 선택을 해야 하는 이유를 이야기해 줘.
- ☐ **If there were** no answer key, **it would be** hard to solve this problem. 해답이 없다면, 이 문제를 해결하기 어려울 거야.

생활 속에서 어떤 환경친화적인 일을 하고 있나요?

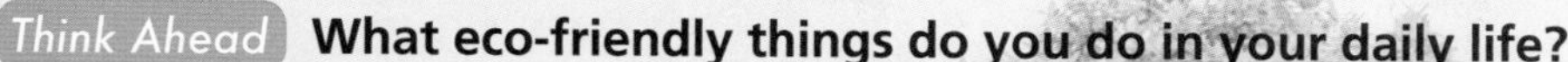

Think Ahead **What eco-friendly things do you do in your daily life?**

Sample I recycle and turn off the faucet while I'm brushing my teeth.
나는 재활용을 하고 양치하는 동안 수도꼭지를 잠근다.

In this lesson, I will ... 이 단원에서, 나는 …

Listening & Speaking	Reading	Writing	Culture
• learn to express being annoyed about something. 어떤 것에 관해 화가 남을 표현하는 법을 배울 것이다. • learn to ask others about what I have to do. 내가 해야 할 일에 관해 다른 사람에게 묻는 것을 배울 것이다.	• read about the importance of water. 물의 중요성에 관해 읽을 것이다.	• write an opinion article about environmental problems and solutions. 환경 문제와 해결책에 관한 사설을 쓸 것이다.	• learn about eco-friendly cities around the world. 세계의 환경친화적인 도시들에 관해 배울 것이다.

- It's really annoying. 정말 짜증 나.
- Do we really need to ...? 정말 ~해야 하니?
- This may be **why** we often forget that they are the very things ... . 이것이 바로 그것들이 ~라는 것을 우리가 자주 잊어버리는 이유일지 모른다.
- **Without water,** how would your life change? 물이 없다면, 여러분의 삶은 어떻게 변할까?

Starting Out

교과서 pp.56~57

Guess the message that each picture represents.
각 사진이 나타내는 메시지를 추측해 봅시다.

(Sample) Because of global warming, the average temperature of Earth is rising.
지구 온난화로 인해, 지구의 평균 기온이 오르고 있다.

Who does the speaker recommend the movie *WALL-E* to?
화자는 누구에게 영화 *Wall-E*를 추천하고 있는가?

ⓐ People fascinated by robot technology 로봇 기술에 사로잡힌 사람들
✓ⓑ People worried about environmental issues 환경 문제를 걱정하는 사람들
ⓒ People interested in becoming a movie director 영화감독이 되는 것에 관심 있는 사람들

Script

M: Yesterday I saw the SF movie *WALL-E*. In the movie, Earth in 2805 is covered with garbage. There are no living things. Only WALL-E, a cleaning robot, exists and he tries to clean up the mess that humans have left behind. This movie taught me that we have the ability to make our future better. Like WALL-E, we can protect our planet Earth. I would like to recommend this movie to anyone who is interested in environmental issues.

해석

남: 어제 나는 SF영화 'WALL-E'를 보았다. 영화에서 2805년의 지구는 쓰레기로 뒤덮여 있다. 생명체는 없다. 청소 로봇인 WALL-E만 존재하고 그는 인간이 남긴 쓰레기 더미를 치우려고 한다. 이 영화는 우리의 미래를 더 좋게 만들 수 있는 능력이 우리에게 있다는 것을 내게 가르쳐 주었다. WALL-E처럼 우리는 우리 행성 지구를 보호할 수 있다. 나는 환경 문제에 관심 있는 사람에게 이 영화를 추천하고 싶다.

| 구문 해설 |

- This movie **taught** me **that** we have the ability to make our future better.: teach는 간접목적어와 직접목적어를 모두 취하는 4형식 동사로 쓰였다. 직접목적어 자리에 that절이 쓰이고 있다.

어구

represent ⓢ 나타내다, 대표하다
- She ***represented*** her company at the meeting. (그녀는 회의에서 그녀의 회사를 대표하고 있다.)

SF 공상 과학(Science Fiction)
be covered with ~으로 덮이다
garbage ⓜ 쓰레기
exist ⓢ 존재하다
- Do you think that ghosts ***exist***? (귀신이 존재한다고 생각하니?)

mess ⓜ 엉망인 상태
protect ⓢ 보호하다
recommend ⓢ 추천하다

힌트

마지막 부분에서 환경 문제에 관심이 있는 사람들에게 영화를 추천하고 있음을 알 수 있다.

Let's Read

How Green Are You?

❶ How "green" do you think you are? ❷ The word green in this question is used to talk about a lifestyle that(주격 관계대명사) is less harmful and more friendly to the environment. ❸ For example, using a bike(주어 1(동명사)) instead of a car and using reusable products(주어 2(동명사)) are(복수 동사) considered green actions, which(계속적 용법의 관계대명사(= and it)) help the environment. ❹ For each question below, tick (✓) the box if your answer is yes. ❺ You earn one point for each tick.

1	Do you often reuse shopping bags when you go shopping? 여러분은 쇼핑할 때 얼마나 자주 쇼핑백을 재사용합니까?	☐
2	Do you recycle glass, plastic, and paper? 여러분은 유리, 플라스틱, 종이를 재활용하나요?	☐
3	Do you ever plant trees or flowers? 여러분은 나무나 꽃을 심어 본 적이 있습니까?	☐
4	Do you buy eco-friendly goods, such as eco-friendly toilet paper? 여러분은 친환경 화장지 같은 친환경 제품을 구매하나요?	☐
5	Do you turn off the faucet while(~하는 동안) you're brushing your teeth? 여러분은 이를 닦는 동안 수도꼭지를 잠그나요?	☐
6	Do you eat more vegetables than meat? 여러분은 고기보다 채소를 더 먹나요?	☐
7	Do you turn off the lights when you go out of a room? 방을 나갈 때 전등을 끄나요?	☐

| 구문 해설 |

❷ The word green in this question **is used to** talk about a lifestyle **that is** less harmful and more friendly to the environment.: 「be used+to부정사」는 '~하는 데에 사용되다'라는 뜻이다. that은 주격 관계대명사이며, that의 선행사가 a lifestyle이므로 선행사에 수 일치시켜 단수 동사 is를 썼다.

❸ For example, **using a bike instead of a car** and **using reusable products are considered** green actions, **which help** the environment.: 두 개의 동명사구가 and로 병렬 구조를 이루고 있어서 복수 취급을 하여 동사 are considered가 쓰였다. which의 선행사가 green actions이므로 선행사에 수 일치시켜 help를 썼다.

◎ **Compare your score with your partner's and check how green you are.**
여러분의 점수를 짝의 점수와 비교하고 자신이 얼마나 환경친화적인지 확인해 봅시다.

6-7 points	Well done! You are totally green. Keep up the good work! 잘했습니다! 당신은 완전히 환경친화적입니다. 계속해서 좋은 행동을 하세요!	☺
3-5 points	Not bad, but you could be greener! 나쁘지 않지만, 더 환경친화적일 수 있어요! Take a few more steps to be a little greener! 더 환경친화적일 수 있도록 좀 더 행동하세요!	😐
0-2 points	You really should start thinking more about the environment! 당신은 정말 환경에 관해서 생각해야만 합니다! Make more of an effort to be green! 환경친화적일 수 있도록 더 많이 노력하세요!	☹

어구

harmful ⓗ 해로운
reusable ⓗ 재사용할 수 있는
tick ⓢ 체크 표시하다 ⓜ 체크 표시
earn ⓢ 얻다, 벌다
• **Dubai has already *earned* a reputation for building unique buildings.** (두바이는 독특한 빌딩을 건설한 것으로 이미 평판을 얻었다.)
eco-friendly ⓗ 환경친화적인
faucet ⓜ 수도꼭지

해석

당신은 얼마나 환경친화적입니까?
❶ 당신은 당신이 얼마나 '환경친화적'이라고 생각하나요? ❷ 이 질문에서 'green'이라는 단어는 환경에 덜 해를 끼치고 더 친환경적인 생활 방식에 관해 말하기 위해 사용되는 단어입니다. ❸ 예를 들어서, 자동차 대신에 자전거를 이용하고 재사용 가능한 제품을 사용하는 것은 환경친화적인 행동으로 여겨지며, 이것은 환경을 돕습니다. ❹ 밑에 있는 각각의 질문에 관해서 만약 답이 '네'이면 상자에 ✔ 표시를 하세요. ❺ 각 ✔ 표시 당 1점을 받습니다.

Listen & Speak 1

교과서 p.58

A Listen and choose what the speakers are talking about.

듣고 화자들이 무엇에 관해 이야기하고 있는지 골라 봅시다.

✓ ⓐ 

ⓑ 

ⓒ 

Don't miss when you listen.

- It's really annoying. 정말 짜증 나.
- I cannot take this any more. 더 이상 참을 수 없어.

Script

W: You look upset. What's wrong?
M: People waste too much water and it's really annoying.
W: I know what you mean.
M: I cannot take this any more. I'm going to put a sign on the sink asking people to save water.

해석

여: 너 언짢아 보여. 무슨 일이야?
남: 사람들이 물을 너무 많이 낭비해서 정말 짜증 나.
여: 무슨 말인지 알겠어.
남: 더 이상 참을 수 없어. 사람들이 물을 절약하라고 싱크대에 표지판을 붙일 거야.

| 구문 해설 |

- People waste too much water and it's really **annoying.**: 화냄을 표현할 때 쓸 수 있는 표현으로 annoying 대신 irritating을 써도 된다. 이때 우리를 화나게 만드는 상황이 주어이므로 annoyed가 아니라 annoying을 쓰는 것에 유의한다.

어구

annoying ㉠ 짜증 나는, 성가신
cf. **annoyed** ㉠ 짜증 난, 화가 난
take ⓢ 참다, 견디다
㉤ **bear, put up with**

힌트

두 사람은 사람들이 너무 많은 물을 낭비하는 것에 관해 대화하고 있다.

B Listen again and complete the dialogue. 다시 듣고 대화를 완성해 봅시다.

A You look upset. What's wrong?
B People waste too much water and it's really annoying.
A I know what you mean.
B I cannot take this any more. I'm going to put a sign on the sink asking people to save water.

◎ Now, practice the dialogue with your partner. 이제, 짝과 대화를 연습해 봅시다.

1 

litter in the park / talk to the park manager about this issue
공원에 쓰레기를 버리다 / 이 문제에 관해 공원 관리인에게 말하다

2 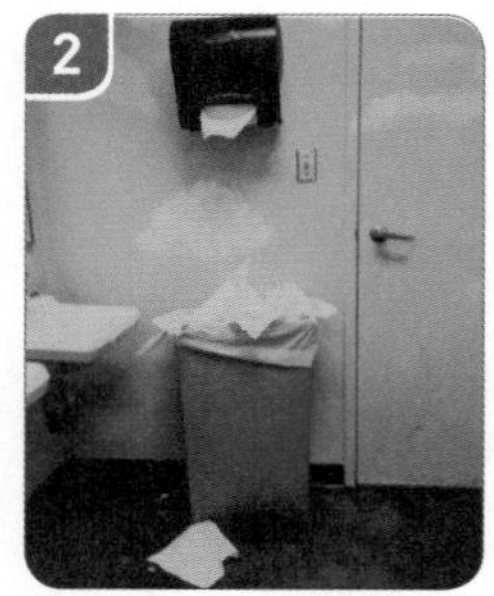

use too many paper towels / ask my teacher how we can address this problem
너무 많은 화장지를 쓰다 / 선생님에게 이 문제를 어떻게 처리할 수 있는지 묻다

3 

On Your Own

어구

litter ⓢ (쓰레기 등을) 버리다, 어지럽히다
- Leaves ***littered*** the streets. (낙엽이 길을 어지럽히고 있었다.)

issue ㉢ 주제, 쟁점
address ⓢ (문제 등을) 다루다
- Air pollution is one of the major environmental problems being ***addressed*** at the conference. (공기 오염은 회의에서 다루어지고 있는 주요 환경 문제 중 하나이다.)

예시 대화

A: You look upset. What's wrong?
B: People litter in the park and it's really annoying.
A: I know what you mean.
B: I cannot take this any more. I'm going to talk to the park manager about this issue.

해석

A: 너 언짢아 보여. 무슨 일이야?
B: 사람들이 공원에 쓰레기를 버려서 정말 짜증 나.
A: 무슨 말인지 알겠어.
B: 더 이상 참을 수 없어. 공원 관리자에게 이 문제에 관해 얘기할 거야.

C Listen and choose what annoys the woman.

듣고 무엇이 여자를 짜증 나게 하는지 골라 봅시다.

ⓐ The bad road condition 좋지 않은 길 상태
ⓑ The loud music 큰 음악 소리
✓ⓒ The wasteful use of flyers 전단지의 낭비적 사용

Script

W: Minsu, look at all the flyers on the ground.
M: They're all over the place.
W: What do you think they're advertising?
M: I'm guessing mostly restaurants.
W: Do you think that's an effective way to advertise?
M: Not really. I think it's just a waste of paper.
W: Me, too. It's annoying that people just throw the flyers all over the ground.
M: I know. It just makes the ground and streets look dirty.
W: I agree.

해석

여: 민수야, 바닥에 있는 전단지들을 봐.
남: 전단지들이 사방에 있네.
여: 그것들이 무엇을 광고하고 있다고 생각하니?
남: 주로 식당인 거 같아.
여: 그게 효과적인 광고 방법이라고 생각해?
남: 별로. 종이 낭비일 뿐인 거 같아.
여: 나도 그렇게 생각해. 사람들이 바닥에 여기저기 전단지를 뿌리는 것은 짜증 나는 짓이야.
남: 알아. 바닥과 거리가 지저분하게 보이도록 만들 뿐이야.
여: 동의해.

| 구문 해설 |

- **Not really.**: "별로.", "딱히 그렇지 않아."라는 뜻으로 쓰이는 표현이다.

어구

flyer ⓜ 전단지
ground ⓜ 땅
- **They moved to higher *ground* to look around.** (그들은 둘러보기 위해 높은 땅으로 향했다.)

all over the place 사방에, 곳곳에
advertise ⓢ 광고하다
waste ⓜ 낭비
- **The show was a *waste* of time.** (그 쇼는 시간 낭비였다.)

throw ⓢ 던지다

힌트

여자는 전단지가 여기저기 바닥에 있는 것이 짜증 난다고 이야기하고 있다.

Dictation
160쪽으로 가서 다시 듣고 빈칸을 채워 봅시다.
Go to page 160. Listen again and fill in the blanks.

W: Minsu, look at all the flyers on the ground.
M: They're all over the place.
W: What do you think they're advertising?
M: __I'm__ __guessing__ mostly restaurants.
W: Do you think that's an __effective__ way to advertise?
M: Not really. I think it's just a waste of paper.
W: Me, too. It's __annoying__ that people just throw the flyers all over the ground.
M: I know. It just makes the ground and streets look dirty.
W: I __agree__.

Listen & Speak 2

교과서 p.59

A Listen and choose what the speakers are talking about.

듣고 화자들이 무엇에 관해 이야기하고 있는지 골라 봅시다.

ⓐ

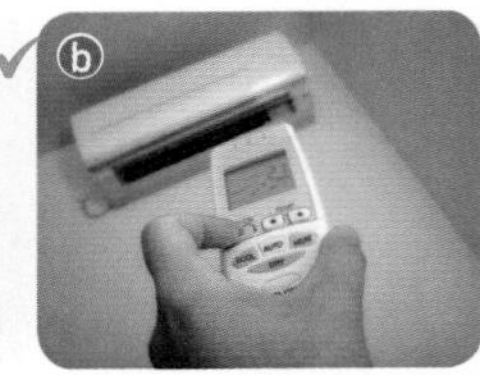
✓ⓑ

ⓒ

Don't miss when you listen.

- Do we really need to ...?
  정말 ~해야만 하나요?
- It's good if ... .
  만약 ~한다면 좋다.

Script

W: Let's turn off the air conditioner.
M: Do we really need to turn it off?
W: Well, it's good if we do things that are environmentally friendly.
M: Okay. Good point.

해석

여: 에어컨을 끄자.
남: 정말 꺼야 하니?
여: 음, 우리가 친환경적인 것들을 한다면 좋은 거잖아.
남: 알았어. 좋은 지적이야.

| 구문 해설 |

- Do we really **need to** turn it off?: 「need+to부정사」는 '~해야만 한다'라는 뜻으로 의무를 나타낸다.
- Well, it's good if we do things **that** are environmentally friendly.: that은 선행사 things를 수식하는 주격 관계대명사이다.

어구

turn off 끄다
environmentally friendly 친환경적인

- **I want to buy products from an *environmentally friendly* company that positively affect our planet.** (나는 지구에 긍정적인 영향을 주는 친환경적인 회사의 제품을 사고 싶다.)

힌트

에어컨과 관련하여 친환경적인 일을 하자고 말하고 있다.

B Listen again and complete the dialogue. 다시 듣고 대화를 완성해 봅시다.

A Let's __turn off the air conditioner__.
B Do we really need to __turn it off__?
A Well, it's good if we do things that are environmentally friendly.
B Okay. Good point.

◎ **Now, practice the dialogue with your partner.** 이제, 짝과 대화를 연습해 봅시다.

1

go shopping at a used clothing store / buy used clothes
중고 옷가게에서 쇼핑 하다 / 중고 옷을 사다

2

take the bus instead of driving / take the bus
운전 대신 버스를 타다 / 버스를 타다

3
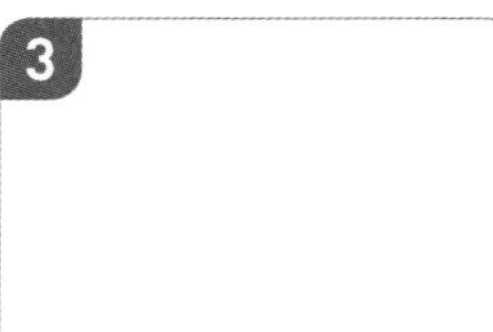
On Your Own

어구

used clothing 중고 옷
(= **used clothes**)

예시 대화

A: Let's take the bus instead of driving.
B: Do we really need to take the bus?
A: Well, it's good if we do things that are environmentally friendly.
B: Okay. Good point.

해석

A: 운전하는 대신에 버스를 타자.
B: 우리가 버스를 타야 하니?
A: 음, 우리가 친환경적인 것들을 한다면 좋은 거잖아.
B: 알았어. 좋은 지적이야.

C Listen and choose what the woman tells the man to do.

듣고 여자가 남자에게 하라고 말하는 것을 골라 봅시다.

ⓐ Turn off the air conditioner 에어컨 끄기
ⓑ Clean up his bedroom 남자의 침실 치우기
✔ⓒ Attach bubble wrap to his bedroom windows 남자 침실 창문에 뽁뽁이 붙이기

Script

M: Mom, what are you doing? Is that bubble wrap?
W: Yeah, I'm covering the windows with bubble wrap. Why don't you help me?
M: Oh, sorry, Mom. I'm just about to go out.
W: Well, then attach bubble wrap to the windows in your bedroom later.
M: Do I need to do that? I don't feel any cold air coming in through the windows.
W: I know, but it's more about saving energy. Bubble wrap reduces heat loss.
M: Do you think using bubble wrap will actually make a difference?
W: Over time, saving a little energy here and there adds up.
M: Alright. Good point. I'll do it later.

해석

남: 엄마, 뭐 하시는 거예요? 그거 뽁뽁이예요?
여: 그래, 뽁뽁이로 창문을 덮고 있어. 나 좀 도와줄래?
남: 오, 미안해요, 엄마. 저는 막 나가려는 중이에요.
여: 그럼, 나중에 네 침실 창문에 뽁뽁이를 붙여라.
남: 그렇게 해야 하나요? 전 창문으로 찬 공기가 들어오는 것을 못 느껴요.
여: 알아, 하지만 에너지를 절약하는 거잖니. 뽁뽁이는 열 손실을 줄여 줘.
남: 뽁뽁이를 사용하는 게 실제로 차이가 있을 거라고 생각하세요?
여: 여기저기에서 에너지를 조금씩 절약하는 것은 시간이 지나면 쌓이거든.
남: 알았어요. 좋은 지적이에요. 나중에 할게요.

| 구문 해설 |

- **Why don't you** help me?: Why don't you ...?는 권유할 때 쓰는 표현으로 '~하는 게 어때?'라는 뜻이다.

어구

bubble wrap 뽁뽁이
attach ⓢ 붙이다
- **I *attached* the photo above my desk.** (나는 책상 위에 그 사진을 붙였다.)

actually ⓟ 정말로, 사실로
make a difference 차이를 만들다, 영향이 있다
- **Exercising regularly can *make a* big *difference* to your health.** (꾸준한 운동은 건강에 큰 차이를 만들 수 있다.)

over time 시간이 흐르면서
add up 쌓이다
Good point. 좋은 지적이야.

힌트

여자는 에너지를 절약하기 위해 창문에 뽁뽁이를 붙이려고 한다.

160쪽으로 가서 다시 듣고 빈칸을 채워 봅시다.

Dictation Go to page 160. Listen again and fill in the blanks.

M: Mom, what are you doing? Is that bubble wrap?
W: Yeah, I'm __covering__ the windows with __bubble__ __wrap__. Why don't you help me?
M: Oh, sorry, Mom. I'm just about to go out.
W: Well, then __attach__ bubble wrap to the windows in your bedroom later.
M: Do I need to do that? I don't feel any cold air coming in through the windows.
W: I know, but it's more about saving energy. Bubble wrap reduces heat loss.
M: Do you think using bubble wrap will actually make a difference?
W: Over time, saving a little energy here and there __adds__ __up__.
M: Alright. Good point. I'll do it later.

Real-life Project

교과서 pp.60~61

자신만의 환경 표지판 디자인하기 **Designing Your Own Environmental Sign**

Step 1 **Match each environmental sign to its appropriate meaning.**
각각의 환경 표지판들을 적절한 의미와 연결해 봅시다.

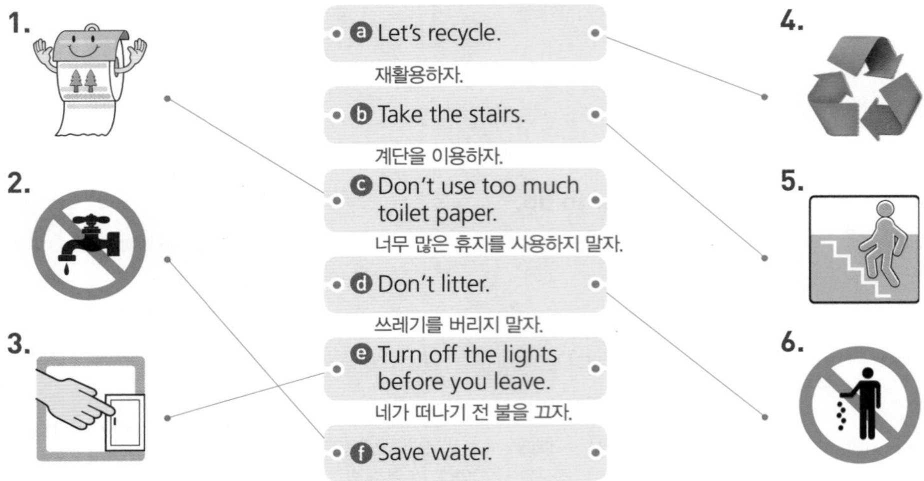
1.
2.
3.
ⓐ Let's recycle.
재활용하자.
ⓑ Take the stairs.
계단을 이용하자.
ⓒ Don't use too much toilet paper.
너무 많은 휴지를 사용하지 말자.
ⓓ Don't litter.
쓰레기를 버리지 말자.
ⓔ Turn off the lights before you leave.
네가 떠나기 전 불을 끄자.
ⓕ Save water.
물을 절약하자.
4.
5.
6.

어구

sign ㊐ 표지판, 간판

recycle ㊍ 재활용하다

- **The company *recycle* papers and plastic.** (그 회사는 종이와 플라스틱을 재활용한다.)

litter ㊍ 어지럽히다

leave ㊍ 떠나다

힌트

표지판의 그림을 자세히 보고 무슨 뜻인지 생각해 본다.

Step 2 **With your partner, choose an environmental sign from above that is needed in your school. Then, using the dialogue below, discuss where to put it up and its expected outcome.**
짝과 위에서 학교에 필요한 환경 표지판을 하나 고른 뒤, 아래 대화를 활용해 그 표지판을 어디에 붙이고, 어떤 결과가 예상되는지 토의해 봅시다.

Sample Dialogue

A Which sign do you think we need?
B I think we need the "Save water" sign.
A Why is that?
B Because students always leave the water running while brushing their teeth. It's really annoying.
A You're right. Then, let's choose that sign. Where should we put it up?
B How about in the bathrooms?
A Okay. Do we need to put up a sign in all the bathrooms, including the teachers' bathroom?
B Why not? So, I think we need five copies.
A Good. What kind of outcome can we expect?
B Well, people can get a meaningful message about the importance of conserving water.

해석

A 우리가 무슨 표지판이 필요할 것 같니?
B 나는 '물 절약' 표지판이 필요한 것 같아.
A 왜 그렇게 생각하니?
B 학생들이 이를 닦는 동안 항상 물을 틀어 놓기 때문이야. 그게 정말 짜증 나더라고.
A 맞아. 그럼 그 표지판을 고르자. 이걸 어디에 붙여야 할까?
B 화장실은 어떠니?
A 좋아. 우리가 교사용 화장실을 포함해서 모든 화장실에 붙여야만 할까?
B 그러자. 그러면 내 생각에는 5개가 필요할 것 같아.
A 좋아. 그럼 어떤 결과를 예상할 수 있니?
B 음, 사람들이 물을 절약하는 것의 중요성에 관해 의미 있는 메시지를 얻을 수 있어.

어구

expected outcome 기대되는 결과

leave ㊍ ~한 상태로 두다

- **I *left* my windows open.** (나는 창문을 열린 상태로 뒀다.)

run ㊍ 흐르다

- **I could see tears *running* down her cheeks.** (나는 그녀의 뺨으로 눈물이 흐르는 것을 보았다.)

including ㊅ ~을 포함하여

Why not? (동의의 뜻으로) 왜 아니겠어?

copy ㊐ 복사본

importance ㊐ 중요성

conserve ㊍ 아껴 쓰다, 보존하다

- **This wall helps the house *conserve* heat.** (이 벽은 집이 열을 보존하도록 돕는다.)

| 구문 해설 |

- **It's really annoying.**: 화가 났음을 나타내는 표현으로 annoying 대신 irritating을 쓸 수도 있다. 이때, 화나게 만드는 대상인 주어가 사람이 아니므로 annoyed가 아니라 annoying을 쓴 것에 유의한다.
- **Why not?**: "왜 아니겠어?"라는 뜻으로 이유를 묻는 표현이 아니라 상대방의 말에 동의하는 표현이다.

Step 3 **Based on Step 1 and Step 2, design your own environmental sign.**
Step 1과 Step 2에 근거하여 자신만의 환경 표지판을 디자인해 봅시다.

The reason you chose it: 그 표지판을 고른 이유
Because many students litter at school
많은 학생이 학교에 쓰레기를 버리기 때문에

Where to put it up: 표지판을 붙일 곳
Next to the class trash bin
학급 쓰레기통 옆

Expected outcome: 기대되는 결과
Students won't litter.
학생들이 쓰레기를 버리지 않을 것이다.

Step 4 **Present your sign to the class.** 표지판을 학급에 발표해 봅시다.

Self-Check

I can express being annoyed about something. 무언가에 짜증이 난 것을 표현할 수 있다.	☐ Yes ☐ No ➡ Listen & Speak 1
I can ask others about what I have to do. 다른 사람에게 내가 해야만 하는 일에 관해서 물어볼 수 있다.	☐ Yes ☐ No ➡ Listen & Speak 2

Language in Focus

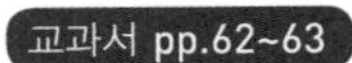

A Guess the meanings of the words in bold from the contexts.
굵게 표시된 단어의 뜻을 문맥에서 추측해 봅시다.

1. Last year, she missed 15 days of school to avoid such **embarrassments**.
지난해에, 그녀는 그런 당혹감을 피하기 위해서 학교를 15일이나 빠졌다.

I turned red with **embarrassment** when I fell down the stairs.
나는 계단에서 넘어졌을 때 당황해서 얼굴이 붉어졌다.

embarrassment: 당황

2. **Access** to clean water means everything to them.
깨끗한 물에 접근하는[얻는] 것은 그들에게 모든 것을 의미한다.

Another big advantage of the Internet is easy **access** to information.
또 다른 인터넷의 큰 장점은 정보에 쉽게 접근하는 것이다.

access: 접근, 이용

| 구문 해설 |

- **I turned red** with embarrassment when I fell down the stairs.: 당황스럽거나 부끄러울 때 얼굴이 붉게 변하는 것을 영어로 표현할 때 turn red를 쓴다. 얼굴이 홍당무같이 빨개지는 것을 turn[go] beet red라고 표현하기도 한다. 이 외에도 He was really red in the face. (그는 화가 나서 얼굴이 붉어졌어.)처럼 화가 난 경우에도 red를 쓰기도 한다.

어구

miss ⓢ 빠지다

fall down 넘어지다

advantage ⓜ 장점
- I think this job has a lot of ***advantages***. (내 생각에 이 직업은 많은 장점이 있다.)

힌트

embarrassment가 쓰이는 문장들에서는 갑작스럽고 힘든 일들이 나온다. access는 전치사 to와 같이 쓰인다.

B Find the appropriate meanings of the expressions in bold.
굵게 표시된 표현의 적절한 뜻을 찾아봅시다.

1. After a three-day rest, the travelers **set out** again. ⓑ
3일 간의 휴식 후에, 그 여행객들은 다시 출발했다.

2. I **used to** enjoy gardening, but I don't have time for it now. ⓐ
나는 정원 손질을 즐겼었지만, 지금은 그것을 할 시간이 없다.

ⓐ To have taken place in the past, but not any longer 과거에 일어났지만, 지금은 더 이상 그렇지 않다
ⓑ To leave a place and begin a trip 장소를 떠나 여행을 떠나다

On Your Own Write your own sentences using the words and expressions given in A and B.
A와 B에 주어진 단어와 표현을 사용하여 자신만의 문장을 써 봅시다.

Sample
The Internet gives users quick and easy access to required information.
인터넷은 사용자들에게 필요한 정보에 빠르고 쉽게 접근하게 한다.
Check the road conditions before you set out on a journey.
여행을 떠나기 전에 도로 상황을 확인해 보라.

| 구문 해설 |

- I **used to** enjoy gardening, but I don't have time for it now.: 「used+to부정사」는 '~하곤 했다'라는 뜻을 갖는 조동사로 과거의 습관을 나타낸다. use의 수동태 표현이 아님에 유의한다.

어구

take place 일어나다

힌트

set out은 여행과 관련된 표현이고, used to는 조동사처럼 동사 앞에서 동사의 뜻을 보조한다.

Word Study

C **Pay attention to the words in bold and talk with your partner about their forms.** 굵게 표시된 단어에 집중해서 그것들이 어떻게 형성되었는지 짝과 이야기해 봅시다.

- **Waterborne** diseases are caused by drinking dirty **water**.
  수인성 질병들은 더러운 물을 마셔서 생긴다.
- **Mosquito-borne** diseases are spread through mosquito bites.
  모기 원인 질병들은 모기에 물려서 퍼진다.

◎ Complete the sentences using the words in bold.
굵게 표시된 단어를 활용하여 문장을 완성해 봅시다.

1. To prevent __foodborne__ illnesses during a picnic, place **food** in a cooler with ice packs. 소풍 중에 음식으로 인한 병을 막기 위해서는 음식을 아이스팩으로 채운 냉각 통에 두어라.
2. A good **air** purifier is able to remove more than 90% of __airborne__ dust.
   좋은 공기 정화기는 공기에서 나온 먼지를 90% 이상 제거할 수 있다.

⊕ Think of more words ending with *-borne.*
'-borne'으로 끝나는 단어들을 더 생각해 봅시다.

Word Group
windborne
바람으로 옮겨지는
insect-borne
곤충에서 나온

| 구문 해설 |
- **To prevent** foodborne illnesses during a picnic, place food in a cooler with ice packs.: To prevent는 '막기 위해서'라는 뜻으로 to부정사의 부사적 용법으로 쓰였다.

어구
disease ⓜ 질병
- Eating greasy food increases the risk of heart ***disease.*** (기름진 음식을 먹는 것은 심장병의 위험성을 높인다.)

spread ⓢ 퍼지다
mosquito ⓜ 모기
bite ⓜ 물린 상처
- Don't scratch that mosquito ***bite.*** (모기에 물린 곳을 긁지 마라.)

illness ⓜ 병
place ⓢ 두다, 놓다
- She folded the letter and ***placed*** it in the inside pocket of her jacket. (그녀는 편지를 접어서 그녀의 재킷 안주머니에 두었다.)

purifier ⓜ 정화 장치
dust ⓜ 먼지

힌트
명사에 -borne을 붙이면 '~으로부터 태어난, ~으로 인한'이라는 뜻의 형용사가 된다.

Grammar Study 1

D **Compare the sentences and find the difference among them.**
문장들을 비교해 보고 차이점을 찾아봅시다.

This is **the reason for which** we often forget how important water is.
This is **the reason why** we often forget how important water is.
This is **the reason** we often forget how important water is.
This is **why** we often forget how important water is.
이것이 우리가 종종 물이 얼마나 중요한지를 종종 잊어버리는 이유입니다.

◎ Based on your findings, complete the sentences.
알아낸 바에 근거하여 문장들을 완성해 봅시다.

1. Tell me the reason __for__ which you wake up so early in the morning. 네가 그렇게 아침에 일찍 일어나는 이유를 이야기해 줘.

2. This is __why__ I love horror movies.
   이것이 내가 공포 영화를 좋아하는 이유이다.

3. I don't know __the__ __reason__ I like her.
   나는 내가 그녀를 좋아하는 이유를 모르겠다.

어구
horror movie 공포 영화

힌트
관계부사 why는 for which와 바꿔 쓸 수 있으며 the reason why에서 the reason이나 why 중 하나를 생략할 수 있다.

Language in Focus

| 구문 해설 |

- **This is why** I love horror movies: This[That] is why ... .은 '이것이 ~한 이유이다.'라는 뜻으로 why 다음에는 결과가 나온다. 이와 반대로 This[That] is because ... .는 '이것은 ~ 때문이다.'라는 뜻으로 because 다음에 원인이 나온다.
  e.g. I love swimming very much. **This is because** it makes me happy.
  (나는 수영을 매우 좋아한다. 이것은 수영이 나를 행복하게 만들기 때문이다.)

Grammar Point

관계부사 why
관계부사 why가 이끄는 절은 이유를 나타내는 선행사(the reason)를 수식한다. 관계부사는 「전치사+관계대명사」로 바꿔 쓸 수 있으므로 관계부사 why는 「for+관계대명사」로 바꿔 쓸 수 있다. 선행사나 관계부사 why 중 하나를 생략할 수 있다.

Grammar Study 2

E Compare the following pairs of sentences and find the difference between them. 문장들을 비교해 보고 차이점을 찾아봅시다.

- If there were no water, how would your life change?
  Without water, how **would** your life change?
  물이 없다면, 여러분의 삶은 어떻게 변할까요?
- If there were no money, people would have to use something else to buy things.
  Without money, people **would** have to use something else to buy things.
  돈이 없다면, 사람들은 물건들을 사기 위해 무언가 다른 것을 사용해야만 할 것이다.

◎ Based on your findings, make your own sentences.
알아낸 바에 근거하여 자신만의 문장을 만들어 봅시다.

1. Without ___my cell phone___, I would not be able to live even a single day.
   휴대 전화가 없다면, 나는 하루도 살 수 없을 것이다.
2. Without electricity, ___I would not be able to do my homework___.
   전기가 없다면, 나는 숙제를 하지 못할 것이다.
3. Without ___my friends___, ___I would not be who I am today___.
   친구들이 없다면, 오늘의 내가 없을 것이다.

Grammar Point

without 가정법 과거
가정법 과거는 현재 사실의 반대나 이루어지기 어려운 현재 상황을 가정할 때 쓰며, 「If+주어+동사의 과거형, 주어+조동사의 과거형+동사원형」의 형태이다. '~이 없다면'이라는 가정을 나타낼 때는 If절을 「Without+명사」로 바꿔 표현할 수 있다.
cf. without 가정법 과거완료
'~이 없었더라면'이라는 의미로 과거 사실에 반대되는 가정을 할 때 가정법 과거완료(If+주어+had+p.p., 주어+조동사의 과거형+have+p.p.)를 쓴다.

어구

something else 또 다른 것

힌트

without 가정법은 현재 사실의 반대나 이루어지기 어려운 현재 상황을 가정할 때 쓴다.

Before You Read

교과서 p.64

A Complete the sentences based on the information in each graph.

각각의 그래프 정보에 근거하여 문장을 완성해 봅시다.

(100 People Foundation. 2016)

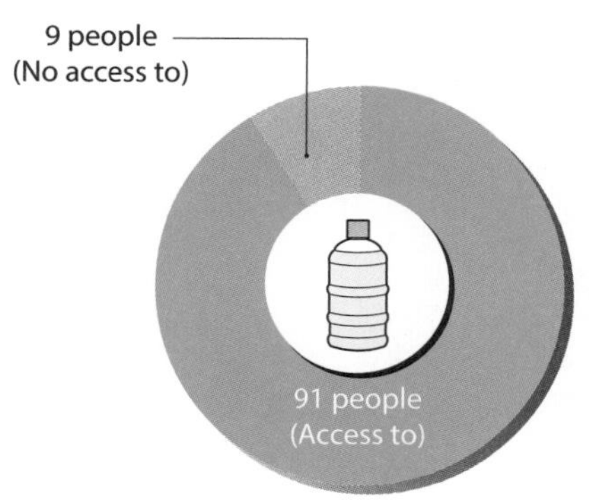

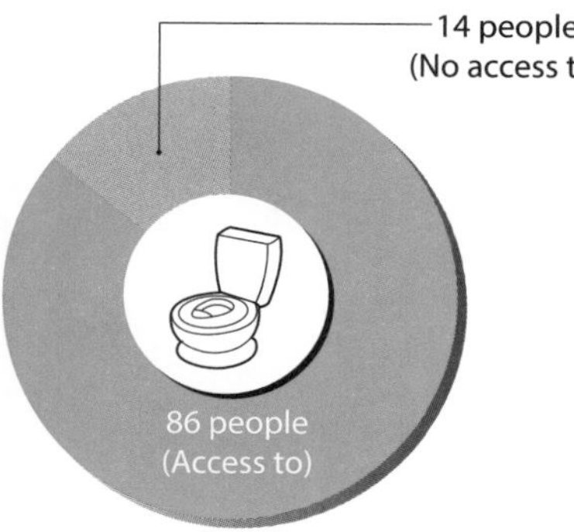

세상에 100명만 있다면

For every 100 people in the world,

Nine (people) do not have access to clean drinking water. 9명은 깨끗한 물을 이용할 수 없다.

Fourteen (people) do not have access to toilets. 14명은 화장실을 이용할 수 없다.

어구

access ⑲ 접근, 이용

힌트

전 세계 인구가 100명이라고 가정하고 그린 그래프이다.

B Reading Strategy: Understanding the Purpose of the Writer

읽기 전략: 글쓴이의 목적 이해하기

To effectively understand a text, think first about the writer's purpose. The writer may want to inform you of some facts. Or the writer may want to entertain you or to persuade you to do something.

텍스트를 효과적으로 이해하기 위해서 먼저 글쓴이의 의도에 관해서 생각해 보라. 글쓴이는 여러분에게 어떤 사실을 알려 주려고 할 수도 있다. 또는 글쓴이는 여러분을 즐겁게 하려고 할 수도 있고 여러분이 뭔가를 하도록 설득하려고 할 수도 있다.

e.g.

The giant panda is a type of bear that has thick white fur with black markings on its ears, shoulders, and around its eyes. An adult panda can weigh about 100-150 kg and grow up to 150 cm tall. The giant panda is an endangered species and is protected by the government of China.

자이언트 판다는 귀, 어깨 눈 주변에 검은 얼룩이 있는 두꺼운 흰 털을 가진 곰의 한 종류이다. 성인 자이언트 판다는 무게가 100~150kg 정도 나가고 150cm까지 자란다. 자이언트 판다는 멸종 위기에 처한 종이며 중국 정부에 의해 보호받고 있다.

➡ This text is to inform you of some facts. 이 글은 사실을 알리기 위한 글이다.

◈ Read page 70 and think about the writer's purpose.

70쪽을 읽고 글쓴이의 의도를 생각해 봅시다.

어구

purpose ⑲ 목적, 의도

inform ⑤ 알리다

persuade ⑤ 설득하다

- She is very good at ***persuading*** others. (그녀는 다른 사람을 설득하는 것을 아주 잘한다.)

type ⑲ 유형, 종류

marking ⑲ 얼룩

weigh ⑤ 무게가 나가다

up to ~까지

- The number of applicants reaches ***up to*** one hundred. (지원자 수가 100명에 달한다.)

endangered ⑱ 멸종 위기에 처한

힌트

판다에 관한 정보들이 나열되어 있다.

| 구문 해설 |

- The writer may want to **inform** you **of** some facts.: '~에 대해서 알리다'라는 뜻을 갖는 inform, tell, notify 등의 동사는 of와 같이 쓰인다. inform[tell/notify] *A* of *B*는 'A에게 B에 대해 알리다'라는 뜻이다.

Reading

교과서 p.65

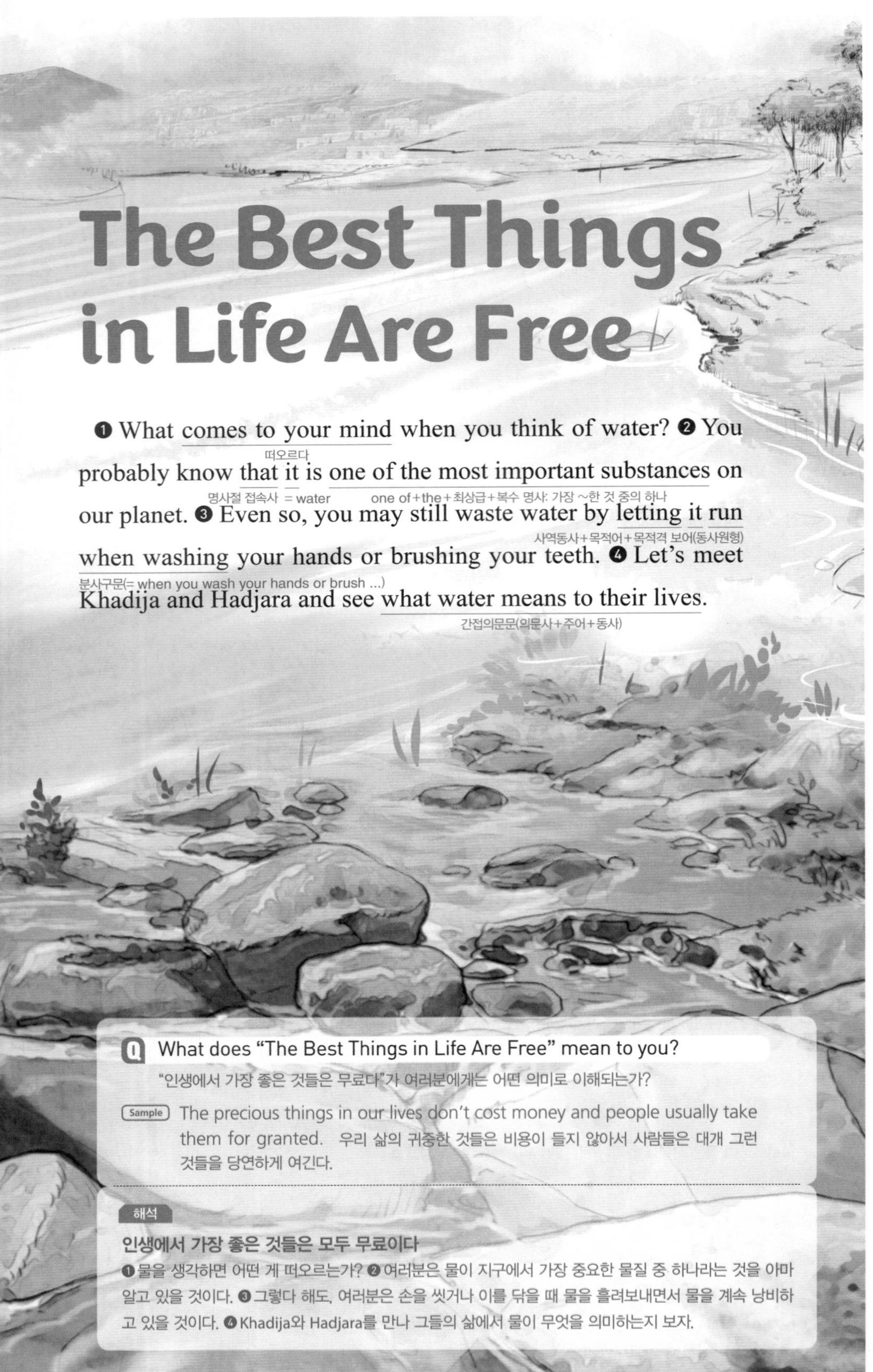

The Best Things in Life Are Free

❶ What comes to your mind when you think of water? ❷ You probably know that it is one of the most important substances on our planet. ❸ Even so, you may still waste water by letting it run when washing your hands or brushing your teeth. ❹ Let's meet Khadija and Hadjara and see what water means to their lives.

떠오르다 / 명사절 접속사 / = water / one of+the+최상급+복수 명사: 가장 ~한 것 중의 하나 / 사역동사+목적어+목적격 보어(동사원형) / 분사구문(= when you wash your hands or brush ...) / 간접의문문(의문사+주어+동사)

Q What does "The Best Things in Life Are Free" mean to you?

"인생에서 가장 좋은 것들은 무료다"가 여러분에게는 어떤 의미로 이해되는가?

Sample The precious things in our lives don't cost money and people usually take them for granted. 우리 삶의 귀중한 것들은 비용이 들지 않아서 사람들은 대개 그런 것들을 당연하게 여긴다.

해석

인생에서 가장 좋은 것들은 모두 무료이다

❶ 물을 생각하면 어떤 게 떠오르는가? ❷ 여러분은 물이 지구에서 가장 중요한 물질 중 하나라는 것을 아마 알고 있을 것이다. ❸ 그렇다 해도, 여러분은 손을 씻거나 이를 닦을 때 물을 흘려보내면서 물을 계속 낭비하고 있을 것이다. ❹ Khadija와 Hadjara를 만나 그들의 삶에서 물이 무엇을 의미하는지 보자.

★ **Highlight**

L2 Highlight *the most important substances on our planet* and name some of them.
'세상에서 가장 중요한 물질들'에 표시하고 그것들의 예시를 들어 봅시다.

air, water

어구

probably ㉮ 아마도

substance ㉾ 물질

waste ⓢ 낭비하다

- You're ***wasting*** your time. (너는 시간을 낭비하고 있어.)

run ⓢ 흐르다

구문 연구

❶ What **comes to your mind** when you think of water?
머릿속에 무언가가 떠오르는 것을 표현할 때 come to one's mind 표현을 쓴다. come to 대신에 occur, come across 등을 쓸 수 있다.

❷ You **probably** know that it is **one of the most important substances** on our planet.
probably는 가능성을 나타내는 부사로 이런 부사들은 주로 문장의 중간에 삽입된다. 「one of+the+최상급+복수 명사」는 '가장 ~한 것 중 하나'라는 뜻이다.

❸ **Even so**, you may still waste water by **letting it run when washing your hands or brushing your teeth**.
Even so는 '그렇기는 하지만'이라는 뜻을 지닌 연결사로 앞뒤 내용이 상반되는 내용일 때 쓴다. 이렇게 역접을 나타내는 연결사에는 However, Nevertheless, Nonetheless, But, Yet 등이 있다. let은 사역동사로 「사역동사+목적어+목적격 보어」의 형태로 쓰이는데, 목적격 보어 자리에는 목적어와 목적격 보어의 관계가 능동일 때 동사원형이 오므로 run이 쓰였다. when 이하는 때를 나타내는 분사구문으로 뜻을 명확하게 하기 위해 접속사를 생략하지 않았다. 절로 고치면 when you wash your hands or brush your teeth이다.

❹ Let's meet Khadija and Hadjara and see **what water means to their lives**.
what 이하는 see의 목적어로 쓰인 간접의문문으로, 간접의문문의 어순은 「의문사+주어+동사」이다. what이 이끄는 절은 이처럼 명사 역할을 하고 what 다음에는 불완전한 문장이 나온다. water means to their lives에서도 means의 목적어가 빠진 불완전한 문장이다.

Grammar Check

>사역동사 let
원인을 제공하는 뜻을 지닌 동사들, '시키다'의 뜻을 지닌 동사 중 **have**, **let**, **make**를 사역동사라고 한다. 사역동사는 동사원형을 목적격 보어로 취한다.

e.g. **The pain made him cry out.** (○)
The pain made him to cry out. (×)
(그 고통이 그를 울부짖게 했다.)
The woman let her child watch TV. (○)
The woman let her child to watch TV. (×)
(그 여자는 아이가 **TV** 보는 것을 허락했다.)

Check Up

01 다음 문장에서 틀린 부분을 찾아 바르게 고치시오.

(1) Cathy made her son to do his homework.
(2) Her parents wouldn't let her went out alone.
(3) Hot weather causes me feel tired.

02 우리말과 일치하도록 주어진 어구를 활용하여 영작하시오.

나는 어제 네가 한 일을 알고 싶다.
(you, know, I, want, did, yesterday, to, what)

→ ______________________________

Reading

교과서 p.66

How Water Affects Education

❶ The story of Khadija, a girl in Bangladesh, shows how running water kept her in school. ❷ Like many schools in Bangladesh, Khadija's school used to lack bathrooms with running water. ❸ Hence, many boys and girls would relieve themselves in the fields close to school, which was quite embarrassing. ❹ They also needed a friend to stand guard so that no one would watch them. ❺ Therefore, to avoid this trouble, Khadija started walking to houses nearby school and asking the residents if she could use their bathrooms.

how running water kept: 간접의문문(의문사+주어+동사)
Like: ~처럼(전치사)
used to: ~하곤 했다
themselves: 재귀대명사
which: 관계대명사 계속적 용법(= and it)
so that: ~하기 위해서(= in order that)
to avoid: to부정사의 부사적 용법(~하기 위해서)
if: 명사절 접속사(~인지 아닌지)

Q What is one of the problems that Khadija had?
Khadija가 가진 문제 중 하나는 무엇인가?
정답: Her school used to lack bathrooms with running water.
그녀의 학교는 수돗물이 나오는 화장실이 부족했다.

해석

물이 교육에 미치는 영향

❶방글라데시 소녀인 Khadija의 이야기는 어떻게 수돗물이 그녀를 학교에 있게 해 주었는지 보여 준다. ❷방글라데시에 있는 많은 학교처럼, Khadija의 학교도 수돗물이 나오는 화장실이 부족했다. ❸그래서 많은 남학생과 여학생은 학교 근처의 들판으로 가서 볼일을 봤는데, 그것은 꽤 난처한 일이었다. ❹그들은 또한 아무도 그들을 보지 못하도록 망을 봐 줄 친구가 필요했다. ❺그래서 이 문제를 피하기 위해 Khadija는 학교 근처에 있는 가정집까지 걸어가서 집주인들에게 그 집에 있는 화장실을 써도 되는지 물어보기 시작했다.

Pay Attention

L1 The story of Khadija, a girl in Bangladesh, shows **how** running water kept her in school.

➡ how가 이끄는 절은 shows의 목적어로 쓰인 명사절로 간접의문문이다.

One More Step

L7 Which word doesn't have a similar meaning to *Therefore*?
어떤 단어가 'Therefore'와 의미가 유사하지 않은가?

✓ⓐ However 그러나
ⓑ Thus 그러므로
ⓒ Accordingly 따라서
ⓓ Hence 그러므로

➡ therefore는 '그러므로'라는 뜻이고, 뒤에 결론이나 결과가 나온다. however는 앞과 반대의 내용이 뒤에 온다.

어구

lack 동 ~이 부족하다
embarrassing 형 당황하게 하는
avoid 동 피하다
nearby 형 근처의
resident 명 거주자
relieve oneself 볼일을 보다
stand guard 보초 서다

구문 연구

❶ The story of Khadija, a girl in Bangladesh, shows **how running water kept her in school**.
how 이하는 shows의 목적어 역할을 하는 명사절이다. 이때 how절은 간접의문문이므로 「how+주어+동사」의 어순에 유의한다.

❷ Like many schools in Bangladesh, Khadija's school **used to** lack bathrooms with running water.
「used+to부정사」는 '~하곤 했다'라는 뜻으로 과거의 습관을 나타낸다.

❸ **Hence**, many boys and girls would relieve **themselves** in the fields close to school, **which** was quite embarrassing.
Hence는 결과를 나타내는 접속 부사로 비슷한 뜻을 갖는 것으로는 therefore, thus 등이 있다. themselves처럼 -self로 끝나는 재귀대명사는 문장에서 주어와 목적어가 가리키는 대상이 같을 때 목적어로 사용된다. boys and girls와 themselves가 가리키는 대상이 같으므로 재귀대명사가 사용되었다. which는 계속적 용법의 관계대명사로 앞의 내용을 받는다.

❹ They also needed a friend to stand guard **so that** no one would watch them.
so that은 '~하기 위해서, 그래서'라는 뜻이다. 이에 반해 「so+형용사/부사+that」은 형용사나 부사를 강조하여 '너무 ~해서 …하다'라는 뜻이다.

❺ Therefore, **to avoid** this trouble, Khadija **started walking** to houses nearby school and **asking** the residents **if** she could use their bathrooms.
to avoid는 '피하기 위하여'라는 뜻의 부사적 용법의 to부정사이다. start는 목적어로 동명사와 to부정사를 모두 취하는 동사인데, 여기서는 동명사가 쓰였다. 동명사 walking과 asking이 and에 의해 병렬로 연결되어 모두 started의 목적어로 쓰이고 있다. if는 조건 부사절 접속사가 아니라 '~인지 아닌지'라는 뜻을 갖는 명사절 접속사로 쓰였다.

Grammar Check

›과거의 습관을 나타내는 「used+to부정사」

「**used+to**부정사」는 과거의 습관을 나타내며 '~하곤 했다'라는 뜻으로, 뒤에 동사원형이 온다. 이에 반해 「**be used to**+동명사」는 '~하는 데에 익숙해지다'라는 뜻으로 **to**가 전치사이기 때문에 **to** 다음에 동명사가 온다.

e.g. **She used to spend a lot of money on clothes.** (그녀는 옷을 사는 데에 많은 돈을 쓰곤 했다.)
I'm used to living alone. (나는 혼자 사는 것에 익숙해졌다.)

›if 명사절

명사절을 이끄는 **if**는 **whether**와 마찬가지로 '~인지 아닌지'라는 뜻을 갖는다. **whether**절이나 **if**절은 **not know, not see, wonder, doubt, ask** 등 확실히 모르거나 알아내야만 하는 내용이 있을 경우에 자주 등장한다.

e.g. **I wondered if he died from cancer.** (○)
I wondered that he died from cancer. (×)
(나는 그가 암 때문에 죽었는지 궁금하다.)

Check Up

01 네모 안에서 적절한 것을 고르시오.

(1) I [am used to playing / used to play] basketball a lot, but I don't play very often now.

(2) I [am used to watching / used to watch] a lot of TV when I was little.

02 우리말과 일치하도록 주어진 어구를 활용하여 영작하시오.

John이 숙제를 혼자 했는지 의심스럽다.
(his homework, by himself, it is, John, if, doubtful, did)

→ ____________________

Reading

교과서 p.67

❶ One day, some kids noticed her doing [지각동사+목적어+목적격 보어(현재분사)] this and yelled, "Go to some other place to beg to use a bathroom!" ❷ Khadija felt so bad that [so+형용사+that] she stopped going [stop+동명사] to school. ❸ She actually missed several days of school to avoid such torment. ❹ Luckily, now her school has bathrooms with running water thanks to [~덕분에] work done by a charity, which [관계대명사 계속적 용법(= and it)] means that Khadija doesn't have to [~해야 한다] deal with the bathroom issue any more. ❺ Nowadays, she looks forward to [~을 고대하다] going to school, and she makes sure to attend every day.

Q What problems would you expect if there were no bathrooms with running water in your school?
만약 학교에 물이 나오는 화장실이 없다면 어떤 문제가 발생할까?

Sample I would not be able to relieve myself between classes if I had to go outside the school to find a bathroom with running water. 물이 나오는 화장실이 없어서 바깥으로 화장실을 찾으러 간다면, 쉬는 시간에 볼일을 볼 수 없을 것이다.

해석

❶ 어느 날, 어떤 아이들이 그녀가 이렇게 화장실을 사용하는 것을 알아차리고는 소리쳤다. "화장실을 사용하려고 부탁하려면 다른 데로 가!" ❷ Khadija는 기분이 너무 나빴고 그래서 학교 가기를 그만두었다. ❸ 그녀는 그런 골칫거리를 피하고 싶어서 실제로 며칠 학교를 빠졌다. ❹ 다행히도 현재 그녀의 학교는 한 자선 단체의 지원 사업으로 수돗물이 나오는 화장실들을 가지게 되었는데, 그것은 Khadija는 더 이상 화장실 문제에 신경을 쓰지 않아도 된다는 의미이다. ❺ 요즘, 그녀는 학교 가는 것을 기다리며 매일매일 꼭 학교에 간다.

어구

beg ㊐ 간절히 바라다
- He ***begged*** her not to leave. (그는 그녀에게 떠나지 말라고 간절히 빌었다.)

torment ㊔ 고통, 골칫거리

charity ㊔ 자선 단체
- He was admired for his substantial donations to ***charity***. (그는 자선 단체에 상당한 기부를 해서 존경을 받았다.)

attend ㊐ 출석하다

thanks to ~ 덕분에
- It's ***thanks to*** Jim that I heard about the job. (그 직장에 관해서 알게 된 것은 Jim 덕분이다.)

look forward to ~을 고대하다

구문 연구

❶ One day, some kids **noticed** her **doing this** and yelled, "Go to some other place to beg to use a bathroom!"
notice는 지각동사로 목적격 보어로 동사원형이나(do), 현재분사(doing)를 취할 수 있지만, to부정사는 올 수 없다. doing this는 앞 문장의 '그녀가 자신들의 화장실을 사용하는 것'을 가리킨다.

❷ Khadija felt **so bad that** she **stopped going** to school.
「so+형용사/부사+that」은 bad의 뜻을 강조해 '너무 ~해서 …하다'라는 뜻을 갖는다. 이때 bad가 들어가는 자리는 felt의 보어 자리이므로 부사인 badly는 들어갈 수 없다. stop은 동명사를 목적어로 취하는 동사이다. stop 뒤에 to부정사가 오면 목적어가 아니라 부사적 용법의 to부정사이다.
e.g. I **stopped to talk** to him. (나는 그에게 말하기 위해 멈췄다.)

❸ She actually missed several days of school **to avoid** such torment.
to avoid는 '피하기 위해'라는 목적의 뜻을 갖는 to부정사의 부사적 용법이다.

❹ Luckily, now her school has bathrooms with running water thanks to **work done** by a charity**, which** means that Khadija doesn't have to deal with the bathroom issue any more.
done은 과거분사로 앞의 work를 수식한다. ,(콤마) which는 관계대명사의 계속적 용법으로 앞 문장 전체의 내용을 가리키며 and it으로 바꿔 쓸 수 있다.

❺ Nowadays, she **looks forward to going** to school, and she makes sure to attend every day.
look forward to의 to는 전치사로 뒤에 명사나 동명사가 와야 하므로 동명사구 going to school이 왔다.

Grammar Check

›지각동사 notice
지각동사(**see, hear, watch, notice, observe, listen to, look at, smell, feel**)는 목적격 보어로 동사원형을 취한다. 순간적인 일을 나타낼 때는 목적격 보어로 동사원형 대신에 현재분사(**-ing**)를 쓰기도 한다.
e.g. I saw Jim waiting for a bus. (나는 **Jim**이 버스를 기다리고 있는 것을 보았다.)
I didn't hear you come in. (나는 네가 들어오는 것을 듣지 못했다.)

›so+형용사/부사+that
'너무 ~해서 …하다'라는 뜻을 나타내며 **that**절은 결과를 나타낸다.
***e.g.* He was tired.** (그는 피곤했다.)
He was so tired that he fell asleep in the armchair. (그는 너무 피곤해서 의자에서 잠이 들었다.)
cf. 「**such+a/an+**형용사+명사+**that**」도 '너무 ~해서 …하다'라는 뜻으로 **that** 이하가 결과를 나타낸다. 이때 **such** 다음에는 항상 명사가 나오는 것이 **so**와 구분된다.
***e.g.* It was a good book.** (그것은 좋은 책이었다.)
It was such a good book that she couldn't put it down. (그것은 너무 좋은 책이어서 그녀는 그것을 내려놓을 수가 없었다.)

Check Up

01 네모 안에서 적절한 것을 고르시오.

(1) The book was so [good / well] that he couldn't put it down.

(2) It was [so / such] nice weather that they spent the whole day at the beach.

02 우리말과 일치하도록 주어진 어구를 활용하여 영작하시오.

나는 그녀가 벽에서 떨어지는 것을 보았다.
(her, saw, the wall, falling off, I)

→ ______________________

교과서 p.68

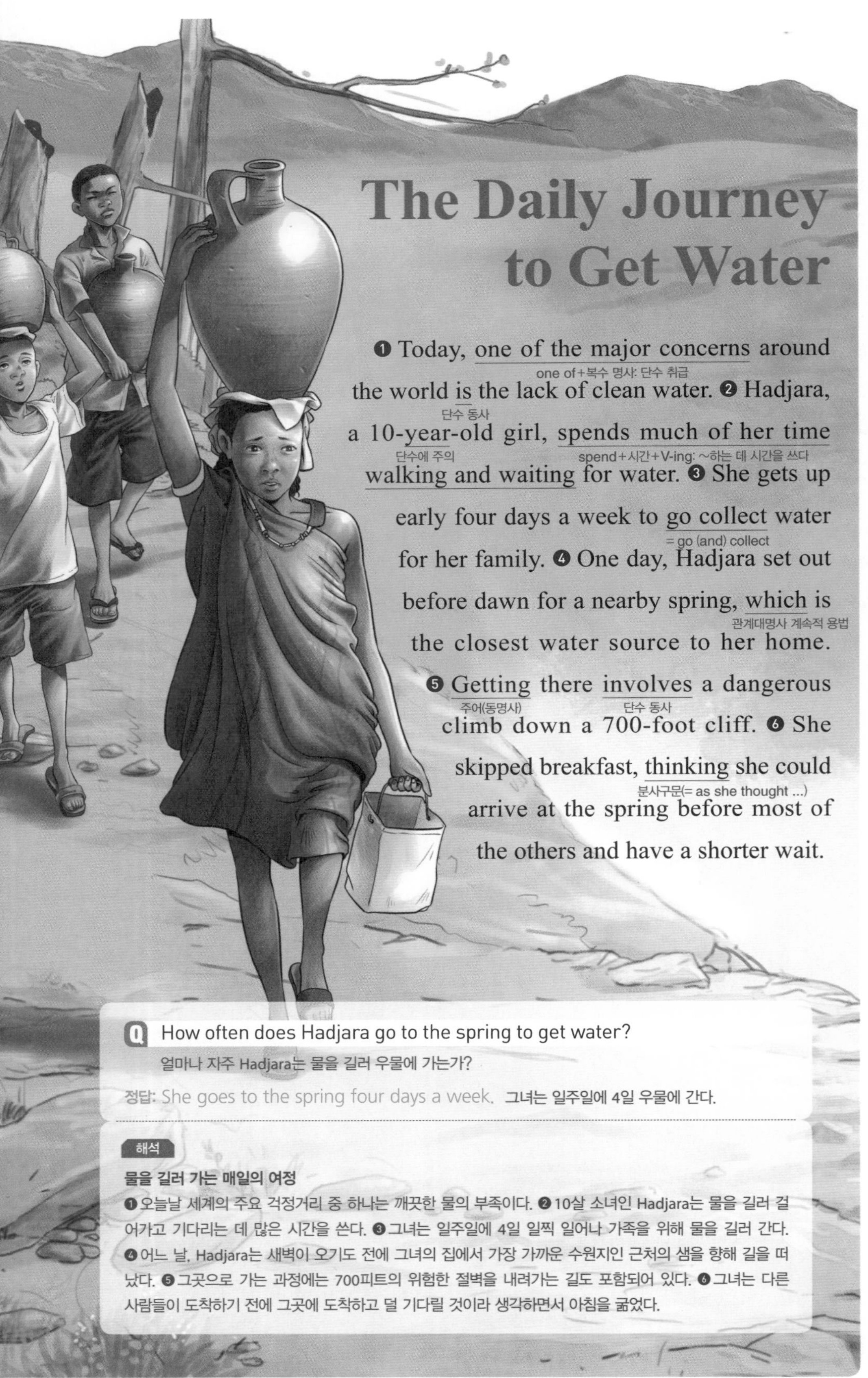

The Daily Journey to Get Water

❶ Today, one of the major concerns around the world is the lack of clean water. ❷ Hadjara, a 10-year-old girl, spends much of her time walking and waiting for water. ❸ She gets up early four days a week to go collect water for her family. ❹ One day, Hadjara set out before dawn for a nearby spring, which is the closest water source to her home. ❺ Getting there involves a dangerous climb down a 700-foot cliff. ❻ She skipped breakfast, thinking she could arrive at the spring before most of the others and have a shorter wait.

(one of the major concerns: one of+복수 명사: 단수 취급 / is: 단수 동사 / 10-year-old: 단수에 주의 / spends much of her time walking and waiting: spend+시간+V-ing: ~하는 데 시간을 쓰다 / go collect: = go (and) collect / which: 관계대명사 계속적 용법 / Getting: 주어(동명사) / involves: 단수 동사 / thinking: 분사구문(= as she thought ...))

Q How often does Hadjara go to the spring to get water?
얼마나 자주 Hadjara는 물을 길러 우물에 가는가?

정답: She goes to the spring four days a week. 그녀는 일주일에 4일 우물에 간다.

해석

물을 길러 가는 매일의 여정

❶ 오늘날 세계의 주요 걱정거리 중 하나는 깨끗한 물의 부족이다. ❷ 10살 소녀인 Hadjara는 물을 길러 걸어가고 기다리는 데 많은 시간을 쓴다. ❸ 그녀는 일주일에 4일 일찍 일어나 가족을 위해 물을 길러 간다. ❹ 어느 날, Hadjara는 새벽이 오기도 전에 그녀의 집에서 가장 가까운 수원지인 근처의 샘을 향해 길을 떠났다. ❺ 그곳으로 가는 과정에는 700피트의 위험한 절벽을 내려가는 길도 포함되어 있다. ❻ 그녀는 다른 사람들이 도착하기 전에 그곳에 도착하고 덜 기다릴 것이라 생각하면서 아침을 굶었다.

Pay Attention

L6 One day, Hadjara set out before dawn for a nearby spring, **which** is the closest water source to her home.

➡ which 앞에 ',(콤마)'가 있으므로, 선행사에 대해서 꼭 필요한 정보가 아닌 부가적인 정보를 나타내는 계속적 용법이다.

어구

spend 동 (시간을) 보내다
dawn 명 새벽
spring 명 샘
involve 동 포함하다, 필요로 하다
- **Working as a teacher intrinsically *involves* spending a lot of time with other people.** (교사로서의 직업은 본질적으로 다른 사람들과 많은 시간을 보내는 것을 필요로 한다.)

skip 동 거르다
- **Do you *skip* meals to control your weight?** (체중 조절을 위해서 식사를 거르시나요?)

arrive 동 도착하다
set out 출발하다

구문 연구

❶ Today, **one of** the major **concerns** around the world **is** the lack of clean water.
one of 다음에는 복수 명사가 오며, '~ 중의 하나'라는 뜻이다. 이때 주어가 the major concerns가 아니라 one이므로 단수 동사 is가 쓰였다.

❷ Hadjara, a 10-year-old girl, **spends much of her time walking** and **waiting** for water.
「spend+시간+V-ing」 구문으로 walking과 waiting이 and로 연결되어 병렬 구조를 이루고 있다.

❸ She gets up early four days a week **to go collect** water for her family.
to go는 목적을 나타내는 to부정사의 부사적 용법으로 쓰였고, go collect water는 go and collect water에서 and가 생략되었다. go나 come 같은 동사들은 의미에 큰 차이가 없을 경우 and를 생략하고 쓰기도 한다.
e.g. **Come see** the Carnival. (와서 축제를 봐라.)

❹ One day, Hadjara set out before dawn for a **nearby** spring, **which** is the closest water source to her home.
nearby는 전치사, 형용사, 부사로 다양하게 쓰이는데 여기에서는 spring을 수식하는 형용사로 쓰였다. which는 계속적 용법의 관계대명사로 선행사 a nearby spring에 대한 추가적인 정보를 제공해 준다.

❺ **Getting** there **involves** a dangerous climb down a 700-foot cliff.
동명사 Getting이 문장의 주어이므로 단수 취급하여 단수 동사 involves가 쓰였다.

❻ She skipped breakfast, **thinking** she could arrive at the spring before most of the others and have a shorter wait.
thinking 이하는 이유를 나타내는 분사구문으로 절로 고치면 because she thought ...이다.

Grammar Check

spend+시간+V-ing 구문

spend와 **waste**는 '시간이나 돈을 ~하는 데 쓰다'라는 뜻으로 목적어로 시간이나 돈이 오고 뒤이어 동명사가 온다.

e.g. **He spent hours trying to repair his car.** (그는 자기 차를 고치는 데 많은 시간을 썼다.)
I wasted a lot of time watching TV. (나는 TV를 보는 데 많은 시간을 낭비했다.)

계속적 용법의 which

관계대명사가 이끄는 관계사절이 콤마(,)와 함께 쓰일 때 계속적 용법이라고 부른다. 계속적 용법으로 쓰인 관계사절은 선행사에 대해 추가 정보를 제공할 뿐, 빠지더라도 핵심 정보의 전달에 아무 문제가 없다. 이때 ,(콤마) **which**는 「접속사+대명사」로 바꿀 수 있다.

e.g. **Broccoli, which people often leave uneaten, is very nutritious.** (사람들이 안 먹고 종종 남기는 브로콜리는 매우 영양가 있다.) 〈브로콜리에 대한 추가 정보〉

cf. **A heavenly body which moves around the sun is called a planet.** (태양을 중심으로 도는 천체는 행성이라고 불린다.) 〈꼭 필요한 정보〉

Check Up

01 밑줄 친 부분이 필수적인 정보인지 추가적인 정보인지 고르시오.

(1) My husband works for a company that makes furniture. (필수적 / 추가적)

(2) She told me about her new job, which she's enjoying a lot. (필수적 / 추가적)

02 우리말과 일치하도록 주어진 어구를 활용하여 영작하시오.

그녀는 매일 책을 읽는 데 한 시간을 쓴다.
(spend, an hour, books, every day, she, reading)

→ ______________________

교과서 p.69

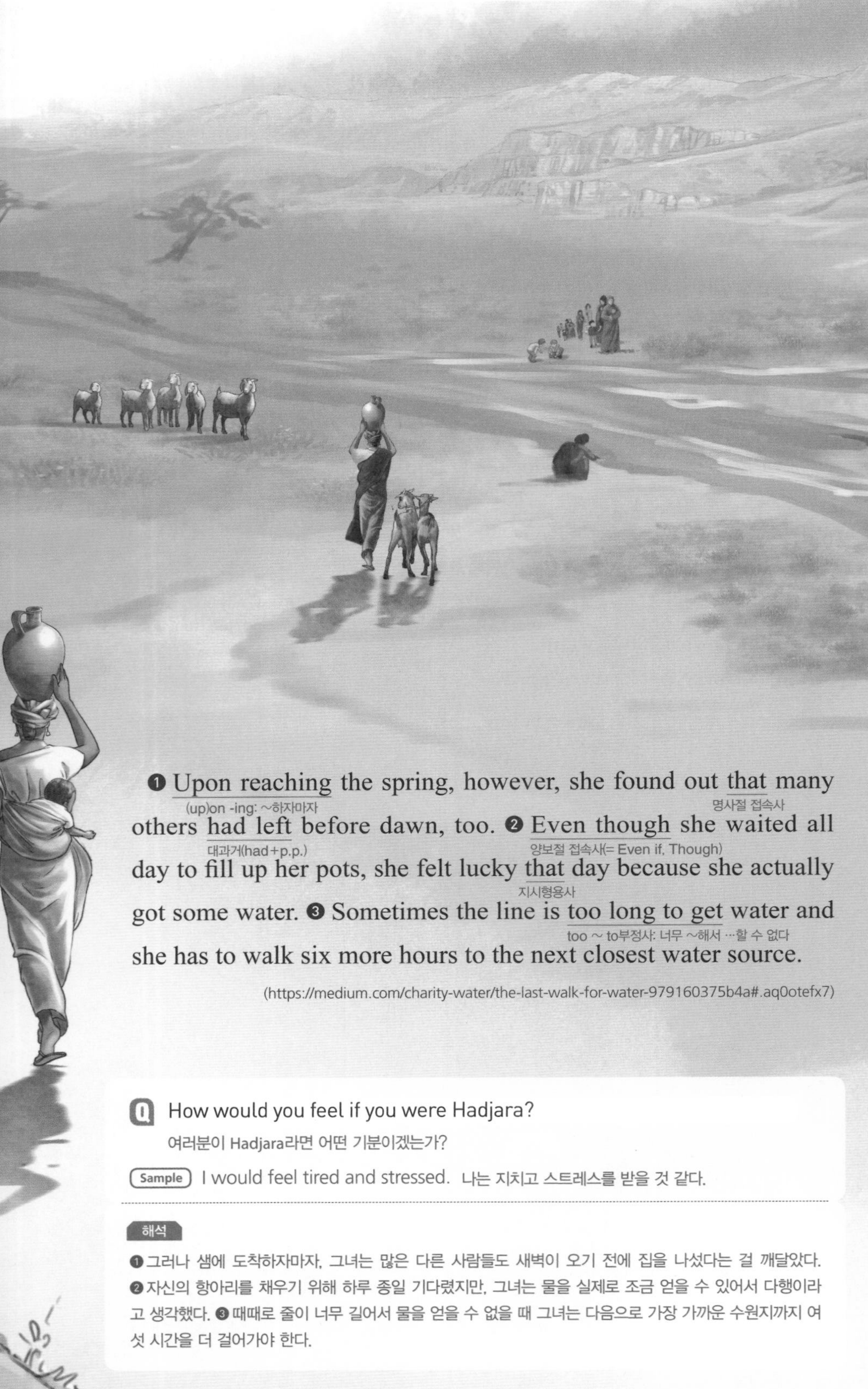

❶ Upon reaching the spring, however, she found out that many others had left before dawn, too. ❷ Even though she waited all day to fill up her pots, she felt lucky that day because she actually got some water. ❸ Sometimes the line is too long to get water and she has to walk six more hours to the next closest water source.

(up)on -ing: ~하자마자 / 명사절 접속사 / 대과거(had+p.p.) / 양보절 접속사(= Even if, Though) / 지시형용사 / too ~ to부정사: 너무 ~해서 …할 수 없다

(https://medium.com/charity-water/the-last-walk-for-water-979160375b4a#.aq0otefx7)

Q How would you feel if you were Hadjara?
여러분이 Hadjara라면 어떤 기분이겠는가?

Sample I would feel tired and stressed. 나는 지치고 스트레스를 받을 것 같다.

해석

❶그러나 샘에 도착하자마자, 그녀는 많은 다른 사람들도 새벽이 오기 전에 집을 나섰다는 걸 깨달았다. ❷자신의 항아리를 채우기 위해 하루 종일 기다렸지만, 그녀는 물을 실제로 조금 얻을 수 있어서 다행이라고 생각했다. ❸때때로 줄이 너무 길어서 물을 얻을 수 없을 때 그녀는 다음으로 가장 가까운 수원지까지 여섯 시간을 더 걸어가야 한다.

★ Highlight

L1&L3 Highlight all the instances of *that* and think about any differences between them.
모든 'that'에 표시하고 그 차이를 생각해 봅시다.

➡ that은 '저것'을 가리키는 지시어로도 쓰일 수 있고, 접속사나 관계대명사로 쓰여서 절을 이끄는 역할도 할 수 있다.
첫 번째 that: 명사절 접속사
두 번째 that: 지시형용사

어구

reach ⑧ 도달하다
- So, how many people have *reached* the top of Everest? (그렇다면 얼마나 많은 사람이 에베레스트 정상에 도달했을까?)

pot ⑲ 단지, 항아리

actually ⑨ 실제로

fill up 채우다

구문 연구

❶ **Upon reaching** the spring, however, she found out **that** many others **had left** before dawn, too.

「(up)on V-ing」는 '~하자마자'라는 뜻이다. that 이하는 found out의 목적어로 쓰인 명사절이다. found out을 기준으로 알게 된 시점에서 다른 사람들이 떠난 것은 더 과거의 일이므로 대과거(had left)를 썼다. 대과거는 이처럼 시간적 선후가 명확한 경우에 쓰인다.

❷ **Even though** she waited all day to fill up her pots, she felt lucky that day because she actually got some water.

양보 부사절 접속사인 even though는 '비록 ~일지라도'라는 뜻으로 비슷한 뜻을 갖는 접속사로 though, even if 등이 있다. 같은 양보의 뜻을 갖는 despite와 in spite of는 전치사이므로 뒤에 절이 올 수 없다.

❸ Sometimes the line is **too long to get** water and she has to walk six more hours to the next closest water source.

「too+형용사/부사+to부정사」는 '너무 ~해서 …할 수 없다'라는 뜻으로 「so+형용사/부사+that ... can't」 구문을 이용하여 the line is so long that she can't get water로 나타낼 수 있다.

Grammar Check

›대과거(had p.p.)

과거 사실보다 더 이전에 일어난 일을 나타낼 때 대과거(**had+p.p.**)를 쓴다. 이때 기준 시점이 되는 과거 동사를 기준으로 시간상의 선후를 판단해야 한다.

e.g. **When I arrived at the party, Sarah had already gone home.** (내가 파티에 도착했을 때, **Sarah**는 이미 가고 없었다.)

›too+형용사/부사+to부정사

「**too**+형용사/부사+**to**부정사」는 '너무 ~해서 …할 수 없다'라는 뜻으로 **so ~ that ... cannot**을 이용하여 바꿔 쓸 수 있다.

e.g. **We are too young to get married.**
= **We are so young that we cannot get married.**
(우리는 너무 어려서 결혼할 수 없다.)

Check Up

01 네모 안에서 적절한 것을 고르시오.

(1) The results were far beyond what they [imagined / had imagined].

(2) When she got home, she found that somebody [broke / had broken] into her house.

02 우리말과 일치하도록 주어진 어구를 활용하여 문장을 완성하시오.

여기서 집까지 너무 멀어서 걸어갈 수 없다.

(to walk, far, home from here, too)

→ It's ______________________________.

Reading

교과서 p.70

❶ Like Khadija and Hadjara, nearly half the people in the world don't have clean water. ❷ Access to [~에 대한 접근, ~의 이용] clean water means everything to them because water means health. ❸ In the past decade, more children have died from [현재완료 / die from: 질병으로 죽다] waterborne diseases than people who [주격 관계대명사] were killed in the Second World War. ❹ Water also means time. ❺ People spend 40 billion hours a year walking to get water in Africa alone. ❻ Additionally [= In addition], water means education. ❼ Clean water helps keep [help+동사원형] kids in school. ❽ Spending [주어(동명사)] less time collecting water or walking to find a bathroom [병렬 구조] means [단수 동사] they can spend more time in class, creating more opportunity for their future [분사구문(= and they created more opportunity for their future)]. ❾ Ultimately, water can improve their lives, dreams, and futures.

❿ Have you ever given any deep thought to your relationship with water? ⓫ Without water [가정법 과거(= If it were not for water)], how would your life change? ⓬ Indeed, the most essential things in life [주어], like water and air, appear [동사] easy [보어] to get. ⓭ This may be why [관계부사] we often forget that they [= the most essential things in life] are the very [명사 강조] things that [관계대명사] some people desperately struggle to have [~하려고 노력하다]. ⓮ Look around and find out the most important things in your life. ⓯ Without them [가정법 과거(= If it were not for them)], your life would be completely different than now.

Q What does clean water mean for people who don't have access to it?
깨끗한 물을 얻을 수 없는 사람들에게 깨끗한 물은 어떤 의미인가?

정답: For them, water means everything, including health, time, and education.
그들에게 물은 건강, 시간, 교육을 포함해서 모든 것을 의미한다.

Q What are the most important things in your life?
여러분의 인생에서 가장 중요한 것은 무엇인가?

Sample My family and friends are the most important things in my life.
나의 인생에서 가장 중요한 것은 가족과 친구들이다.

해석

❶ Khadija와 Hadjara처럼 전 세계 사람 중 거의 절반은 깨끗한 물을 얻지 못한다. ❷ 물은 건강을 의미하기 때문에 깨끗한 물을 얻을 수 있다는 것은 그들에게 모든 것을 뜻한다. ❸ 과거 10년 동안 2차 세계대전으로 죽은 사람들보다 더 많은 아이가 수인성 질병으로 죽었다. ❹ 물은 시간을 의미하기도 한다. ❺ 아프리카에서만 물을 길러 가는 데 1년에 400억 시간을 쓴다. ❻ 추가로 물은 교육을 의미하기도 한다. ❼ 깨끗한 물은 아이들이 학교에 있도록 돕는다. ❽ 물을 길러 가는 시간이나 화장실을 찾기 위해 다니는 시간을 적게 쓴다는 것은 아이들이 교실에서 더 오랜 시간을 쓸 수 있고, 그들의 미래를 위해 더 많은 기회를 창조해 낼 수 있다는 것을 뜻한다. ❾ 궁극적으로 물은 그들의 삶과 꿈, 미래를 더 향상할 수 있다.
❿ 여러분은 물과 여러분의 관계에 관해 깊이 생각해 본 적이 있는가? ⓫ 물이 없다면, 여러분의 삶은 어떻게 변할까? ⓬ 사실, 물이나 공기처럼 삶에서 가장 중요한 것들은 얻기 쉬워 보인다. ⓭ 이것이 바로 그것들이 어떤 사람들은 간절하게 가지길 원하는 것이라는 걸 우리가 자주 잊어버리는 이유일지 모른다. ⓮ 주위를 둘러보고 여러분의 인생에서 가장 중요한 것을 찾아보라. ⓯ 그것들이 없다면, 여러분의 인생은 지금과는 완전히 다를 것이다.

Pay Attention

L13 Without water, how would your life change?

L19 Without them, your life would be completely different than now.

➡ '~이 없다면'이라는 뜻으로, 일어나기 어려운 일을 가정하는 문장 형태이다.

어구

waterborne ⓗ 수인성의
disease ⓜ 병, 질병
opportunity ⓜ 기회
improve ⓓ 향상되다
essential ⓗ 필수적인
- Fruit and vegetables are an *essential* part of a healthy diet. (과일과 채소는 건강한 식이요법의 필수 요소이다.)

desperately ⓑ 필사적으로
struggle ⓓ 노력하다
- The boxers have always *struggled* with their weight. (복서들은 그들의 몸무게에 관해서 항상 노력하고 있다.)

look around 둘러보다

구문 연구

❸ In the past decade, more children **have died** from waterborne diseases than people **who were killed** in the Second World War.
과거 10년 동안 이루어진 일이므로 과거부터 현재까지 계속된 일을 나타내는 현재완료시제(have died)가 쓰였다. 관계대명사 who는 앞의 people을 수식해 주며, 이때 사람들이 죽임을 당한 것이므로 수동태 were killed가 쓰였다.

❼ Clean water **helps keep** kids in school.
help는 목적어로 동사원형과 to부정사를 모두 취할 수 있다. help가 5형식으로 쓰일 때도 역시 목적격 보어로 to부정사와 동사원형 모두 올 수 있다.

❽ **Spending** less time **collecting** water or **walking** to find a bathroom **means** they can spend more time in class, **creating** more opportunity for their future.
동명사 Spending이 문장의 주어이므로 단수 동사 means를 썼다. collecting과 walking은 「spend+시간+V-ing」 구문에 걸리는 것으로 or에 연결되어 병렬 구조를 이루고 있다. means 다음에는 명사절 접속사 that이 생략되어 있다. 명사절 접속사 that은 목적어로 쓰일 때는 생략할 수 있다. 분사구문 creating ...은 절로 고치면 and they created ...이다.

⓫ **Without water**, how would your life change?
Without water는 If it were not for water와 같은 의미로 가정법 과거이다. 가정법 과거는 현재 일어날 가능성이 희박한 일을 가정할 때 쓴다.

⓭ This may be **why** we often forget **that** they are the very things **that** some people desperately struggle to have.
관계부사 why 앞에 선행사 the reason이 생략된 형태이다. forget 다음의 that은 명사절 접속사로 forget의 목적어절을 이끌고 있으므로 생략할 수 있다. 두 번째 that은 the very things를 선행사로 받는 관계대명사이다. the very가 포함된 선행사가 올 때는 that만 쓸 수 있다. the very는 명사 things를 강조한다.

Grammar Check

>Without 가정법

가정법 과거는 현재 사실의 반대나 이루어지기 어려운 현재 상황을 가정할 때 쓰며, 「If+주어+동사의 과거형, 주어+조동사의 과거형+동사원형」의 형태이다. '~이 없다면'이라는 가정을 하면 If절을 「Without+명사」로 바꿀 수 있다.

e.g. **If there were no illness, the death rate would drop.**
= Without illness, the death rate would drop.
(질병이 없다면, 사망률은 떨어질 것이다.)

>관계부사 why

관계부사 **why**가 이끄는 절은 이유를 나타내는 선행사(**the reason**)를 수식한다. 관계부사는 「전치사+관계대명사」로 바꿀 수 있으므로 관계부사 **why**는 「**for**+관계대명사」로 바꿀 수 있다. 선행사나 관계부사 **why** 둘 중에 하나를 생략할 수 있다.

e.g. **The reason why I'm calling you is to ask for your advice.**
= The reason I'm calling you is to ask for your advice.
(너에게 전화한 이유는 조언을 구하기 위해서야.)

Check Up

01 밑줄 친 부분과 의미가 같도록 빈칸을 완성하시오.

(1) If it were not for her, many people would suffer.
= _________ her, many people would suffer.

(2) If it were not for music, the world would be hell.
= _________ _________, the world would be hell.

02 우리말과 일치하도록 주어진 어구를 활용하여 영작하시오.

그 가수는 사람들에게 그가 투어를 취소한 이유를 말할 것이다.
(will tell, canceled, the singer, people, he, his tour, why)

→ ________________________________

After You Read 1

교과서 p.71

본문에 근거하여 요약문을 완성해 봅시다.

A Based on the main text, complete the summary.

1. Hi, I'm Khadija. My school didn't have bathrooms with running ___water___. So I had to relieve myself in the fields or use a stranger's ___bathroom___. One day, some kids yelled at me. I felt so ___bad___ that I stopped going to school.

2. Hi, I'm Hadjara. I spend a lot of time walking and waiting to get ___water___. I get up ___early___ to set out for a nearby spring. One day, I skipped breakfast to get there earlier than usual, but there were others who left before dawn, too. I ___waited___ all day before getting water.

B Listen to each person's story and find out how water affects their lives.

각 인물의 이야기를 듣고 어떻게 물이 그들의 삶에 영향을 미치는지 알아봅시다.

1. Samuel — ⓑ
2. Jane — ⓐ
3. Sara — ⓒ

ⓐ Lack of clean water means lack of health.
깨끗한 물의 부족은 건강이 좋지 않음을 의미한다.

ⓑ Lack of clean water means lack of education.
깨끗한 물의 부족은 교육이 부족해지는 것을 의미한다.

ⓒ Lack of clean water means lack of time.
깨끗한 물의 부족은 시간이 부족한 것을 의미한다.

Script

1. M: Hi, I'm Samuel. These days, I cannot attend school because water ran dry in my town. So I have to help my parents go collect water every day. If I keep missing classes, I will fail this year. I hope it will rain soon.

2. W: Hi, I'm Jane. Recently I found out that the water filter in my community hasn't been cleaned for quite a long time. I heard that some people who drank the water got sick and had to go see a doctor.

3. M: Hi, I'm Sara. I get up at 5 every morning to collect water. I spend more than six hours waiting to fill my water pot. I have many things that I want to do, but I don't have time for them.

C Change the underlined words in the slogan to make your own. Then, share your own slogan with your classmates.

표어의 밑줄 친 단어를 자신만의 단어로 바꾸고 자신의 표어를 친구들과 공유해 봅시다.

People can live without ___money___, but no one can live without ___water___.
사람들은 돈이 없어도 살 수 있지만, 아무도 물 없이는 살 수 없다.

Sample People can live without cellphones, but no one can live without air.
사람들은 휴대 전화 없이 살 수 있지만, 공기 없이는 아무도 살 수 없다.

Self-Check	How much do you understand?	If you need help,
Words	☆☆☆☆☆	look up the words you still don't know. 모르는 어휘 찾아보기
Structures	☆☆☆☆☆	review the "Pay Attention" sections. Pay Attention 복습하기
Contents	☆☆☆☆☆	read the text again while focusing on its meaning. 의미에 집중하여 본문 다시 읽기

해석

1. 안녕, 나는 Khadija야. 우리 학교는 수돗물이 나오는 화장실이 없었어. 그래서 나는 들판에서 볼일을 보거나 모르는 사람의 화장실을 이용해야만 했어. 어느 날, 몇몇 아이들이 나에게 소리를 질렀고 나는 너무 기분이 나빠서 학교 가는 걸 그만두었어.

2. 안녕, 나는 Hadjara야. 나는 물을 얻기 위해 걷고 기다리느라 많은 시간을 써. 나는 근처의 샘에 가기 위해 일찍 일어나. 어느 날, 평소보다 더 일찍 도착하려고 아침을 굶었지만 나처럼 새벽이 오기 전에 출발한 다른 사람들이 있었어. 나는 하루 종일 기다려서 물을 얻었어.

어구

run dry 마르다
• **All the wells have *run dry*.** (모든 우물이 말라 버렸다.)

water filter 정수 필터

community ⓜ 마을, 공동체

해석

1. **남:** 안녕, 나는 Samuel이야. 요즘 우리 마을에 물이 말라서 나는 학교에 가지 못해. 그래서 나는 부모님이 매일 물을 긷는 것을 도와야 해. 내가 만약 계속 수업을 빠지면, 나는 올해 낙제할 거야. 곧 비가 오면 좋겠어.
2. **여:** 안녕, 나는 Jane이야. 최근에 나는 우리 동네의 정수 필터가 꽤 오랫동안 청소되지 않았다는 것을 알았어. 그 물을 마셨던 몇몇 사람들이 아파서 병원에 가야 했다고 들었어.
3. **남:** 안녕, 나는 Sara야. 나는 매일 물을 길러 가기 위해 아침 5시에 일어나. 나는 물 항아리를 채우기 위해 기다리는 데 6시간 이상을 써. 나는 하고 싶은 게 많지만, 그럴 시간이 없어.

Writing Lab

교과서 pp.72~73

사설 **An Opinion Article**

Step 1 **The following is an opinion article of a school newspaper. Read it carefully and fill in the blanks with the appropriate descriptions for each part.** 다음은 학교 신문의 사설이다. 잘 읽고 각 부분에 적절한 단어를 넣어 빈칸을 완성해 봅시다.

Without oceans, how would our life change? These days, humans are faced with polluted oceans. A lot of plastic waste is dumped into the oceans every day. Then a lot of sea animals eat the plastic by mistake. That's why many of them are dying. One way to solve this problem is to use reusable shopping bags. Another solution is to use reusable water bottles. Both of the solutions are everyday choices you can make, so start acting green now!

1. Giving the main topic 주제문 제시
2. Suggesting solutions 해결책 제시
3. Concluding the article 결론

문제점 묘사 Describing problems

- Concluding the article
- Suggesting solutions
- Giving the main topic

| 구문 해설 |

- **Without** oceans, how **would** our life change?: without 가정법 과거 구문으로, '~이 없다면'이라는 뜻을 갖는다. 이것은 If it were not for oceans로 바꿔 쓸 수 있다.
- **One** way to solve this problem is to use reusable shopping bags. **Another** solution is to use reusable water bottles.: 셋 이상에서 '하나는 ~, 다른 하나는 …'라는 뜻을 나타낼 때는 One, Another를 쓴다.

어구

pollute ⑤ 오염시키다

dump ⑤ 버리다

by mistake 실수로

- **I think you've paid this bill twice *by mistake*.** (실수로 계산을 두 번 하신 것 같아요.)

해석

바다가 없다면, 우리 삶은 어떻게 바뀔까? 요즈음, 사람들은 해양 오염에 직면해 있다. 많은 플라스틱 쓰레기가 매일 바다에 버려지고 있다. 그런 다음 많은 바다 동물이 실수로 이 플라스틱을 먹는다. 그것이 해양 생물 중 다수가 죽어가는 이유이다. 이 문제를 풀기 위한 하나의 해결책은 재사용 가능한 쇼핑백을 사용하는 것이다. 다른 하나의 해결책은 재사용 가능한 물병을 사용하는 것이다. 이 두 가지 해결책은 여러분이 매일 할 수 있는 선택이므로 지금 당장 환경친화적인 행동을 시작하라!

Step 2 **Based on the analysis in Step 1, develop your own opinion about saving Earth.**

Step 1의 분석에 근거하여 지구를 살리기 위한 사설의 초안을 만들어 봅시다.

The main topic 주제문

- Humans have caused severe damage to forests around the world.
  사람들이 전 세계의 숲을 심각하게 파괴해 왔다.

Example
- Forest destruction
- Water shortage
- Global warming

- 숲 파괴
- 물 부족
- 지구 온난화

↓

Problems 문제점

- People are cutting down a large amount of trees to make paper and they are wasting a lot of paper.
  사람들이 종이를 만들기 위해 많은 나무를 베고 많은 종이를 낭비한다.

Example
People are cutting down a large amount of trees to make paper.

↓

Solutions 해결책

- Use both sides of paper
  종이 양면을 사용하라.
- Use reusable cups instead of paper ones
  종이컵 대신에 재활용 가능한 컵을 사용하라.

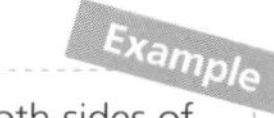

- Use both sides of paper
- Use reusable cups instead of paper ones

어구

destruction ⑲ 파괴

global warming 지구 온난화

a large amount of 많은

severe ⑱ 심각한

- **This class is designed for children with *severe* learning difficulties.** (이 수업은 심각한 학습 장애를 가진 아이들을 위해 설계되었습니다.)

damage ⑲ 손상

힌트

각 환경 문제의 원인이 되는 실생활 예시들을 찾아본다.

Step 3 **Based on Step 2, write your own opinion article.**
Step 2에 근거하여 자신만의 사설을 써 봅시다.

SCHOOL TIMES

OPINION

Without trees, how would our life change? Humans have caused severe damage to forests around the world. People are cutting down a large amount of trees to make paper, and they are wasting a lot of paper. That's why more and more forests are quickly disappearing.

One way to solve this problem is to use both sides of paper. Another solution is to use reusable cups instead of paper ones. Both of the solutions are everyday choices you can make, so start acting green now!

| 구문 해설 |

- That's **why** more and more forests are quickly disappearing.: why는 이유를 나타내는 관계부사로 앞에 the reason이 생략되어 있다.
- **Another solution** is to use reusable cups instead of paper **ones**.: 첫 번째 해결책 다음에 나오는 해결책이므로 '또 다른'의 뜻을 가진 another가 쓰이고 있다. another는 항상 뒤에 단수 명사가 온다. ones는 복수 명사를 받는 부정대명사로 앞의 cups를 받는다.

Self-Edit Read your article and correct any mistakes.
사설을 읽고 고쳐 봅시다.

Step 4 **Read your partner's article and check the following:**
짝의 사설을 읽고 다음 사항을 점검해 봅시다.

Peer Feedback

- I understand what he / she intends to say in the article. 짝이 사설에서 말하고자 하는 바를 이해한다. ☆☆☆☆☆
- I think that his / her article is easy to follow. 짝의 사설은 이해하기 쉽다. ☆☆☆☆☆
- I think most of the words in the article are correctly used. 사설의 대부분의 단어가 잘 사용되었다. ☆☆☆☆☆
- I think most of the sentences in the article are grammatically correct. 사설 속 대부분의 문장이 문법적으로 정확하다. ☆☆☆☆☆

힌트

앞의 초안에 나왔던 내용을 바탕으로 각 부분에 필요한 문장을 완성한다.

해석

나무들이 없다면, 우리의 삶은 어떻게 변할까? 인간들은 전 세계 숲에 심각한 손상을 입혀 오고 있다. 사람들은 종이를 만들기 위해 엄청난 양의 나무를 자르고 많은 종이를 낭비하고 있다. 그것이 더 많은 숲이 빠르게 사라지고 있는 이유이다. 이러한 문제를 해결하기 위한 한 가지 방법은 종이의 양면을 사용하는 것이다. 또 다른 해결책은 종이컵 대신 재사용 가능한 컵을 사용하는 것이다. 두 가지 해결책 모두 매일 할 수 있는 것이므로 당장 환경 보호를 시작하라!

Wrap Up

교과서 p.74

Making Promises to Reduce Your Eco-footprint
생태 발자국을 줄이기 위한 다짐하기

Step 1 **Fill out the table with daily activities that you do and the resources used while doing them.**
매일 하는 활동들과 그 활동들을 하며 사용하는 자원들로 아래 표를 채워 봅시다.

Activity 활동	Resource used 사용된 자원	Time spent		
		Less than 10 min. (1 point) 10분 미만(1점)	Less than 1 hr. (2 points) 1시간 미만(2점)	More than 1 hr. (3 points) 1시간 이상(3점)
Taking a shower 샤워하기	water 물		V	
Watching TV TV 시청	electricity 전기			V
Searching the Internet 인터넷 검색	electricity 전기			V
Total score 총 점수	8 points (= Your eco-footprint size) 여러분의 생태 발자국 크기			

Step 2 **Using the dialogue below, compare your eco-footprint size with your partner's.**
아래 대화를 활용하여 짝의 생태 발자국 크기와 자신의 생태 발자국 크기를 비교해 봅시다.

A My eco-footprint size is 8 points. What about yours?
B Yours is really big. Mine is just 4 points.
A Oh, really? Do I need to do something to reduce my eco-footprint size?
B I think so. Let's see. Why don't you watch less than one hour of TV a day?
A That's a good idea.
B And I think you should keep your showers less than 10 minutes.
A Sounds good. It's a little annoying to change my habits, but I feel good to care for the Earth more.

해석
A 내 생태 발자국은 8점이야. 너는 어때?
B 네 생태 발자국은 정말 크구나. 나는 4점이야.
A 오, 정말? 내가 생태 발자국 크기를 줄이기 위해 뭔가를 해야 할까?
B 그래야 할 것 같아. 한번 보자. TV를 하루에 한 시간 미만으로 보는 것은 어떨까?
A 좋은 생각이야.
B 그리고 너는 샤워 시간을 10분 미만으로 줄여야 할 것 같아.
A 좋은 생각이네. 습관을 바꾸는 것은 좀 성가시지만, 지구를 더 돌보는 것이니까 기분 좋다.

| 구문 해설 |

• It's a little **annoying to change my habits**, but I feel good to care for the Earth more.: It은 가주어이고, to change my habits가 진주어이다. annoy는 '짜증 나게 하다'라는 뜻이므로 짜증을 나게 하는 대상이 주어일 경우 annoying을 쓰고, 짜증을 내는 주체가 주어일 경우 감정이 유발되는 것이므로 annoyed를 쓴다.

어구

reduce 동 줄이다
• The bus ***reduced*** its speed as it approached the bus stop. (그 버스는 정류장에 가까워져 오면서 속도를 줄였다.)

eco-footprint 명 생태 발자국

resource 명 자원

힌트

생태 발자국 크기가 클수록 환경에 좋지 않은 영향을 많이 주고 있으므로 환경 보호를 위해 더 노력해야 한다.

Step 3 **Make your own green promises to reduce your eco-footprint size.**
생태 발자국 크기를 줄이기 위한 환경친화적인 다짐을 해 봅시다.

There are many important resources that we use in our daily life. Without them, our life would be completely difficult. That's why I've decided to use less resources and reduce my eco-footprint size.

To use less resources, I promise to ...
1. spend less than 15 minutes taking showers.
2. ___watch less than an hour of TV a day___.
3. ___turn off the computer after using it___.
4. ________________.

Signed by ____________

해석
우리 일상생활 속에서 사용하는 중요한 자원들이 많이 있다. 그것들이 없다면, 우리의 삶은 완전히 어려워질 것이다. 그것이 내가 자원들을 덜 사용하고 나의 생태 발자국 크기를 줄이기로 결심한 이유이다.

자원을 덜 쓰기 위해서 나는 다음의 것들을 하기로 다짐한다.
1. 15분 미만으로 샤워하기
2. 하루 TV 한 시간 미만 시청하기
3. 사용 후 컴퓨터 끄기

서명 ______

어구
completely ㊫ 완전히
decide ㊐ 결정하다

| 구문 해설 |
• There are many important resources **that** we **use** in our daily life.: 관계대명사 that이 선행사 resources를 수식해 주고 있다. 이때 that은 use의 목적어로 쓰이고 있으므로 생략할 수 있다.

Grammar Review

> 관계부사 why
관계부사 why가 이끄는 절은 이유를 나타내는 선행사(the reason)를 수식한다. 관계부사는 「전치사+관계대명사」로 바꿀 수 있으므로 관계부사 why는 「for+관계대명사」로 바꿀 수 있다. 선행사나 관계부사 why 둘 중 하나를 생략할 수 있다.

e.g. Do you know **the reason why** he is late?
= Do you know **the reason for which** he is late?
= Do you know **the reason** he is late?
= Do you know **why** he is late?
(그가 늦은 이유를 아니?)

> without 가정법 과거
가정법 과거는 현재 사실의 반대나 이루어지기 어려운 현재 상황을 가정할 때 쓰며, 「If+주어+동사의 과거형, 주어+조동사의 과거형+동사원형」의 형태이다. '~이 없다면'이라고 가정할 때는 If절을 「Without+명사」로 바꿀 수 있다.

e.g. **If it were not for** your advice, I could not solve this trouble.
= **Without** your advice, I could not solve this trouble.
(너의 조언이 없다면, 나는 이 문제를 해결하지 못할 텐데.)

어구
solve ㊐ 해결하다
trouble ㊔ 문제

Check Up

01 빈칸에 적절한 단어를 쓰시오.

(1) The reason _________ I didn't write to you was that I didn't know your address.

(2) The reason for _________ I don't have a car is that I don't need one.

02 우리말과 일치하도록 주어진 어구를 활용하여 영작하시오.

물이 없다면, 사람들은 살 수 없을 것이다.
(people, water, live, without, would, not)

→ ________________

교과서 p.75

세계의 친환경 도시들

Eco-friendly Cities Around the World

Read about the following eco-friendly cities. 다음의 친환경 도시들에 관해서 읽어 봅시다.

Singapore, Republic of Singapore

Singapore has many good examples of how buildings can be eco-friendly. The city has created many vertical gardens, located on the walls of buildings to reduce heat and air pollution in the city.

San Francisco, United States

San Francisco is one of the greenest cities in North America, with the highest recycling rate in the nation. To preserve its beautiful bay, the city also has banned the sale of plastic bottles and bags.

Cape Town, South Africa

Cape Town uses energy from South Africa's first commercial wind farms, and has a goal of generating 10% of its energy from renewable sources.

Amsterdam, Netherlands

Amsterdam is called the bicycle capital of the world. More than 60% of people in the city use their bike on a daily basis. About a third of traffic movement in the city is done by bike.

| 구문 해설 |

- The city **has created** many vertical gardens, **located** on the walls of buildings **to reduce** heat and air pollution in the city.: 과거부터 현재까지 만들어 오고 있는 것이므로 현재완료시제(has created)를 썼다. 도시가 만드는 주체이므로 능동임에 유의한다. located는 과거분사로 앞의 many vertical gardens를 수식한다. locate는 '위치시키다'라는 뜻의 동사로 정원들이 '위치된' 것이므로 수동의 의미를 지닌 과거분사가 쓰였다. to reduce는 to부정사의 부사적 용법으로 '~하기 위해서'라는 목적을 나타낸다.

Search for more eco-friendly cities on the Internet and find out how they are eco-friendly.

인터넷에서 더 많은 환경친화적인 도시들을 찾아보고 어떻게 그 도시들이 친환경적인지를 알아봅시다.

eco-friendly cities around the world

어구

vertical ⓗ 수직의
locate ⓢ 위치시키다
preserve ⓢ 보존하다, 보전하다
bay ⓜ 만
ban ⓢ 금지하다
- **The proposed new law would *ban* letting your dog off its leash.** (상정된 새 법안은 목줄 없이 개를 풀어 두는 것을 금지할 것이다.)

commercial ⓗ 상업적인
wind farm 풍력 발전 단지
generate ⓢ 발생시키다
- **Her latest music video has *generated* a lot of interest.** (그녀의 최신 뮤직비디오는 많은 관심을 불러일으키고 있다.)

renewable ⓗ 재생 가능한
capital ⓜ 수도
on a daily basis 매일매일

힌트

각 도시가 속한 나라를 찾아본다.

해석

- **싱가포르 공화국, 싱가포르**
  싱가포르는 건물들이 어떻게 친환경적일 수 있는지에 관한 좋은 많은 예를 갖고 있다. 싱가포르는 많은 수직 정원을 만들어 왔는데, 그것들은 빌딩 벽에 설치되어 도시의 열기나 공기 오염을 줄여준다.
- **미국, 샌프란시스코**
  샌프란시스코는 북미에서 가장 친환경적인 도시 중의 하나이며 미국에서 가장 높은 재활용률을 보여 준다. 샌프란시스코의 아름다운 만을 보존하기 위해 그 도시는 또한 플라스틱병과 가방의 판매를 금지했다.
- **남아프리카, 케이프타운**
  케이프타운은 남아프리카의 첫 번째 상업 풍력 발전 단지에서 만든 에너지를 사용하고 재생 가능한 자원으로 에너지의 10%를 생산한다는 목표를 갖고 있다.
- **네덜란드, 암스테르담**
  암스테르담은 세계 자전거의 수도라고 불린다. 그 도시의 60% 이상의 사람들이 매일 자전거를 이용한다. 그 도시 교통의 약 1/3이 자전거 이용으로 이루어진다.

Products for Saving Earth

Eat your spoons

❶ Can you imagine eating [imagine의 목적어(동명사)] your spoon after using it? ❷ In India, more and more people have started [현재완료] eating spoons to save [to부정사 부사적 용법(~하기 위해)] Earth. ❸ Narayana Peesapati created edible spoons in Hyderabad, India, because he saw so many plastic spoons being thrown away and hurting the environment [병렬]. ❹ Edible spoons are made from [~으로 만들어지다] a mix of rice and wheat flour. ❺ They [= edible spoons]'re hard, but soften after 10-15 minutes so they can be easily eaten [조동사 수동태(조동사+be+p.p.)] at the end of a meal. ❻ Also, even if thrown away [= even if they are thrown away], they decompose within five to six days.

❼ Now Peesapati's company is exporting [현재진행형] edible spoons to other [another(×), the other(×)] countries. ❽ They [= edible spoons] are expected to reduce the enormous amount of plastic waste around the world.

(http://mashable.com/2016/03/26/edible-spoon-bakeys/#wnpZ4iCxTgqW)

어구

edible ⓗ 먹을 수 있는

throw away 버리다

flour ⓜ 가루

decompose ⓓ 분해되다

- **Does vegetable waste *decompose* faster in soil with earthworms?** (채소 음식 쓰레기들은 지렁이가 있는 땅에서 더 빨리 분해되나요?)

export ⓓ 수출하다

- **The company's cars sell so well in this country that they have little need to *export*.** (그 회사의 차가 이 나라에서 너무 잘 팔려서 수출할 필요가 거의 없다.)

enormous ⓗ 엄청난

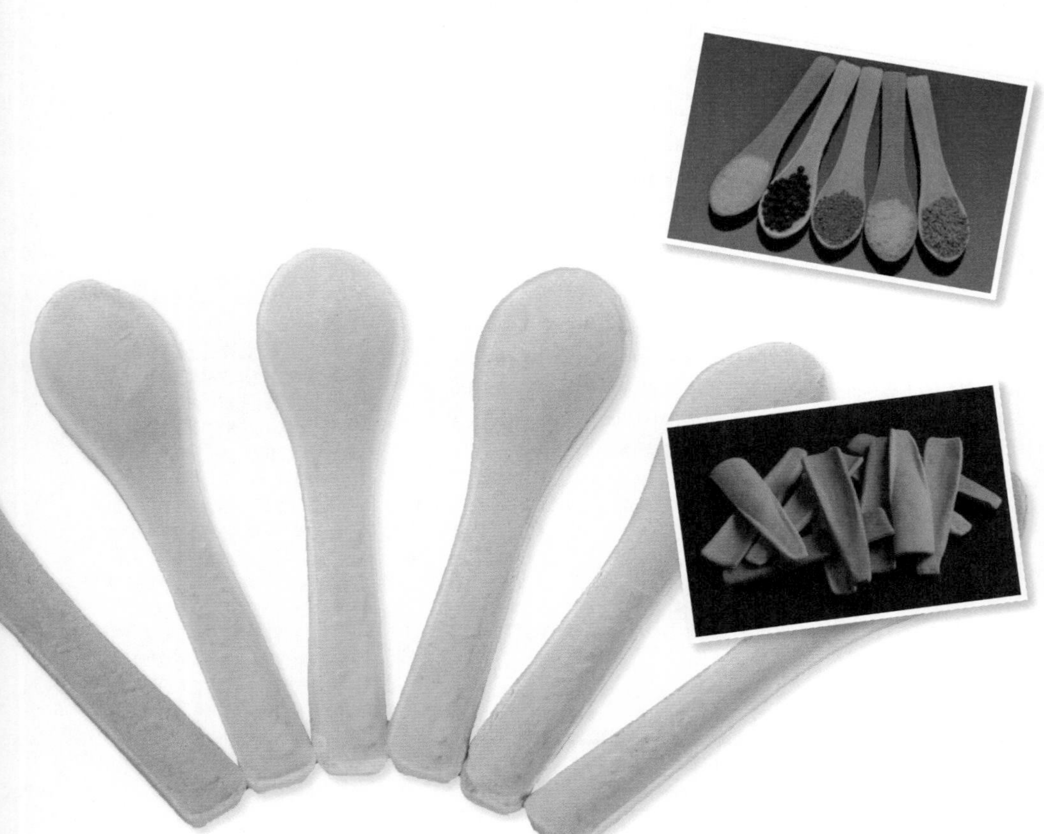

구문 연구

❶ Can you **imagine eating** your spoon **after** using **it**?

imagine은 목적어로 동명사를 취하는 동사이다. 동명사를 취하는 동사에는 admit, finish, avoid, consider, stop, suggest, enjoy 등이 있다. after는 전치사이므로 동명사 using이 쓰였고, it은 앞의 your spoon을 받는다.

❸ Narayana Peesapati created edible spoons in Hyderabad, India, because he **saw** so many plastic spoons **being thrown away** and **hurting the environment**.

see는 지각동사로 목적어와 목적격 보어를 취하는 5형식 동사로 쓰였는데, 동사원형이나 현재분사를 목적격 보어로 취하는 동사이다. 목적격 보어 자리에 being thrown away와 hurting the environment가 and에 의해 병렬로 연결되고 있다. 목적어인 숟가락들이 버려지는 것이므로 being thrown away의 수동태가 쓰였다.

❹ Edible spoons **are made from** a mix of rice and wheat flour.

be made from은 '~으로 만들어지다'라는 뜻의 표현이다. 화학적 변화를 거쳐 재료를 잘 알기 어려운 것은 전치사 from을 주로 사용한다.

cf. 재료를 쉽게 알 수 있을 때는 of를 사용한다.

e.g. The bridge **is made of** steel. (이 다리는 철강으로 만들어졌다.)

❻ Also, **even if thrown away**, they **decompose** within five to six days.

thrown away는 앞에 being이 생략된 분사구문이고, 분사구문의 뜻을 명확하게 하기 위해 접속사를 생략하지 않았다. 양보 부사절 접속사인 even if는 '비록 ~일지라도'라는 뜻으로 유사한 접속사로는 even though, though 등이 있다. decompose는 자동사로 쓰이고 있어 뒤에 목적어가 없다.

❽ They **are expected** to reduce the enormous amount of plastic waste around the world.

수동태 문장으로 expect의 목적어가 주어 자리에 있고 are expected의 수동태 동사 뒤에 목적격 보어가 바로 나온다.

Grammar Check

›동명사를 목적어로 취하는 동사

동사 중에는 동명사만을 목적어로 취하는 동사들이 있다. 대표적인 동사들에는 **admit, finish, avoid, consider, stop, suggest, enjoy** 등이 있다.

e.g. **The man denied stealing the money.** (그 남자는 돈을 훔친 것을 부인했다.)

She doesn't enjoy driving very much. (그녀는 운전을 그다지 즐기지 않는다.)

›expect 동사류의 수동태

expect, believe, consider, know, report, understand 등의 동사들은 **It is expected that... .**처럼 가주어와 **that**절을 사용한 수동태 표현으로 많이 활용된다. 이것은 **that**절의 주어를 문장의 주어로 하는 **to**부정사 구문으로 바꿔 쓸 수 있다.

e.g. **It is expected that the concert will end soon.**

= The concert is expected to end soon.

(공연이 곧 끝날 것으로 예상된다.)

It is said that Koreans are very hard-working people.

= Koreans are said to be very hard-working people.

(한국 사람들이 아주 일을 많이 하는 것으로 이야기된다.)

해석

지구를 구하기 위한 제품들

숟가락을 먹어라

❶ 여러분은 숟가락을 사용한 후에 그것을 먹는 것을 상상할 수 있는가? ❷ 인도에서는 점점 더 많은 사람이 지구를 살리기 위해 숟가락을 먹기 시작했다. ❸ 인도의 Hyderabad에 있는 Narayana Peesapati는 너무 많은 플라스틱 숟가락이 버려지고 환경을 손상시키는 것을 보았기 때문에 먹을 수 있는 숟가락을 만들었다. ❹ 먹을 수 있는 숟가락은 쌀과 밀가루로 만들어진다. ❺ 그 숟가락은 딱딱하지만, 10~15분이 지나면 부드러워져서 식사가 끝날 때쯤 쉽게 먹을 수 있다. ❻ 또한, 버려지더라도 그것들은 5일에서 6일 안에 분해된다.

❼ 현재 Peesapati의 회사는 먹을 수 있는 숟가락을 다른 나라들로 수출하고 있다. ❽ 먹을 수 있는 숟가락은 전 세계에서 엄청난 양의 플라스틱 쓰레기를 줄일 것으로 예상된다.

교과서 p.77

Charge your phone with a plant

❶ Have you ever dreamed of charging your
현재완료 (have+p.p.) 전치사+동명사
phone in a more eco-friendly way? ❷ Well,
that dream has become reality through new
지시형용사
technology that lets you charge your
주격 관계대명사 사역동사+목적어+목적격 보어(동사원형)
smartphone through photosynthesis from any
common house plant.

❸ The technology uses the power produced
by potted plants during photosynthesis to
charge phones. ❹ Inside the flower pot is a
to부정사 부사적 용법(~하기 위해) 장소의 전치사구
USB charging port attached to a biological
도치(동사+주어) (that is)
battery. ❺ This technology does not harm the
plant, so you don't need to worry at all. ❻ It
= This technology
is completely safe for the plant as it only uses
= the plant
the spare or extra energy after photosynthesis.
❼ The goal of this innovation is to provide a
to부정사 명사적 용법(보어)
new solution for current and future
environmental and energy problems through
the use of plants, which are found everywhere.
계속적 용법의 관계대명사 선행사와 수 일치
❽ In other words, the technology is offering a
= Namely, That is to say 현재진행형
new point of view: to simply transform huge
to부정사의 명사적 용법
green spaces to fulfill our energy needs with
to부정사의 부사적 용법(~하기 위해)
the creation of new renewable sources.

(http://www.live-smart.co/news/bioo-lite-phone-charging-plant-pot-7235)

어구

charge ⓢ 충전하다
house plant 가정용 화초
photosynthesis ⓜ 광합성
potted ⓗ 화분에 심은
attach ⓢ 부착하다, 붙이다
spare ⓗ 여분의
- **Do you have a *spare* key?** (여분의 키가 있니?)

innovation ⓜ 혁신(적인 것)
point of view 관점
- **From a medical *point of view*, you don't need medicine at all.** (의학적 관점에서 보자면, 당신은 약이 전혀 필요 없습니다.)

transform ⓢ 바꾸다
- **The new hair style completely *transformed* him.** (새로운 헤어스타일은 그를 완전히 변화시켰다.)

fulfill ⓢ 충족시키다, 이행하다

구문 연구

❷ Well, that dream has become reality through new technology **that lets you charge** your smartphone through photosynthesis from any common house plant.
that은 선행사 new technology를 수식하는 관계대명사이다. 선행사가 단수이므로 수 일치를 해서 that절의 동사로 lets가 쓰였다. let은 사역동사로 목적어와 목적격 보어를 취하는 5형식 동사로 쓰였으며 목적격 보어 자리에는 동사원형이 와야 한다.

❹ **Inside the flower pot is a USB charging port attached to** a biological battery.
Inside the flower pot은 위치를 나타내는 전치사구로 장소나 위치를 나타내는 전치사구가 문장의 맨 앞에 와서 주어 a USB charging port ...와 동사 is가 도치되었다. 장소나 위치를 나타내는 전치사구가 문장의 앞에 오면 주어와 동사가 도치되기도 한다. attach to는 '~에 붙이다, 부착하다'라는 뜻으로 앞에 that is가 생략되어 있다.

❻ It is completely safe for the plant **as** it only uses the spare or extra energy after photosynthesis.
as는 '~하면서, ~ 때문에, ~처럼'이라는 다양한 뜻으로 쓰이는 접속사인데, 여기서는 이유를 나타내는 접속사로 쓰였다.

❼ The goal of this innovation is **to provide** a new solution for current and future environmental and energy problems through the use of plants, **which** are found everywhere.
to provide는 보어로 쓰인 명사적 용법의 to부정사이다. which는 계속적 용법의 관계대명사로 쓰여 선행사 plants에 대해 추가적인 정보를 제공한다.

❽ **In other words**, the technology is offering a new point of view: to simply transform huge green spaces to fulfill our energy needs with the creation of new renewable sources.
In other words는 '즉, 다시 말해서'라는 뜻을 지닌 접속 부사로 비슷한 표현에는 Namely, To put it another way 등이 있다.

Grammar Check

>사역동사 let
원인을 제공하는 뜻을 지닌 동사들, '시키다'의 뜻을 지닌 동사 중 **have**, **let**, **make** 등을 사역동사라고 한다. 사역동사는 동사원형을 목적격 보어로 취한다.
e.g. **The woman let her child watch TV.** (○)
The woman let her child to watch TV. (×)
(그 여자는 아이가 **TV** 보는 것을 허락했다.)

>분사(-ing/p.p.)
분사는 명사를 수식하는 형용사와 같은 기능을 하며 능동의 뜻을 지닌 현재분사(**-ing**)와 수동의 뜻을 지닌 과거분사(**p.p.**)가 있다. 수식하는 명사와의 관계가 능동이면 현재분사를, 수식하는 명사와의 관계가 수동이면 과거분사를 쓴다.
e.g. **The bridge connecting the two islands is very wide.**
(두 섬을 연결하는 다리는 아주 넓다.)
The man injured in the car accident should be sent to the hospital right now.
(차 사고로 다친 남자는 지금 당장 병원으로 보내져야 한다.)

해석

식물로 전화기를 충전하라
❶ 여러분의 전화기를 더 친환경적인 방법으로 충전하는 것을 꿈꿔 본 적이 있는가? ❷ 그 꿈은 집에서 키우는 흔한 식물의 광합성을 통해 당신의 휴대 전화를 충전하게 하는 새로운 기술을 통해서 현실이 되었다.
❸ 이 기술은 휴대 전화를 충전하기 위해 화분에 심어진 식물이 광합성을 하는 중에 만들어진 전기를 사용한다. ❹ 화분 안에는 생물학적 전지에 붙어 있는 USB 충전 포트가 있다. ❺ 이 기술은 식물을 해치지 않으므로 여러분은 전혀 걱정할 필요가 없다. ❻ 그것은 오직 광합성 이후의 여분의 에너지만을 사용하므로 그 식물에 완전히 안전하다. ❼ 이 혁신적 제품의 목적은 어디서든 볼 수 있는 식물들을 이용하여 현재와 미래의 환경과 에너지 문제에 대한 새로운 해결책을 제시하는 것이다. ❽ 다시 말해서, 이 기술은 새로운 관점을 보여 주는데, 그것은 새로운 재생 가능한 원천을 창조하여 방대한 녹색 공간을 우리의 에너지 수요를 충족시키기 위해 바꾸는 것이다.

Word Play

A. Match the words with their correct meanings. 단어와 올바른 뜻을 서로 연결해 봅시다.

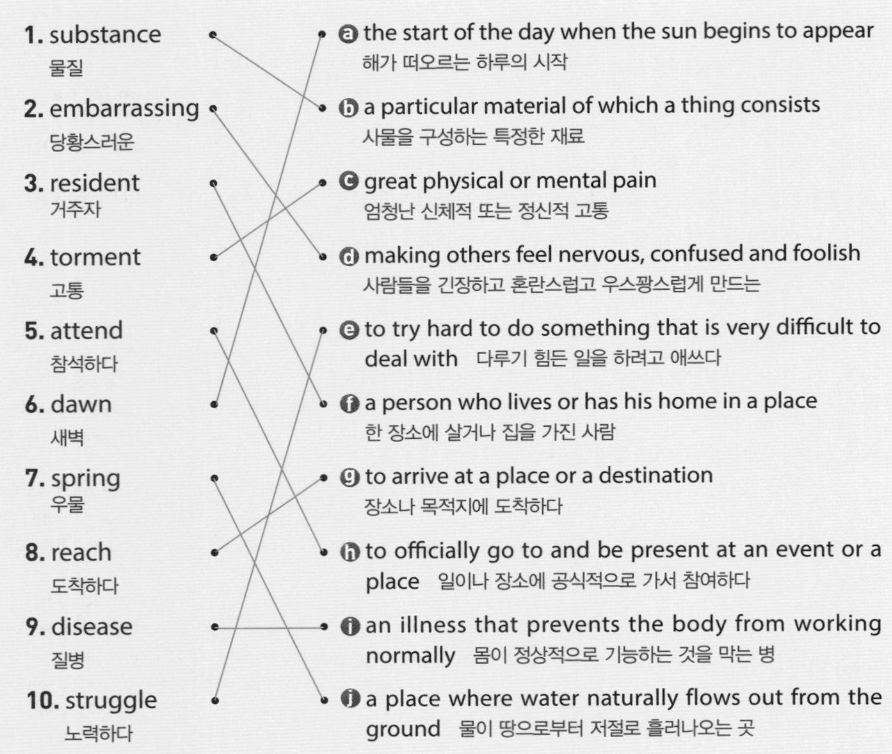

1. substance 물질
2. embarrassing 당황스러운
3. resident 거주자
4. torment 고통
5. attend 참석하다
6. dawn 새벽
7. spring 우물
8. reach 도착하다
9. disease 질병
10. struggle 노력하다
ⓐ the start of the day when the sun begins to appear 해가 떠오르는 하루의 시작
ⓑ a particular material of which a thing consists 사물을 구성하는 특정한 재료
ⓒ great physical or mental pain 엄청난 신체적 또는 정신적 고통
ⓓ making others feel nervous, confused and foolish 사람들을 긴장하고 혼란스럽고 우스꽝스럽게 만드는
ⓔ to try hard to do something that is very difficult to deal with 다루기 힘든 일을 하려고 애쓰다
ⓕ a person who lives or has his home in a place 한 장소에 살거나 집을 가진 사람
ⓖ to arrive at a place or a destination 장소나 목적지에 도착하다
ⓗ to officially go to and be present at an event or a place 일이나 장소에 공식적으로 가서 참여하다
ⓘ an illness that prevents the body from working normally 몸이 정상적으로 기능하는 것을 막는 병
ⓙ a place where water naturally flows out from the ground 물이 땅으로부터 저절로 흘러나오는 곳

어구

particular ⓗ 특정한
- Tell me if there are *particular* subjects you're interested in. (네가 관심 있는 특정한 주제가 있다면, 나에게 말해 줘.)

material ⓜ 물질

foolish ⓗ 어리석은
- It is *foolish* not to wear sunscreen and risk skin cancer. (선크림을 바르지 않고 피부암의 위험을 감수하는 것은 어리석다.)

destination ⓜ 목적지

B. Fill in the blanks with the appropriate words from the exercise above.
위에서 적절한 단어를 찾아 빈칸을 채워 봅시다.

1. Have you ever drunk the cool water from the mountain ___spring___?
   산의 우물에서 나온 시원한 물을 마셔 본 적이 있니?
2. I had the most ___embarrassing___ moment of my life yesterday.
   나는 어제 내 인생에서 가장 당혹스러운 순간을 겪었다.
3. A natural ___substance___ found in the plants could help cure heart disease.
   식물에서 발견되는 자연 물질들은 심장 질환을 치료하는 데 도움을 줄 수 있다.
4. More than half of the ___resident___s in the city report that they are satisfied with their lives. 그 도시 거주자들의 반 이상이 그들의 삶에 만족하고 있다고 보고했다.
5. Some people ___struggle___ to make conversation because they often can't think of things to say. 몇몇 사람들은 말할 것이 생각나지 않아서 대화하느라고 고군분투한다.
6. She spent hours in ___torment___ while the police searched for her lost daughter. 경찰이 그녀의 실종된 딸을 찾는 동안 그녀는 고통 속에서 몇 시간을 보냈다.
7. Plan your year in the spring, and plan your day at ___dawn___.
   봄에 한 해를 계획하고, 새벽에 하루를 계획해라.
8. It takes around one and a half hours to ___reach___ our house from the airport. 공항에서 집에 도착하는 데는 한 시간 반 정도 걸린다.
9. A rare ___disease___ is defined as one that affects less than 5 in 10,000 people of the entire population. 전체 만 명 중 다섯 명 이하가 걸리는 질병은 희귀 질병이라고 정의된다.
10. He will ___attend___ the science fair in Seoul to represent our school.
    그는 서울에서 열리는 과학 박람회에 학교 대표로 참석할 것이다.

어구

silence ⓜ 침묵

cure ⓢ 치료하다

affect ⓢ 영향을 끼치다
- The recent drought *affected* most of southern Australia. (최근의 가뭄은 호주의 남부 대부분 지역에 영향을 미쳤다.)

represent ⓢ 대표하다

단원 평가

01 대화의 빈칸에 가장 적절한 것은?

W: Minsu, look at all the flyers on the ground.
M: They're all over the place.
W: What do you think they're advertising?
M: I'm guessing mostly restaurants.
W: Do you think that's an effective way to advertise?
M: Not really. I think ______________________.
W: Me, too. It's annoying that people just throw the flyers all over the ground.
M: I know. It just makes the ground and streets look dirty.
W: I agree.

① it's effective
② they need more flyers
③ they will clean it up later
④ it's just a waste of paper
⑤ we should go to another restaurant

02 자연스러운 대화가 되도록 ⓐ~ⓓ를 바르게 배열하시오.

ⓐ Do we really need to turn it off?
ⓑ Okay. Good point.
ⓒ Let's turn off the air conditioner.
ⓓ Well, it's good if we do things that are environmentally friendly.

(　　)－(　　)－(　　)－(　　)

03 주어진 단어를 바르게 배열하여 빈칸을 완성하시오.

W: You look upset. What's wrong?
M: People waste too much water and ___________.
W: I know what you mean.
M: I cannot take this any more. I'm going to put a sign on the sink asking people to save water.

is, really, it, annoying

04 다음 문장이 들어가기에 가장 적절한 곳은?

Bubble wrap reduces heat loss.

M: Mom, what are you doing? Is that bubble wrap? (①)
W: Yeah, I'm covering the windows with bubble wrap. Why don't you help me? (②)
M: Oh, sorry, Mom. I'm just about to go out.
W: Well, then attach bubble wrap to the windows in your bedroom later. (③)
M: Do I need to do that? I don't feel any cold air coming in through the windows.
W: I know, but it's more about saving energy. (④)
M: Do you think using bubble wrap will actually make a difference? (⑤)
W: Over time, saving a little energy here and there adds up.
M: Alright. Good point. I'll do it later.

05 주어진 문장에 이어질 글의 순서로 가장 적절한 것은?

Access to clean water means everything to them because water means health.
(A) People spend 40 billion hours a year walking to get water in Africa alone.
(B) Water also means time.
(C) In the past decade, more children have died from waterborne diseases than people who were killed in the Second World War.

① (A) – (C) – (B)
② (B) – (A) – (C)
③ (B) – (C) – (A)
④ (C) – (A) – (B)
⑤ (C) – (B) – (A)

[06~08] 다음 글을 읽고, 물음에 답하시오.

Today, one of the major concerns around the world is the lack of clean water. Hadjara, a 10-year-old girl, spends much of her time walking and ① waiting for water. She gets up early four days a week to go collect water for her family. One day, Hadjara set out before dawn for a nearby spring, ② which is the closest water source to her home. Getting there involves a dangerous climb down a 700-foot cliff. She skipped breakfast, ③ think she could arrive at the spring before most of the others and have a shorter wait. Upon reaching the spring, however, she found out that many others ④ had left before dawn, too. Even though she waited all day to fill up her pots, she felt lucky that day because she actually got some water. Sometimes the line is too long ⑤ to get water and she has to walk six more hours to the next closest water source.

06 윗글의 제목으로 가장 적절한 것은?

① Save Water in School
② How Water Affects Education
③ Students Walk to Save Water
④ The Daily Journey to Get Water
⑤ Spring, the Source of Raw Water

07 윗글의 내용과 일치하지 않는 것은?

① Hadjara는 대부분의 시간을 물을 얻기 위해 걷거나 기다리는 데에 쓴다.
② Hadjara는 어느 날 집에서 가장 먼 샘에 가려고 새벽에 출발했다.
③ Hadjara는 샘물에 가려면 700피트의 위험한 절벽을 타고 내려가야 한다.
④ Hadjara는 다른 사람들보다 먼저 도착하기 위해 아침을 먹지 않았다.
⑤ Hadjara는 때때로 줄이 너무 길어 물을 구할 수 없으면 6시간을 더 걸어야만 했다.

08 윗글의 밑줄 친 부분 중 어법상 틀린 것은?

① ② ③ ④ ⑤

09 빈칸 ⓐ~ⓒ에 들어갈 적절한 단어를 주어진 철자로 시작하여 쓰시오.

Water means education. Clean water helps ⓐ k________ kids in school. Spending less time collecting water or walking to find a bathroom means they can ⓑ s________ more time in class, creating more opportunity for their future. Ultimately, water can ⓒ i________ their lives, dreams, and futures.

10 주어진 단어를 활용하여 빈칸을 완성하시오.

______________________________? Humans have caused severe damage to forests around the world. People are cutting down a large amount of trees to make paper and they are wasting a lot of paper. That's why more and more forests are quickly disappearing. One way to solve this problem is to use both sides of paper. Another solution is to use reusable cups instead of paper ones. Both of the solutions are everyday choices you can make, so start acting green now!

change, how, without, trees, would, our life

[11~12] 다음 글을 읽고, 물음에 답하시오.

The story of Khadija, a girl in Bangladesh, shows how running water kept her in school. Like many schools in Bangladesh, Khadija's school used to (A) [lack / lacking] bathrooms with running water. ___ⓐ___, many boys and girls would relieve themselves in the fields close to school, which was quite embarrassing. They also needed a friend to stand guard so that no one would watch them. ___ⓑ___, to avoid this trouble, Khadija started walking to houses nearby school and asking the residents (B) [if / that] she could use their bathrooms.

One day, some kids noticed her doing this and yelled, "Go to some other place to beg to use a bathroom!" Khadija felt so bad that she stopped going to school. She actually missed several days of school to avoid such torment. Luckily, now her school has bathrooms with running water thanks to work (C) [doing / done] by a charity, which means that Khadija doesn't have to deal with the bathroom issue any more. Nowadays, she looks forward to going to school, and she makes sure to attend every day.

11 윗글의 빈칸 ⓐ와 ⓑ에 들어갈 말로 적절한 것은?

	ⓐ		ⓑ
①	However	......	Therefore
②	Hence	......	Therefore
③	Additionally	......	Ultimately
④	Therefore	......	Additionally
⑤	But	......	And

12 윗글의 (A), (B), (C) 각 네모 안에서 가장 적절한 것은?

	(A)		(B)		(C)
①	lack	......	if	......	done
②	lack	......	that	......	done
③	lacking	......	that	......	doing
④	lacking	......	if	......	doing
⑤	lacking	......	if	......	done

13 글의 흐름으로 보아, 주어진 문장이 들어가기에 가장 적절한 곳은?

This may be why we often forget that they are the very things that some people desperately struggle to have.

Have you ever given any deep thought to your relationship with water? (①) Without water, how would your life change? (②) Indeed, the most essential things in life, like water and air, appear easy to get. (③) Look around and find out the most important things in your life. (④) Without them, your life would be completely different than now. (⑤)

[14~15] 다음 중 어법상 <u>틀린</u> 것을 고르시오.

14

① Without electricity, how will our life change?
② That's why you have to wear a helmet.
③ Without your help, I couldn't do this.
④ Can I ask you a reason why you've decided to quit your job?
⑤ Without children, there would be no future in this country.

15

① I don't know why I like her.
② Tell me what you go fishing every day.
③ This is the reason I love spicy food.
④ Without the Internet, I would not be able to live even a single day.
⑤ Without you, my life would be completely different from now.

Achievement Test 1 Lesson 1-3

교과서 pp.146~148

1. Listen and choose the woman's dream.

듣고 여자의 꿈을 골라 봅시다.

①  ②  ③ 

④  ✓⑤ 

Script

M: Wow, that was a great movie, wasn't it?

W: Yeah. After watching superhero movies, I always feel like a superhero.

M: Really? Hey, what would you do if you really were a superhero?

W: Well, I would spend my life helping people in need. That's my dream.

M: That's cool. But how?

W: I'd make a lot of tasty and healthy food and give it to people for free.

M: Wait a minute. You can do that now.

W: Oh, you're right. I don't need to be a superhero to do that.

해석

남: 와, 이거 대단한 영화였어, 그렇지 않니?

여: 그래. 슈퍼히어로 영화를 보고 나면, 나는 항상 슈퍼히어로가 된 느낌이 들어.

남: 정말? 야, 네가 정말 슈퍼히어로가 된다면 너는 뭐 할 거니?

여: 글쎄, 나는 어려움에 처한 사람들을 도우면서 살 거야. 그게 내 꿈이야.

남: 좋은 생각이야. 하지만 어떻게?

여: 맛있고 건강에 좋은 음식을 많이 만들어서 공짜로 사람들에게 줄 거야.

남: 잠깐. 그건 지금도 할 수 있어.

여: 오, 네 말이 맞다. 그렇게 하는 데 슈퍼히어로가 될 필요는 없지.

해설 여자는 어려움에 처한 사람들을 도우면서 살고 싶다고 이야기하고, 남자가 구체적인 방법을 묻자 음식을 공짜로 만들어 주겠다고 이야기한다.

2. Listen and choose what the woman will do.

듣고 여자가 무엇을 할지 골라 봅시다.

✓① She'll make her speech script shorter.
그녀는 연설 원고를 더 짧게 만들 것이다.

② She'll help the man write his speech.
그녀는 남자가 연설 원고 쓰는 것을 도울 것이다.

③ She'll practice her speech with the man.
그녀는 남자와 자신의 연설을 연습할 것이다.

④ She'll find out when the speech contest begins.
그녀는 말하기 대회가 언제 시작하는지 알아볼 것이다.

⑤ She'll prepare a supporting speech for the man.
그녀는 남자를 지지하는 연설을 준비할 것이다.

Script

M: Hi, Jenny, have you finished writing your speech for the speech contest?

W: Yes, I have, but I think I need to make some changes in the script. Can you help me, Mike?

M: Sure. May I see your script?

W: Here you are.

M: Oh, Jenny, it looks too long.

W: Really? You think so?

M: Yes. You know, it's required for participants to keep their speech under three minutes.

W: Oh, I didn't know that. Then, I'll shorten my script. Thanks, Mike.

해석

남: 안녕, Jenny, 말하기 대회 연설문 다 썼니?

여: 응, 했는데, 내 원고를 좀 고쳐야 할 거 같아. 도와줄 수 있니, Mike?

남: 그래. 네 원고를 보여 줄래?

여: 여기 있어.

남: 오, Jenny, 원고가 너무 긴 것 같아.

여: 정말? 그렇게 생각하니?

남: 응. 있잖아, 참가자들은 3분 안에 연설을 끝내야 해.

여: 오, 몰랐어. 그럼, 내 원고를 줄일게. 고마워, Mike.

해설 남자가 여자에게 연설 원고가 너무 길다고 이야기하자 여자가 줄이겠다고 대답한다.

3. Listen and complete the sentence.

듣고 문장을 완성해 봅시다.

The woman thinks that attaching bubble wrap to the windows will save energy at their home.
여자는 창문에 뽁뽁이를 붙이는 것이 집의 에너지를 절약할 거라고 생각한다.

Script

M: Mom, what are you doing? Is that bubble wrap?

W: Yeah, I'm covering the windows with bubble wrap. Why don't you help me?

M: Oh, sorry, Mom. I'm just about to go out.

W: Well, then attach bubble wrap to the windows in your bedroom later.

M: Do I need to do that? I don't feel any cold air coming in through the windows.

W: I know, but it's more about saving energy. Bubble wrap reduces heat loss.

M: Do you think using bubble wrap will actually make a difference?

W: Over time, saving a little energy here and there adds up.

M: Alright. Good point. I'll do it later.

해석

남: 엄마, 뭐 하시는 거예요? 그거 뽁뽁이예요?
여: 그래, 뽁뽁이로 창문을 싸고 있어. 나 좀 도와줄래?
남: 오, 미안해요, 엄마. 저는 막 나가려는 중이에요.
여: 그럼, 나중에 네 침실 창문에 뽁뽁이를 붙여라.
남: 그렇게 해야 할까요? 창문으로 찬 공기가 들어오는 것을 못 느껴요.
여: 알아, 하지만 에너지를 절약하는 거잖니. 뽁뽁이는 열 손실을 줄여 줘.
남: 뽁뽁이를 사용하는 게 실제로 차이가 있을 거라고 생각하세요?
여: 에너지를 여기저기에서 조금씩 절약하는 것은 시간이 지나면 쌓이거든.
남: 알았어요. 좋은 지적이에요. 나중에 할게요.

해설 엄마가 아들에게 뽁뽁이를 붙이라고 하지만 아들은 필요성을 못 느꼈다. 이에 엄마는 뽁뽁이를 붙이면 조금씩 에너지가 절약된다고 설명한다.

[4~6] **Choose the appropriate sentence for the blank.**
빈칸에 적절한 문장을 골라 봅시다.

4.

A: ______________________
B: I would learn how to cook.
A: Oh, that sounds interesting.
B: Actually, I'm thinking of becoming a cook in the future.

① What did you do when you visited Paris?
파리를 방문했을 때 너는 무엇을 했니?
✔② What would you do if you lived in Paris?
네가 파리에 산다면 너는 무엇을 할 거니?
③ When did you begin to learn how to cook?
너는 언제 요리를 배우기 시작했니?
④ Where would you go for your birthday dinner?
생일 저녁을 어디에서 먹을 거니?
⑤ What would you serve up if you were a cook?
만약 네가 요리사라면 무엇을 선보이고 싶니?

해석

A: 네가 파리에 산다면 무엇을 할 거니?
B: 나는 요리하는 법을 배울 거야.
A: 오, 그거 재미있네.
B: 사실, 나는 앞으로 요리사가 될까 생각 중이야.

해설 아직 요리를 배우지 못했으므로 요리에 관해서 이야기를 하려면 과거가 아니라 앞으로 하고 싶은 것에 관해서 물어야 한다. ⑤는 미래에 관해 묻고 있지만, 요리사가 되어 선보이고 싶은 것에 대한 대답으로 요리하는 법을 배울 거라는 말은 논리적으로 어긋난다.

5.

A: You look upset. What's wrong?
B: ______________ and it's really annoying.
A: I know what you mean.
B: I cannot take this anymore. I'm going to put a sign on the sink asking people to save water.

✔① People waste too much water
사람들이 물을 너무 많이 낭비해
② Water pollution is getting worse
수질 오염이 심해지고 있어
③ There are piles of trash everywhere
쓰레기 더미가 여기저기 있어
④ Too many people don't follow traffic rules
너무 많은 사람이 교통 법규를 따르지 않아
⑤ My neighbors always have their music on really loud
이웃이 항상 음악을 크게 틀어

해석

A: 너 언짢아 보여. 무슨 일이야?
B: 사람들이 물을 너무 많이 낭비해서 정말 짜증 나.
A: 무슨 말인지 알겠어.
B: 더 이상 참을 수 없어. 사람들이 물을 절약하라고 싱크대에 표지판을 붙일 거야.

해설 B는 물을 절약하기 위한 표지판을 붙이겠다고 하므로 B가 보고 화난 것은 물을 낭비하는 모습일 것이다.

6.

A: Hey, Sarah, who did you vote for today?
B: I voted for James. I'm glad that he was elected because he has great leadership.
A: Yeah, James served as class president last year, right?
B: Right. What about you? Who did you vote for?
A: I voted for Eugene. I like his hobby day idea. How do you like it?
B: Actually, I like it, too. A hobby day is a great idea.
A: Then, why don't we tell James to have a hobby day?
B: ______________________

✔① Why not? I'm sure he'll like it, too.
안 될 것 없지. 분명히 그도 좋아할 거야.
② I made up my mind. I'll vote for James.
난 결정했어. 나는 James에게 투표할 거야.
③ I'm sorry James didn't win the election.
나는 James가 당선되지 못해서 유감이야.
④ James didn't run for class president this year.
James는 올해 학급 회장 선거에 출마하지 않았어.
⑤ Thank you for supporting me to be class president.
학급 회장이 되도록 지지해 준 것에 감사합니다.

해석

A: 안녕, Sarah. 오늘 누구에게 투표했니?
B: 난 James에게 투표했어. 그가 선출되어 기뻐. 그는 훌륭한 리더십을 가지고 있으니까.
A: 그래, James는 작년에도 학급 회장을 했어, 맞지?
B: 맞아. 너는 어때? 넌 누구에게 투표했니?
A: 나는 Eugene에게 투표했어. 그의 취미의 날 아이디어가 좋았거든. 그거 어때?
B: 사실, 나도 마음에 들었어. 취미의 날은 좋은 생각이야.
A: 그럼, James에게 취미의 날을 하자고 말하는 게 어때?
B: 안 될 것 없지. 분명히 그도 좋아할 거야.

해설 B가 후보였던 Eugene의 취미의 날 아이디어가 자신도 좋았다고 말하자 A는 학급 회장으로 뽑힌 James에게 취미의 날을 갖자고 제안하는 것이 어떠냐고 묻는다. 이에 대한 B의 응답으로는 James도 그 제안을 좋아할 것이라고 대답하는 것이 자연스럽다.

7. Read the dialogue and fill in the blanks.

대화를 읽고 빈칸을 채워 봅시다.

A: You look tired. Did you go to bed late last night?
B: No, I'm just really hungry.
A: Hungry? John, you skipped breakfast, didn't you?
B: ______ⓑ______
A: But, John, people who skip breakfast tend to gain weight instead of losing it.
B: Really? Are you sure?
A: Trust me. If you skip breakfast, you end up eating more for lunch and dinner.
B: ______ⓐ______

ⓐ I think you're right. I'll think again about skipping breakfast.
네 말이 맞는 거 같아. 아침 거르는 것에 관해 다시 생각해 볼게.
ⓑ Yeah. I've skipped it for the past two weeks to lose weight.
그래. 지난 2주 동안 체중을 줄이기 위해 아침을 걸렀어.

해석

A: 너 피곤해 보여. 어젯밤 늦게 잤니?
B: 아니, 정말 배가 고플 뿐이야.
A: 배고파? John, 너 아침을 걸렀지, 그렇지 않니?
B: 안 먹었어. 지난 2주 동안 체중을 줄이기 위해 아침을 걸렀어.
A: 하지만, John, 아침을 거르는 사람들은 체중이 주는 게 아니라 느는 경향이 있어.
B: 정말? 확실해?
A: 내 말을 믿어. 아침을 거르면 결국 점심과 저녁을 더 먹게 돼.
B: 네 말이 맞는 거 같아. 아침 거르는 것에 관해 다시 생각해 볼게.

해설 첫 번째 빈칸에는 아침을 먹지 않았는지 확인하는 물음에 대한 대답으로 살을 빼기 위해 2주간 아침을 걸렀다고 말하는 ⓑ가 적절하다. 두 번째 빈칸에는 아침을 거르면 점심과 저녁을 더 먹게 된다는 새로운 사실에 대해서 아침 거르는 것을 다시 생각해 보겠다는 ⓐ가 적절하다.

[8~9] Choose the one that is grammatically correct.

문법적으로 적절한 것을 골라 봅시다.

8. When I was 10 years old, I went on a road trip with my family. Never [I expected / did I expect] that it would be one of the most valuable experiences in my life.

해석

열 살 때, 나는 가족과 자동차 여행을 갔었다. 그것이 나의 인생에서 가장 가치 있는 경험 중의 하나가 될 거라는 것을 결코 예상하지 않았다.

해설 부정어가 문장 앞에 오면 「부정어+조동사+주어+동사원형」의 어순으로 주어와 동사의 도치가 일어난다.

9. There are times when we appreciate the power of silence. Sometimes being in silence is as [an important / important a] time as being around others.

해석

우리는 침묵의 힘에 대해 감사를 표할 때이다. 때때로 침묵하는 것은 다른 사람에 둘러싸여 있는 것만큼 중요하다.

해설 같거나 비슷한 것을 비교할 때는 「as ... as」 구문을 쓰는데 as와 as 사이에 명사가 올 때는 「as+형용사+관사+명사+as」의 어순으로 쓴다.

10. Choose the one that is NOT grammatically correct.
문법적으로 적절하지 않은 것을 골라 봅시다.

> Without water, how ① would your life change? Indeed, the most essential things in life, like water and air, ② appear easy to get. This may be ③ why we often forget that they are the very things that some people ④ desperately struggle to have. Look around and find out the most important things in your life. Without them, your life ⑤ was completely different than now.

해석

물이 없다면, 여러분의 삶은 어떻게 변할까요? 사실 물이나 공기처럼 삶에서 가장 중요한 것들은 얻기 쉬워 보입니다. 이것이 바로 그것들이 어떤 사람들은 간절하게 원하는 것이라는 걸 우리가 자주 잊어버리는 이유일지 모릅니다. 주위를 둘러보고 여러분의 인생에서 가장 중요한 것을 찾아보세요. 그것들이 없다면, 여러분의 인생은 지금과는 완전히 다를 것입니다.

해설 ⑤ Without them은 If it were not for them과 같은 의미로 '그것들이 없다면'이라는 뜻의 가정법 과거 구문이다. 그러므로 일어날 확률이 적은 가정을 나타내기 위해서는 would be가 적절하다.

[11~12] Choose the right word for each blank from the box.
빈칸에 적절한 단어를 아래 상자에서 골라 봅시다.

council	overcome	resemble	dedicate
위원회	극복하다	닮다	바치다

11. He managed to <u>overcome</u> all difficulties in his path to the top.

해석

그는 정상으로 가는 그의 경로의 모든 어려움을 극복해 냈다.

해설 overcome ⓢ 극복하다

12. Food artists <u>dedicate</u> their time to turning edibles into visuals.

해석

음식 예술가들은 그들의 시간을 먹을 수 있는 것들을 시각적인 것들로 바꾸는 데 헌신한다.

해설 dedicate ⓢ (시간, 생애 등을) 바치다

13. Choose the word that is inappropriate in the text.
글에서 적절하지 않은 단어를 골라 봅시다.

> Like many schools in Bangladesh, Khadija's school used to lack bathrooms with running water. Hence, many boys and girls would relieve ① themselves in the fields close to school, which was quite ② satisfying. They also needed a friend to stand ③ guard so that no one would watch them. Therefore, to avoid this trouble, Khadija started walking to houses ④ nearby school and asking the ⑤ residents if she could use their bathroom.

해석

방글라데시에 있는 많은 학교처럼, Khadija의 학교도 수돗물이 나오는 화장실이 부족했다. 그래서 많은 남학생과 여학생은 학교 근처의 들판으로 가서 볼일을 보았는데, 그것은 꽤 난처한 일이었다. 그들은 또한 아무도 그들을 보지 못하도록 망을 봐 줄 친구가 필요했다. 그래서 이 문제를 피하기 위해 Khadija는 학교 근처에 있는 가정집까지 걸어가서 집 주인들에게 그 집에 있는 화장실을 써도 되는지 물어보기 시작했다.

해설 ② 수돗물이 나오지 않아서 밖에서 볼일을 봐야 하는 것은 만족스러운 일일 수 없다. 다음 문장에서도 밖에서 볼일을 보는 것의 어려움을 서술하고 있으므로 satisfying 대신에 embarrassing이 적절하다.

[14~15] Read the passage and answer the questions.
글을 읽고 질문에 답해 봅시다.

> Hadjara, a 10-year-old girl, spends much of her time walking and waiting for water. She gets up early four days a week to go collect water for her family. (ⓐ) One day, Hadjara set out before dawn for a nearby spring, which is the closest water source to her home. (ⓑ) Getting there involves a dangerous climb down a 700-foot cliff. (ⓒ) She skipped breakfast, thinking she could arrive at the spring before most of the others and have a shorter wait. (ⓓ) Even though she waited all day to fill up her pots, she felt lucky that day because she actually got some water. (ⓔ) Sometimes the line is too long to get water and she has to walk six more hours to the next closest water source.

해석

10살 소녀인 Hadjara는 물을 길러 걸어가고 기다리는 데 많은 시간을 쓴다. 그녀는 일주일에 4일 일찍 일어나 가족을 위해 물을 길러 간다. 어느 날, Hadjara는 새벽이 오기도 전에 그녀의 집에서 가장 가까운 수원지인 근처의 샘을 향해 길을 떠났다. 그곳으로 가는 과정에는 700피트의 위험한 절벽을 내려가는 길도 포함되어 있다. 그녀는 다른 사람들보다 더 빨리 그곳에 도착해서 덜 기다리려고 아침을 굶었다. 그러나 샘에 도착하자마자, 그녀는 많은 다른 사람들도 새벽이 오기 전에 집을 나섰다는 것을 깨달았다. 자신의 항아리를 채우기 위해 하루 종일 기다렸지만, Khadija는 물을 실제로 조금 얻을 수 있어서 다행이라고 생각했다. 때때로 줄이 너무 길어서 물을 얻을 수 없어서 그녀는 다음으로 가장 가까운 수원지까지 여섯 시간을 더 걸어가야 한다.

14. **Which statement is NOT true?**
다음 중 사실이 아닌 것은?

① Hadjara is a 10-year-old girl.
Hadjara는 10살 소녀이다.
② It's difficult for Hadjara to get to the spring.
Hadjara가 샘까지 가는 것은 어렵다.
③ Hadjara goes to get water four days a week.
Hadjara는 일주일에 4일 물을 길러 간다.
④ Hadjara feels lucky when she is able to get water.
Hadjara는 물을 얻을 수 있을 때 다행이라고 느낀다.
✓⑤ It takes Hadjara five hours to walk to the spring.
Hadjara가 샘까지 가는 데에는 5시간이 걸린다.

해설 Hadjara가 가장 가까운 우물에 가는 데 걸리는 시간은 언급되지 않았다. 대신 다음 우물까지 가려면 여섯 시간을 더 걸어야 한다고 언급했다.

15. **Where is the best place for the given sentence?**
다음 문장이 들어가기에 가장 적절한 곳은?

> Upon reaching the spring, however, she found out that many others had left before dawn, too.
> 그러나 샘에 도착하자마자, 그녀는 많은 다른 사람들도 새벽이 오기 전에 집을 나섰다는 걸 깨달았다.

① ⓐ ② ⓑ ③ ⓒ ✓④ ⓓ ⑤ ⓔ

해설 Hadjara가 먼저 샘에 도착하기 위해 아침을 굶었다는 내용 다음에 들어가는 것이 자연스럽다.

[16~17] **Read the passage and answer the questions.**
글을 읽고 질문에 답해 봅시다.

> Art has featured food for thousands of years. In fact, you may have made art featuring food as the subject in art class. You have drawn or painted a bowl of fruit, haven't you?
> Some brave souls have taken the step from painting pictures of fruit to making art out of the fruit itself. For example, there's a video of an artist turning a watermelon into a rose on the Internet. Of course, vegetables, pasta, and many other types of food can be made into art, too. It's simply amazing what people can make out of __________ things.

해석
예술은 수천 년 동안 음식을 크게 다뤄 왔다. 사실, 여러분은 미술 시간에 음식을 주제로 하는 예술 작품을 만들어 봤을 것이다. 여러분은 과일 그릇을 그려 보거나 색칠해 본 적이 있다, 그렇지 않은가?
몇몇 용감한 이들은 과일의 그림을 그리는 것에서 과일 그 자체에서 예술을 만드는 것까지 발전을 이뤄 냈다. 예를 들어, 인터넷에는 수박을 장미로 바꿔 놓는 예술가의 영상이 있다. 물론, 채소와 파스타, 그리고 다른 많은 종류의 음식들도 예술로 만들어질 수 있다. 먹을 수 있는 것으로부터 사람들이 무엇을 만들어 낼 수 있는지가 그저 놀랍기만 하다.

16. **Choose the words that complete the summary of the passage.**
요약문을 완성하기에 적절한 단어를 골라 봅시다.

> Food has long been a(n) ____(A)____ of art, but now some artists make art ____(B)____ the food itself.
> 음식은 오랫동안 예술의 대상이었지만, 이제는 몇몇 예술가들이 음식 자체를 이용해 예술품을 만든다.

	(A)		(B)
①	center 중심	–	seeing 보는
②	center 중심	–	using 사용하는
✓③	object 대상	–	using 사용하는
④	object 대상	–	seeing 보는
⑤	example 예	–	seeing 보는

해설 음식은 오랫동안 예술의 대상이었지만, 몇몇 용감한 예술가들은 음식을 이용해 예술품을 만든다는 내용의 글이다.

17. Choose the word that best fits in the blank.

빈칸에 들어가기에 가장 적절한 단어를 골라 봅시다.

① used 사용된 ② visible 볼 수 있는
✓③ edible 먹을 수 있는 ④ basic 기본의
⑤ everyday 매일의

해설 음식을 이용해서 예술을 하는 것에 관한 내용이므로 '먹을 수 있는'이라는 뜻의 edible이 적절하다.

[18~20] Read the passage and answer the questions.

글을 읽고 질문에 답해 봅시다.

I wondered how I could win the election, so I asked my older sister for help. When she was in high school, she was elected class president a couple of times. She stressed that I should focus on my speech. ____(A)____ she was good at giving speeches, but I trusted her. She gave me some useful tips.

Tip 1 Concentrate on your classmates' needs, not yours. Choose two or three main problems. Then, offer reasonable ways to solve them.

Tip 2 ____(B)____ Use short sentences and phrases such as 'As your class president ...' and 'My goal is ... .'

Tip 3 Practice using effective body language and eye contact. Using appropriate body language really ____(C)____ your message. Also, maintaining eye contact with the students ____(D)____ them to feel you're trustworthy.

해석

나는 어떻게 하면 선거에서 당선될 수 있을지 궁금해서 누나에게 도움을 청했다. 누나는 고등학교 다닐 때 몇 번 학급 회장으로 뽑힌 적이 있었다. 누나는 나에게 연설에 집중해야 한다고 강조했다. 누나가 연설을 잘하는지 나는 잘 몰랐지만, 누나를 믿었다. 누나는 나에게 몇 가지 유용한 팁을 알려 주었다.

팁1 네가 원하는 것이 아닌 너의 학급 친구들이 원하는 것에 집중해. 두세 가지의 주요 문제를 골라. 그러고 나서, 문제들을 해결할 수 있는 합리적인 방법을 제시해.

팁2 너의 의견을 명확하게 전달해. '여러분의 학급 회장으로서', '제 공약은'과 같은 짧은 문장과 어구를 사용해.

팁3 잠시 멈추기를 사용해. 특히 너의 말 중 가장 중요한 부분을 이야기하기 전에 잠시 멈춰. 잠시 멈추는 것은 학급 친구들이 너의 말을 더 주의 깊게 따라오도록 도와줘.

팁4 효과적인 몸짓과 눈 맞춤을 연습해. 적절한 몸짓을 사용하는 것은 너의 메시지를 정말로 강력하게 만들어 줘. 또한, 학생들과 눈 맞춤을 유지하는 것은 그들이 네가 매우 신뢰 있는 사람이라고 느끼게 해 줘.

18. Arrange the given words to fill in the blank (A).

주어진 단어들을 바르게 배열하여 빈칸 (A)를 완성하시오.

that, I, know, little, did

Little did I know that

해설 부정어가 문장의 앞에 쓰일 때는 주어와 동사가 도치된다. 문장의 동사가 일반동사일 때 「부정어+조동사(do, does, did)+주어+동사원형」의 어순이 된다.

19. Choose the appropriate sentence for the blank (B).

빈칸 (B)에 들어갈 적절한 문장을 골라 봅시다

① Stand up straight. 똑바로 서라.
② Practice in advance. 미리 연습해라.
③ Calm down and relax. 진정하고 긴장을 풀어라.
④ Don't read your speech. 연설문을 읽지 마라.
✓⑤ Keep your messages clear. 너의 의견을 명확하게 해라.

해설 빈칸 다음에서 짧고 명확한 표현을 사용하라고 했으므로, 명확한 내용 전달과 관련된 표현이 들어가야 한다.

20. Fill in the blanks (C) and (D) using the appropriate form of the given words.

주어진 단어를 적절한 형태로 바꿔 빈칸 (C)와 (D)를 완성해 봅시다.

strengthen 강화하다 enable 가능하게 하다

(C) strengthens (D) enables

해설 문맥상 (C)에는 '~을 강화하다'라는 뜻의 동사가 필요하고, (D)에는 '~을 가능하게 하다'라는 뜻의 동사가 필요하다. Using과 maintaining이 문장의 주어이다. 동명사가 문장의 주어로 쓰일 때는 단수 취급하므로 수 일치시켜 단수 동사를 써야 한다.

LESSON 4

Think like a Scientist

Check what you already know.

알고 있는 것에 표시해 봅시다.

- ☐ Did you know that he would become a scientist? 그가 과학자가 될 거라는 것을 알고 있었니?
- ☐ That's surprising! 놀랍구나!

- ☐ I will stay home **if** it rains. 비가 온다면, 나는 집에 있을 것이다.
- ☐ I **use SNSs** a lot. By **using SNSs**, I can communicate with many friends online. 나는 SNS를 많이 사용한다. SNS를 이용하여, 나는 많은 친구와 온라인상에서 소통할 수 있다.

Think Ahead **What are qualities of a good scientist?** 좋은 과학자의 자질에는 무엇이 있나요?

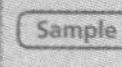 Good scientists should be curious, accurate at observing and honest.
좋은 과학자는 호기심이 많고 관찰하는 데 정확해야 하며 정직해야 한다.

In this lesson, I will ... 이 단원에서, 나는 …

Listening & Speaking	Reading	Writing	Culture
• learn to ask others whether they know something. 다른 사람들이 알고 있는지를 묻는 것을 배울 것이다. • learn to express surprise at something. 놀람을 표현하는 것을 배울 것이다.	• read about how scientists think in their daily lives. 일상생활에서 과학자들이 생각하는 방식에 관해 읽을 것이다.	• write tips for taking pictures with a phone camera. 휴대 전화 카메라로 사진 찍을 때의 팁에 관해 쓸 것이다.	• learn about various brain games around the world. 전 세계의 다양한 두뇌 게임에 관해 배울 것이다.

Key Expressions

- Are you aware that ...? ~을 알고 있니?
- I'm surprised ... . ~하다니 놀랍다.
- It's a good idea to consider alternatives **in case** it turns out to be incorrect. 그것이 틀린 것으로 밝혀질 경우를 대비하여, 다른 대안들을 생각해 두는 것이 좋은 생각이다.
- In **doing so**, you use many of the same skills ... . 그렇게 할 때, 여러분은 ~같은 기술 중 많은 것을 사용한다.

Starting Out

교과서 pp.80~81

Fill in the blanks with the same word and talk about the message of each quote. 같은 단어로 빈칸들을 채우고 각 인용구가 주는 메시지에 관해 이야기해 봅시다.

Carl Sagan

Science is a way of thinking much more than it is a body of knowledge.

과학은 지식 체계 이상의 사고방식입니다.

저는 과학은 위대한 아름다움이 있다고 생각하는 사람 중의 한 명입니다.

I am among those who think that science has great beauty.

Marie Curie

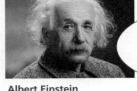

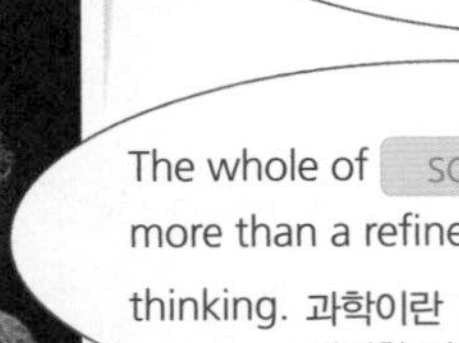

Albert Einstein

The whole of science is nothing more than a refinement of everyday thinking. 과학이란 일상에서 하는 생각을 개선한 것에 불과합니다.

s c i e n c e

Listen and choose what the speaker thinks about scientists.
듣고 화자가 과학자에 관해서 생각하는 것을 골라 봅시다.

ⓐ They are uniquely smart and special. 그들은 특출나게 똑똑하고 특별하다.

✓ⓑ They are not different from normal people. 그들은 보통의 사람과 다를 바 없다.

ⓒ They think and act in a unique way. 그들은 독특한 방식으로 사고하고 행동한다.

Script

W: When you think of a scientist, what type of person do you think of? When I tell others I'm a scientist, they say that I must be really smart. They seem to believe that as a scientist, I am completely different from others, thinking and acting in a unique way. But that is not true. I'm just curious about the world and try to understand why things happen. Also, everyone uses the same scientific thinking skills I use for my job in their everyday life. So please don't think that scientists are more special than anyone else. In their personal lives, they are the same as everybody else.

해석

여: 여러분이 과학자에 관해서 생각할 때, 어떤 종류의 사람을 생각하는가? 내가 과학자라고 다른 사람들에게 말하면, 그들은 내가 정말 똑똑함에 틀림없다고 말한다. 그들은 과학자로서 내가 독특하게 생각하고 행동하며 다른 사람들과 완전히 다르다고 믿는 거 같다. 그러나 그것은 사실이 아니다. 나는 단지 세상에 관해 호기심이 있고 일들이 왜 일어나는지 이해하려고 할 뿐이다. 또한, 모든 사람은 일상생활에서 내 직업을 위해 내가 사용하는 것과 같은 과학적 사고 기술들을 사용한다. 그러니 과학자들이 다른 사람보다 더 특별하다고 생각하지 마라. 개인 생활에서 과학자들은 다른 모든 사람과 같다.

| 구문 해설 |

- I'm just curious about the world and try to understand **why** things happen.: 이유를 나타내는 관계부사 why 앞에 the reason이 생략되어 있다.

어구

quote ⓝ 인용구

refinement ⓝ 개선, 정련

- To make a commercially successful product, your device required further ***refinement***. (상업적으로 성공한 제품을 만들려면 당신의 기기는 더 많은 개선이 필요합니다.)

Carl Sagan 미국의 천문학자, 천체 화학자이자 작가

어구

unique ⓐ 독특한

힌트

과학자들도 다른 모든 사람과 같다고 이야기하고 있다.

Hangeul is considered one of the most scientific writing systems in the world. Let's read the conversation below and think about how King Sejong created Hangeul.

S: ❶ Ms. Lee, I heard that Hangeul is very easy to learn.

T: ❷ That's correct. ❸ King Sejong wanted everyone to learn Hangeul easily. (want+목적어+목적격 보어(to부정사)) ❹ First, he made five basic letters: ㄱ, ㄴ, ㅁ, ㅅ, and ㅇ. ❺ Then, other letters were made by adding an extra stroke onto those basic five letters. ❻ For example, ㅋ and ㄲ were made from ㄱ. ❼ Therefore, once you know (일단 ~하면) the first five letters, you can easily learn the rest.

S: ❽ That's amazing. ❾ King Sejong was a great inventor!

T: ❿ Yes, he was. ⓫ Indeed, Hangeul was the result of his scientific thinking.

S: ⓬ I also heard that the shapes of Hangeul letters are very unique.

T: ⓭ You are right. ⓮ The shapes of Hangeul letters are based on the shapes of the body parts that (주격 관계대명사) produce the sounds of the letters. ⓯ And this (앞 문장의 내용 지칭) was possible through his close observation of how people make sounds.

S: ⓰ Can you tell me an example?

T: ⓱ For example, ㄱ is the shape of the tongue when people make the ㄱ sound, and ㅇ is the shape of the throat when people make the ㅇ sound. ⓲ It is easy to memorize Hangeul letters because they are closely related to (~와 연관되다) their sounds.

S: ⓳ I see. ⓴ That's so interesting. ㉑ Now I understand why almost all Korean people can read and write.

해석

한글은 세계에서 가장 과학적인 문자 체계 중 하나로 여겨진다. 아래의 대화를 읽고 세종대왕이 어떻게 한글을 창조했는지에 관해 생각해 봅시다.

S: ❶ 이 선생님, 저는 한글이 배우기 아주 쉽다고 들었어요.

T: ❷ 맞아. ❸ 세종대왕께서는 모든 사람이 한글을 쉽게 배우길 원하셨지. ❹ 우선, 그분은 기본 ㄱ, ㄴ, ㅁ, ㅅ, 그리고 ㅇ, 다섯 개의 기본 글자를 만드셨어. ❺ 그러고 나서, 다른 글자들은 이 기본 다섯 글자에 획을 추가해서 만들어졌어. ❻ 예를 들어, ㅋ과 ㄲ은 ㄱ에서 만들어졌지. ❼ 그래서 일단 처음에 기본 다섯 글자를 배우면, 나머지는 쉽게 배울 수 있어.

S: ❽ 놀랍네요. ❾ 세종대왕은 대단한 발명가이셨네요!

T: ❿ 맞아, 그러셨지. ⓫ 정말로 한글은 그분의 과학적 사고의 결과였단다.

S: ⓬ 한글의 모양이 아주 독특하다는 것도 들었어요.

T: ⓭ 네 말이 맞아. ⓮ 한글 글자들의 모양은 그 문자들을 소리 내는 신체 기관의 모양을 기초로 하고 있어. ⓯ 그리고 이것은 세종대왕께서 어떻게 사람들이 소리를 내는지 자세히 관찰하셨기 때문에 가능했지.

S: ⓰ 예를 들어 주실 수 있을까요?

T: ⓱ 예를 들어서 ㄱ은 사람들이 ㄱ 소리를 낼 때의 혀의 모양이고, ㅇ은 사람들이 ㅇ 소리를 낼 때의 목구멍의 모양이지. ⓲ 한글 글자들이 소리와 아주 밀접하게 연관되어 있기 때문에 한글 글자들을 기억하기 쉬워.

S: ⓳ 알겠어요. ⓴ 아주 흥미롭네요. ㉑ 이제 왜 거의 모든 한국 사람들이 읽고 쓸 수 있는지 그 이유를 알겠어요.

| 구문 해설 |

⓯ And this was possible through his close observation **of how people make sounds.**: how people make sounds는 전치사 of의 목적어이다. how절은 명사절이므로 문장에서 주어나 목적어로 쓰일 수 있다.

⓲ **It** is easy **to memorize Hangeul letters** … .: It은 가주어, to memorize Hangeul letters가 진주어이다.

◎ **Why can almost all Korean people read and write?**
왜 대부분의 한국 사람들이 글을 읽고 쓸 수 있는가?
It's because King Sejong made Hangeul easy to learn.
세종대왕이 한글을 배우기 쉽게 만들었기 때문이다.

어구

correct ⓗ 옳은

stroke ⓜ 한 획
- The letter T is composed of a ***stroke*** moving from the top downwards vertically and the bar, which is the horizontal ***stroke*** from left to right. (글자 T는 위에서 아래로 수직으로 움직이는 한 획과 왼쪽에서 오른쪽으로 움직이는 수평의 획으로 구성되어 있다.)

inventor ⓜ 발명가

observation ⓜ 관찰

relate ⓢ 연관시키다
- His problem seems to be ***related*** to his family. (그의 문제는 그의 가족과 연관된 것처럼 보인다.)

Listen & Speak 1

교과서 p.82

A Listen and choose what humans share 90% of DNA with.

듣고 무엇이 인간과 90%의 DNA를 공유하고 있는지 골라 봅시다.

ⓐ 

ⓑ 

✓ ⓒ 

Don't miss when you listen.

- Are you aware that ...? ~을 알고 있니?
- That sounds interesting. 그거 재미있네.

Script

M: Are you aware that humans share a large amount of DNA with cats?
W: Really? Tell me more about that.
M: Scientists say that we share 90% of our DNA with cats.
W: Wow, that sounds interesting.

해석

남: 인간이 고양이와 DNA를 많이 공유한다는 것을 아니?
여: 정말? 더 알려 줘.
남: 우리가 고양이와 90%의 DNA를 공유하고 있다고 과학자들이 말해.
여: 와, 그거 재미있네.

| 구문 해설 |

- **Are you aware that** humans share a large amount of DNA with cats?: Are you aware that ...?은 알고 있는지를 물을 때 쓰는 표현이다. Are you aware ...? 대신에 Do you know ...?/Have you heard about ...? 등의 표현을 쓸 수 있다. 이때 that은 명사절 접속사로 뒤에 완전한 문장이 나온다.

어구

share ⓓ 공유하다
a large amount of 많은 양의 ~

B Listen again and complete the dialogue. 다시 듣고 대화를 완성해 봅시다.

A Are you aware that humans share a large amount of DNA with cats?
B Really? Tell me more about that.
A Scientists say that we share 90% of our DNA with cats.
B Wow, that sounds interesting.

◎ Now, practice the dialogue with your partner. 이제, 짝과 대화를 연습해 봅시다.

1 

drinking green tea is good for your health / drinking green tea every day is good for heart and brain health
녹차를 마시는 것이 건강에 좋다 / 매일 녹차를 마시는 것이 심장과 두뇌 건강에 좋다

2 

people won't have to be stuck in traffic in the future / personal flying cars will be available in the future
미래에는 사람들이 교통 체증 속에 갇힐 필요가 없다 / 미래에는 개인용 하늘을 나는 차들이 이용 가능할 것이다

3 

On Your Own

어구

stuck ⓗ 움직일 수 없는, 꼼짝 못 하는
- You have something ***stuck*** between your teeth. (너의 이 사이에 무언가 꼈다.)

available ⓗ 이용 가능한
- This treatment could be ***available*** in five years. (이 치료법은 5년 이내에 이용 가능할 것이다.)

예시 대화

A: Are you aware that drinking green tea is good for your health?
B: Really? Tell me more about that.
A: Scientists say that drinking green tea every day is good for heart and brain health.
B: Wow, that sounds interesting.

해석

A: 녹차를 마시는 것이 건강에 좋다는 것을 아니?
B: 정말? 더 알려 줘.
A: 매일 녹차를 마시면 심장과 두뇌 건강에 좋다고 과학자들이 말해.
B: 와, 그거 재미있네.

C Listen and choose the most painful body part to get stung by a bee.

듣고 벌에 쏘였을 때 가장 아픈 신체 부위를 골라 봅시다.

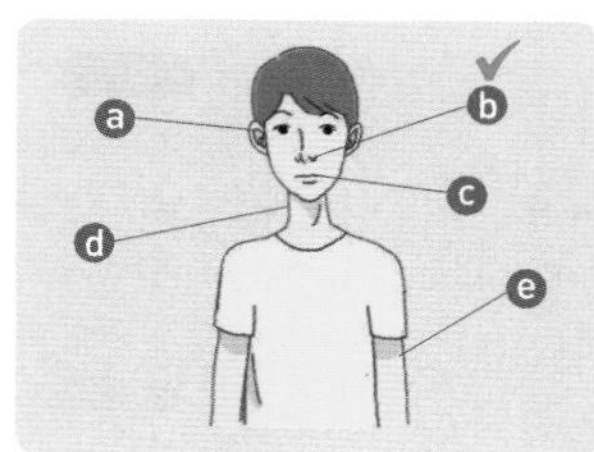

Script

M: Are you aware that your nostrils are the most painful parts on your body to get stung by a bee?
W: No, I'm not. How do you know that?
M: Recently, I read about a scientist who proved it by using himself as the subject.
W: How did he do that?
M: He had bees sting him about 200 times.
W: 200 times? That sounds horrible.
M: Indeed! And he made a pain scale and found out that the nostrils are the most painful parts of the body to get stung.
W: No pain, no gain!

해석

남: 벌에게 쏘일 때 콧구멍이 신체에서 가장 아픈 곳이라는 걸 아니?
여: 아니. 그걸 어떻게 아니?
남: 최근에 피실험자로 자기 몸을 실험해서 그것을 증명한 과학자에 관해 읽었어.
여: 그는 어떻게 증명했어?
남: 그는 벌이 자신을 200번 정도 쏘게 했어.
여: 200번이나? 그거 무서운데.
남: 정말이야! 그리고 고통 척도를 만들었고 벌에게 쏘인 신체 부위 중 콧구멍이 가장 아픈 곳이라는 것을 발견했어.
여: 고생 끝에 낙이 온 거네!

| 구문 해설 |

• Recently, I read about a scientist **who** proved **it** by using **himself** as the subject.: who는 주격 관계대명사이다. it은 벌에게 쏘일 때 콧구멍이 신체에서 가장 아픈 곳이라는 앞서 나왔던 사실을 가리킨다. 관계대명사 문장의 주어와 use의 목적어가 같은 대상이므로 재귀대명사가 목적어로 쓰였다.

Dictation 161쪽으로 가서 다시 듣고 빈칸을 채워 봅시다. Go to page 161. Listen again and fill in the blanks.

M: Are you __aware__ that your nostrils are the most painful parts on your body to get __stung__ by a bee?
W: No, I'm not. How do you know that?
M: __Recently__, I read about a scientist who __proved__ it by using himself as the subject.
W: How did he do that?
M: He had bees sting him about 200 times.
W: 200 times? That sounds __horrible__.
M: Indeed! And he made a pain __scale__ and found out that the nostrils are the most painful parts of the body to get stung.
W: No pain, no gain!

어구

nostril 명 콧구멍
sting 동 찌르다
• **Be careful! Some fish might *sting* you.** (조심해! 어떤 물고기들은 너를 찌를 수도 있어.)
recently 부 최근에
prove 동 증명하다
• **Everything that was discussed during the meeting has *proved* true.** (회의 동안 논의되었던 모든 것들이 사실로 밝혀졌다.)
subject 명 피실험자
horrible 형 끔찍한
scale 명 (측정·평가의) 척도, 기준

힌트

대화의 앞부분과 끝부분을 주의해서 듣는다.

Listen & Speak 2

교과서 p.83

A Listen and choose what the man did yesterday.

듣고 남자가 어제 무엇을 했는지 골라 봅시다.

✓ ⓐ 

ⓑ 

ⓒ 

Don't miss when you listen.

- I'm surprised ... .
  ~하다니 놀랍구나.
- I guess we have the same tastes.
  우리는 기호가 같네.

Script

W: What did you do yesterday?
M: I read *Fahrenheit 451*, the SF novel.
W: I'm surprised you read that book! That's my favorite!
M: I guess we have the same tastes.

해석

여: 너 어제 뭐 했니?
남: 나는 SF 소설 '화씨 451'을 읽었어.
여: 네가 그 책을 읽었다니 놀랍구나! 그건 내가 가장 좋아하는 거야!
남: 우리는 기호가 같네.

| 구문 해설 |

- **I'm surprised** you read that book!: surprised 다음에 that이 생략되어 있다. that 다음에는 놀라움을 느끼는 대상이나 사건이 나온다. 유사한 표현으로 That's surprising! / I can't believe it! 등이 있다.

어구

Fahrenheit ⓜ 화씨
- **The boiling point of water in *Fahrenheit* is 212 degrees.** (화씨로 물이 끓는 온도는 212도이다.)

힌트

남자는 SF 소설을 읽었다고 말하고 있다.

B Listen again and complete the dialogue. 다시 듣고 대화를 완성해 봅시다.

A What did you do yesterday?
B ___I read *Fahrenheit 451*, the SF novel___.
A I'm surprised you ___read that book___! That's my favorite!
B I guess we have the same tastes.

◎ **Now, practice the dialogue with your partner.** 이제, 짝과 대화를 연습해 봅시다.

1 

I watched the comedy movie *The Parent Trap* / watched that movie
나는 코미디 영화인 *The Parent Trap*을 봤다 / 그 영화를 보았다

2 

I played *Super Potato*, an old video game with my brother / played the game
나는 남동생과 오래된 비디오 게임인 *Super Potato*를 했다 / 그 게임을 했다

3 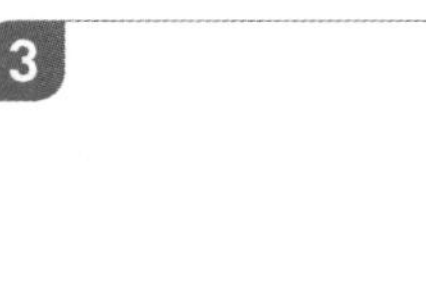

On Your Own

예시 대화

A: What did you do yesterday?
B: I played *Super Potato*, an old video game with my brother.
A: I'm surprised you played the game! That's my favorite!
B: I guess we have the same taste.

해석

A: 너 언제 뭐 했니?
B: 나는 남동생과 오래된 게임인 *Super Potato*를 했어.
A: 네가 그 게임을 했다니 놀랍구나! 그건 내가 가장 좋아하는 거야.
B: 우리는 기호가 같네.

C Listen to the dialogue and decide whether each sentence is true or false. 대화를 듣고 각각의 문장이 사실인지 거짓인지 밝혀 봅시다.

ⓐ Jinny bought her shorts at an expensive price yesterday. T ☐ F ☑
Jinny는 어제 비싼 가격에 반바지를 샀다.

ⓑ Jinny thinks shopping around on the Internet is important when shopping. T ☑ F ☐
Jinny는 쇼핑할 때 온라인으로 상품을 조사하는 것이 중요하다고 생각한다.

ⓒ Jinny thinks that comparing prices online takes a lot of time. T ☑ F ☐
Jinny는 온라인으로 가격을 비교하는 것은 시간이 많이 걸린다고 생각한다.

Script

M: Jinny, your skirt looks good on you. Is it new?
W: Yes. Thanks for noticing. I bought it yesterday at an amazing bargain.
M: I'm always surprised that you're able to find such nice clothes at cheap prices.
W: It takes effort though.
M: What do you mean by that?
W: I shop around on the Internet a lot before I buy things.
M: That's a good idea.
W: Yeah. Researching products and comparing prices online takes a lot of time, but it's worth it.

해석

남: Jinny, 네 치마가 잘 어울려. 새것이니?
여: 응. 알아봐 줘서 고마워. 어제 아주 싼 가격으로 샀어.
남: 네가 그런 멋진 옷을 싼 가격으로 찾아낼 수 있는 거에 나는 항상 놀라.
여: 그렇지만 노력이 들어.
남: 그게 무슨 말이야?
여: 나는 물건을 사기 전에 인터넷에서 많이 둘러 봐.
남: 좋은 생각이다.
여: 그래. 온라인으로 상품을 조사하고 가격을 비교하는 것은 많은 시간이 들지만, 그럴 가치가 있어.

어구

notice ⓢ 알아차리다
bargain ⓜ 싼 가격
- **Strawberryies are a *bargain* at the supermarket this week.** (이번 주에 슈퍼마켓에서 딸기를 싼 가격에 판다.)

effort ⓜ 노력
research ⓢ 조사하다, 검색하다
compare ⓢ 비교하다
take time 시간이 들다
worth ⓗ ~할 가치가 있는
- **Look around the house and see if it might be *worth* buying.** (집을 둘러보고 살 만한 가치가 있는지 봐라.)

힌트

Jinny는 온라인에서 상품을 둘러보고 싼 가격에 치마를 샀다.

| 구문 해설 |

- **Researching** products and **comparing** prices online **takes** a lot of time, but it's worth it.: 두 개의 동명사구가 병렬로 연결되어 주어로 쓰이고 있는데, 동명사 주어는 단수 취급을 한다. worth는 '~할 가치가 있는'이라는 뜻의 형용사로 그 대상이 형용사 바로 다음에 나온다. 같은 뜻을 지닌 형용사에 worthy도 있는데 worthy는 그 대상이 나올 때 **be worthy of**의 형태로 전치사 **of**를 쓴다.

Dictation 161쪽으로 가서 다시 듣고 빈칸을 채워 봅시다.
Go to page 161. Listen again and fill in the blanks.

M: Jinny, your skirt looks good on you. Is it new?
W: Yes. Thanks for __noticing__. I bought it yesterday at an amazing __bargain__.
M: I'm always __surprised__ that you're able to find such nice clothes at cheap prices.
W: It takes __effort__ though.
M: What do you mean by that?
W: I shop around on the Internet a lot before I buy things.
M: That's a good idea.
W: Yeah. __Researching__ products and __comparing__ prices online takes a lot of time, but it's worth it.

Real-life Project

교과서 pp.84~85

과학 스토리보드 만들기 **Making a Science Storyboard**

Step 1 **Listen and fill in the blanks in the lecture notes below.**
듣고 아래 강의 노트의 빈칸을 채워 봅시다.

You might think dogs don't ___sweat___ because you've never seen a dog's hair wet except when ___getting a bath___. However, the truth is that dogs sweat ___through their paws___. That's why a salty smell comes from ___their paws___.
여러분은 개의 털이 목욕할 때 말고는 젖은 것을 본 적이 없기 때문에 개가 땀을 흘리지 않는다고 생각할 수도 있습니다. 하지만 사실 개들은 그들의 발을 통해 땀을 흘립니다. 그래서 개들의 발에서 짠 냄새가 나는 것입니다.

The next animal is the bull. The belief that bulls get enraged by ___the color red___ originated in bullfighting. In fact, however, it is ___the swift motion___ of the red cloth that causes bulls to get upset. Bulls are actually ___color-blind___. That means they are incapable of seeing the difference between certain colors. 다음 동물은 황소입니다. 황소가 빨간색을 보면 격분한다는 믿음은 투우에서 유래했습니다. 하지만 사실 황소를 화나게 하는 것은 빨간 천의 빠른 움직임입니다. 황소는 사실은 색맹입니다. 이것은 황소가 색깔들의 차이를 볼 수 없다는 것을 의미합니다.

Script

M: Today, I will tell you some interesting facts about animals that you may not know. Let's start with our best friends, dogs. Do you think that dogs sweat in summer? You might not think so because you've never seen a dog's hair wet except when getting a bath. However, the truth is that dogs sweat, but they sweat through their paws, not through their skin. That's why a salty smell comes from dog paws. Isn't that interesting?
The next animal that we are going to look at is the bull. Do you know what enrages bulls? Many people think it's the color red. The belief that bulls get enraged by the color red originated in bullfighting. In fact, however, it is the swift motion of the red cloth that causes bulls to get upset. Studies suggest that bulls are actually color-blind. This means they are incapable of seeing the difference between certain colors.

Step 2 **Based on Step 1, complete the scenes in the science storyboard below for a role-play.**
Step 1에 근거하여 역할극을 위한 과학 스토리보드의 장면들을 완성해 봅시다.

- **Title:** Interesting Facts About Animals 제목: 동물들에 관한 흥미로운 사실들
- **The length of the role-play:** 5 minutes 역할극 길이: 5분
- **Roles:** An animal expert & a student 역할: 동물 전문가와 학생

Scene 1

A Today I'll tell you some interesting facts about animals. First of all, are you aware that ___dogs sweat___?

B Really? But I haven't seen ___my dog's hair wet except when I give her a bath___.

A That's because dogs sweat ___through their paws___, not through their skin.

해석 장면 1

A 오늘은 제가 여러분들에게 동물들과 관련된 몇 가지 흥미로운 사실들을 이야기해 드리겠습니다. 먼저, 개들이 땀을 흘린다는 것을 아나요?

B 정말요? 하지만 저는 개를 목욕시킬 때를 빼놓고는 털이 젖은 것을 본 적이 없어요.

A 그것은 개들은 피부가 아니라 발을 통해서 땀을 흘리기 때문이죠.

어구

sweat ⑧ 땀을 흘리다 ⑲ 땀

paw ⑲ (동물의) 발

salty ⑱ 짠

enrage ⑧ 격분하게 하다

originate ⑧ 기원하다, 유래하다
- Taekwondo *originated* in Korea. (태권도는 한국에서 유래했다.)

swift ⑱ 빠른
- We applauded such *swift* action by firefighters. (우리는 소방관들의 빠른 행동에 박수를 쳤다.)

color-blind ⑱ 색맹인

힌트

개는 피부가 아니라 발을 통해 땀을 흘리고, 황소는 빨간색에 격분하는 것이 아니라 빨간 천의 빠른 움직임에 격분하는 것이다.

해석

남: 오늘은 동물들에 관해 여러분이 모를 수도 있는 흥미로운 사실들에 관해 이야기하도록 하겠습니다. 우리의 가장 좋은 친구인 개부터 시작하죠. 여러분은 개가 여름에 땀을 흘린다고 생각하십니까? 아마도 그렇지 않다고 생각할 것입니다. 왜냐하면 여러분은 개의 털이 목욕할 때 말고는 젖은 것을 본 적이 없기 때문입니다. 하지만 사실은 개들은 그들의 피부를 통해서가 아니라 그들의 발을 통해서 땀을 흘립니다. 그래서 개들의 발에서 짠 냄새가 나는 것입니다. 흥미롭지 않나요?
다음 우리가 살펴볼 동물은 황소입니다. 황소를 격분시키는 것이 무엇인지 알고 있습니까? 많은 사람이 빨간색이 그렇다고 생각할 것입니다. 황소가 빨간색을 보면 격분한다는 믿음은 투우에서 기원했습니다. 하지만 사실 빨간 천의 빠른 움직임이 황소를 화나게 하는 것입니다. 연구에 따르면 황소는 사실 색맹이라고 합니다. 이것은 황소가 색들의 차이를 볼 수 없다는 것을 의미합니다.

B Oh, I see. That's why a salty smell comes from my dog's paws.

B 오, 알겠어요. 그래서 제 개의 발에서 짠 냄새가 나는거군요.

Scene 2

A The next animal is the bull. What do you think enrages bulls?

B I think the color red!

A That's a false belief that originated in bullfighting.

B Then, what makes bulls get upset?

A The swift motion of the red cloth enrages them. Actually, bulls are color-blind.

B Really? I'm surprised that bulls can't see the difference between certain colors.

장면 2

A 다음 동물은 황소입니다. 무엇이 황소를 격분하게 한다고 생각하나요?

B 빨간색이라고 생각합니다!

A 그것은 투우에서 유래한 잘못된 믿음이에요.

B 그러면, 뭐가 황소를 화나게 하나요?

A 빨간색 천의 빠른 움직임이 황소를 화나게 합니다. 황소는 실제로는 색맹입니다.

B 정말이요? 황소가 색깔들의 차이를 볼 수 없다니 놀랍네요.

Step 3 **Find one more science fact about animals and complete Scene 3 of the storyboard with your partner.**
동물들에 관한 과학적 사실을 하나 더 찾아서 스토리보드의 Scene 3을 짝과 완성해 봅시다.

Scene 3

A The last animal is the butterfly. Are you aware that butterflies can taste food through their legs?

B Really? How is it possible?

A They have taste sensors on their legs, and by standing on a leaf they can taste it.

B Oh, that's why butterflies like to sit on leaves.

A Right. After tasting the leaves, they drink the liquid inside of them through their tongue.

B I'm surprised that animals have different ways to taste.

Scene 4

A This is all for today. How was the class?

B I loved it! I'm surprised that there are so many interesting facts about animals.

A I'm happy to hear that. Next class, we are going to ... .

해석

장면 3

A 마지막 동물은 나비입니다. 나비가 다리를 통해 먹이의 맛을 볼 수 있다는 사실을 아나요?

B 정말요? 그게 어떻게 가능하죠?

A 나비는 다리에 맛보는 감각 기관이 있어서 나뭇잎에 올라가 맛볼 수 있어요.

B 오, 그래서 나비가 나뭇잎 위에 앉는 것을 좋아하는군요.

A 맞아요. 나뭇잎을 맛본 후에 나비는 혀를 통해 나뭇잎 안의 수액을 마십니다.

B 동물들에게 맛보는 다양한 방법이 있다니 놀랍군요.

장면 4

A 오늘은 여기까지입니다. 오늘 수업 어떠셨나요?

B 좋았어요! 동물들에 관해서 많은 흥미로운 사실들이 있다는 것이 놀라워요!

A 그렇다니 저도 좋네요. 다음 수업에서 우리는 ….

어구

sensor ⓜ 감지기, 감각 기관

liquid ⓜ 액체

- **There are a lot of benefits of turning seaweed into *liquid* fuel.** (해초를 액체 연료로 바꾸는 것에는 많은 장점이 있다.)

힌트

동물들에 관해 잘못 알려진 상식들을 찾아보고 그것과 관련된 과학적 사실들을 조사해 본다.

Step 4 **Using the storyboard, practice a role-play with your partner and present it to the class.** 스토리보드를 활용하여 짝과 역할극을 연습하고 발표해 봅시다.

Self-Check

I can ask others whether they know something. 다른 사람이 알고 있는지를 물어볼 수 있다.	☐ Yes ☐ No ➡ Listen & Speak 1
I can express surprise at something. 놀라움을 표현할 수 있다.	☐ Yes ☐ No ➡ Listen & Speak 2

Language in Focus

교과서 pp.86-87

A Guess the meanings of the words in bold from the contexts.

굵게 표시된 단어의 뜻을 문맥에서 추측해 봅시다.

1. A model is any simplification of or **substitute** for what you are trying to predict.
모델은 당신이 예측하고자 하는 것을 단순화시킨 것이나 대체물을 말한다.

We couldn't get honey, so we used sugar as a **substitute**.
우리는 꿀을 구할 수 없어서 설탕을 대체물로 사용했다.

substitute: 대체물

2. The rooster could be crowing because there is an **intruder** in his pen.
수탉은 닭장에 침입자가 있기 때문에 울 수도 있다.

If the robot sees an **intruder**, it will send a warning sign.
만약 로봇이 침입자를 본다면, 그것은 경고 신호를 보낼 것이다.

intruder: 침입자

| 구문 해설 |

- A model is **any simplification of** or **substitute for what** you are trying to predict.: 접속사 or에 any simplification of와 substitute for가 병렬 구조를 이루고 있다. 이때 of와 for는 전치사이므로 뒤에 목적어가 필요하고, 전치사의 목적어 자리에 what절이 왔다.

어구

simplification 명 단순화

predict 동 예측하다, 예보하다

- The doctor ***predicted*** that my skin would get better. (의사는 내 피부가 다시 좋아질 것이라고 예측했다.)

rooster 명 수탉

crow 동 울다

힌트

intruder는 동사 intrude에 '~하는 사람'을 뜻하는 접미사 -er이 붙은 형태이다.

B Find the appropriate meanings of the expressions in bold.

굵게 표시된 표현의 적절한 뜻을 찾아봅시다.

1. You should **keep a record of** your expenses to save money. ⓑ
너는 돈을 절약하기 위해서 지출을 기록해야 한다.

2. The truth **turned out** to be stranger than we had expected. 
진실은 우리가 예상했던 것보다 더 이상한 것으로 밝혀졌다.

ⓐ To surprisingly become known or discovered after some time
시간이 지난 뒤에 놀라면서 알게 되거나 드러나게 되다

ⓑ To store information by writing it down or putting it into a computer
적거나 컴퓨터에 기록해서 정보를 저장하다

On Your Own Write your own sentences using the words and expressions given in A and B.
A와 B의 단어와 표현을 사용하여 자신만의 문장을 써 봅시다.

Sample

This bread is a healthy substitute for cookies.
이 빵은 과자의 건강한 대체물이다.
I have kept a record of my height since I was five.
나는 다섯 살 때부터 내 키를 기록해 왔다.

| 구문 해설 |

- The truth turned out to be **stranger** than we **had expected**.: 비교 대상보다 더 이상한 것이므로 비교급 형태가 왔다. 기대했던 것이 밝혀지기 이전의 일이므로 대과거(had expected)를 썼다.

어구

expense 명 지출, 비용

- Buying a bigger house is well worth the ***expense***. (큰 집을 사는 것은 그 비용의 가치를 한다.)

strange 형 이상한

힌트

keep a record of는 '~을 기록하다'라는 뜻이고, turn out to는 '~로 밝혀지다'라는 뜻이다.

Word Study

C Compare the words in bold and talk with your partner about how they are formed.

굵게 표시된 단어들을 비교하고 그것들이 어떻게 형성되었는지 짝과 이야기해 봅시다.

- He enjoys a **simple** life. I also want to **simplify** my life.
  그는 단순한 삶을 즐긴다. 나 또한 나의 삶을 단순화시키고 싶다.
- She is involved in **diverse** school activities. I also want to **diversify** my school activities.
  그녀는 다양한 학교 활동에 참여하고 있다. 나 또한 내 학교 활동을 다양하게 하고 싶다.

◎ Complete the sentences using the words in bold.
굵게 표시된 단어를 활용하여 문장을 완성해 봅시다.

1. This machine __purifies__ water, so you can drink **pure** water.
   이 기계가 물을 정화하므로 너는 깨끗한 물을 먹을 수 있다.
2. You can __justify__ your argument by employing a **just** and valid measure.
   너는 정당하고 타당한 수단을 이용함으로써 주장을 정당화할 수 있다.

⊕ Think of more words ending with *-ify*.
'-ify'로 끝나는 단어들을 더 생각해 봅시다

Word Group

falsify 위조하다
intensify ~을 격렬하게하다
amplify 확대하다

| 구문 해설 |

- You can justify your argument **by employing** a just and valid measure.: 「by V-ing」는 '~함으로써' 라는 뜻이다. employ는 '고용하다'라는 뜻이 아니라 '이용하다'라는 뜻으로 use, utilize와 유사한 뜻을 갖는다.

어구

be involved in ~에 참여하다, ~에 관련되다
diverse ⓗ 다양한
argument ⓜ 주장
employ ⓓ 이용하다
- You should ***employ*** your time more efficiently. (시간을 더 효율적으로 이용해야 한다.)

just ⓗ 정당한
valid ⓗ 타당한
- You don't have a ***valid*** legal reason for refusing. (당신은 거절하기에 타당한 법적 이유가 없습니다.)

measure ⓜ 수단, 조치

힌트

형용사에 '~하게 하다, ~화하다'라는 뜻을 갖는 접미사 -ify를 붙이면 동사형이 된다.

Grammar Study 1

D Compare the following pairs of sentences and find the difference between them.

문장들을 비교해 보고 차이점을 찾아봅시다.

- It's a good idea to consider alternatives to your inference **in case** it **turns** out to be incorrect. (○)
  It's a good idea to consider alternatives to your inference **in case** it **will turn** out to be incorrect. (X)
  그것이 틀린 것으로 밝혀질 경우를 대비하여, 너의 추론에 대한 다른 대안들을 생각해 두는 것이 좋은 생각이다.
- Choose another musical we can see **in case** this one **is** sold out. (○)
  Choose another musical we can see **in case** this one **will be** sold out. (X)
  이 뮤지컬이 매진될 경우를 대비하여, 우리가 볼 수 있는 또 다른 뮤지컬을 골라라.

◎ Based on your findings, match the sentence parts below to form complete sentences. 알아낸 바에 근거하여 서로 연결하여 문장을 완성해 봅시다.

1. Bring a book to read • (읽을 책을 가져와라) — • ⓒ in case your flight is delayed. (비행기가 연착될 경우를 대비해서)
2. I got insurance on my phone • (나는 내 휴대 전화에 대한 보험을 들었다) — • ⓐ in case I lose it. (내가 휴대 전화를 잃어버릴 경우를 대비해서)
3. We should print out directions • (우리는 약도를 출력해야 한다) — • ⓑ in case we get lost. (우리가 길을 잃을 경우를 대비해서)

어구

alternative ⓜ 대안
inference ⓜ 추론
insurance ⓜ 보험
delay ⓓ 지연시키다
- The pilot said a technical fault would ***delay*** the departure. (조종사는 기술적 결함이 출발을 지연시킬 수 있다고 말했다.)

힌트

in case가 이끄는 절은 현재시제가 미래시제를 대신한다.

Language in Focus

| 구문 해설 |

• We should print out directions in case we **get lost.**: 「get+p.p.」는 '~하게 되다'라는 수동의 뜻을 갖는다.

Grammar Point

in case 조건절

in case는 '~일 경우를 대비하여'라는 뜻으로 일어날지도 모르는 경우를 대비하는 상황에서 쓰이는 표현으로 조건절이기 때문에 다른 시간이나 조건의 부사절처럼 미래의 시점을 나타내더라도 절 안에서 will이나 be going to를 쓰지 않고 현재시제를 쓴다.

e.g. **In case** there **is** an accident, report it to me at once. (사고가 나거든, 나에게 바로 알려 주세요.)

Grammar Study 2

E Compare the following pairs of sentences and find the difference between them. 문장들을 비교해 보고 차이점을 찾아봅시다.

- When questions come up, you often try to answer them. In **trying to answer them**, you use many of the same skills that scientists use in their research.
  When questions come up, you often try to answer them. In **doing so**, you use many of the same skills that scientists use in their research.
  질문이 떠오를 때, 여러분은 종종 답을 하려고 노력한다. 그렇게 할 때 여러분은 과학자들이 연구에서 사용하는 것과 같은 기술 중 많은 것을 사용한다.
- Tom usually sings while taking a shower and Jenny usually **sings** while driving.
  Tom usually sings while taking a shower and Jenny usually **does so** while driving.
  Tom은 대개 샤워를 하면서 노래를 부르고 Jenny는 대개 운전을 하면서 그렇게 한다.

어구

come up 떠오르다

research ⓜ 연구 ⓢ 연구하다

힌트

앞에 나온 동사구의 반복을 피하기 위해 쓰이는 do so의 쓰임이다.

◎ Based on your findings, fill in the blanks. 알아낸 바에 근거하여 빈칸을 채워 봅시다.

1. John usually reads before breakfast but Jane usually __does__ __so__ after breakfast. John은 대개 아침을 먹기 전에 책을 읽지만, Jane은 대개 아침을 먹은 후에 그렇게 한다.
2. John usually takes a walk after lunch but Jane usually __does__ __so__ before __lunch__. John은 대개 점심을 먹은 후에 산책하지만 Jane은 대개 점심 전에 그렇게 한다.

Grammar Point

대동사 do so

앞에 나온 동사의 반복을 피하기 위해서 쓰는 동사를 대동사라고 한다. 앞에 나온 동사에 따라서 be동사, 조동사, do동사가 쓰인다. 앞에 나온 동사가 일반동사이고, 앞에 나온 동사 이하를 모두 받을 때 do so를 쓰며 주어와 시제에 따라 does so, did so 등으로 형태가 변한다.

e.g. I think as you **do**. (내 생각도 너와 같다.) 〈do = think〉
People who deceive us once are capable of **doing so** again.
(우리를 한 번 속인 사람은 다시 그렇게 할 수 있다.) 〈doing so = deceive us〉

Before You Read

교과서 p.88

A **When you think about scientists, what words come to your mind? Circle three words that you think best represent scientists.** 과학자들에 대해 생각하면, 무엇이 떠오르는가? 과학자를 가장 잘 나타낸다고 생각하는 세 단어에 동그라미 쳐 봅시다.

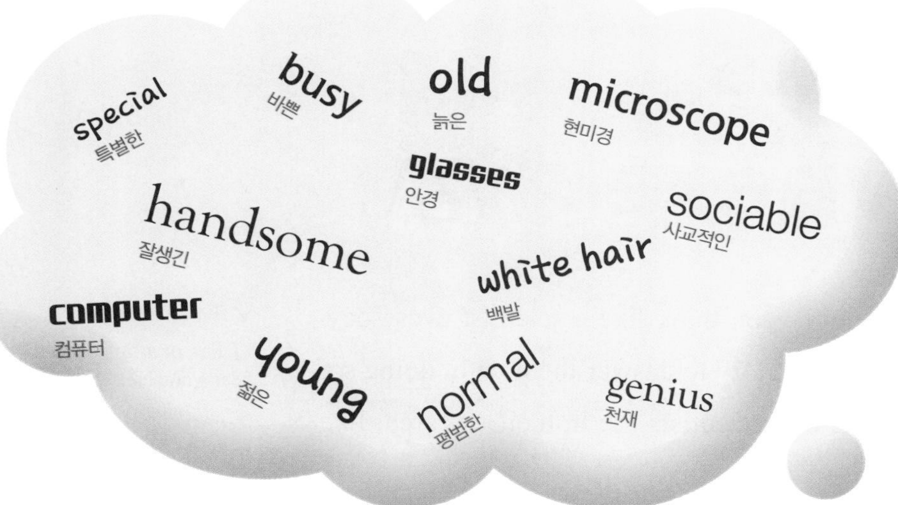

어구

microscope ⓜ 현미경

sociable ⓗ 사교적인

- **Some students have more *sociable* personalities than others.** (어떤 학생들은 다른 학생들보다 더 사교적인 성격을 갖고 있다.)

normal ⓗ 보통의, 정상적인

genius ⓜ 천재

B **Reading Strategy: Identifying Causes and Effects** 읽기 전략: 원인과 결과 구분하기

Cause and effect writing is used to explain why something happens. Expressions that are often used in this type of writing include *because, because of, since, due to, as a result, so, thus,* and *therefore*.

원인과 결과가 있는 글은 뭔가가 왜 일어나는지 설명하기 위해 사용된다. 이러한 종류의 글에서 자주 사용되는 표현으로는 'because, because of, since, due to, as a result, so, thus, therefore' 등이 있다.

e.g.

Einstein couldn't speak clearly when he was young, (cause) so people around him feared that he was mentally disabled. (effect) Actually, he just spoke very slowly (effect) because he thought about entire sentences in his head before he spoke aloud. (cause)

Einstein은 어렸을 때 말을 명확하게 하지 못해서〈원인〉 그 주변의 사람들은 Einstein이 정신적으로 문제가 있다는 것에 두려워했다.〈결과〉 사실, 그는 아주 느리게 말할 뿐이었다.〈결과〉 왜냐하면 소리 내서 말하기 전에 전체 문장을 머릿속에서 생각했기 때문이었다.〈원인〉

| 구문 해설 |

- Einstein couldn't speak clearly when he was young, so people around him feared **that** he was mentally disabled.: that 이하는 feared의 목적어로 쓰인 절로 사람들이 두려워하는 내용을 나타낸다. mentally disabled는 주어를 설명하는 보어이고, 부사 mentally는 disabled를 수식한다.

◈ Go to page 90 and find the instance of cause and effect.
90쪽으로 가서 원인과 결과의 예시를 찾아봅시다.
L10~13

어구

fear ⓢ 두려워하다

mentally ⓑ 정신적으로

disabled ⓗ 장애가 있는

- **This care robot is not only good for the *disabled*, but also for the aged.** (이 돌봄 로봇은 장애인들에게 좋을 뿐만 아니라, 노인들에게도 좋다.)

speak aloud 큰 소리로 말하다

교과서 p.89

Science Is Everywhere

❶ Although you may not know it, you think like a scientist every day. ❷ When questions come up, you often try to answer them. ❸ In doing so, you use many of the same skills that scientists use in their research, like the following.

양보 부사절 / = In trying to answer them / 목적격 관계대명사(생략 가능)

Observing

❹ When you use one or more of your five senses to gather information, you are observing. ❺ For example, when you hear a dog bark or smell smoke, you are making an observation. ❻ Scientists use special instruments such as microscopes and telescopes that enhance their senses to make more detailed observations. ❼ The key to observation is that it must be accurate and factual. ❽ It is therefore important to repeat the same observation.

to부정사의 부사적 용법(~하기 위해) / 지각동사+목적어+목적격 보어(동사원형) / 주격 관계대명사 / to부정사의 부사적 용법(~하기 위해) / 보어 / 가주어 / 진주어

Q What is the key to observation?
관찰의 핵심은 무엇인가?

정답: The key to observation is that it must be accurate and factual.
관찰의 핵심은 그것이 정확하고 사실적이어야 한다는 것이다.

해석

과학은 어디에나 있다

❶비록 여러분은 알고 있지 못하더라도, 여러분은 매일 과학자처럼 생각한다. ❷질문들이 생기면, 여러분은 종종 그 질문들에 답을 하려고 한다. ❸그렇게 할 때 여러분은 과학자들이 그들이 연구에 사용하는 같은 기술 중 많은 것들 즉, 다음과 같은 기술들을 사용한다.

관찰하기

❹여러분이 정보를 모으기 위해 오감 중 한 가지 혹은 그 이상을 사용할 때, 여러분은 관찰하고 있는 것이다. ❺예를 들어, 여러분이 개가 짖는 소리를 듣거나 연기 냄새를 맡을 때, 여러분은 관찰하고 있는 것이다. ❻과학자들은 더 자세히 관찰하기 위해 자신들의 감각을 높이는 현미경과 망원경과 같은 특별한 도구들을 사용한다. ❼관찰에서 중요한 것은 관찰은 정확하고 사실적이어야 한다는 것이다. ❽그러므로 같은 관찰을 반복하는 것이 중요하다.

Pay Attention

L7 For example, when you **hear** a dog **bark** ... .

➡ hear는 지각동사로 「hear+목적어+목적격 보어」의 형태로 쓰이는데, 목적격 보어로 동사원형이나 분사가 온다.

어구

research ⓜ 연구

observation ⓜ 관찰
- His novel has both gentle humor and sharp ***observations*** about human nature. (그의 소설은 부드러운 유머와 인간 본성에 관한 날카로운 관찰을 담고 있다.)

instrument ⓜ 도구

microscope ⓜ 현미경

telescope ⓜ 망원경

enhance ⓢ 높이다

accurate ⓗ 정확한
- Find more ***accurate*** research sources for your writing. (글을 쓰기 위해 더 정확한 조사 자료를 찾아라.)

factual ⓗ 사실의

구문 연구

❸ **In doing so**, you use many of the same skills **that** scientists use in their research, **like** the following.
「in V-ing」는 '~할 경우에'라는 뜻으로 in이 전치사이기 때문에 doing이 쓰였다. do so는 앞 문장 어구의 반복을 피하기 위해 쓴 대동사로 try to answer them을 가리킨다. that은 목적격 관계대명사로 the same skills를 선행사로 받으며 생략할 수 있다. 선행사에 the same이 쓰이면 관계대명사 which로 바꿔 쓸 수 없다. like는 전치사로 '~처럼, ~같이'라는 뜻이다.

❺ For example, when you **hear** a dog **bark** or **smell** smoke, you are making an observation.
hear는 지각동사로 뒤에 목적어와 목적격 보어를 취하는데 목적격 보어 자리에 동사원형이나 분사 형태가 온다. hear와 smell은 접속사 or에 병렬 구조로 연결되어 있다.

❻ Scientists use special instruments such as microscopes and telescopes **that enhance** their senses **to make** more detailed observations.
that은 주격 관계대명사로 microscopes and telescopes를 선행사로 받는다. 선행사가 복수이기 때문에 수 일치시켜서 enhance를 썼다. to make는 to부정사의 부사적 용법으로 '~하기 위하여'라는 뜻이다.

❼ **The key to observation** is **that it** must be accurate and factual.
key는 본래 '열쇠'라는 뜻인데, 「The key to+명사」 표현에서는 '~에 중요한 것'이라는 뜻을 갖는다. 접속사 that이 이끄는 절은 보어로 쓰인 명사절이다. it은 observation을 가리킨다.

❽ **It** is therefore important **to repeat the same observation**.
It은 가주어이고, 진주어는 to repeat the same observation이다.

Grammar Check

> 대동사 do so
앞에 나온 동사의 반복을 피하기 위해서 쓰는 동사를 대동사라고 한다. 앞에 나온 동사의 종류에 따라 **be**동사, 조동사, **do**동사가 쓰인다. 앞에 나온 동사가 일반동사이고 앞에 나온 동사구를 모두 받을 때는 **do so**를 쓰며 주어와 시제에 따라 **does so**, **did so** 등으로 형태가 변한다.
e.g. **It is not necessary to organize all the files in alphabetical order. However, by doing so, you can save time later.** (모든 파일을 알파벳 순서로 정리할 필요는 없다. 그러나 그렇게 함으로써 너는 나중에 시간을 절약할 수 있다.)

> 가주어 it
주어로 쓰인 **to**부정사구나 **that**절이 길 경우, 주어가 짧고 간단해 보이도록 그 자리에 **it**을 쓰고 **to**부정사구나 **that**절을 문장의 뒤로 보낸다. 이때 **it**을 가주어라고 하며 해석하지 않는다. **to**부정사나 **that**절은 진주어라고 하며 해석상의 주어가 된다.
e.g. **It is dangerous to go out at night.** (밤에 외출하는 것은 위험하다.)

Check Up

01 네모 안에서 적절한 것을 고르시오.

(1) It is difficult for me [to read / reading] English books.

(2) [It / What] would be incorrect to view my work of art as an entirely independent creation.

02 우리말과 일치하도록 주어진 어구를 활용하여 영작하시오.

그녀는 나보고 나가 달라고 요청했고 나는 바로 그렇게 했다.

(to get out, she, and I, asked, did so immediately, me)

→ ______________________

Reading

교과서 p.90

Inferring

❶ After observing something, you try to interpret it or make an inference about what it is. ❷ Your inference is just an educated guess and should be based only on what is observed and what you already know. ❸ For example, if you hear a rooster crowing while you are partially asleep in bed, you combine the evidence — the crowing rooster — and your knowledge of sunrises and infer that the sun is coming up. ❹ An inference is not a fact and may turn out to be incorrect; it is only one of many possible explanations. ❺ For instance, the rooster could be crowing because there is an intruder in his pen. ❻ Therefore, it's a good idea to consider alternatives to your inference in case it turns out to be incorrect.

Predicting

❼ You probably know that weather forecasts are predictions about what the weather will be like. ❽ Weather forecasters predict the amount of rain, wind speeds, paths of storms, and so forth. ❾ In order to do so, they observe the weather and use their observations and their knowledge of weather patterns. ❿ The skill of predicting involves making an inference about a future event based on current evidence and past experience.

Q How is an inference different from a fact? 사실과 추론은 어떻게 다른가?

Unlike a fact, an inference may turn out to be incorrect because it is only one of many possible explanations.
사실과 다르게, 추론은 단지 가능한 많은 설명 중 하나이므로 잘못된 것으로 판명될 수 있다.

해석

추론하기
❶ 뭔가를 관찰한 후에 여러분은 그것을 해석하거나 그것이 무엇인지에 관해 추론하려고 한다. ❷ 여러분의 추론은 지식에 바탕을 둔 추측이고 오직 관찰된 것과 여러분이 이미 알고 있는 것에 근거해야 한다. ❸ 예를 들어, 만약 여러분이 침대에서 선잠이 들어 있는 동안에 수탉이 우는 소리를 듣는다면, 여러분은 그 증거—울고 있는 수탉—와 일출에 관한 지식을 결합하여 해가 뜨고 있다고 추론할 것이다. ❹ 추론은 사실이 아니어서 오류가 있는 것으로 판명될 수도 있는데, 그것은 단지 가능한 많은 설명 중 하나일 뿐이기 때문이다. ❺ 예를 들어, 그 수탉은 닭장 안에 침입자가 있어서 울고 있는 것일 수도 있다. ❻ 그러므로 그것이 틀린 것으로 밝혀질 경우를 대비하여 여러분의 추측에 관한 대안들을 생각해 두는 것이 좋은 생각이다.

예상하기
❼ 일기 예보는 날씨가 어떻게 될 것인지에 관한 예측이라는 것을 여러분은 아마 알 것이다. ❽ 일기 예보관은 비의 양, 풍속, 태풍의 진로 등을 예보한다. ❾ 그렇게 하기 위해, 그들은 날씨를 관찰하고 관찰 결과와 날씨 패턴에 관한 지식을 사용한다. ❿ 예상하기 기술은 현재의 증거와 과거의 경험을 바탕으로 한 미래 사건에 대한 추론을 포함한다.

One More Step

L12 The word *alternative* means something that you can choose ________ in a situation.
'대안'은 어떤 상황 속에서 무언가 ________ 선택할 수 있는 것을 의미한다.

ⓐ in the end 결국
ⓑ for a limited time 제한된 시간 동안
ⓒ after thinking carefully 주의 깊게 생각한 후에
✓ⓓ instead of something else 다른 것 대신에

➡ alternative는 '대안'이라는 뜻으로 대신할 수 있는 것을 의미한다.

Highlight

L18 Highlight *do so* and think about what it means.
'do so'에 표시하고 무엇을 의미하는지 생각해 봅시다.

➡ do so는 predict the amount of rain, wind speeds, paths of storms의 의미를 대신한다.
In order to do so

어구

interpret ⓢ 해석하다
inference ⓜ 추론
rooster ⓜ 수탉
partially ⓑ 부분적으로
combine ⓢ 결합하다
explanation ⓜ 설명
intruder ⓜ 침입자
alternative ⓜ 대안
• Is there an *alternative* to going? (취할 수 있는 대안이 있니?)
prediction ⓜ 예측, 예상
current ⓗ 현재의
for instance 예를 들면
ⓨ **for example**

구문 연구

❶ **After observing something**, you try to **interpret** it or **make** an inference about what it is.
때를 나타내는 분사구문에서 절의 의미를 명확하게 하기 위해 접속사 After를 생략하지 않았다. interpret와 make가 or에 의해 병렬 구조를 이뤄 try to에 걸린다.

❸ For example, if you **hear a rooster crowing** while you are partially **asleep** in bed, you **combine** the evidence—the crowing rooster—and your knowledge of sunrises and **infer** that the sun is coming up.
hear는 지각동사로 5형식으로 쓰일 때는 목적격 보어로 동사원형이나 현재분사가 온다. asleep은 '잠이 든'이라는 뜻의 형용사인데 명사를 직접 수식하지 못하고, 서술적 용법(보어)으로만 쓰인다. 동사 combine과 infer가 and로 연결되어 병렬 구조를 이루고 있다.

❻ Therefore, **it**'s a good idea **to consider alternatives to your inference in case** it **turns** out to be incorrect.
it은 가주어이고, to consider 이하가 진주어이다. in case는 '~인 경우에 대비하여'라는 뜻의 조건을 나타내는 부사절로 in case가 이끄는 절에서는 미래를 나타내더라도 현재시제를 써야 한다.

❾ **In order to do so**, they observe the weather and use their observations and their knowledge of weather patterns.
in order to는 '~하기 위해서'라는 뜻의 목적을 나타내는 부정사구이다. 대동사 do so는 predict the amount of rain, wind speeds, path of storms and so forth를 대신한다.

❿ The skill of predicting involves making an inference about a future event based on current evidence and past experience.
「주격 관계대명사+be동사+분사」의 형태에서 「주격 관계대명사+be동사」는 생략이 가능하므로 based on 앞에 which is가 생략되었다. 생략된 which는 a future event를 수식한다.

Grammar Check

› in case 조건절

in case는 '~일 경우를 대비하여'라는 뜻으로 일어날지도 모르는 경우를 대비하는 상황에서 쓰이는 표현의 조건절이기 때문에 다른 시간이나 조건의 부사절처럼 미래 시점을 나타내더라도 절 안에서 **will**이나 **be going to**를 사용하지 않고 현재시제를 쓴다.

e.g. **Bring a scarf in case it gets a little chilly.** (약간 쌀쌀해질 경우를 대비해서, 스카프를 가져와라.)

› 「관계대명사+be동사」의 생략

주격 관계대명사가 이끄는 형용사절은 분사구로 축약할 수 있다. 「관계대명사+**be**동사+분사(현재분사/과거분사)」의 형태에서 관계대명사와 **be**동사를 생략할 수 있다.

e.g. **The man who is playing the violin is my brother.**
= **The man playing the violin is my brother.**
(바이올린을 연주하는 남자는 우리 형이다.)

Check Up

01 다음 문장에서 어법상 틀린 부분을 찾아 바르게 고치시오.

(1) In case I will forget later, here are the passwords for my computer.

(2) I'll keep some food for you in case you are hungry when you get here.

(3) He prepared signals to stop me in case there will be something dangerous ahead.

02 다음 문장에서 생략이 가능한 부분을 괄호로 표시하시오.

(1) The man was faced with valleys which were almost impossible to pass.

(2) She applied for a job that was advertised in the newspaper.

(3) We are going to replace the window which was broken by the wind yesterday.

교과서 p.91

Classifying

❶ You know that similar foods are grouped together on store shelves. ❷ This makes it easier for customers to find them. ❸ Different brands of milk sit on the same shelf, so you can compare one to another and decide which you prefer. ❹ Classifying things means putting them in specific categories. ❺ By doing so, we know immediately what they do and how they are different from other objects. ❻ You can classify items in all kinds of ways, using size, shape, purpose, color, and so on. ❼ Scientists also use the skill of classification to more accurately understand how things relate or connect.

Making Models

❽ A model is any simplification of or substitute for what you are trying to predict. ❾ Models are used because they are convenient substitutes, the way that a recipe is a convenient aid in cooking. ❿ Models are very common. ⓫ The ingredient list on a package of cookies is a model of its contents. ⓬ A box score from a baseball game is a model of the actual event. ⓭ A history exam is a model designed to test your knowledge of history. ⓮ When you have trouble understanding how the planets go around the sun, a model of the solar system makes the concept easier to understand. ⓯ Scientists also use models to help them simplify complicated information and ideas.

Q Why do scientists classify things? 왜 과학자들은 사물들을 분류하는가?

정답: Scientists classify things to more accurately understand how things relate or connect. 과학자들은 사물들이 어떻게 관련되거나 연결되어 있는지 더 정확하게 이해하기 위해 분류한다.

해석

분류하기

❶ 여러분은 비슷한 식품들이 가게 선반에 모여 있는 것을 안다. ❷ 이것은 고객들이 그것들을 찾기 더 쉽게 해 준다. ❸ 같은 선반에 다양한 브랜드의 우유들이 있어서 여러분은 각각을 비교하고 여러분이 어떤 것을 더 좋아하는지 결정할 수 있다. ❹ 물건들을 분류하는 것은 우리가 그것들을 특정 목록에 놓는 것을 의미한다. ❺ 그렇게 함으로써 우리는 그것들의 용도가 무엇이며 그것들이 다른 것들과 어떻게 다른지 즉시 안다. ❻ 여러분은 크기, 모양, 목적, 색깔 등을 사용하여 모든 방법으로 물건들을 분류할 수 있다. ❼ 과학자들 또한 사물들이 어떻게 관련되거나 연결되어 있는지 더 정확하게 이해하기 위해 분류하기 기술을 사용한다.

모형 만들기

❽ 모형은 여러분이 예측하려고 하는 것을 단순하게 만든 것 혹은 그 대체물이다. ❾ 요리법이 요리에서 편리한 도움을 주는 역할을 하듯이 편리한 대체물이기 때문에 모형이 사용된다. ❿ 모형은 아주 흔하다. ⓫ 쿠키 상자 위의 성분표는 그 내용을 알려 주는 모형이다. ⓬ 야구 경기장의 점수판은 실제 경기의 모형이다. ⓭ 역사 시험은 역사에 관한 여러분의 지식을 시험하기 위해 고안된 모형이다. ⓮ 여러분이 행성들이 어떻게 태양 주위를 도는지 이해하기 어려울 때, 태양계 모형은 그 개념을 이해하기 더 쉽게 만든다. ⓯ 과학자들은 또한 복잡한 정보와 아이디어를 단순화하는 데 도움을 주기 위해 모형을 사용한다.

Pay Attention

L3 This makes **it** easier for customers **to find them.**

➡ it은 목적어를 대신하는 가목적어, to find them이 진목적어이다.

Highlight

L14–L22 Highlight all the examples of *models*.
모든 '모델'의 예시에 표시해 봅시다.

a recipe, the ingredient list on a package of cookies, a box score from a baseball game, a history exam, a model of the solar system

어구

classify ⓢ 분류하다
customer ⓜ 고객
compare ⓢ 비교하다
- After *comparing* the two time periods, they found a link between being upset or angry and having a heart attack. (두 시간대를 비교한 후, 그들은 기분이 상하거나 화가 나는 것과 심장 마비와의 연관을 찾아냈다.)

immediately ⓑ 즉시
purpose ⓜ 목적
simplification ⓜ 단순하게 만든 것
substitute ⓜ 대체물
- There is no *substitute* for experience in children's education. (아이들 교육에서 경험의 대체물은 없다.)

planet ⓜ 행성, 지구
complicated ⓗ 복잡한

구문 연구

❷ This makes **it** easier **for customers to find them**.
5형식(동사+목적어+목적격 보어) 문장에서 목적어로 온 명사구가 길 경우 그 자리에 it을 쓰고 긴 목적어를 뒤로 보낸다. 이때 목적어 자리에 쓰이는 it을 가목적어라고 하고, 원래 목적어를 진목적어라고 한다. for customers는 to find them의 의미상의 주어로 to부정사의 의미상 주어는 「for+목적격」으로 나타낸다.

❺ **By doing so**, we know immediately **what they do** and **how they are different from other objects**.
「by V-ing」는 '~함으로써'라는 뜻이고 doing so는 앞 문장의 put them in specific categories를 대신한다. what절과 how절이 and에 의해 병렬로 연결되어 know의 목적어 역할을 한다.

❼ Scientists also use the skill of classification to more accurately understand how things relate or connect.
understand의 목적어로 의문사 how가 이끄는 명사절이 쓰이고 있다. how가 이끄는 명사절은 모든 문장 성분이 갖춰진 완전한 절이며 어순은 'how+주어+동사' 이다.

❽ A model is **any simplification of** or **substitute for what you are trying to predict**.
what 이하는 of와 for의 목적어로 쓰인 명사절이다. any simplification of와 substitute가 or에 의해 병렬로 연결되어 있다.

⓮ When you have trouble understanding how the planets go around the sun, a model of the solar system **makes the concept easier to understand**.
make는 5형식 동사로 쓰여 목적어(the concept)와 목적격 보어(easier to understand)를 취하며 '~을 …하게 만들다'라는 뜻이다.

⓯ Scientists also use models to **help them simplify** complicated information and ideas.
help가 5형식으로 쓰일 때는 목적격 보어로 to부정사와 동사원형 모두 취할 수 있는데, 여기서는 동사원형이 목적격 보어로 쓰였다.

Grammar Check

명사절을 이끄는 의문사 how

의문사가 명사절을 이끌 때는 '의문사+주어+동사'의 어순으로 쓰이며 명사절은 문장의 주어, 목적어, 보어 자리에 올 수 있다. **how**가 이끄는 명사절은 모든 문장 성분을 갖춘 완전한 절이며, 때로는 **how** 뒤에 형용사나 부사가 나오기도 한다.

e.g. **Microeconomics is concerned with how wheat prices rise while rice prices fall.**
(미시경제학은 쌀 가격이 떨어지는 동안 어떻게 밀 가격이 오르는지에 대해 관심이 있다.)
I want to know how often earthquakes occur in Korea.
(저는 한국에서 지진이 얼마나 자주 발생 하는지 알고 싶습니다.)

help+목적어+목적격 보어

help가 **5**형식으로 쓰일 때 목적격 보어 자리에 **to**부정사나 동사원형이 온다.

e.g. **Can you help me to move this chair?**
= **Can you help me move this chair?**
(이 의자를 옮기는 것을 도와주시겠어요?)

Check Up

01 우리말과 일치하도록 네모 안에서 적절한 것을 고르시오.

(1) I'm not sure [how / what] we can help.
(우리가 어떻게 도울 수 있을 지에 대해서 확신할 수 없다.)

(2) Let's figure out [that / how] much time is spent on our smartphones everyday.
(매일 얼마나 많은 시간을 스마트폰에 쓰고 있는 지 알아보자.)

02 우리말과 일치하도록 주어진 어구를 활용하여 영작하시오.

모두가 파티 후에 청소하는 것을 도와줬다.
(clean, the party, everybody, up after, helped)

→ ______________________________

Reading

교과서 p.92

Communicating

❶ Every day you talk to people and listen to what they say. ❷ Scientists also communicate to share information, results, and opinions. ❸ By communicating, they share ideas and information and help one another find answers to questions and problems.

(to share: to부정사의 부사적 용법(~하기 위해) / By communicating: by V-ing: ~함으로써 / help one another find: help+목적어+목적격 보어(동사원형))

❹ Remember that in your daily life you use skills that scientists use in their job. ❺ So if your dream is to become a scientist, you are already on your way.

(that: 명사절 접속사 / that: 목적격 관계대명사 / to become: 명사적 용법의 to부정사(보어))

(http://www.learnnc.org/lp/pages/1949)

★ **Highlight**

L2–L4 Highlight *they* and find out what each *they* refers to. 'they'에 표시하고 각각의 they가 무엇을 칭하는지 찾아봅시다.

➡ 두 번째 줄의 they는 people을 가리키고, 네 번째 줄의 they는 scientists를 가리킨다

어구

communicate ⓢ 의사소통하다
share ⓢ 공유하다
- Today, I'd like to ***share*** my valuable experience with younger colleagues. (저는 저의 가치 있는 경험을 더 어린 동료들과 나누고 싶습니다.)

result ⓜ 결과
one another 서로
on one's way 떠나서, 도중에

Q Which scientific process skill do you use most frequently in your daily life?
여러분은 일상생활 속에서 어떤 과학적 처리 기술들을 가장 자주 사용하는가?

Sample I use classifying skills most frequently, especially when I organize my desk and room. 나는 특히 책상과 방을 정리할 때 분류하기 기술을 가장 자주 사용한다.

해석

의사소통하기

❶ 매일 여러분은 사람들에게 말하고 그들이 말하는 것을 듣는다. ❷ 과학자들도 정보, 결과와 견해를 공유하기 위해 의사소통한다. ❸ 의사소통을 함으로써 그들은 아이디어와 정보를 공유하고 서로가 질문과 문제에 관한 답을 발견하는 것을 돕는다.

❹ 일상생활에서 여러분은 과학자들이 일할 때 사용하는 기술을 사용하고 있다는 것을 기억하라. ❺ 만약 여러분의 꿈이 과학자가 되는 것이라면, 여러분은 이미 그 길에 들어서 있다.

구문 연구

❷ Scientists also **communicate to share** information, results, and opinions.
communicate는 자동사이고, to share는 to부정사의 부사적 용법으로 '~하기 위해'라는 목적의 뜻을 갖는다.

❸ **By communicating**, they share ideas and information and **help** one another **find** answers to questions and problems.
「by V-ing」는 '~함으로써'라는 뜻의 표현이다. help의 목적격 보어로 동사원형과 to부정사 모두 올 수 있는데 여기서는 동사원형(find)이 왔다.

❹ **Remember that** in your daily life you use skills **that** scientists use in their job.
동사원형으로 시작되는 명령문으로 첫 번째 that은 remember의 목적어를 이끄는 명사절 접속사이다. 두 번째 that은 목적격 관계대명사로 생략할 수 있다.

❺ So **if** your dream **is to become** a scientist, you are already on your way.
조건을 나타내는 if절은 미래의 뜻을 나타내도 현재시제를 쓴다. to become은 is의 보어로 쓰인 명사적 용법의 to부정사이다.

Grammar Check

›명사절 접속사 that *vs.* 관계대명사 that

명사절 접속사 **that**은 명사절을 이끄는 역할만 하므로 **that**이 이끄는 절은 문장 성분이 빠진 것이 없는 완전한 형태이다. 반면에, 관계대명사 **that**절은 앞의 선행사를 수식하는 역할을 하며, **that**이 이끄는 절은 명사가 빠진 불완전한 형태이다.

e.g. **I can't believe that he is 102 years old.** (그가 102살이라는 것을 믿을 수 없다.) 〈명사절 접속사〉
The dress that you bought doesn't fit me very well. (당신이 산 드레스가 나에게 잘 맞지 않아요.) 〈관계대명사〉

›if 조건문

If절에 제시된 조건이 충족될 때, 충분히 일어날 가능성이 있는 조건에 대해서는 **if** 조건문을 쓰고, **if**절의 시제는 현재시제를 쓴다.

e.g. **If we have a day off from work, I'm going to go to the beach.** (우리가 만약에 쉬게 된다면, 나는 해변에 갈 것이다.)

Check Up

01 밑줄 친 부분이 접속사인지 관계대명사인지 구분하시오.

(1) My hope is <u>that</u> we may visit Sydney. (접속사 / 관계사)

(2) There are a lot of things <u>that</u> I have to buy before going to Sydney. (접속사 / 관계사)

02 우리말과 일치하도록 주어진 어구를 활용하여 영작하시오.

만약 어려운 일이 있다면, 저한테 도움을 요청하세요. (ask, you, for help, if, any difficulty, me, have)

→ ______________________________

After You Read 1

교과서 p.93

A Based on the main text, fill in the table. 본문에 근거하여 표를 완성해 봅시다.

Scientific process skill 과학적 처리 기술	What it means 무엇을 의미하는가	Example 예시
Observing 관찰하기	Using one or more of your five senses to gather information 정보를 모으기 위해 오감 중 하나 또는 하나 이상을 사용하는 것	Hearing a dog bark 개가 짖는 것 듣기
Making models 모델 만들기	Making a simplification of or substitute for what you are trying to predict 예측하고자 하는 것을 단순하게 만든 것이나 대체물	Designing a history exam to test history knowledge 역사 지식을 시험하기 위해 역사 시험지를 만드는 것
Communicating 의사소통하기	Talking to people and listening to what they say in order to share ideas and information 생각과 정보를 공유하기 위해 사람들에게 말하고 사람들이 말하는 것을 듣는 것	Discussing the results of an experiment with others 다른 사람들과 실험 결과에 관해 토론하는 것

B Check the boxes of the scientific process skills that you think are used in each of the following activities. Compare your choices with your partner.

각각의 활동에 쓰인다고 생각하는 과학적 처리 기술들에 표시하고, 여러분이 한 것을 짝과 비교해 봅시다.

Ordering food 음식 주문하기	Scientific process skill 과학적 처리 기술	Playing soccer 축구 경기하기
☐	Observing 관찰하기	☐
☐	Inferring 추론하기	☐
☑	Predicting 예측하기	☐
☐	Classifying 분류하기	☐
☐	Making models 모델 만들기	☐
☐	Communicating 의사소통하기	☐

Sample When I order food, I predict the taste of the dishes based on the pictures on their ingredients. 음식을 주문할 때, 나는 재료들의 그림을 근거로 하여 음식의 맛을 예측한다.

Self-Check	How much do you understand?	If you need help,
Words	☆ ☆ ☆ ☆ ☆	look up the words you still don't know. 모르는 어휘 찾아보기
Structures	☆ ☆ ☆ ☆ ☆	review the "Pay Attention" sections. Pay Attention 복습하기
Contents	☆ ☆ ☆ ☆ ☆	read the text again while focusing on its meaning. 의미에 집중하여 본문 다시 읽기

어구

gather ⑧ 모으다
information ⑲ 정보
bark ⑧ 짖다
predict ⑧ 예측하다
design ⑧ 고안하다
knowledge ⑲ 지식
result ⑲ 결과
experiment ⑲ 실험

힌트

관찰하기는 정보를 모으기 위해 우리의 오감을 사용하는 것이고, 모델 만들기는 우리가 예측하고자 하는 것을 단순하게 만든 것이나 그 대체물이다. 의사소통하기는 생각과 정보를 공유하기 위해 다른 사람과 말하고 다른 사람이 말하는 것을 듣는 것이다.

Writing Lab

교과서 pp.94~95

휴대 전화로 사진 찍는 팁 **Tips for Taking Pictures with a Phone Camera**

Step 1 **Look at the pictures below taken by Sera. Check the mistakes she made while taking them.**

Sera가 찍은 사진을 보고, 그녀가 촬영할 때 한 실수가 무엇인지 확인해 봅시다.

ⓐ 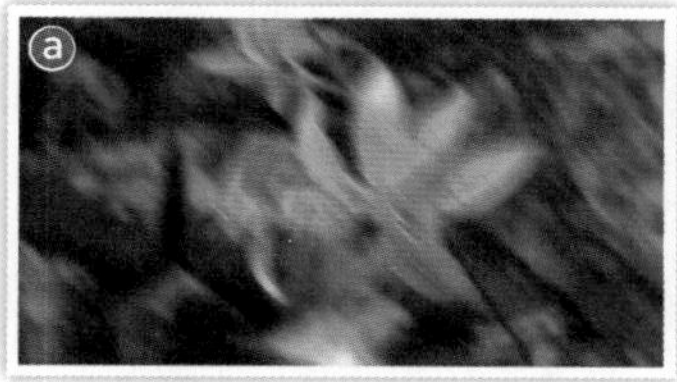

ⓑ 

ⓒ 

ⓓ 

1. She didn't check the background of the subject before taking the photo. [ⓓ]
   사진을 찍기 전에 피사체의 배경을 확인하지 않았다.
2. Her hands were shaking when taking the photo. [ⓐ]
   사진을 찍을 때 손이 흔들렸다.
3. She forgot to clean off her phone camera lens, so the picture wasn't clear. [ⓒ]
   카메라 렌즈를 닦는 것을 깜빡해서 사진이 선명하지 않다.
4. She took the photo with the sun behind the subject, which made the subject really dark. [ⓑ]
   사진 속 피사체의 뒤에 태양이 있을 때 찍어서 피사체가 아주 어둡게 나왔다.

어구

subject ⓜ 피사체
shake ⓓ 흔들리다, 떨다

Step 2 **Based on Step 1, make some useful tips for taking pictures with a phone camera. Fill in the blanks to create the tips.**

Step 1에 근거하여 아래의 빈칸을 채워 휴대 전화로 사진을 찍는 데 유용한 팁을 만들어 봅시다.

Picture	Tips
ⓐ	Hold your phone __tightly__ with both hands. In case you may not be able to use both hands, __use a tripod__. By doing so, __you can keep your phone steady__. 휴대 전화를 양손으로 꽉 잡아라. 여러분이 양손을 못 쓸 경우에 대비하여 삼각대를 사용하라. 그렇게 함으로써 여러분은 휴대 전화를 흔들리지 않게 할 수 있다.
ⓑ	You probably don't want your subject to be dark. It's generally best to shoot with __the sun behind you__. 여러분은 아마도 피사체가 어둡게 나오기를 바라지 않을 것이다. 해를 여러분 뒤에 두고 사진을 찍는 것이 일반적으로 가장 좋다.
ⓒ	Keep your lens __clean__. Phones can easily get dirty, so __don't forget to use some soft fabric to clean the lens__. 렌즈를 깨끗하게 유지하라. 휴대 전화는 쉽게 더러워질 수 있으므로 부드러운 천을 사용하여 렌즈 닦는 것을 잊지 마라.
ⓓ	Check the __background__ in case someone else is there. If __it's clear__, you can __take the photo__. 누군가가 배경에 있을 경우에 대비해서 배경을 확인해라. 만약에 배경이 깨끗하다면 사진을 찍을 수 있다.
On Your Own	(Sample) Use the things in the background to frame your subject. By doing so, you can __focus the photograph on the subject__. 배경에 있는 물체들을 활용해서 피사체 주변에 틀을 만들어라. 그렇게 함으로써 여러분은 피사체를 부각할 수 있다.

어구

create ⓓ 만들다
tightly ⓟ 단단히, 꽉
tripod ⓜ 삼각대
steady ⓗ 흔들림 없는, 안정적인
• A ***steady*** hand is important when you draw a perfect line. (완벽한 선을 그리려면 흔들림 없는 손이 중요하다.)
generally ⓟ 일반적으로
fabric ⓜ 천
frame ⓓ 틀을 만들다

힌트

Step1의 각각의 Sera 사진의 문제점에서 언급된 단어들을 잘 살펴본다.

| 구문 해설 |

• Phones can easily **get dirty**, so don't **forget to use** some soft fabric to clean the lens.: 「get+형용사」는 '~되다'라는 뜻으로 become과 유사한 의미이다. forget은 목적어로 to부정사와 동명사가 모두 올 수 있는데, to부정사가 오면 '(미래에) ~할 것을 잊다'라는 뜻이고, 동명사가 오면 '(과거에) ~한 것을 잊다'라는 뜻이다.

Step 3 **With your partner, choose the three most useful tips from Step 2 and make a secret note about taking pictures with a phone camera.** 짝과 Step 2에서 가장 유용한 세 가지 팁을 골라 휴대 전화로 사진을 찍을 때의 비법 노트를 완성해 봅시다.

Example

A SECRET NOTE

Do you want to take good pictures with your phone camera?

- Tips for taking pictures with your phone camera -

TIP 1 Hold your phone tightly with both hands. In case you may not be able to use both hands, use a tripod. By doing so, you can keep your phone steady.

TIP 2 Check the background in case someone else is there. If it's clear, you can take the photo.

TIP 3 Use the things in the background to frame your subject. By doing so, you can focus the photograph on the subject.

해석

당신의 카메라로 멋진 사진을 찍고 싶으세요?

- 당신의 카메라로 사진을 찍기 위한 팁들 -

팁 1 휴대 전화를 양손으로 꽉 잡아라. 여러분이 양손을 못 쓸 경우에 대비하여 삼각대를 사용하라. 그렇게 함으로써 여러분은 휴대 전화를 흔들리지 않게 할 수 있다.

팁 2 누군가가 배경에 있을 경우에 대비해서 배경을 확인하라. 만약에 배경이 깨끗하다면, 사진을 찍을 수 있다.

팁 3 배경에 있는 물체들을 활용해서 피사체 주변에 틀을 만들어라. 그렇게 함으로써 여러분은 피사체를 부각할 수 있다.

힌트

팁은 주로 명령문을 쓰고, 간단한 문장을 쓰는 것이 좋다.

| 구문 해설 |

• **In case** you **may** not be able to use both hands, use a tripod.: in case 조건문에서는 의미상 미래를 나타내더라도 현재시제를 쓴다.

• By **doing so**, you can keep your phone steady.: doing so는 앞 문장에 나온 use a tripod를 대신한다.

Self-Edit Read your secret note and correct any mistakes.
비법 노트를 읽고 실수를 고쳐 봅시다.

Step 4 **Read your partner's secret note and check the following:**
짝의 비법 노트를 읽고 다음 사항을 점검해 봅시다.

Peer Feedback

• I understand what he / she intends to say in the tips. 짝이 팁들에서 말하고자 하는 바를 이해할 수 있다.	☆☆☆☆☆
• I think that his / her tips are easy to follow. 짝이 쓴 팁은 이해하기 쉽다.	☆☆☆☆☆
• I think most of the words in the tips are correctly used. 대부분의 단어가 정확하게 사용되었다.	☆☆☆☆☆
• I think most of the sentences in the tips are grammatically correct. 팁 속의 문장 대부분이 문법적으로 정확하다.	☆☆☆☆☆

Wrap Up

교과서 p.96

과학적 처리 기술 사용하기 **Using Scientific Process Skills**

Step 1 **Jane Goodall studied about a wild chimpanzee, Jomeo. Listen and fill in the blanks.**

Jane Goodall은 야생 침팬지 Jomeo에 관해서 연구했다. 듣고 빈칸을 채워 봅시다.

1

By observing Jomeo for a long time, Jane found out that in case Jomeo was hungry, he made a fishing tool using sticks or long grass.

오랫동안 Jomeo를 관찰함으로써, Jane은 Jomeo가 배가 고플 경우에 대비하여 막대나 긴 풀을 이용해서 낚시 도구를 만든다는 것을 알아냈다.

2

Jane classified Jomeo's actions into several categories. By doing so, she could find out how much time Jomeo spent feeding and resting in a day.

Jane은 Jomeo의 행동을 몇몇 범주로 분류했다. 그렇게 함으로써, 그녀는 Jomeo가 하루에 얼마나 많은 시간을 먹고 쉬는 데 보내는지 알아낼 수 있었다.

3

When Jane saw Jomeo's hair standing on end, she could predict that there might be some danger.

Jane이 Jomeo의 털이 쭈뼛 선 것을 보면, 그녀는 위험이 있을지 모른다고 예측할 수 있었다.

Script

1. M: Jane spent countless hours observing and taking notes about a wild chimpanzee, Jomeo. She found that in case Jomeo was hungry, he made a tool for fishing. He used sticks or long grass to fish for ants inside the ant hill.
2. M: Jane could group all the information about Jomeo's actions into several categories, such as feeding habits or resting behavior. By doing so, she could find out how much time Jomeo spent feeding and resting in a day.
3. M: Jane could predict what Jomeo was going to do next based on her observations. For example, when Jane saw his hair standing on end, she could predict that there might be some danger because Jomeo was angry or was frightened by something.

어구

feed ⓢ 밥을 먹이다, 먹다

take note 메모하다

stand on end 쭈뼛 서다

- The horrible scream made my hair *stand on end.* (끔찍한 비명이 내 머리를 쭈뼛 서게 했다.)

frightened ⓗ 두려워하는

해석

1. Jane은 많은 시간을 Jomeo라는 야생 침팬지를 관찰하고 기록하는 데에 보냈다. 그녀는 Jomeo가 배고플 때를 대비해서 낚시 도구를 만든다는 것을 알아냈다. Jomeo는 개미굴 속의 개미들을 낚시하기 위해 나뭇가지나 긴 풀을 이용했다.
2. Jane은 식습관과 휴식 행동 같은 Jomeo의 행동에 관한 모든 정보를 몇몇 범주로 묶었다. 그렇게 함으로써, 그녀는 하루 동안 얼마나 많은 시간을 Jomeo가 먹고 쉬는 데 보내는지를 알게 되었다.
3. Jane은 Jomeo가 다음에 어떤 행동을 할지를 그녀의 관찰을 바탕으로 예측할 수 있었다. 예를 들어서 Jane이 Jomeo의 털이 쭈뼛 서는 것을 보면, Jomeo가 화가 나거나 무언가에 의해 겁에 질린 것이기 때문에 위험이 있을지 모른다고 예측했다.

Step 2 **Based on Step 1 and using the dialogue below, find out the scientific process skills that your partner uses in his or her daily life.**

Step1에 근거하여 아래의 대화를 활용하여 짝이 일상에서 사용하는 과학적 처리 기술들을 찾아봅시다.

A Sally, are you aware that you are good at predicting things?

B Am I? What do you mean by that?

A Well... when we watch movies together, I am often surprised that the endings are almost always the same as your predictions.

B Oh, I was not aware of that. You know, I'm just a big fan of movies.

A Maybe you have a special understanding of movie story patterns.

Name	Skill	Why
Sally	Predicting	She is good at predicting movie endings.
	예측하기	그녀는 영화 결말 예측하는 것을 잘한다.

어구

a big fan of ~의 열혈 팬

힌트

각 과학적 처리 기술들의 특징을 정리해 보고, 그런 기술들이 어디에 유용한지 떠올리며 찾아본다.

해석

A Sally, 너는 네가 일들을 예측하는 것을 잘하는 걸 아니?
B 내가? 그게 무슨 소리니?
A 음 … 우리가 영화를 같이 볼 때, 나는 영화의 결말이 거의 항상 너의 예측과 똑같아서 자주 놀라.
B 오, 몰랐어. 너도 알지, 내가 영화 광팬인 거.
A 아마 너는 영화 이야기의 패턴에 관한 특별한 이해가 있을지 몰라.

Step 3 **Based on Step 2, complete the sample passage. Then, write a passage about your partner and the scientific process skill that he or she is good at.** Step 2에 근거하여 주어진 문단을 완성하고, 짝과 짝이 잘하는 과학적 처리 기술에 관해 한 문단을 써 봅시다.

Sally uses the skill of __predicting__ when she __watches__ __movies__. As a big fan of movies, she is good at __predicting their endings__.

Sally는 영화를 볼 때 예측하는 기술을 쓴다. 영화 광팬으로서 그녀는 영화 결말을 예측하는 것을 잘한다.

Your partner: ______________________________

힌트

짝이 언제 과학적 처리 기술을 사용하는지 먼저 쓰고, 이에 관해서 더 구체적으로 묘사해 본다.

| 구문 해설 |

- **As** a big fan of movies, she **is good at predicting** their endings.: as는 '~로서'라는 뜻의 전치사로 쓰였다. be good at은 '~을 잘하다'라는 뜻으로 at이 전치사이므로 뒤에는 명사(구)나 동명사(구)가 온다.

Grammar Review

> 대동사 do so

앞에 나온 동사의 반복을 피하기 위해서 쓰는 것을 대동사라고 한다. 앞에 나온 동사의 종류에 따라서 be동사, 조동사, do동사가 쓰인다. 앞에 나온 동사가 일반동사이고 앞에 나온 동사 이하를 모두 받을 때 do so를 쓰며 주어와 시제에 따라서 does so, did so 등으로 형태가 변한다.

e.g. Do not start eating until the host invites you to **do so**.
(주인이 먹으라고 권하기 전에는 음식을 먹지 마라).

> in case 조건절

in case는 '~일 경우를 대비하여'라는 뜻으로 일어날지도 모르는 경우를 대비하는 상황에서 쓰이는 표현으로 조건절이기 때문에 다른 시간이나 조건의 부사절들처럼 미래의 시점을 나타내더라도 절 안에서 will이나 be going to를 쓰지 못하고, 현재시제를 써야 한다.

e.g. You have to save some money **in case** you **need** it later.
(나중에 정말 필요할 때를 대비해서 돈을 모아야만 해.)

Check Up

01 빈칸에 적절한 말을 쓰시오.

(1) My mother asked me to send them a fax before lunch so I have to _________ _________ now.

(2) When I hesitate to try it out, she _________ _________ rapidly.

02 우리말과 일치하도록 주어진 어구를 활용하여 영작하시오.

컴퓨터가 망가질 경우를 대비해, 파일을 저장해 둬라.

(in case, is, back up, your computer, your files, damaged)

→ ______________________________

교과서 p.97

세계의 두뇌 게임들

Brain Games Around the World

Read the explanation of each game, and guess the name of each game.

각 게임에 관한 설명을 읽고, 각 게임의 이름을 추측해 봅시다.

1

Sudoku

The name of this game comes from Japan, although it originated in Switzerland. Its name consists of the Japanese characters Su(meaning "number") and Doku (meaning "single"). You fill in the empty squares so that the numbers 1 to 9 appear just once in every row, column, and individual block.

2

Go

This game is most popular in East Asia. It is called Weiqi in Chinese and Igo in Japanese. This is a territory game. Players take turns placing black and white stones on a 19x19 board. At the end of the game, the player with the most territory wins the game.

3

Chess

This game originated in India, but the rules we use today were well-established across all of Europe by 1400 A.D. In the game, you command your army and capture your opponent's king. There are approximately 1,040 possible attack moves in this game.

| 구문 해설 |

- You fill in the empty squares **so that** the numbers 1 to 9 appear just once in every row, column, and individual block.: so that은 '~하기 위하여'라는 뜻으로 in order that과 유사하다. so와 that 사이에 형용사나 부사가 있을 때는 의미가 달라지므로 유의한다.

Search the Internet to find more games that can help you train your thinking skills.

더 많은 두뇌 게임들을 찾아보고 그 게임들이 어떻게 사고력을 단련하는 것을 돕는지 알아봅시다.

brain games around the world 

어구

row 명 가로줄
column 명 세로줄
individual 형 각각의
territory 명 영토, 영역
take turns 교대로 하다
well-established 형 정착된
by 전 ~무렵에
command 동 지휘하다
capture 동 잡다
opponent 명 상대편
approximately 부 대략
attack 명 공격

힌트

문단 속에 각 게임의 이름에 관한 유래가 나와 있다.

해석

1. 수도쿠
이 게임은 스위스에서 유래했지만, 이 게임의 이름은 일본에서 유래했다. 이것의 이름은 일본어 Su('숫자'라는 뜻)와 Doku('하나'라는 뜻)로 이루어져 있다. 당신은 1에서 9까지의 숫자가 가로줄, 세로줄, 각각의 블록 안에 오직 하나만 나오도록 빈칸을 채워야 한다.

2. 바둑
이 게임은 동아시아에서 가장 유명하다. 이것은 중국어로는 Weiqi로 불리고 일본어로는 Igo라고 불린다. 이것은 영역 게임이다. 선수들은 교대로 흑 돌과 백 돌을 19x19 판에 놓는다. 마지막에 가장 많은 영역을 차지한 선수가 이긴다.

3. 체스
이 게임은 인도에서 유래했지만, 오늘날 우리가 사용하는 이 게임의 규칙은 1400년 무렵의 유럽에서 정착되었다. 이 게임에서 여러분은 자신의 군대를 지휘해서 상대편 왕을 잡는다. 이 게임에는 대략 1,040개의 공격 가능한 움직임이 있다.

교과서 p.98

The Zeigarnik Effect

Look at the pictures below and think about what is going on.
아래 그림을 보고 전개될 내용에 관해 생각해 봅시다.

어구

Zeigarnik Effect 자이가닉 효과, 미완성 효과

memorize ⓢ 기억하다, 암기하다
- **I looked at the list of words I was supposed to *memorize*.** (나는 외우기로 되어 있는 단어 목록을 바라보았다.)

order ⓢ ~을 주문하다 ⓜ 주문

serve ⓢ 대접하다, 시중들다

Zeigarnik Effect
러시아의 심리학자인 자이가르닉의 이름을 딴 것으로 열중하던 것을 도중에 멈추게 되면 정신적 강박이 형성되고 미련이 남아 뇌리에 박히게 되는 심리 현상을 말한다. 쉽게 말하면 어떤 것을 마무리 짓지 못했을 때 아쉬움에 관한 심리적 감정이다.

구문 연구

❶ He's **good at** memorizing!

be good at은 '~을 잘하다'라는 뜻의 표현이다. 반대로 '~을 못하다'라는 뜻의 표현은 be poor at을 쓴다. at이 전치사이므로 뒤에는 명사(구)나 동명사(구)가 온다.

❸ Sorry, but I can't remember **what** you ordered.

what은 '~한 것'이라는 뜻의 관계대명사로 ordered의 목적어 역할을 한다.

❹ Why did the waiter forget the orders so quickly **after** serving the dishes?

after는 '~한 후에'라는 뜻을 갖는 전치사로 쓰였다. after가 전치사이므로 뒤에 동명사구가 목적어로 왔다.

해석

Zeigarnik 효과

❶ 그는 기억을 정말 잘해!

❷ 음식은 맛있으셨나요?

❸ 죄송합니다만, 당신이 주문했던 것을 제가 기억하지 못하겠어요.

❹ 왜 종업원은 음식을 제공하고 바로 주문을 잊어버린 걸까?

Grammar Check

>order의 다양한 뜻

• 명사의 쓰임

1. 순서

e.g. **Put them in alphabetical order.** (그것들을 알파벳 순서로 놓아라.)

2. 질서

e.g. **Law is made in a way to maintain social order.** (법은 사회적 질서를 유지하기 위한 방편으로 만들어진다.)

3. 정돈[정리](된 상태)

e.g. **The house had been kept in good order.** (그 집은 잘 정돈되어 있었다.)

4. 명령, 지시

e.g. **The general gave the order to advance.** (장군은 진격 명령을 내렸다.)

5. 주문

e.g. **May I take your order?** (주문하시겠어요?)

• 동사의 쓰임

1. 명령하다

e.g. **He doesn't have a right to order us to do something or not.** (그는 우리에게 무엇을 해라 또는 말라고 명령할 권리가 없어.)

2. ~을 주문하다

e.g. **These days, more and more people are ordering products on the Internet.** (요즘, 점점 더 많은 사람이 인터넷으로 상품들을 주문한다.)

3. 주문하다(자동사)

e.g. **Are you ready to order?** (주문하시겠습니까?)

교과서 p.99

The Zeigarnik Effect for Better Memory

Put the paragraphs in the correct order.

❶ While dining in a restaurant, Bluma Zeigarnik noticed that a waiter was quite capable of remembering multiple orders, but once the orders were complete and the food was served, the waiter forgot those orders. ❷ Zeigarnik wondered why, so she conducted a series of experiments to uncover the reason.

= While she was dining in a restaurant / once: 일단 ~하면

(A)

❸ Through further studies, Zeigarnik concluded that the "recall-value" of unfinished tasks is high because it's human nature to complete a task we've already started. ❹ Who knew? ❺ If we don't finish, there's mental tension. ❻ This mental tension makes the unfinished task easier to remember, whereas completion of the task provides closure, and a release of the tension. ❼ This is what is known as the Zeigarnik Effect.

that: 명사절 접속사 / it's: 가주어 / to complete a task: 진주어 / (that) / makes the unfinished task easier to remember: make+목적어+목적격 보어 / whereas: 반면에(= while) / is known as: ~로 알려지다

(B)

❽ So what's the best way to remember things? ❾ Just get started. ❿ Once you've started, it's okay to take a break and be distracted. ⓫ In fact, research shows that 90-minute sessions of productive work followed by breaks of no more than 20 minutes are most effective for increased focus and energy during the day. ⓬ Now excuse me, it's time to take a break for better memory!

it's: 가주어 / to take a break and be distracted: 진주어, to부정사 병렬(to 생략) / followed: 과거분사

(C)

⓭ Zeigarnik's experiments involved a group of subjects who were asked to complete various tasks. ⓮ Some subjects were allowed to complete the tasks, while others were interrupted and not allowed to finish. ⓯ She then asked the subjects to recall the tasks. ⓰ What Zeigarnik found was that the incomplete tasks were remembered approximately twice as much as the completed ones.

who: 주격 관계대명사 / were asked: 수동태 / were allowed: 수동태 / while: 반면에 (= whereas) / were interrupted and not allowed: 수동태 / asked the subjects to recall: ask+목적어+목적격 보어(to부정사) / What Zeigarnik found: 주어 / was: 동사 / twice as much as the: 배수사 as much as 비교 대상 : ~보다 …배인 / ones: = tasks

(http://en.community.dell.com/dell-blogs/direct2dell/b/direct2dell/archive/2014/01/09/how-to-use-the-zeigarnik-effect-to-stop-procrastinating)

(C) – (A) – (B)

어구

be capable of ~을 할 수 있다
multiple ⓗ 다수의
complete ⓗ 완료된, 완성된 ⓢ 완성하다, 끝마치다
conduct ⓢ 실시하다, 실행하다
uncover ⓢ 밝히다
conclude ⓢ 결론을 내리다
recall ⓜ 회상 ⓢ 회상하다
task ⓜ 과업
tension ⓜ 긴장
- The president expressed a willingness to ease *tensions* on the Korean Peninsula. (대통령은 한반도의 긴장을 완화시키고 싶다는 의지를 밝혔다.)

whereas ⓙ 반면에
completion ⓜ 완료
closure ⓜ 종결, 폐쇄
release ⓜ 해방, 석방
distract ⓢ 주의를 돌리다
- She admits that listening to music sometimes *distracts* her from her homework. (그녀는 음악을 듣는 것이 때때로 숙제를 방해한다는 것을 인정했다.)

involve ⓢ 포함하다, 수반하다
subject ⓜ 피실험자
interrupt ⓢ 방해하다
incomplete ⓗ 미완성의 ⓑ complete

구문 연구

❶ **While dining in a restaurant**, Bluma Zeigarnik noticed that a waiter was quite capable of remembering multiple orders, but **once** the orders were complete and the food was served, the waiter forgot those orders.
While dining in a restaurant는 시간을 나타내는 분사구문으로 분사구문의 의미를 강조하기 위해 접속사 while을 생략하지 않았다. once는 부사절 접속사로 '일단 ~하면'이라는 뜻이다.

❸ Through further studies, Zeigarnik concluded **that** the "recall-value" of unfinished tasks is high because **it**'s human nature **to complete a task we've already started**.
that은 concluded의 목적어를 이끄는 명사절 접속사로 쓰였고, 가주어 it은 because절의 주어이고 to complete ... started가 진주어이다. a task 뒤에는 목적격 관계대명사 that이 생략되어 있다.

❻ This mental tension **makes the unfinished task easier to remember, whereas** completion of the task provides closure, and a release of the tension.
목적어는 the unfinished task이고, 목적격 보어는 easier to remember이다. whereas는 주절의 내용과 대비되거나 반대의 뜻을 갖는 부사절 접속사이다.

❿ **Once** you've started, **it**'s okay **to take a break** and **be distracted**.
once는 '일단 ~하면'이라는 뜻의 부사절 접속사이고, it은 가주어, to take 이하가 진주어이다. take a break와 be distracted는 and로 연결된 병렬 구조로 to에 연결된다.

⓮ Some subjects **were allowed to complete** the tasks, **while** others were interrupted and not allowed to finish.
allow가 수동태 형태가 되면서 목적어인 some subjects가 주어로 가고 to부정사가 동사 바로 다음에 나오고 있다. while은 '~하는 반면에'라는 뜻을 가진 접속사이다.

해석

더 나은 기억력을 위한 Zeigarnik 효과
단락을 순서대로 배열해 봅시다.
❶ 식당에서 저녁을 먹는 동안, Bluma Zeigarnik은 한 종업원이 여러 주문을 잘 기억할 수 있었지만, 주문이 완료되고 음식이 제공되면, 그 종업원은 그전의 주문들을 잊어버린다는 것을 알게 되었다. ❷ Zeigarnik은 왜 그런지 궁금해서 그 이유를 밝히기 위한 실험들을 수행했다.

(A)

❸ 후속 연구들을 통해서, Zeigarnik은 우리가 이미 시작한 일을 끝내고 싶어 하는 것은 인간 본성이기 때문에 끝나지 않은 과업들에 관한 '회상치'가 높다고 결론을 내렸다. ❹ 누가 알았겠는가? ❺ 우리가 일을 끝내지 않으면, 정신적인 긴장감이 생긴다. ❻ 이러한 정신적 긴장감이 끝마치지 못한 일을 더 쉽게 기억하게 하는 반면, 일의 완료는 종결감과 긴장감의 해방을 제공한다. ❼ 이것이 Zeigarnik 효과라고 알려져 있는 것이다.

(B)

❽ 그래서 가장 잘 기억할 수 있는 방법은 무엇일까? ❾ 그냥 시작하라. ❿ 일단 여러분이 시작하면, 쉬는 시간을 갖고 주의를 딴 데로 돌리는 것이 좋다. ⓫ 사실, 연구는 하루 중에 90분 생산적인 일을 하고 20분 이상의 휴식을 취하는 것이 집중력과 에너지 향상에 가장 효과적이라는 것을 보여 준다. ⓬ 이제, 잠깐 실례하지만, 더 나은 기억력을 위해 휴식을 취할 시간이다!

(C)

⓭ Zeigarnik의 실험에서 피실험자 집단은 다양한 과업들을 끝내도록 요구 받았다. ⓮ 어떤 피실험자들은 과업을 끝내도록 허락을 받은 반면, 다른 피실험자들은 방해를 받아 과업을 끝내지 못하게 했다. ⓯ 그녀는 그러고는 피실험자들에게 과업에 관해서 기억해 내도록 요청했다. ⓰ Zeigarnik은 미완성의 과업이 완료된 과업들보다 대략 두 배 정도 더 잘 기억된다는 것을 발견했다.

Grammar Check

› 접속사 while
접속사 **while**은 여러 뜻을 갖는 부사절 접속사이다. **while**이 시간의 부사절을 이끌 때는 '~하는 동안에'라는 뜻이고, 대조의 뜻을 갖는 부사절을 이끌 때는 '~하는 반면에'라는 뜻이다. 대조의 뜻을 갖는 접속사에는 **whereas**가 있는데, **whereas**는 대개 구어체에서 많이 쓰인다.
e.g. **I read the newspaper while I was waiting.** (나는 기다리는 동안 신문을 읽었다.)
While I don't agree with her, I can understand her viewpoint. (그녀의 의견에 동의하지 않는 반면에, 그녀의 시각을 이해할 수 있다.)

› 배수사 as ~ as
'~배'의 배수사 표현에는 형용사나 부사의 원급과 비교급을 모두 활용할 수 있다. 원급은 「배수사+**as**+원급 **as**」 형태로 쓰이고, 비교급은 「배수사+비교급+**than**」의 형태로 쓰인다.
e.g. **China is about twenty times as large as Korea.**
= **China is about twenty times larger than Korea.**
(중국은 한국보다 20배가량 넓다.)

Word Play

Lesson 4 교과서 p.155

Complete the crossword puzzle. 십자말풀이를 완성해 봅시다.

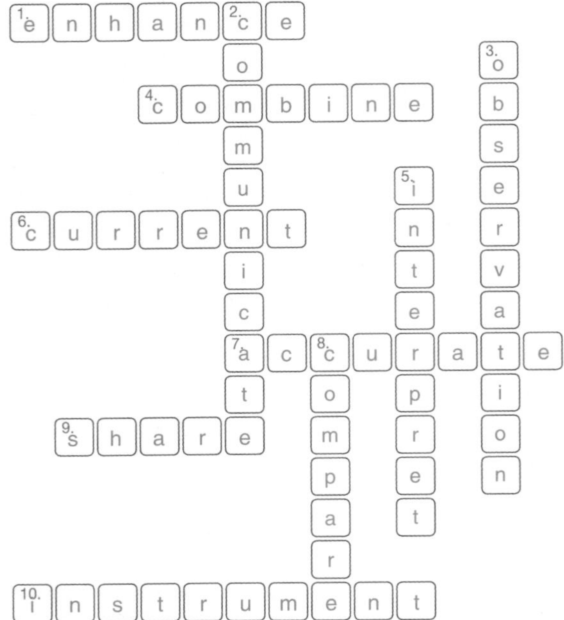

Word Box

observation 관찰
instrument 도구
enhance 향상시키다
accurate 정확한
interpret 해석하다
current 현재의
compare 비교하다
combine 결합하다
communicate 의사소통하다
share 공유하다

▶ Across ▶

1. Regular exercise can greatly __enhance__ your mental health as well as your physical health. 규칙적인 운동은 너의 신체 건강뿐만 아니라 정신 건강도 크게 향상시킬 수 있다.
4. She __combine__d the ingredients to make the cake. 그녀는 케이크를 만들기 위해 재료들을 섞었다.
6. The population of the country will disappear by 2750 if the __current__ birth rate continues. 만약 현재의 출생률이 계속된다면, 그 나라의 인구는 2750년 즈음에는 모두 사라질 것이다.
7. The ancient calendar, based on the increase and decrease of the moon, was not very __accurate__ and had a year of 360 days. 달의 크기에 바탕을 둔 고대의 달력은 아주 정확하진 않았고 1년이 360일이었다.
9. I sometimes miss those days when I had to __share__ a room with my brother until he went to college. 형이 대학 가기까지 형과 방을 같이 쓰던 때가 가끔 그립다.
10. As far as portability, the recorder is one of the best musical __instrument__s to travel with. 리코더는 휴대성 측면에서 여행할 때 갖고 다니기 가장 좋은 악기 중 하나이다.

▼ Down ▼

2. As social insects living in a colony, bees __communicate__ with each other through dancing. 사교적인 곤충들은 무리를 이루고 살기 때문에, 꿀벌은 춤을 통해 서로 의사소통한다.
3. Leonardo da Vinci painted many kinds of birds because he thought that the key to flight lay in careful __observation__ of how birds fly. 레오나르도 다빈치는 새가 어떻게 나는지를 잘 관찰하는 것에 비행에서 제일 중요한 점이 놓여 있다고 생각했기 때문에 다양한 종류의 새들을 그렸다.
5. The nature of literature is that different people might __interpret__ the same passage of a poem differently. 문학의 본질은 사람들이 시의 똑같은 구절을 다르게 해석할 수 있다는 데에 있다.
8. After watching the movie *Animal Farm*, let's __compare__ it to its original novel by George Orwell. 영화 'Animal Farm'을 보고 난 후에 George Orwell의 원작 소설과 비교해 보자.

어구

mental ⓗ 정신의, 마음의
ingredient ⓜ 재료
· **The main *ingredient* in this cake is rice flour.** (이 케이크의 주재료는 쌀가루이다.)
population ⓜ 인구
birth rate 출생률
portability ⓜ 휴대성
colony ⓜ 무리
· **A new honeybee *colony* is formed when the queen bee leaves the colony with a large group of worker bees.** (여왕벌이 대규모의 일벌들과 무리를 떠나면 새로운 꿀벌 무리가 생겨나게 된다.)

단원 평가

01 대화의 빈칸에 가장 적절한 것은?

M: Jinny, your skirt looks good on you. Is it new?
W: Yes. Thanks for noticing. I bought it yesterday at an amazing bargain.
M: I'm always surprised that you're able to find such nice clothes at cheap prices.
W: ______________________
M: What do you mean by that?
W: I shop around on the Internet a lot before I buy things.
M: That's a good idea.
W: Yeah. Researching products and comparing prices online takes a lot of time, but it's worth it.

① You're welcome.
② I don't trust the Internet.
③ It takes effort though.
④ They are just used clothes.
⑤ You can share your clothes with me.

02 다음 문장이 들어가기에 가장 적절한 곳은?

How do you know that?

M: Are you aware that your nostrils are the most painful parts on your body to get stung by a bee?
W: No, I'm not. (①)
M: Recently, I read about a scientist who proved it by using himself as the subject. (②)
W: How did he do that? (③)
M: He had bees sting him about 200 times.
W: 200 times? That sounds horrible. (④)
M: Indeed! And he made a pain scale and found out that the nostrils are the most painful parts of the body to get stung. (⑤)
W: No pain, no gain!

03 자연스러운 대화가 되도록 ⓐ~ⓓ를 순서대로 배열하시오.

ⓐ I read *Fahrenheit 451*, the SF novel.
ⓑ What did you do yesterday?
ⓒ I guess we have the same tastes.
ⓓ I'm surprised you read that book. That's my favorite!

( )-( )-( )-( )

04 주어진 어구를 바르게 배열하여 빈칸을 완성하시오.

M: ______________________?
W: Really? Tell me more about that.
M: Scientists say that we share 90% of our DNA with cats.
W: Wow, that sounds interesting.

you, that humans, a large amount of DNA, are, share, with cats, aware

[05~06] 다음 중 어법상 틀린 것을 고르시오.

05

① He promised to buy me a cake and today he did so.
② Get ready for ash in case there is volcano eruption.
③ I enjoy drinking a cup of coffee before the breakfast but doctor advised me not to do so for a week.
④ I'll put my makeup in case somebody will take a photo of me.
⑤ He won't meet a dead line unless someone explicitly asked to do so.

06

① I'll fix it by myself so tell me how to do so.
② He always experiences exam stress and he thinks he will do so again about the upcoming exam.
③ Remember where the fire exit is, in case there is fire.
④ I will always help him out because John always do so for me.
⑤ NASA is planning to build a village on Mars, in case something goes wrong in Earth.

[07~09] 다음 글을 읽고, 물음에 답하시오.

> After ①observing something, you try to interpret it or make an inference about what it is. Your inference is just an educated guess and should be based only on what ②observed and what you already know. For example, if you hear a rooster crowing while you are partially asleep in bed, you combine the evidence — the crowing rooster — and your knowledge of sunrises and infer ③that the sun is coming up. An inference is not a fact and may turn out to be incorrect; it is only one of many possible explanations. For instance, the rooster could be ④crowing because there is an intruder in his pen. Therefore, it's a good idea ⑤to consider alternatives to your inference _________ it turns out to be incorrect.

07 윗글의 제목으로 가장 적절한 것은?

① What is Inferring Skill
② What is Observing Skill
③ What is Predicting Skill
④ Alternatives Are Important
⑤ Types of Scientific Process Skill

08 윗글의 밑줄 친 부분 중 어법상 틀린 것은?

① ② ③ ④ ⑤

09 윗글의 빈칸에 들어갈 말로 적절한 것은?

① though ② if
③ in case ④ so that
⑤ unless

[10~11] 다음 글을 읽고, 물음에 답하시오.

> You know that similar foods are grouped together on store shelves. (①) This makes it easier for customers to find them. (②) Different brands of milk sit on the same shelf, so you can compare one to another and decide which you prefer. (③) Classifying things means putting them in specific categories. (④) You can classify items in all kinds of ways, using size, shape, purpose, color, and so on. (⑤) Scientists also use the skill of classification to more accurately understand how things relate or connect.

10 글의 흐름으로 보아, 주어진 문장이 들어가기에 가장 적절한 곳은?

> By doing so, we know immediately what they do and how they are different from other objects.

① ② ③ ④ ⑤

11 윗글의 내용과 일치하도록 빈칸에 주어진 철자로 시작하는 단어를 쓰시오.

> Classifying is putting things in specific c_________ and scientists use the skill to understand how things relate or connect more a_________.

[12~13] 다음 글을 읽고, 물음에 답하시오.

A model is any simplification of or substitute for what you are trying to predict. Models are used because they are convenient substitutes, the way (A) [how / that] a recipe is a convenient aid in cooking. Models are very common. The ingredient list on a package of cookies (B) [is / are] a model of its contents. A box score from a baseball game is a model of the actual event. A history exam is a model designed to test your knowledge of history. When you have trouble understanding how the planets go around the sun, a model of the solar system makes the concept easier to understand. Scientists also use models to help them (C) [simplify / simplifying] complicated information and ideas.

12 윗글의 내용과 일치하지 않는 것은?

① 모형은 편리한 대체물이기 때문에 사용된다.
② 모형은 아주 흔하다.
③ 쿠키 상자의 성분표는 그 내용을 알려 주는 모형이다.
④ 태양계 모형은 행성들이 어떻게 태양 주위를 도는지 시험하기 위해 고안되었다.
⑤ 과학자들은 복잡한 정보와 아이디어를 단순화하는 데 도움을 주기 위해 모형을 사용한다.

13 윗글의 (A), (B), (C) 각 네모 안에서 가장 적절한 것은?

	(A)		(B)		(C)
①	how	······	is	······	simplify
②	how	······	are	······	simplifying
③	that	······	is	······	simplify
④	that	······	are	······	simplify
⑤	that	······	are	······	simplifying

14 주어진 문장에 이어질 글의 순서로 가장 적절한 것은?

You probably know that weather forecasts are predictions about what the weather will be like.

(A) Weather forecasters predict the amount of rain, wind speeds, paths of storms, and so forth.
(B) The skill of predicting involves making an inference about a future event based on current evidence and past experience.
(C) In order to do so, they observe the weather and use their observations and their knowledge of weather patterns.

① (A) – (C) – (B)
② (B) – (A) – (C)
③ (B) – (C) – (A)
④ (C) – (A) – (B)
⑤ (C) – (B) – (A)

15 다음 글의 내용과 일치하지 않는 것은?

When you use one or more of your five senses to gather information, you are observing. For example, when you hear a dog bark or smell smoke, you are making an observation. Scientists use special instruments such as microscopes and telescopes that enhance their senses to make more detailed observations. The key to observation is that it must be accurate and factual. It is therefore important to repeat the same observation.

① 관찰은 하나 이상의 오감을 사용해 정보를 모으는 것이다.
② 연기를 맡는 것도 관찰일 수 있다.
③ 과학자들은 관찰할 때 현미경이나 망원경과 같은 특별한 도구를 사용하기도 한다.
④ 관찰이 항상 정확하거나 사실적일 필요는 없다.
⑤ 똑같은 관찰을 반복하는 것이 중요하다.

LESSON

5

The Earth Laughs in Flowers

Check what you already know.

알고 있는 것에 표시해 봅시다.

- ☐ Would it be possible for me to come see you this evening? 내가 오늘 밤 너를 만나는 것이 가능할까?
- ☐ I have no idea. 모르겠어.

- ☐ **Though he had been** defeated, he remained popular. 비록 졌지만, 그는 인기 있었다.
- ☐ We enjoyed **swimming** in the pool. 우리는 수영장에서 수영을 즐겼다.

여러분이 좋아하는 꽃은 무엇인가요? 왜 그 꽃을 좋아하나요?

Think Ahead **What is your favorite flower? Why is it your favorite?**

Sample My favorite flower is the rose because it smells good.
나는 장미 향기가 좋기에 장미를 가장 좋아한다.

In this lesson, I will ... 이 단원에서, 나는 …

Listening & Speaking	Reading	Writing	Culture
• learn to ask permission from others. 다른 사람으로부터 허락을 구하는 법을 배울 것이다. • learn to express that I am unable to make a guess about something. 무엇인가에 관해 모르고 있다는 표현을 배울 것이다.	• read about popular flowers around the world. 세계의 유명한 꽃에 관해 읽을 것이다.	• write an invitation letter to an event. 행사 초대장을 쓸 것이다.	• learn about flower festivals in different cultures around the world. 세계 여러 나라의 꽃 축제에 관해 배울 것이다.

Key Expressions

- I was wondering if I could ... .
  제가 ~해도 될지 궁금해서요.
- I haven't got a clue.
  나는 전혀 모르겠어.
- **Though seemingly completely destroyed,** the burnt branches blossomed ... . 비록 겉보기에는 완전히 파괴된 것 같았지만, 타 버린 가지들은 꽃을 피웠다.

  He never forgot **his mother making** a crown with cornflowers.
  그는 자기 엄마가 수레국화로 왕관을 만들어 주었던 것을 결코 잊지 못했다.

Starting Out

교과서 pp.102~103

Did you know the following fun facts about flowers? Match each fact with the correct flower. 여러분은 꽃에 관한 다음의 재미있는 사실을 알고 있는가? 각각의 사실과 맞는 꽃을 연결해 봅시다.

ⓐ This flower is also known as a narcissus.

이 꽃은 또한 '나르시스'라고도 알려져 있다.

ⓑ Vincent van Gogh painted different versions of this flower.

빈센트 반 고흐는 이 꽃의 여러 다른 버전을 그렸다.

ⓒ This flower was more valuable than gold in Holland in the 1600s.

이 꽃이 1600년대 네덜란드에서는 금보다 더 가치 있었다.

ⓐ

Daffodil
수선화

ⓒ

Tulip
튤립

ⓑ

Sunflower
해바라기

어구

narcissus 명 수선화

valuable 형 소중한, 값비싼

- **It was a *valuable* experience for me.** (그것은 나에게 값진 경험이었다.)

Listen and choose the activity that is NOT a main activity of the Rose Garden tour. 듣고 로즈 가든 투어의 주요 활동이 아닌 것을 골라 봅시다.

ⓐ

ⓑ
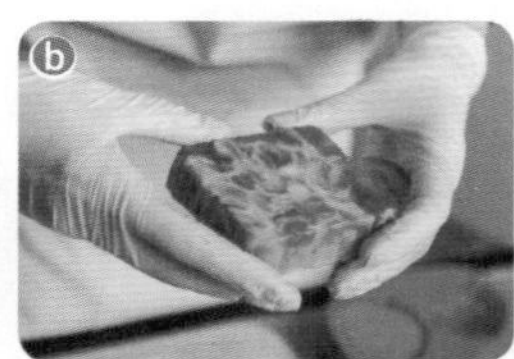

✔ⓒ

Script

M: Welcome, everyone. I'm Martin Choi, your guide today. We're now standing at the Rose Garden. This is where we're going to start our tour. Let me tell you the main activities of today's tour. The first activity is going to be trail walking around the garden. While walking, we'll learn about the names and meanings of various kinds of roses. Next will be soap making. We'll make natural soaps with flower oil. You can take home the soaps you make. Feel free to ask me if you have any questions during the tour. Let's begin!

해석

남: 여러분을 환영합니다. 저는 오늘 여러분의 안내원 Martin Choi입니다. 우리는 현재 로즈 가든에 있습니다. 여기가 우리가 투어를 시작할 곳입니다. 오늘 투어의 주요 활동에 관해서 말씀드리겠습니다. 첫 번째 활동은 가든을 돌아보는 둘레길 산책입니다. 걸으면서 우리는 다양한 장미의 이름과 의미에 관해 배울 것입니다. 다음 활동은 비누 만들기입니다. 우리는 꽃 기름으로 천연 비누를 만들 것입니다. 여러분이 만드는 비누는 집에 가져갈 수 있습니다. 투어 중에 질문이 있으면 저에게 편하게 질문하세요. 시작합시다!

| 구문 해설 |

- **Feel free to ask** me if you have any questions during the tour.: feel free to는 '마음대로[거리낌 없이] ~하다'라는 뜻이다.

  e.g. **Feel free to** call me anytime. (마음 내킬 때 언제든지 전화해.)

어구

trail 명 둘레길

various 형 다양한

soap 명 비누

feel free to 마음대로 ~하다

힌트

안내원은 trail walking around the garden, soap making 등의 주요 행사를 소개하고 있다.

Flower Power

❶ Life can be stressful at times, but nature offers a simple cure: flowers! ❷ Being in the presence of flowers encourages happy emotions and heightens overall feelings of satisfaction. ❸ A team of researchers did a study and found that flowers have the following positive effects on people's moods:

(주어(동명사): Being / 단수 동사1: encourages / 단수 동사2: heightens)

- ▶ ❹ Flowers have an immediate impact on happiness. ❺ All the study participants expressed excited smiles upon receiving flowers, showing delight and appreciation. (upon V-ing: ~하자마자)
- ▶ ❻ Flowers have a positive effect on mood. ❼ The participants in the study reported feeling less depressed and anxious after receiving flowers. ❽ They also showed a higher sense of enjoyment and overall satisfaction.
- ▶ ❾ Flowers make close connections. ❿ The presence of flowers led to increased contact with family and friends.

(http://www.flowerweb.com/en/article/170671/Behavioral-Study-by-Rutgers-Links-Flowers-to-Emotional-Health)

| 구문 해설 |

❷ **Being** in the presence of flowers **encourages** happy emotions and **heightens** overall feelings of satisfaction.: 동명사 Being이 주어이며 동사 encourages와 heightens가 병렬 구조를 이루고 있다. 동명사 주어는 단수 취급하므로 동사에 -s가 붙었다.

❺ All the study participants expressed excited smiles upon receiving flowers, **showing delight and appreciation**.: showing 이하는 분사구문으로, and all the study participants showed delight and appreciation.의 의미이다.

◎ **Talk with your partner about what kinds of flowers you would give someone in the following situations.**

다음 상황에서 여러분은 어떤 종류의 꽃을 누군가에게 줄 것인지 짝과 함께 대화해 봅시다.

When your friend looks depressed
친구가 우울해 보일 때

When you want to thank your parents
부모님께 감사하다고 말씀 드릴 때

When you want to show you're sorry to your friend
친구에게 사과하고자 할 때

Sample I'd like to give my parents carnations to thank them.
저는 부모님께 감사하기 위해 카네이션을 드리고 싶어요.

어구

cure 명 치료법
presence 명 존재
encourage 동 격려하다
emotion 명 감정
heighten 동 높게 하다, 고조시키다
satisfaction 명 만족
- The company is trying to improve customer ***satisfaction***. (그 회사에서는 고객 만족을 개선하려고 애쓰고 있다.)

positive 형 긍정적인
반 **negative**
immediate 형 즉시의
participant 명 참가자
appreciation 명 감사
- express one's ***appreciation*** (감사를 표하다)

lead to ~로 이어지다
- A shortage of food can ***lead to*** war. (식량 부족은 전쟁으로 이어질 수 있다.)

해석

꽃의 힘

❶ 인생은 때때로 스트레스가 많을 수도 있겠지만, 자연은 간단한 치유책을 제공한다: 그것은 꽃이다! ❷ 꽃이 있다는 것은 행복한 감정을 불러일으키고 전반적인 만족감을 고조시킨다. ❸ 한 연구 팀이 연구를 해서 꽃이 사람의 기분에 다음과 같은 긍정적인 영향을 미친다는 것을 알아냈다.

▶ ❹ 꽃은 행복감에 즉각적인 영향을 준다. ❺ 모든 실험 참가자들은 꽃을 받자마자 신이 난 웃음을 지었으며, 기쁨과 감사를 표현했다.

▶ ❻ 꽃은 기분에 긍정적인 영향을 미친다. ❼ 실험 참가자들은 꽃을 받은 후 덜 우울하고 덜 불안해졌다고 보고했다. ❽ 그들은 또한 더 즐겁고 전반적으로 만족함을 보여 주었다.

▶ ❾ 꽃은 긴밀한 관계를 형성한다. ❿ 꽃의 존재는 가족 및 친구들과 더 많이 접촉하게 했다.

Listen & Speak 1

교과서 p.104

A Listen and choose what the man is asking permission for.

듣고 남자가 무엇을 요청하고 있는지 골라 봅시다.

ⓐ  ✓ ⓑ  ⓒ 

Don't miss when you listen.

- I was wondering if I could … .
  제가 ~해도 될지 궁금해서요.
- I'll be sure not to do that.
  그러지 않도록 명심하겠습니다.

Script

M: I was wondering if I could take pictures of these flowers.
W: Sure, you can. But try not to damage them.
M: Okay. I'll be sure not to do that.
W: All right. That's good.

해석

남: 제가 이 꽃들의 사진을 찍어도 될지 궁금해요.
여: 물론, 찍어도 됩니다. 하지만 꽃들을 다치게 하지 마세요.
남: 네. 꼭 그렇게 하지 않도록 할게요.
여: 네. 좋아요.

| 구문 해설 |

- **I was wondering if I could** take pictures of these.: I was wondering if I could … .는 '제가 ~해도 될지 궁금해서요.'라는 뜻이다. was wondering이라는 과거진행형을 쓰고 있는데 과거의 의미보다는 '~해도 될지 모르겠다'는 의미로써 조심스럽게 상대방의 허락을 구하는 표현이다.
- I'll **be sure not to do** that.: 「be sure+to부정사」는 '꼭 ~하다'라는 뜻이고, '반드시 ~하지 않도록 하겠다'라는 부정 표현은 to부정사 앞에 not을 쓴다.

어구

damage ⓢ 훼손하다 ⓜ 훼손
ⓤ **hurt, harm**
- **They may *damage* your health.** (그것들은 당신의 건강을 해칠 수도 있어요.)

힌트

남자의 첫 번째 말에 자신이 허락을 구하는 내용이 명시되어 있다. 남자는 'take pictures of these flowers'에 대한 허락을 구하고 있다.

B Listen again and complete the dialogue. 다시 듣고 대화를 완성해 봅시다.

A I was wondering if I could take pictures of these flowers.
B Sure, you can. But try not to damage them.
A Okay. I'll be sure not to do that.
B All right. That's good.

◎ Now, practice the dialogue with your partner. 이제, 짝과 대화를 연습해 봅시다.

1 

check out this book / return it late
이 책을 대출하다 / 그것을 늦게 반납하다

2 

feed the birds / frighten them
새들에게 모이를 주다 / 그들을 놀라게 하다

3 

On Your Own

어구

check out (도서관 등에서) 대출하다
- **What kind of books would you like to *check out*?** (어떤 종류의 책을 대출하고 싶으세요?)

return ⓢ 반납하다
- **I must *return* some books to the library.** (나는 도서관에 책 몇 권을 반납해야 한다.)

feed ⓢ 먹이다, 먹이를 주다
- ***feed* a bird** (새에게 모이를 주다)

frighten ⓢ 겁먹게[놀라게] 하다
- **I didn't mean to *frighten* you.** (당신을 놀라게 하려던 것은 아니었어요.)

예시 대화

A: I was wondering if I could check out this book.
B: Sure, you can. But try not to return it late.
A: Okay. I'll be sure not to do that.
B: All right. That's good.

해석

A: 이 책을 빌릴 수 있을지 궁금해요.
B: 물론, 빌릴 수 있습니다. 그렇지만 그것을 늦게 반납하지 않도록 해 주세요.
A: 네. 꼭 그러지 않도록 할게요.
B: 네. 좋아요.

C Listen and choose what the woman did yesterday.

듣고 여자가 어제 한 일을 골라 봅시다.

ⓐ 

ⓑ 

✓ ⓒ 

Script

M: I heard you are volunteering as a student teacher. Do you like it?
W: Yes, I love the job. You know, I feel confident teaching young children.
M: Good for you. What do you usually do with the students?
W: We do various fun activities. For example, yesterday we went outside and had a flower hunt.
M: That sounds exciting. Are your students curious about flowers and plants?
W: Yes, they are. And I myself enjoyed going on flower hunts with them.
M: That sounds cool. I was wondering if I could join you next time.
W: Why not? You are always welcome to join.

해석

남: 네가 학생 교사로 자원봉사하고 있다고 들었어. 그 일을 좋아하니?
여: 응, 나는 그 일이 너무 좋아. 너도 알다시피 어린이들을 가르칠 때 나는 뿌듯해.
남: 잘됐구나. 학생들과 보통 무엇을 하니?
여: 우리는 다양한 재미있는 활동들을 하지. 예를 들어서, 어제 우리는 밖으로 가서 꽃 찾기를 했어.
남: 재미있게 들리는구나. 학생들이 꽃과 식물에 호기심이 있니?
여: 응, 그래. 그리고 나도 애들과 함께 꽃 찾기를 하러 가는 게 즐거웠어.
남: 멋지다. 내가 다음번에 너와 함께 가도 될지 궁금해.
여: 왜 안 되겠니? 네가 온다면 언제든 환영이야.

162쪽으로 가서 다시 듣고 빈칸을 채워 봅시다.

Dictation Go to page 162. Listen again and fill in the blanks.

M: I heard you are volunteering as a student teacher. Do you like it?
W: Yes, I love the job. You know, I feel __confident__ teaching young children.
M: Good for you. What do you usually do with the students?
W: We do __various__ fun activities. For example, yesterday we __went__ outside and had a flower hunt.
M: That sounds exciting. Are your students __curious__ about flowers and plants?
W: Yes, they are. And I myself enjoyed going on flower hunts with them.
M: That sounds __cool__. I was __wondering__ if I could join you next time.
W: Why not? You are always welcome to join.

어구

flower hunt 꽃 채집[관찰] 활동

curious ⓗ 궁금한, 호기심 많은

- **They were very *curious* about the people who lived upstairs.** (그들은 위층에 사는 사람들이 몹시 궁금했다.)

힌트

여자는 어제 학생들과 다양한 활동을 했다고 말하고 있으며, 야외에 나가 꽃 채집 활동(a flower hunt)을 했음을 그 예로 들고 있다.

Listen & Speak 2

교과서 p.105

A Listen and choose the symbol of the art club.

듣고 미술 동아리의 상징이 무엇인지 골라 봅시다.

ⓐ 

✓ⓑ 

ⓒ 

Don't miss when you listen.

- I haven't got a clue.
  나는 전혀 모르겠어.
- What does that represent?
  그것은 무엇을 나타내니?

Script

M: What symbolizes the art club?
W: I think a rose. Can you guess why?
M: I haven't got a clue. What does that represent?
W: It represents love and passion.

해석

남: 미술 동아리 상징이 뭐야?
여: 장미야. 왜인지 알겠니?
남: 모르겠어. 장미는 무엇을 상징하니?
여: 그것은 사랑과 열정을 상징해.

| 구문 해설 |

- **I haven't got a clue.**: "나는 전혀 모르겠어."라는 뜻으로 무언가에 관해 또는 어떻게 하는지에 관해 아무것도 모를 때 사용하는 비격식적인 표현이다. clue는 '단서'라는 뜻이다. 유사한 표현으로는 I have no idea. / I don't know. / I don't have any idea. 등이 있다.
- What does **that** represent?: that은 대화에서 방금 언급된 내용을 지칭하며, 여기서는 앞의 '곰'을 지칭한다.

어구

represent ⓢ 나타내다, 상징하다
ⓤ **stand for, symbolize**
- **Each color on the chart *represents* a different department.** (이 차트의 각 색깔은 각각 다른 부서를 나타냅니다.)

passion ⓜ 열정
- **The English have a *passion* for gardens.** (영국인들은 정원에 대해 열정을 지니고 있다.)

힌트

미술 동아리의 상징을 묻는 남자의 질문에 여자는 a rose라고 답하고 있다.

B Listen again and complete the dialogue.

다시 듣고 대화를 완성해 봅시다.

A What symbolizes __the art club__?
B I think __a rose__. Can you guess why?
A I haven't got a clue. What does that represent?
B It represents __love and passion__.

Now, practice the dialogue with your partner.

이제, 짝과 대화를 연습해 봅시다.

1 

the soccer team / a bear / courage and endurance
축구팀 / 곰 / 용기와 인내

2 
our city / a palm tree / relaxation and peace
우리 도시 / 야자나무 / 휴식과 평화

3 
On Your Own

예시 대화

A: What symbolizes the soccer team?
B: I think a bear. Can you guess why?
A: I haven't got a clue. What does that represent?
B: It represents courage and endurance.

해석

A: 축구팀 상징이 뭐야?
B: 곰이야. 왜인지 알겠니?
A: 모르겠어. 곰은 무엇을 상징하니?
B: 그것은 용기와 인내를 상징해.

어구

endurance ⓜ 인내, 참을성
- **The exercise obviously will improve strength and *endurance*.** (그 운동은 분명히 체력과 인내심을 개선할 것이다.)

palm tree 야자나무

relaxation ⓜ 휴식
- **We need a few days of *relaxation*.** (우리는 며칠 간의 휴식이 필요하다.)

C Listen and complete the following summary of the dialogue.

듣고 대화의 요약문을 완성해 봅시다.

Flower therapists ___cure___ ___people___ using the beauty and smell of flowers. The woman thinks the job suits her because she likes ___flowers___ and ___people___.

꽃 치료사는 꽃의 아름다움과 향기를 이용해 사람들을 치유한다. 여자는 자신이 꽃과 사람을 좋아하기 때문에 그 직업이 자신에게 적합하다고 생각한다.

Script

W: I just read an article about career choices.
M: Was it interesting?
W: Yes. It talked about some unique jobs. For example, do you know what flower therapists do?
M: I haven't got a clue. What kind of job is that?
W: They cure people using the beauty and smell of flowers.
M: That sounds very interesting. Considering how people feel when they get flowers, I'm sure flower therapy works.
W: I agree. I think the job suits me. I like flowers and people.
M: Then you should look more into it.

해석

여: 나는 막 직업 선택에 관한 기사를 읽었어.
남: 재미있었니?
여: 응. 몇 가지 독특한 직업에 관한 내용이었어. 예를 들어, 너는 꽃 치료사가 뭐 하는지 아니?
남: 몰라. 그게 무슨 직업이니?
여: 그들은 꽃의 아름다움과 냄새를 이용해서 사람들을 치료해.
남: 그거 아주 재미있네. 사람들이 꽃을 받을 때 어떻게 느끼는지 생각해 보니, 꽃 치료는 효과가 있다고 확신해.
여: 동의해. 나는 그 직업이 내게 맞는 거 같아. 나는 꽃과 사람들을 좋아하잖아.
남: 그러면 너는 그 직업에 관해 더 조사해야 해.

| 구문 해설 |

- Do you know **what flower therapist do?**: Do you know 다음에 오는 간접의문문 어순에 유념한다. What do flower therapists do?라는 의문문이 know의 목적어가 되면서 「의문사+주어+동사」의 어순을 취한다.

Dictation 162쪽으로 가서 다시 듣고 빈칸을 채워 봅시다.
Go to page 162. Listen again and fill in the blanks.

W: I just read an ___article___ about ___career___ choices.
M: Was it interesting?
W: Yes. It talked about some unique jobs. For example, do you know what flower ___therapists___ do?
M: I haven't got a ___clue___. What kind of job is that?
W: They cure people using the beauty and smell of flowers.
M: That sounds very interesting. ___Considering___ how people feel when they get flowers, I'm sure flower therapy works.
W: I agree. I think the job ___suits___ me. I like flowers and people.
M: Then you should look more into it.

어구

therapist ⓜ 치료사
- **a speech *therapist*** (언어 치료사)

suit ⓢ 맞다, 어울리다
- **I think the activity would *suit* me.** (난 그 활동이 나랑 잘 맞을 것 같아.)

unique ⓗ 독특한, 특별한
- **Her handwriting is *unique*.** (그녀의 필체는 독특하다.)

look into ~을 조사하다, ~을 주의 깊게 살피다
- **The committee is *looking into* the matter.** (위원회가 그 문제를 조사하고 있다.)

힌트

요약문 작성을 위해서는 대화를 들으며 flower therapists가 하는 일이 무엇인지, 여자가 왜 그 직업이 자신에게 어울린다고 하는지 그 이유를 생각하면서 듣는다.

Real-life Project

교과서 pp.106~107

화분 디자인하기 **Designing a Flower Container**

Step 1 **Listen to the announcement about a class project and fill in the blanks.** 학급 프로젝트에 관한 공지 사항을 듣고 빈칸을 채워 봅시다.

Note

Class Project – Making a Mini Garden in the Classroom
학급 프로젝트 - 교실에 미니 정원 만들기

- Expected benefits: make a peaceful mood & refresh the air
  기대되는 효과: 평화로운 분위기 조성 & 공기 정화
- Activities 활동
  - Making flower containers using recyclable products
    재활용품 활용해서 화분 만들기
  - Planting flowers 꽃 심기
- Meet this Wednesday 이번 주 금요일 만남
- Things to do 해야 할 일
  - Bring flowers to plant 심을 꽃 가져오기
  - Put the ideas on the class homepage before meeting
    모임 전 홈페이지에 아이디어 올리기

Script

W: Good morning, everyone. I'd like to remind you of our class project. To make our classroom environment better, we agreed to make a mini garden. The indoor garden is expected to make a peaceful mood and refresh the air in the classroom. As class activities, we're going to make flower containers and plant beautiful flowers in them. For the containers, we'll use recyclable products from our classroom such as plastic bottles, cans, and glass bottles. On this Wednesday, when we meet, please bring your own flowers to plant. What we need more at this point is your bright ideas. Please put them on our class homepage before we meet. Thank you for listening.

해석

여: 안녕하세요, 여러분. 저는 우리 학급의 프로젝트를 여러분에게 상기시키고자 합니다. 우리 학급 환경을 개선하기 위해, 우리는 미니 정원을 만들기로 의견을 모았습니다. 실내 정원은 교실에 평화로운 분위기를 조성하고 교실 공기를 쾌적하게 할 거라 기대됩니다. 학급 활동으로 우리는 화분을 만들고 거기에 아름다운 꽃을 심을 예정입니다. 화분을 위해 우리는 학급에서 나온 플라스틱 병, 캔, 유리병과 같은 재활용품을 사용할 것입니다. 이번 수요일, 우리가 만날 때, 심을 꽃을 준비해 오세요. 이 시점에서 우리에게 더 필요한 것은 여러분의 반짝이는 아이디어입니다. 그 아이디어를 우리가 만나기 전 학급 홈페이지에 올려 주세요. 들어주셔서 감사합니다.

Step 2 **Think of materials for making the flower containers, and complete the mind map below.** 화분을 만들기 위한 재료를 생각해 보고, 아래 마인드맵을 완성해 봅시다.

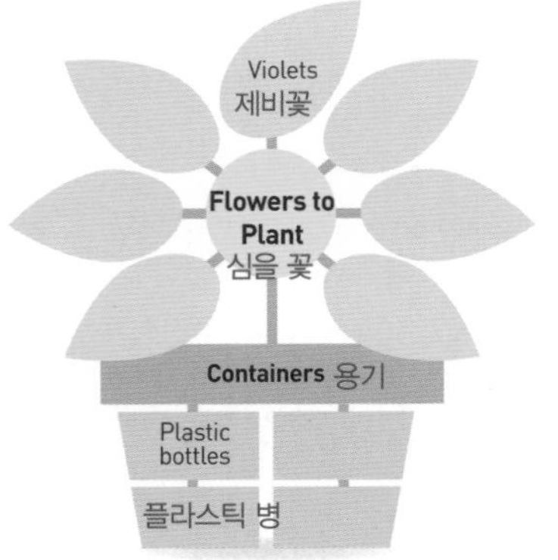

어구

benefit 명 혜택, 이득
- The discovery of oil brought many ***benefits*** to the town. (석유 발견은 그 마을에 많은 이익을 가져다주었다.)

remind *A* of *B* (유사한 점 때문에) A에게 B를 생각[연상]하게 하다
- Your eyes ***remind*** me ***of*** your mother. (네 눈은 나에게 네 어머니를 연상시킨다.)

refresh 동 상쾌하게 하다, 생기를 되찾게 하다
- The deep sleep had ***refreshed*** her. (숙면은 그녀가 생기를 되찾게 했다.)

recyclable 형 재활용할 수 있는 (able to be recycled)
- Glass products are ***recyclable***. (유리 제품들은 재활용할 수 있다.)

어구

violet 명 제비꽃, 보라색

Step 3 **Using the dialogue below, design your group's flower container for the class mini garden.**

아래 대화를 활용하여 학급 미니 정원을 위한 여러분 모둠의 화분을 디자인해 봅시다.

Container materials 화분 재료	Drawing pad for your flower container design 화분 디자인을 위한 그림판	Flowers to plant 심을 꽃

Sample Dialogue

A What would you like to do for our mini garden?

B I was just wondering if I could plant some violets.

A Good idea. I heard they're easy to grow.

B Yeah, and I like the color of them. Do you know the meaning of violets?

A I haven't got a clue. What is it?

B They mean modesty. Isn't that nice?

A Yes. So, do you have any ideas for the flower containers?

B Why don't we make some flower pots with plastic bottles?

A That sounds great. Let's draw our idea here on the drawing pad.

해석

A: 우리 미니 정원을 위해 무엇을 하고 싶니?

B: 제비꽃을 좀 심을까 해.

A: 좋은 생각이야. 나는 그것들이 기르기 쉽다고 들었어.

B: 맞아. 그리고 나는 그 색깔도 맘에 들어. 너는 제비꽃의 의미가 뭔지 아니?

A: 전혀 모르겠는데. 뭐야?

B: 겸손을 의미해. 멋지지 않니?

A: 맞아. 그럼, 화분에 관한 아이디어가 좀 있어?

B: 플라스틱 병으로 화분을 만들면 어떨까?

A: 그거 좋다. 여기 이 그림판에 우리 아이디어를 그려 보자.

| 구문 해설 |

- **Why don't we** make some flower pots with plastic bottles?: Why don't we ...?는 '~하는 것이 어때?'라고 제안하는 표현으로 유사한 표현으로 Let's ... . / Shall we ...? 등이 있다.

Self-Check

I can ask permission from others. 다른 사람들로부터 허락을 구할 수 있다.	☐ Yes ☐ No ➡ Listen & Speak 1
I can express that I am unable to make a guess about something. 자신이 무엇인가에 관해 모르겠다고 표현할 수 있다.	☐ Yes ☐ No ➡ Listen & Speak 2

어구

clue 명 단서, 힌트
- **Give me a *clue*.** (힌트 좀 줘 봐.)

modesty 명 겸손
- **He is famous for his *modesty*.** (그는 겸손함으로 유명합니다.)

pot 명 항아리
- **flower *pot*** (화분) (flower container)

힌트

예시된 플라스틱 병(plastic bottles), milk cartons(우유 팩), glass bottles(유리병)를 비롯하여 학급에서 나온 재활용품으로 어떻게 화분을 만들지 생각해 본다.

Language in Focus

교과서 pp.108~109

A Guess the meanings of the words from the contexts.

단어의 뜻을 문맥에서 추측해 봅시다.

1. Wu Zetian **declared** the peony to be the national flower of the Tang Dynasty.
Wu Zetian은 모란을 당 왕조의 나라꽃으로 선포했다.
The government **declared** the day a public holiday. 정부는 그 날을 휴일로 선포했다.

declare: 선포하다, 선언하다

2. The Danish soldiers **crept** secretly toward the Scottish camp.
덴마크 군인들은 스코틀랜드 진지를 향해 몰래 기어갔다.
I **crept** up the stairs, trying not to wake my parents.
나는 부모님을 깨우지 않으려 살금살금 계단을 올라갔다.

creep: 기다, 살금살금 움직이다

| 구문 해설 |

- Wu Zetian **declared** the peony **to be** the national flower of the Tang Dynasty.: declare는 타동사로 쓰일 때 아래와 같이 다양한 형태로 사용된다.
  e.g. The judge **declared** the person the winner. 〈declare+목적어+목적격 보어〉
  (심판은 그 사람을 승자로 선언했다.)
  He **declared** that her allegation was a lie. 〈declare+that절〉
  (그는 그녀의 주장이 허위라고 단언했다.)
- I crept up the stairs, **trying not to wake my parents**.: 접속사와 주어를 생략한 분사구문 형태로 절로 바꾸면 and I tried not to wake my parents이다.

어구

dynasty 명 왕조
- the Joseon ***Dynasty*** (조선 왕조)

declare 동 선언하다
- The country ***declared*** independence in 1952. (그 나라는 1952년에 독립을 선포했다.)

creep 동 살금살금 움직이다, 기다 (creep-crept-crept)
- The spider ***crept*** up the wall. (거미가 벽을 기어올랐다.)

힌트

declare는 '선포하다'라는 뜻이고, creep은 '살금살금 움직이다'라는 뜻이다.

B Find the appropriate meanings of the expressions in bold.

굵게 표시된 표현의 적절한 뜻을 찾아봅시다.

1. The cornflower **is associated with** the beautiful Louise of Prussia. ⓐ
수레국화는 아름다운 프로이센의 Louise와 연관되어 있다.

2. Flowers have various meanings, **depending on** the culture. ⓒ
꽃은 문화에 따라 다양한 의미가 있다.

3. **Needless to say**, he always loved the name. 말할 필요도 없이, 그는 항상 그 이름을 좋아했다. ⓑ

ⓐ To be closely connected with
~와 긴밀하게 연결되다

ⓑ As you would expect
네가 기대하듯이

ⓒ According to
~에 따라

On Your Own Write your own sentences using the words and expressions given in A and B.
A와 B에 주어진 단어와 표현을 사용하여 자신만의 문장을 써 봅시다.

Sample

He declared that he was not associated with the rumor.
그는 그 소문과 관련 없다고 단언했다.

Needless to say, he was scolded for his creeping into the room without permission.
말할 필요도 없이, 그는 허락 없이 그 방에 몰래 들어간 것에 관해 꾸중을 들었다.

| 구문 해설 |

- The cornflower **is associated with** the beautiful Louise of Prussia.: associate *A* with *B*(A는 B와 관련 있다) 구문에서 A를 주어로 한 수동태 형태이다.

어구

associate 동 연관 짓다
유 connect, link
- He was closely ***associated*** with the company's competitors. (그는 그 회사의 경쟁사들과 밀접하게 연관되어 있었다.)

needless 형 불필요한
유 unnecessary
- ***needless*** worry (불필요한 걱정, 공연한 걱정)

힌트

be assorciated with ~와 연관되다

depending on ~에 따라

needless to say 말할 필요도 없이

Word Study

C Compare the words in bold and talk with your partner about how they are formed.

굵게 표시된 단어를 비교해 보고 그것들이 어떻게 형성되었는지 짝과 이야기해 봅시다.

- He spent two weeks at **camp** this summer. 그는 이번 여름에 캠프에서 2주를 보냈다.
  Alexander's troops had to **encamp** there longer than expected.
  Alexander의 군대는 거기에서 예상했던 것보다 더 오래 야영을 해야 했다.
- Her face was dark with **rage**. 그녀의 얼굴은 분노로 어두워졌다.
  The photo **enraged** animal lovers. 그 사진은 동물 애호가들을 격분시켰다.

◉ Complete the sentences using the given words.
주어진 단어를 활용해서 문장을 완성해 봅시다.

1. Bad habits like skipping meals can __endanger__ children. (danger)
식사를 거르는 것과 같은 나쁜 습관은 아이들을 위험하게 할 수 있다.

2. My parents __encourage(d)__ me to read books every day. (courage)
부모님은 내가 매일 책을 읽도록 격려하신다[하셨다].

⊕ Think of more words starting with *en-*.
'en-'으로 시작되는 단어를 더 생각해 봅시다.

Word Group

enforce 집행하다
entitle 자격을 주다

| 구문 해설 |

My parents **encouraged** me **to read** books every day.: encourage는 5형식 동사로 목적격 보어로 to부정사를 취한다.

어구

troop ⓜ 군대, 병력
- **The president decided to send in the *troops*.** (대통령은 파병을 결정했다.)

rage ⓜ 분노
ⓢ **enrage** 분노하게 하다
- **His face was purple with *rage*.** (그의 얼굴은 분노로 불그락푸르락 했다.)

skip a meal 식사를 거르다

enforce ⓢ 집행하다, 강요하다
- **It's the job of the police to *enforce* the law.** (법을 집행하는 것이 경찰이 할 일이다.)

entitle ⓢ 자격을 주다, 제목을 붙이다

힌트

접두어 en-은 명사나 형용사 앞에 붙어 '~하게 하다'라는 뜻의 동사를 만든다.

Grammar Study 1

D Compare the following pairs of sentences and find the difference between them.

문장들을 비교해 보고 차이점을 찾아봅시다.

- **Though they were seemingly completely destroyed**, the following spring, the burnt branches surprisingly blossomed into beautiful flowers.
  Though seemingly completely destroyed, the following spring, the burnt branches surprisingly blossomed into beautiful flowers.
  비록 겉보기에 완전히 파괴된 것 같았지만, 다음 해 봄에, 불탄 가지들은 놀랍게도 아름다운 꽃들을 피워 냈다.
- **Once it is removed**, the file cannot be restored.
  Once removed, the file cannot be restored. 일단 삭제되면, 그 파일은 복구될 수 없다.

◉ Based on your findings, fill in the blanks to complete the sentences below.
알아낸 바에 근거하여 빈칸을 채워 아래 문장을 완성해 봅시다.

1. 

Though it was prepared in haste, the festival was a great success. 급하게 준비되었지만, 그 축제는 대단한 성공을 거두었다.
⇨ Though __prepared in haste__, the festival was a great success.

2. When they are left at home alone, most pet dogs feel lonely.
집에 홀로 남겨지면, 대부분의 애완견은 외로워한다.
⇨ When __left at home alone__, most pet dogs feel lonely.

어구

seemingly ⓟ 외견상으로는, 겉보기에는
- ***Seemingly* he is mistaken.** (겉보기에는 그가 틀렸다.)

burnt ⓗ (불에) 탄
- ***burnt* toast** (탄 토스트)

restore ⓢ 복구하다
- **The old house was *restored* to its original condition.** (그 낡은 집은 원래 상태로 복구되었다.)

힌트

부사절에서 주어가 주절의 주어와 같고, 동사가 be동사일 때 「주어+be동사」를 생략할 수 있다.

Language in Focus

| 구문 해설 |

• Though it was prepared **in haste**, the festival was a great success.: in haste는 「전치사+명사」 형태로 쓰여 부사 hastily의 뜻을 갖는다.

Grammar Point

부사절에서 「주어+be동사」의 생략

when, while, though, if 등의 접속사가 이끄는 부사절에서 주어가 주절의 주어와 같고, be동사가 사용된 경우에 「주어+be동사」를 생략할 수 있다.

e.g. While (he was) reading a book, he fell asleep. (책을 읽다가 그는 잠이 들었다.)

Grammar Study 2

E Compare the sentences in the box and find out the difference between them. 문장들을 비교해 보고 차이점을 찾아봅시다.

• She does not play baseball, but she likes **watching** it.
그녀는 야구를 하지는 않지만, 그것을 보는 것은 좋아한다.

• Tom got a scholarship, and his parents were pleased with **his getting** it.
Tom은 장학금을 받았고, 그의 부모님은 그가 그것을 받은 것에 기뻐하셨다.

◎ **Based on your findings, answer the following questions.**
알아낸 바에 근거하여 다음 질문에 답해 봅시다.

1. Jay gave up traveling to France. Jay는 프랑스로 여행 가는 것을 포기했다.
Q. Who gave up traveling to France? A. Jay
누가 프랑스로 여행 가는 것을 포기했는가?

2. Jina talks so loudly. June doesn't like her coming here.
Jina는 너무 소란스럽게 말한다. June은 그녀가 여기에 오는 것을 좋아하지 않는다.
Q. Who does June not like coming here? A. Jina
June은 누가 여기 오는 것을 좋아하지 않는가?

3. William never forgot his mother making a crown with cornflowers.
William은 그의 어머니가 수레국화로 왕관을 만들어 준 것을 결코 잊지 못했다.
Q. Who made the crown? A. (William's/His) mother
누가 그 왕관을 만들었는가?

| 구문 해설 |

• William never **forgot** his mother **making** a crown with cornflowers.: 「forget+동명사」는 '(과거에) ~했던 것을 잊다'라는 뜻이다. 반면에 「forget+to부정사」는 '(미래에) ~할 것을 잊다'라는 뜻이다. his mother는 making의 의미상 주어이다.

Grammar Point

동명사의 의미상의 주어

동명사의 의미상의 주어가 문장의 주어와 일치하지 않을 때는 동명사 앞에 소유격이나 목적격을 써서 그 의미를 명확히 해 준다.

e.g. We celebrated **his** winning the contest. (우리는 그가 대회에서 우승했음을 축하했다.)
I remember **him** saying it. (나는 그가 그것을 말했던 것을 기억한다.)

어구

scholarship ⓜ 장학금
be pleased with ~에 기뻐하다
give up 포기하다
crown ⓜ 왕관

힌트

문맥에서 동명사의 의미상의 주어가 누구인지를 생각하며 질문에 답한다. 예를 들면 Jay gave up traveling to France.에서 여행하는 것은 주어 Jay이고, June doesn't like her coming here.에서 오는 것은 her, 즉 앞 문장에서 말하고 있는 Jina이다.

Before You Read

교과서 p.110

A **Do you know each country has its own symbolic flower? Match the flowers with the appropriate countries.** 여러분은 나라마다 고유의 상징 꽃이 있다는 것을 알고 있습니까? 꽃을 적절한 나라와 연결해 봅시다.

B **Reading Strategy: Identifying a Topic Sentence** 읽기 전략: 주제문 찾기

A topic sentence is a general statement that a writer makes about a topic. It summarizes the main ideas of the paragraph. In formal writing, the topic sentence is usually the first sentence in a paragraph. 주제문은 글쓴이가 주제에 관해 작성한 전반적인 진술이다. 그것은 문단의 중심 생각을 요약한다. 격식을 차린 글에서 주제문은 보통 문단의 맨 처음 문장이다.

e.g.

topic sentence

Music has a positive impact on our health. Research shows that it reduces stress and anxiety. Listening to slow music makes people feel more calm and relaxed.
음악은 우리 건강에 긍정적인 영향을 미친다. 〈주제문〉 연구는 그것이 스트레스와 불안을 줄여 줌을 보여 준다. 느린 음악을 듣는 것은 사람들이 좀 더 차분하고 편안하게 느끼도록 한다.

◈ Identify the topic sentence of the following paragraph and underline it.
다음 단락의 주제문을 찾아 밑줄을 쳐 봅시다.

Flowers have various meanings, depending on the culture or country. For example, a particular flower may have a certain meaning in one country. That same type of flower may have a completely different meaning in another country. Also, some flowers have very special meanings in some countries.
꽃은 문화 혹은 나라에 따라 다양한 의미를 지니고 있다. 예를 들어, 한 특정 꽃은 한 나라에서 어떤 의미를 지니고 있을 수 있다. 같은 종류의 그 꽃이 다른 나라에서는 완전히 다른 의미를 지닐 수 있다. 또한, 몇몇 꽃들은 몇 나라에서 매우 특별한 의미를 지니고 있다.

| 구문 해설 |

- **Listening to** slow music **makes** people **feel** more calm and relaxed.: 동명사 Listening to가 주어이므로 동사는 단수 makes가 쓰였다. make가 사역동사이므로 목적격 보어로 동사원형 feel이 왔다.

어구

orchid ⓜ 난초
- a wild ***orchid*** (야생란)

peony ⓜ 모란
- Every year, Luoyang City in China hosts a celebration of the ***peony***. (매년 중국 뤄양시는 모란 축제를 연다.)

어구

paragraph ⓜ 단락

have an impact on ~에 영향을 미치다
- Market trends will ***have an impact on*** the industry. (시장 추세가 산업에 영향을 줄 것이다.)

reduce ⓢ 줄이다, 감소시키다
- Our goal is to ***reduce*** our annual expenses. (우리 목표는 우리의 연간 경비를 줄이는 것이다.)

calm ⓗ 차분한, 침착한
- After the storm it was ***calm***. (폭풍이 지나간 후 고요했다.)

힌트

첫 문장에서 주제를 제시하고 이어진 문장들에서 예를 들어 설명하고 있다.

Reading

교과서 p.111

Popular Flowers of the World

❶ Flowers have various meanings, depending on (~에 따라) the culture or country. ❷ For example (= For instance), a particular flower may have a certain meaning in one (one ~, another ...) country. ❸ That same type of flower may (~일지도 모른다) have a completely different meaning in another country. ❹ Also, some flowers have very special meanings in some countries. ❺ Many of these flowers are national flowers. ❻ The stories (주어) behind [how certain flowers have become associated with (~와 연관되다) particular countries] (전치사 behind의 목적어절) are (동사) quite interesting.

Q Which flower do you think represents Korea? Why do you think so?
여러분은 어떤 꽃이 한국을 대표한다고 생각하는가? 왜 그렇게 생각하는가?

(Sample) I think the *mugungwha*[rose of sharon] represents Korea because it is loved by many Koreans. 많은 한국인에게 사랑 받고 있기 때문에 무궁화가 한국을 대표한다고 생각한다.

해석

세계의 유명한 꽃들

❶ 꽃은 문화 혹은 나라에 따라 다양한 의미를 지니고 있다. ❷ 예를 들어, 한 특정 꽃은 한 나라에서 어떤 의미를 지니고 있을 수 있다. ❸ 같은 종류의 그 꽃이 다른 나라에서는 완전히 다른 의미를 지닐 수 있다. ❹ 또한, 몇몇 꽃들은 몇 나라에서 매우 특별한 의미를 지니고 있다. ❺ 이런 꽃 중 많은 꽃이 나라꽃이다. ❻ 어떤 꽃들이 특정 나라와 어떻게 연관되었는지에 관한 뒷이야기들은 매우 재미있다.

Pay Attention

L2 For example, ... a certain meaning in **one** country. ... a completely different meaning in **another** country.

➡ 여러 개를 열거하여 말할 때 '그 중 하나는 ~이고, 다른 하나는 …이다'라는 뜻을 갖는 one, another를 쓴다.

어구

particular 형 특정한, 특별한
- Is there a ***particular*** type of book he enjoys? (그가 즐기는 특정한 종류의 책이 있나요?)

quite 부 꽤, 상당히
- He plays tennis ***quite*** well. (그는 테니스를 꽤 잘한다.)

depending on ~에 따라
- Starting salaries vary, ***depending on*** experience. (초임은 경력에 따라 달라진다.)

become associated with ~와 연관되다
- How did you ***become associated with*** the project? (당신은 어떻게 그 프로젝트와 관련을 맺게 되었습니까?)

구문 연구

❶ Flowers have various meanings, **depending on** the culture or country.
depending on은 '~에 따라'라는 뜻이다. 이에 반해 depend on은 '~에 달려 있다[결정되다], ~에 의존[의지]하다, ~을 신뢰하다'라는 뜻이다.

❷ **For example**, a particular flower **may** have a certain meaning in **one** country.
예를 들어 설명할 때는 for example, for instance 등의 표현을 사용한다. may는 '~일지도 모른다'는 추측의 의미를 지닌 조동사이다. one은 뒷 문장의 another와 짝을 이루어 여러 개 중에서 '하나는 ~'이라는 뜻을 갖는다.

❸ That same type of flower may have a **completely different** meaning in **another** country.
completely는 부사로 형용사 different를 수식한다. one, another는 여러 개를 열거하여 말할 때 '그중 하나는 ~, 다른 하나는 …'이라는 뜻을 갖는다.

❹ **Also**, some flowers have very special meanings in some countries.
also는 '게다가, 또한'이라는 뜻의 접속사로 쓰였다. 같은 뜻의 moreover와 바꿔 쓸 수 있다.

❺ **Many of these flowers** are national flowers.
many of는 '~ 중 많은 것들'이라는 뜻으로, many는 셀 수 있는 명사와 함께 쓰인다.

❻ **The stories behind how certain flowers have become associated with particular countries are** quite interesting.
문장의 주어 The stories에 이어지는 동사는 are이다. how ... countries는 behind의 목적어로 쓰인 명사절이다. be(come) associated with는 '~와 연관되다'라는 뜻이다.

Grammar Check

› 부정대명사 one, another, other, some

막연한 사람이나 사물을 지칭하는 대명사로 범주 내의 여러 대상 가운데 '어느 하나'를 지칭할 때는 **one**, '또 다른 하나'를 지칭할 때는 **another**를 쓴다.

• 한정된 범위 내에서 열거할 때의 표현

1. one ~, the other ... 〈두 개〉
e.g. **I have two sons, one aged 6, and the other aged 8.** (나는 두 명의 아들이 있는데, 한 명은 6살이고, 다른 한 명은 8살이다.)

2. one ~, another ..., the other - 〈세 개〉
e.g. **There are three boxes on the table; one is red, another is yellow, and the other is blue.** (테이블 위에 세 개의 상자가 있는데, 하나는 빨간색이고, 또 다른 하나는 노란색, 나머지는 파란색이다.)

3. one ~, ..., the others (나머지 모두) 〈셋 이상〉
e.g. **I have five books. One is about education, and the others are about world history.** (나는 다섯 권의 책이 있다. 하나는 교육에 관한 것이고, 나머지 모두는 세계사에 관한 것이다.)

4. some ~, others ... 〈셋 이상 범위가 정해지지 않은 경우〉
e.g. **Some like the hot summer while others don't.** (어떤 사람들은 무더운 여름을 좋아하는 반면 다른 사람들은 그렇지 않다.)

Check Up

01 네모 안에서 어법상 적절한 것을 고르시오.

For example, a particular flower may have a certain meaning in (1) [one / the other] country. That same type of flower may have a (2) [completely / complete] different meaning in another country.

02 본문에 쓰인 단어를 이용하여 빈칸을 완성하시오.

상품의 색상은 모델에 따라 다소 다를 수 있습니다.
The color of a product may differ slightly ________ ________ the model.

교과서 p.112

The Peony of China

❶ The peony is one of the most popular flowers in China. ❷ It has long been a significant part of Chinese culture, inspiring many artists and writers through the ages.

(one of+the+최상급+복수 명사: 가장 ~한 것 중 하나 / has long been: 현재완료 / 분사구문(= and it has been inspiring many ...) / through: 대대로)

❸ The story of the peony started one snowy night. ❹ Wu Zetian, the only female in Chinese history to rule as empress, once ordered that all the flowers in her garden were to bloom in winter. ❺ The flowers, afraid of the empress, all bloomed, except for the peonies. ❻ This enraged the empress and she ordered all of the peonies to be removed from the capital city, Chang'an. ❼ So she had all the peonies in the city transported to Luoyang, another important city during that time. ❽ She then ordered the people of the city to burn them.

(one: 어느 / 동격구 (Wu Zetian = the only female in ... empress) / that: 명사절 접속사 / were to: should의 의미 / The flowers: 주어 / bloomed: 동사 / except for: ~을 제외하고(= but for, except) / This: 앞 문장의 내용을 받음 / to be removed: to부정사 수동태(to be p.p.) / had ... transported: have+목적어+목적격 보어(과거분사) / order A to B: A에게 B하도록 명령하다)

Q Why did Wu Zetian order people to burn all the peonies?
왜 Wu Zetian은 사람들에게 모든 모란꽃을 태우도록 명령했는가?

정답: It's because peonies disobeyed her order that all flowers should bloom in winter. 모란꽃이 겨울에 모든 꽃은 꽃을 피워야 한다는 그녀의 명령을 어겼기 때문이다.

해석

중국의 모란

❶ 모란은 중국에서 가장 유명한 꽃 중 하나이다. ❷ 모란은 오랫동안 많은 예술가와 작가에게 영감을 주면서 중국 문화에서 중요한 부분을 이루어 왔다.

❸ 모란의 이야기는 어느 눈 내리는 밤에 시작되었다. ❹ 중국 역사상 황후로서 지배한 유일한 여성인 Wu Zetian은 어느 날 정원에 있는 모든 꽃에게 겨울에 꽃을 피우라고 명령했다. ❺ 황후를 두려워한 꽃들은 모란을 제외하고 모두 꽃을 피웠다. ❻ 이것이 황후를 격노하게 하였고 황후는 수도인 장안에서 모든 모란을 없애도록 명령했다. ❼ 그래서 황후는 그 시기 동안 다른 주요 도시인 뤄양으로 모든 모란을 옮기도록 시켰다. ❽ 그리고 나서, 황후는 도시의 주민들이 그것들을 불태우도록 명령했다.

One More Step

L7 What could the expression *except for* be replaced with?
무엇이 'except for'라는 표현을 대체할 수 있겠는가?

ⓐ exclusive 배타적인
✓ⓑ but for ~을 제외하고
ⓒ besides 게다가
ⓓ due to ~때문에

➡ except for는 '~을 제외하고 (not including)'라는 뜻이다. (= except, but for)

어구

peony 명 모란

significant 형 중요한, 의미 있는, 상당한

female 명 여성 형 여성의

empress 명 여제, 황후
cf. **emperor** 명 (남자) 황제

bloom 동 꽃피우다, 꽃피다 명 꽃
- **Most roses will begin to *bloom* from late May.** (5월 말부터 대부분의 장미가 꽃을 피우기 시작할 것이다.)

enrage 동 격분하게 하다
명 rage 분노
- **Her lies *enraged* him.** (그녀의 거짓말이 그를 격분하게 했다.)

transport 동 이동시키다, 귀양 보내다
- **Blood *transports* oxygen around the body.** (혈액은 온몸으로 산소를 실어 나른다.)

except for ~을 제외하고
유 except, but for
- **My grades were not good, *except for* math.** (수학을 제외하면, 제 성적은 그다지 좋지 않았습니다.)

구문 연구

❶ The peony is **one of the most popular flowers** in China.
「one of+the+최상급+복수 명사」는 '가장 ~한 것 중 하나'라는 뜻이다.

❷ **It has** long **been** a significant part of Chinese culture, **inspiring many artists and writers through the ages**.
It은 앞 문장의 The peony를 가리킨다. 과거부터 현재까지 중국 문화의 주요한 일부가 되고 있으므로 현재완료시제를 쓰고 있다. inspiring 이하는 접속사와 반복되는 주어를 생략하여 분사로 표현한 분사구문으로 and it has been inspiring ...이라는 뜻이다.

❹ **Wu Zetian, the only female in Chinese history to rule** as empress, once **ordered that** all the flowers in her garden **were to** bloom in winter.
Wu Zetian은 설명을 덧붙인 the only female in Chinese history ... empress라는 문장과 동격이다. to rule은 앞의 the only female을 수식하는 형용사적 용법의 to부정사이다. that은 order의 목적어가 되는 명사절을 이끄는 접속사이며 종속절의 were to는 should의 의미로 해석된다.

❺ **The flowers**, afraid of the empress, all **bloomed, except for** the peonies.
문장의 주어는 The flowers, 동사는 bloomed이다. except for는 '~을 제외하고'라는 뜻으로 except, but for 등의 표현으로 바꿔 쓸 수 있다.

❻ **This** enraged the empress and she **ordered** all of the peonies **to be removed** from the capital city, Chang'an.
This는 '모란을 제외하고 모든 꽃이 황후를 두려워하여 꽃을 피웠다'는 앞 문장의 내용을 받는다. 「order+목적어+to부정사」는 '~에게 …하라고 명령하다'라는 뜻이다. to be removed의 의미상의 주어는 all of the peonies로 수동의 의미이므로 「to be p.p.」의 형태를 취했다.

❼ So she **had** all the peonies in the city **transported** to Luoyang, another important city during that time.
목적어가 동작의 행위를 당하는 대상이므로 목적격 보어로 과거분사 transported가 쓰였다. Luoyang과 another important city during that time은 동격이다.

Grammar Check

› 사역동사 have/make+목적어+목적격 보어

'~로 하여금 …을 하게 하다'라는 뜻을 지닌 사역동사 **have**와 **make**는 목적격 보어로 동사원형과 과거분사 형태를 취한다. 목적어와 목적격 보어의 관계가 능동의 의미를 가질 때는 동사원형을, 목적어와 목적격 보어의 관계가 수동의 의미일 때는 과거분사를 목적격 보어로 취한다.

e.g. She always **makes** me **laugh**. (그녀는 항상 나를 웃게 한다.)
I could not **make** myself **understood** in English. (나는 영어로 내 의사를 전달할 수가 없었다.)
I'll **have** him **call** you. (그에게 전화하라고 하겠습니다.)
I want to **have** my car **repaired**. (제 차를 수리하려고 합니다.)

cf. **get**은 목적어와 목적격 보어의 관계가 능동일 때는 목적격 보어로 **to**부정사를, 수동일 때는 과거분사를 목적격 보어로 쓴다.

e.g. I **get** the man **to repair** my watch. (나는 그 남자가 내 시계를 고치게 하였다.)
I must **get** my watch **repaired**. (나는 내 시계를 고쳐야 했다[수리를 맡겨야 했다].)

Check Up

01 네모 안에서 어법상 적절한 것을 고르시오.

The flowers, afraid of the empress, all bloomed, except for the peonies. This enraged the empress and she ordered all of the peonies (1) [to be removed / to remove] from the capital city, Chang'an. So she had all the peonies in the city (2) [transport / transported] to Luoyang, another important city during that time.

02 본문에 쓰인 단어를 이용하여 빈칸을 완성하시오.

그 집은 욕실을 제외하고는 모두 새로 칠해졌다.
The house was newly painted ________ ________ its bathroom.

교과서 p.113

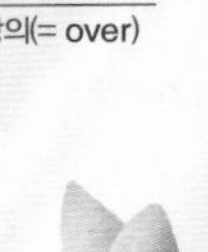

❶ Though (they were) seemingly completely destroyed, the following spring, the burnt branches surprisingly blossomed into beautiful flowers. ❷ Wu Zetian and many others were amazed that(명사절 접속사) the flowers had come back to life(살아나다). ❸ Afterwards, Wu Zetian declared the peony to be the national flower of the Tang Dynasty.(declare+목적어+목적격 보어(to부정사)) ❹ The Chinese have such great appreciation for the peony that(such(+a/an)+형용사+명사+that: 너무 ~해서 …하다) over 200 Chinese poets have written(현재완료) more than(~ 이상의(= over)) 500 poems to celebrate(부사적 용법의 to부정사) it.

해석

❶ 비록 겉보기에 완전히 파괴된 것 같았지만, 다음 해 봄에, 불탄 가지들은 놀랍게도 아름다운 꽃들을 피워냈다. ❷ Wu Zetian과 다른 많은 이들은 그 꽃들이 다시 살아나서 놀랐다. ❸ 그 후에, Wu Zetian은 모란을 당 왕조의 나라꽃으로 선포했다. ❹ 중국인들은 모란의 진가를 너무도 높이 인정해서 200명 이상의 중국 시인들이 모란을 찬양하기 위해 500편 이상의 시를 지었다.

Pay Attention

L1 Though seemingly completely destroyed, the following spring, the burnt branches surprisingly blossomed into beautiful flowers.

➡ 부사절의 주어와 주절의 주어가 같고, 부사절의 동사가 be동사일 때 주어와 be동사를 생략할 수 있다.

어구

seemingly ㊫ 겉보기에는
- They ***seemingly*** don't have any problems. (그들은 외견상으로는 전혀 문제가 없는 것 같다.)

completely ㊫ 완전히, 전적으로

destroy ㊐ 파괴하다

burnt ㊎ 타 버린, 탄

blossom ㊐ 꽃 피다, 꽃을 피우다 ㊔ 꽃

amaze ㊐ 놀라게 하다

afterwards ㊫ 나중에, 그 뒤에

declare ㊐ 선언[선포]하다
- The government ***declared*** the results of an election. (정부는 선거 결과를 공표했다.)

appreciation ㊔ 감탄, 감상, 경탄, 공감(the act of recognizing or understanding that something is valuable, important, or as described)

구문 연구

❶ **Though seemingly completely destroyed**, the following spring, the burnt branches surprisingly blossomed into beautiful flowers.

Though they were seemingly completely destroyed에서 주절과 같은 주어와 be동사 they were를 생략하고 분사만 남겨 둔 형태이다. 파괴된 것으로 수동태를 썼다. completely는 분사 destroyed를 수식하는 부사이다.

❷ Wu Zetian and many others **were amazed** that the flowers had come back to life.

amaze는 '놀라게 하다'라는 뜻의 동사인데, 주어가 놀란 것이므로 수동태를 썼다. come back to life는 '다시 살아나다 (= revive)'라는 뜻의 표현이다.

❸ Afterwards, Wu Zetian **declared** the peony **to be** the national flower of the Tang Dynasty.

「declare+목적어+목적격 보어(to부정사)」의 구조로 to be가 생략되기도 한다.

e.g. The judge **declared him (to be)** innocent. (판사는 그가 결백하다고 판결했다.)

❹ The Chinese have **such great appreciation for the peony that** over 200 Chinese poets **have written** more than 500 poems **to celebrate** it.

「such+(부정관사+)형용사+명사+that」은 '매우 ~해서 …하다'라는 뜻이다. that은 결과를 나타내는 부사절 접속사이고 과거부터 현재에 걸쳐 많은 시를 쓰고 있으므로 현재완료 have written으로 표현했다. to celebrate는 목적을 나타내는 부사적 용법의 to부정사이고, it은 앞의 the peony를 가리킨다.

Grammar Check

>부사절에서 「주어+be동사」의 생략

when, while, though, if 등의 접속사가 이끄는 부사절에서 주어가 주절의 주어와 같고 **be**동사가 사용된 경우에 「주어+**be**동사」를 생략할 수 있다.

e.g. **If (it is) put in the refrigerator, the meat will be kept for a week.** (냉장고에 넣는다면, 고기는 일주일 간 보관될 것이다.)

While (he was) reading a book, he fell asleep. (책을 읽는 동안, 그는 잠이 들었다.)

They were friends when (they were) in school. (학교 다닐 때, 그들은 친구였다.)

Though (I was) tired, I went on working. (피곤했지만, 나는 계속 일했다.)

When (he was) a boy, he liked to play basketball. (어렸을 때, 그는 농구하는 것을 좋아했다.)

Check Up

01 두 문장이 일치하도록 빈칸을 완성하시오.

Though they were seemingly completely destroyed, the following spring, the burnt branches surprisingly blossomed into beautiful flowers.

= ________ ________ ________ ________, the following spring, the burnt branches surprisingly blossomed into beautiful flowers.

02 우리말과 일치하도록 괄호 안의 어구를 순서대로 배열하시오.

중국인들은 모란의 진가를 너무도 높이 인정해서 200명 이상의 중국 시인들이 모란을 찬양하기 위해 500편 이상의 시들을 지었다.

The Chinese have (for, that, great, peony, appreciation, the, such) over 200 Chinese poets have written more than 500 poems to celebrate it.

→ ________________________________

교과서 p.114

The Cornflower of Germany

❶ In German history, the cornflower is associated with the beautiful Louise of Prussia, who was the mother of William, the first Emperor of Germany. ❷ It is said that during the battle of Jena and Auerstedt (1806), Queen Louise escaped from Berlin with her two sons.

(is associated with: ~와 연관[관련]되다 / who: 주격 관계대명사 계속적 용법 (= and she) / William, the first Emperor of Germany: 동격 / It: 가주어 / that during ~ two sons: 진주어)

❸ On the way to Koenigsberg, their wagon broke down, and they got off and waited by the road until the damage was repaired. ❹ Not wanting her boys to worry about the delay, the queen told them to look at the countless beautiful cornflowers that were growing nearby. ❺ "Go," she said, "and gather some of those flowers, and I shall make a crown for you." ❻ Excited by their mother's suggestion, the little boys ran off and picked a lot of flowers. ❼ The queen then made a crown from the flowers and placed it on the head of her older son. ❽ Little William, not to be left out, begged his mother to make one for him, which she did.

(On the way: ~로 가는 길에 / broke down: 고장 나다 / until: ~까지(계속되는 동작, 상태) / Not wanting: 분사구문의 부정 / want+목적어+목적격 보어(to부정사) / that: 주격 관계대명사 / 명령문, and (~해라, 그러면 …) / Excited by their mother's suggestion: 분사구문(=As they were excited by their mother's suggestion) / it: = a crown / not to be left: to부정사(수동)의 부정 / begged ~ to make: beg *A* to *B*: A에게 B해 달라고 간청하다 / which: 관계대명사 계속적 용법)

Q What did Queen Louise do for her sons so they would not be scared?
Louise 여왕은 아들들이 두려워하지 않도록 무엇을 했는가?

정답: She made flower crowns for them.
그녀는 그들에게 화관을 만들어 주었다.

해석

독일의 수레국화

❶ 독일 역사에서 수레국화는 독일의 첫 번째 황제인 William의 어머니인 아름다운 프로이센의 Louise 여왕과 연관되어 있다. ❷ 예나와 아우어슈테트 사이의 전쟁(1806년) 동안 Louise 여왕은 두 아들과 베를린에서 도망을 갔다고 전해진다.

❸ 쾨니히스베르크로 가는 도중에 여왕 일행의 마차가 부서졌고 그들은 마차에서 내려 부서진 곳이 수리될 때까지 길가에서 기다렸다. ❹ 여왕의 아들들이 이러한 도착 지연에 관해 걱정하는 것을 원하지 않았기 때문에 여왕은 아들들에게 근처에서 자라고 있던 아름다운 무수한 수레국화를 보라고 말했다. ❺ "가서 꽃들을 좀 모아라, 그러면 내가 너희들을 위해 왕관을 만들어 줄 테니."라고 여왕은 말했다. ❻ 어머니의 제안에 들떠서 그 어린 소년들은 달려가서 많은 꽃을 꺾었다. ❼ 그러고 나서 여왕은 그 꽃들로 왕관을 만들어서 큰아들의 머리에 씌워 주었다. ❽ 어린 William은 소외되는 것이 싫어서, 어머니에게 자신에게도 왕관을 만들어 달라고 떼를 썼고 여왕은 그렇게 해 주었다.

Pay Attention

L11 Excited by their mother's suggestion, the little boys ran off and picked a lot of flowers.

➡ 부사절의 「접속사+주어+동사」 부분을 분사로 간략하게 줄인 분사구문이다.(= As they were excited by their mother's suggestion)

어구

cornflower 명 수레국화

escape 동 탈출하다

wagon 명 마차

damage 명 손상, 피해
- I insist on paying for the ***damage***. (피해에 대한 보상을 꼭 하겠습니다.)

countless 형 무수한, 셀 수 없이 많은
- ***Countless*** fans around the world have waited for her. (전 세계의 수많은 팬이 그녀를 기다려 왔다.)

suggestion 명 제안
- He agreed with my ***suggestion***. (그가 나의 제안에 동의했다.)

break down 고장 나다

be excited by ~에 들뜨다
- She ***was excited by*** the surprise party. (그녀는 그 깜짝 파티에 크게 기뻐했다.)

구문 연구

❶ In German history, the cornflower **is associated with** the beautiful Louise of Prussia, **who** was the mother of **William, the first Emperor of Germany**.
be associated with는 '~와 관련이 있다'라는 뜻이다. who 이하는 the beautiful Louise of Prussia를 부가 설명하는 계속적 용법의 주격 관계대명사절이다. William과 the first Emperor of Germany는 동격이다.

❷ **It is said that** during the battle of Jena and Auerstedt (1806), Queen Louise escaped from Berlin with her two sons.
It is said that ....은 '~라고 전해지다'라는 뜻으로 It은 가주어, that 이하가 진주어이다. People say that ... .의 능동태 문장으로 바꿔 쓸 수 있다.

❹ **Not wanting her boys to worry about the delay**, the queen told them to look at the countless beautiful cornflowers that were growing nearby.
Not wanting her boys to worry about the delay는 분사구문으로 절로 바꿔 쓰면 Because she didn't want her boys to ....이다. 분사구문의 부정은 분사 앞에 not이나 never를 붙인다.

❺ "**Go**," she said, "and gather some of those flowers, **and I shall make a crown for you**."
「명령문, and ~」는 '…해라, 그러면 ~'으로 해석한다. 1인칭 주어와 같이 쓰이는 조동사 shall은 주어의 의도를 나타내며 I shall make a crown for you.는 4형식 I shall make you a crown.으로 바꿔 쓸 수 있다.

❻ **Excited by their mother's suggestion**, the little boys ran off and picked a lot of flowers.
Excited by their mother's suggestion은 앞에 being이 생략된 분사구문이다. 절로 바꾸면 As they were excited by their mother's suggestion이다.

❽ Little William, **not to be left out**, **begged** his mother **to make** one for him, **which** she did.
to부정사의 부정은 부정사 앞에 not을 붙인다. 「beg+목적어+to부정사」는 '~에게 …해 달라고 간청하다'라는 뜻이다. which는 앞 문장의 내용을 선행사로 하는 계속적 용법의 관계대명사로 and she did it의 의미이다.

Grammar Check

>분사구문

주절과 부사절로 이루어진 문장에서 부사절의 「접속사+주어+동사」를 현재분사나 과거분사로 간략하게 줄여 표현한 것을 분사구문이라고 한다. 분사구문의 부정은 분사 앞에 **not** 또는 **never**를 붙인다.

e.g. **As she works out every day, she is healthy.**
→ **Working out every day, she is healthy.**
(매일 운동을 해서, 그녀는 건강하다.)
If you take this medicine, you'll get better.
→ **Taking this medicine, you'll get better.**
(이 약을 먹으면, 당신은 곧 나을 것이다.)
Because she didn't know what to do, Sue just stood around for a while.
→ **Not knowing what to do, Sue just stood around for a while.**
(어찌해야 할 바를 몰라, **Sue**는 한동안 그냥 서 있었다.)

>계속적 용법의 관계대명사 which

관계대명사 **which**는 문장 전체나 문장의 일부를 선행사로 받아 그 내용을 부연 설명해 주는 계속적 용법으로 쓰이기도 한다. 계속적 용법의 관계대명사는 「접속사+대명사」로 바꿔 쓸 수 있다.

e.g. **She played soccer really well, which surprised me.** (그녀는 축구를 정말 잘했는데, 그것이 나를 놀라게 했다.)

Check Up

01 밑줄 친 부분 중 어법상 틀린 것을 고르시오.

> ① Not wanting her boys to worry about the delay, the queen told them ② look at the countless beautiful cornflowers ③ that were growing nearby. "Go," she said, "and gather some of those flowers, ④ and I shall make a crown for you." ⑤ Excited by their mother's suggestion, the little boys ran off and picked a lot of flowers.

02 두 문장이 같은 뜻이 되도록 빈칸에 적절한 말을 쓰시오.

> Because I don't know French, I can't read this book.
> = ________ ________ French, I can't read this book.

교과서 p.115

❶ Before the close of the century, that little boy was crowned Emperor of United Germany. ❷ Needless to say, he never forgot his mother making a crown with cornflowers when he was a child.

수동태(be동사+p.p.)

말할 필요도 없이

동명사의 의미상 주어

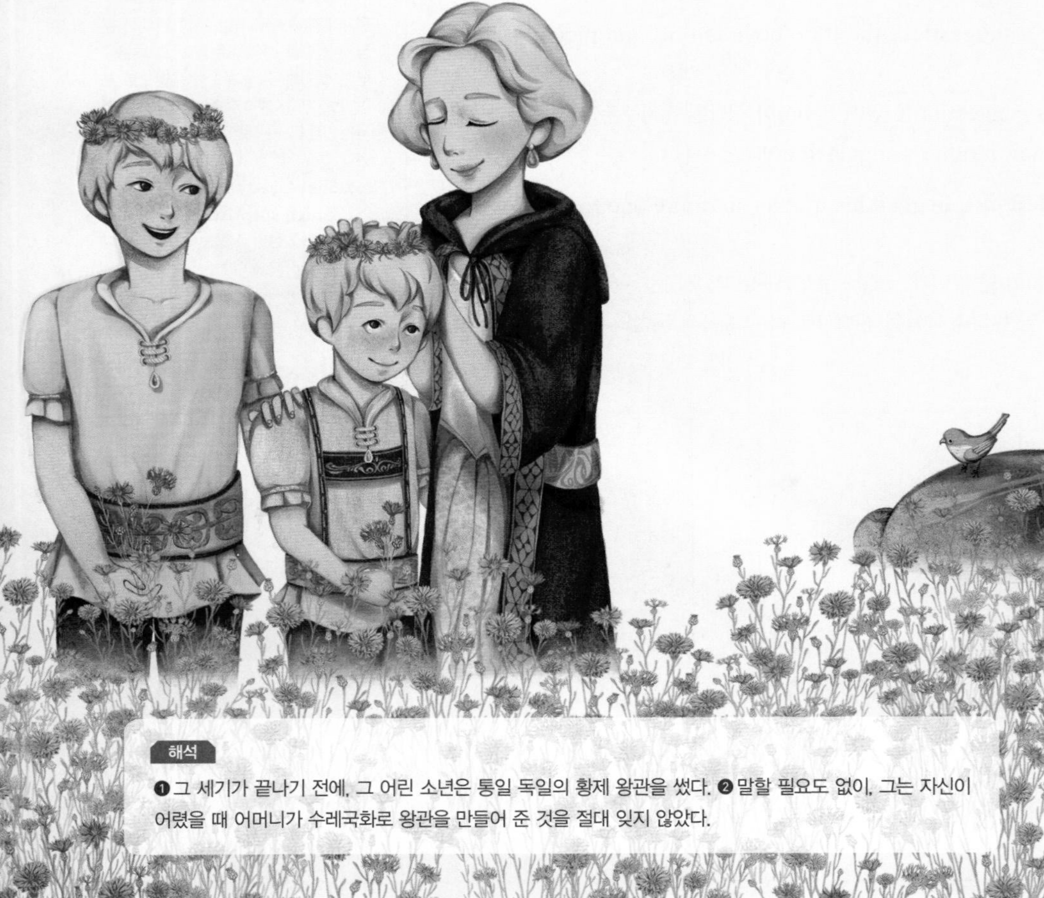

해석

❶ 그 세기가 끝나기 전에, 그 어린 소년은 통일 독일의 황제 왕관을 썼다. ❷ 말할 필요도 없이, 그는 자신이 어렸을 때 어머니가 수레국화로 왕관을 만들어 준 것을 절대 잊지 않았다.

Pay Attention

L4 Needless to say, he never forgot **his mother making** a crown with cornflowers when he was a child.

➡ 동명사의 의미상의 주어는 소유격이나 목적격의 형태로 동명사 앞에 써 쓴다.

어구

close ⓜ 끝, 마무리
- She was born at the ***close*** of the Korean War. (그녀는 한국 전쟁이 끝날 무렵에 태어났다.)

century ⓜ 100년, 세기

be crowned ~에 등극하다
- It is most likely that a new king will ***be crowned***. (새로운 왕이 등극할 가능성은 크다.)

needless to say 말할 필요도 없이
- ***Needless to say***, it is our duty to do so. (말할 필요도 없이, 그렇게 하는 것이 우리의 의무이다.)

구문 연구

❶ Before the close of the century, that little boy **was crowned** Emperor of United Germany.
crown은 타동사로 '왕관을 씌우다, 왕위에 앉히다'라는 뜻이다. 이 문장에서는 수동태로 쓰였다.

❷ **Needless to say**, he never **forgot his mother making** a crown with cornflowers when he was a child.
needless to say는 '말할 필요도 없이'라는 뜻이다. his mother는 forgot의 목적어인 동명사 making의 의미상의 주어이다. 동명사의 의미상 주어는 소유격이나 목적격의 형태로 동명사 앞에 온다. 여기서는 목적격의 의미상 주어로 쓰였다. 「forget+동명사」는 '(과거에) ~했던 것을 잊다'라는 뜻이다. 반면, 「forget+to부정사」는 '(미래에) ~할 것을 잊다'라는 뜻이다.

Grammar Check

> 동명사의 의미상의 주어

동명사의 의미상의 주어가 문장의 주어와 일치하지 않는 경우는 동명사 앞에 소유격이나 목적격을 써서 그 의미를 명확히 해 준다.

• 소유격

e.g. **We celebrated his winning the contest.** (우리는 그가 대회에서 이긴 것을 축하했다.)
Do you mind my closing the door? (제가 창문을 닫아도 괜찮겠습니까?)

• 목적격

e.g. **I remember him saying it.** (나는 그가 그렇게 말한 것을 기억한다.)
He never forgot his mother making a crown with cornflowers when he was a child. (그는 자신이 어렸을 때 엄마가 수레국화로 왕관을 만들어 준 것을 결코 잊지 못했다.)

cf. **Do you mind closing the door?** ((당신이) 창문을 닫아 주시겠습니까?)

Check Up

01 우리말과 일치하도록 괄호 안의 단어를 바르게 배열하시오.

그는 자신의 어머니께서 수레국화로 왕관을 만들어 주었던 것을 결코 잊지 못했다.

He never (his, making, forgot, mother) a crown with cornflowers.

→ ______________________________

02 우리말과 일치하도록 빈칸에 적절한 말을 쓰시오.

말할 필요도 없이, 법을 어긴 자들은 처벌을 받아야 한다.

________ ________ ________, those who break the law should be punished.

교과서 p.116

The Thistle of Scotland

❶ In Scotland, the story of the thistle goes back to (~로 거슬러 올라가다) the rule of Alexander III. ❷ In 1263, there was a great battle between the Danes and the Scots. ❸ The northern Danish invaders, under King Haakon, succeeded in (~에 성공하다) landing on the coast of Scotland, not far from where (관계부사(the place)) Alexander's army was encamped. ❹ Their invasion went (동사(~되다)) almost undetected (보어(형용사)). ❺ In the darkness, the Danish soldiers crept secretly toward the Scottish camp. ❻ Victory seemed certain (보어(형용사)) until a shoeless Danish soldier stepped on a thistle. ❼ The soldier's sharp cry of pain awoke the Scottish soldiers. ❽ They fought with such bravery and skill that the Danish invaders were driven from the Scottish shore. ❾ Since (~ 이후로) that time, the Scotch thistle has been considered (현재완료 수동태) the national flower of Scotland.

❿ Different countries have different flowers ^(that) they highly value, and there are interesting stories about them. ⓫ What is the most popular flower in Korea? ⓬ What kinds of interesting stories do you know about it?

(Hayden, R. J., *National Flowers*)

Q 스코틀랜드 군인들은 어떻게 덴마크 침략군들을 알아차릴 수 있었는가?
How did the Scottish become aware of the Danish invaders?

정답: A shoeless Danish soldier stepped on a thistle and his sharp cry of pain awoke the Scottish soldiers. 맨발의 덴마크 병사가 엉겅퀴를 밟았고 그의 고통스러운 외침이 스코틀랜드 병사들을 깨웠다.

Q What other stories do you know about flowers? 여러분은 꽃에 얽힌 다른 이야기를 알고 있는가?

Sample I know a story about the daffodil. Narcissus fell in love with his own reflection on the water and became frustrated with hopeless love. He eventually died of grief and became a daffodil flower. 나는 수선화에 관한 이야기를 알고 있다. Narcissus는 물에 비친 자신의 모습과 사랑에 빠졌고 그 가망 없는 사랑에 실망했다. 결국 그는 슬픔으로 죽게 되었고 수선화가 되었다.

해석

스코틀랜드의 엉겅퀴

❶ 스코틀랜드의 엉겅퀴 이야기는 Alexander 3세의 통치 시대로 거슬러 올라간다. ❷ 1263년에 덴마크와 스코틀랜드 사이에 큰 전쟁이 있었다. ❸ Haakon왕 휘하의 북부 덴마크 침략자들은 Alexander의 군대가 주둔하고 있던 곳에서 멀지 않은 스코틀랜드 해안에 상륙하는 데 성공했다. ❹ 그들의 침공은 거의 들키지 않고 진행되었다. ❺ 어둠 속에서 덴마크 군인들은 스코틀랜드 진지를 향해 몰래 기어갔다. ❻ 맨발의 한 덴마크 군인이 엉겅퀴를 밟기 전까지는 승리가 확실해 보였다. ❼ 그 군인은 날카로운 고통의 비명을 질렀고 이 소리가 스코틀랜드 군인들을 깨우고 말았다. ❽ 그들은 매우 용감하고 능숙하게 싸워서 덴마크 침략자들은 스코틀랜드 해안에서 쫓겨났다. ❾ 그때 이후로 스코틀랜드 엉겅퀴는 스코틀랜드의 나라꽃으로 여겨지게 되었다. ❿ 나라마다 그들이 높게 평가하는 꽃들이 다르고, 그 뒤에는 재미있는 이야기들이 있다. ⓫ 한국에서 가장 인기 있는 꽃은 무엇인가? ⓬ 그 꽃에 관해 여러분은 어떤 종류의 재미있는 이야기들을 알고 있는가?

Highlight

L1–L5 Highlight the words or phrases that show the setting of the story. 이야기의 배경을 보여 주는 단어나 구절을 표시해 봅시다.

In the Scotland, the rule of Alexander III, In 1263, on the coast of Scotland 등

One More Step

L6 What could the word *undetected* be replaced with? 'undetected'와 바꿔 쓸 수 있는 표현은 무엇인가?

ⓐ untouched 손대지 않은
ⓑ discovered 발견된
✓ⓒ unnoticed 눈에 띄지 않는
ⓓ recognized 알려진

➡ undetected는 '들키지 않고'라는 뜻이다.

어구

thistle ⓜ 엉겅퀴(스코틀랜드의 나라꽃)

invader ⓜ 침략자, 침략군
- We have defeated an *invader*. (우리는 침략자를 물리쳤다.)

encamp ⓓ 야영하다, 진을 치다
- The enemy *encamped* on the hill near the village. (적은 마을 근처 언덕에 진을 쳤다)

undetected ⓗ 들키지[발견되지] 않는
- How could anyone break into the palace *undetected*? (어떻게 누군가가 아무에게도 들키지 않고 그 궁전에 침입할 수가 있죠?)

secretly ⓑ 몰래

awake ⓓ 깨우다, 깨다
- Her voice *awoke* the sleeping child. (그녀의 목소리에 자고 있던 아이가 잠에서 깼다.)

bravery ⓜ 용기

succeed in ~에 성공하다
- He is sure to *succeed in* the end. (그는 기어이 성공하고 말 것이다.)

cf. succeed to ~을 계승하다

구문 연구

❸ The northern Danish invaders, under King Haakon, succeeded in landing on the coast of Scotland, not far from **where Alexander's army was encamped**.
where Alexander's army was encamped는 전치사 from의 목적어가 되는 명사절이고, where 앞에는 the place가 생략된 형태이다. 관계대명사를 이용하여 the place in which Alexander's army was encamped로 바꿔 쓸 수 있다.

❹ Their invasion **went** almost **undetected**.
go는 '어떤 상태나 상황이 되다'라는 뜻의 자동사로 쓰여 보어로 형용사 undetected가 왔다.

❻ Victory **seemed certain** until a **shoeless** Danish soldier stepped on a thistle.
seem은 자동사로 쓰여 형용사 certain이 보어로 왔다. 접미어 -less가 명사 뒤에 붙으면 '~ 없는'이라는 뜻을 지닌 형용사가 된다.
e.g. end**less** (끝없는), job**less** (직장이 없는)

❽ They fought with **such** bravery and skill **that** the Danish invaders **were driven** from the Scottish shore.
「such+(a/an)+(형용사)+명사+that」은 '매우 ~해서 …하다'라는 뜻의 표현이다. that은 주절의 such와 상관적으로 쓰인 종속 접속사로 결과의 부사절을 이끈다. 종속절에 온 수동태 문장에서는 문맥상 by the Scottish soldiers가 생략되어 있다고 볼 수 있다.

❾ Since that time, the Scotch thistle **has been considered** the national flower of Scotland.
과거의 한 시점부터 현재에 이르는 내용을 나타내므로 현재완료시제를 썼는데, 주어 the Scotch thistle과 동사 consider가 수동의 관계이므로 현재완료 수동태(have+been+p.p.)로 표현하였다.

❿ Different countries have different flowers they **highly value**, and there are interesting stories about them.
flowers와 they 사이에는 목적격 관계대명사 that[which]이 생략되었고, highly는 부사로 동사 value를 수식한다.

⓬ What **kinds of interesting stories** do you know about it?
kinds of(~ 종류의) 다음에 복수 형태의 가산명사가 온다.

Grammar Check

›현재완료의 계속적 용법
과거의 상태가 현재까지 지속되거나 과거의 행위가 현재까지 영향을 미칠 때 현재완료시제(**have+p.p.**)를 쓴다. 과거의 한 시점부터 현재까지 계속되고 있다는 뜻을 나타낼 때는 종종 **for**, **since**, **so far** 등의 부사와 함께 쓰인다.
e.g. **I have been interested in math since I was young.** (나는 어려서부터 수학에 관심이 있었다.)
Jack has lived in Seoul for three years. (Jack은 3년 동안 서울에 살고 있다.)

›결과를 나타내는 접속사 that
「**such+(a/an)+(형용사)+명사+that**」은 '매우 ~해서 …하다'라는 뜻이다.
e.g. **It was such a lovely day that we went on a picnic.** (날씨가 매우 좋아서 우리는 소풍을 갔다.)

cf. 「**so+형용사/부사+that**」: 매우 ~해서 …하다
e.g. **He was so nervous that he couldn't answer the question.** (그는 너무 긴장해서 그 질문에 대답할 수 없었다.)

Check Up

01 다음 문장에서 틀린 부분을 찾아 바르게 고치시오.

(1) Since that time, the Scotch thistle was considered the national flower of Scotland.

(2) Victory seemed certainly until a shoeless Danish soldier stepped on a thistle.

02 괄호 안의 어구를 순서대로 배열하시오.

They fought with (bravery, such, and, that, skill) the Danish invaders were driven from the Scottish shore.

→ ______________________

After You Read 1

교과서 p.117

A Match each flower with the relevant people and their actions.

각각의 꽃을 관련 있는 인물과 그들의 행동으로 연결해 봅시다.

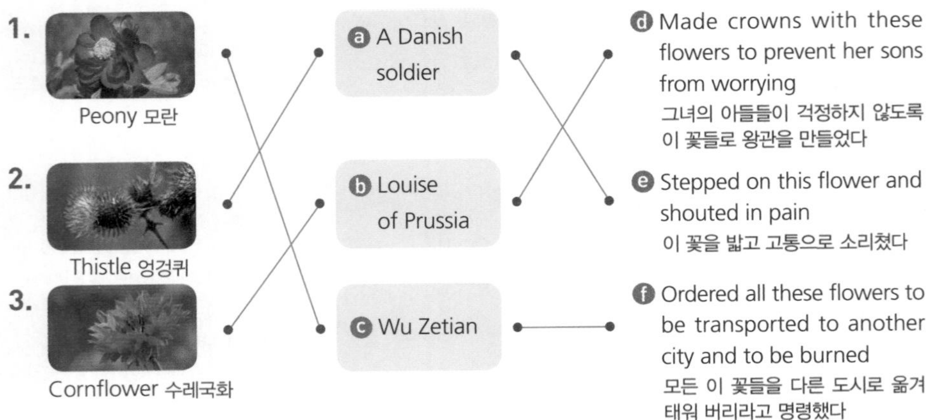

1. Peony 모란
2. Thistle 엉겅퀴
3. Cornflower 수레국화

ⓐ A Danish soldier
ⓑ Louise of Prussia
ⓒ Wu Zetian

ⓓ Made crowns with these flowers to prevent her sons from worrying
그녀의 아들들이 걱정하지 않도록 이 꽃들로 왕관을 만들었다

ⓔ Stepped on this flower and shouted in pain
이 꽃을 밟고 고통으로 소리쳤다

ⓕ Ordered all these flowers to be transported to another city and to be burned
모든 이 꽃들을 다른 도시로 옮겨 태워 버리라고 명령했다

B Listen and fill in the blanks to summarize what each student liked about the flower stories. Then, share what you learned with the class.

듣고 빈칸을 채워 각각의 학생이 꽃 이야기에 관해 마음에 들었던 것을 요약한 뒤, 여러분이 배운 점을 학급과 공유해 봅시다.

1. I enjoyed learning why the thistle is so popular among the Scots.

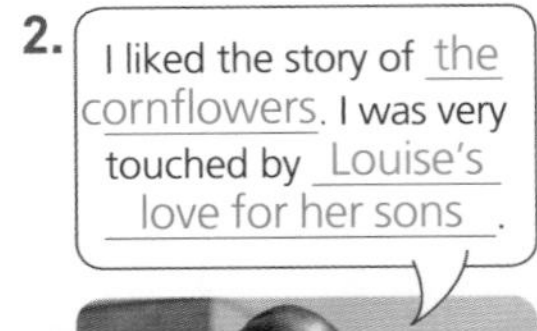

2. I liked the story of the cornflowers. I was very touched by Louise's love for her sons.

3. I found the story of the peony the most interesting. I'd like to read more poems about peonies

1. 저는 왜 엉겅퀴가 스코틀랜드인들 사이에서 그렇게 유명한지 배우는 것이 즐거웠습니다.

2. 저는 수레국화 이야기가 좋았어요. 저는 Louise의 아들들에 대한 사랑에 무척 감동 받았습니다.

3. 저는 모란 이야기가 가장 재미있었어요. 저는 모란에 관한 더 많은 시를 읽어 보고 싶습니다.

Script

1. **W:** I particularly like the story about the thistle. Before I read the story, I didn't understand why the Scots liked the thistle. I thought it was only a kind of wild flower, not special. But I was wrong. It was the flower that helped the Scots win the battle. Now I know why the thistle is so popular among the Scots.
2. **M:** To me, the story about the cornflowers was very interesting. If I had been Queen Louise, I would not have known how to deal with her situation. But she made her sons flower crowns to ease their worries. I was touched by her love for her sons.
3. **W:** I find the story of the peony the most interesting. I guess many Chinese love the peony because of its strength and endurance. I learned the flower has been a topic for many poems. I'd like to read more poems about peonies.

Self-Check	How much do you understand?	If you need help,
Words	☆☆☆☆☆	look up the words you still don't know. 모르는 어휘 찾아보기
Structures	☆☆☆☆☆	review the "Pay Attention" sections. Pay Attention 복습하기
Contents	☆☆☆☆☆	read the text again while focusing on its meaning. 의미에 집중하여 본문 다시 읽기

어구

prevent *A* from *B* A가 B하는 것을 막다 ㊒ **stop[keep] *A* from *B***
- **We must take steps to *prevent* this *from* happening again.** (우리는 이런 일이 다시 일어나지 않도록 조치를 취해야만 한다.)

힌트

중국의 모란, 스코틀랜드의 엉겅퀴, 독일의 수레국화 이야기에 얽힌 등장인물과 행동을 찾아본다.

어구

deal with ~을 다루다, 처리하다 ㊒ **treat**

ease ㊍ 덜어 주다

힌트

각각의 학생은 순서대로 자신이 스코틀랜드의 엉겅퀴(thistle), 독일의 수레국화(cornflower), 중국의 모란(peony)에 대한 이야기에서 느낀 점을 말하고 있다.

해석

1. **여:** 저는 특히 엉겅퀴에 관한 이야기가 좋았어요. 이야기를 읽기 전에 저는 왜 스코틀랜드 사람들이 엉겅퀴를 좋아하는지 이해하지 못했답니다. 저는 그것이 특별하지 않은 단지 야생화의 한 종류일 뿐이라고 생각했거든요. 그렇지만 제가 잘못 알고 있었네요. 그것은 스코틀랜드인들이 전쟁에서 이기게 해 준 꽃이었어요. 이제 저는 왜 엉겅퀴가 스코틀랜드인들 사이에서 그렇게 인기가 있는지 알아요.
2. **남:** 저는 수레국화에 관한 이야기가 가장 흥미로웠습니다. 만약 제가 Louise 여왕이었다면, 그 상황에서 어떻게 해야 할지 몰랐을 거예요. 그렇지만 그녀는 아들들의 걱정을 덜어 주기 위해 그들에게 화관을 만들어 주었어요. 저는 그녀의 아들들에 대한 사랑에 감동 받았습니다.
3. **여:** 저는 모란꽃 이야기가 가장 재미있어요. 저는 많은 중국인이 그 꽃의 강인함과 인내심 때문에 모란꽃을 좋아한다고 생각합니다. 저는 그 꽃이 여러 시의 주제가 되었다는 것을 배웠습니다. 저는 모란꽃에 관한 더 많은 시를 읽어 보고 싶습니다.

Writing Lab

교과서 pp.118~119

초대장 **An Invitation Letter**

Step 1 **Fill in the blanks with the right name of each part of the letter in the box.** 상자 안에서 알맞은 단어를 골라 빈칸을 채워 봅시다.

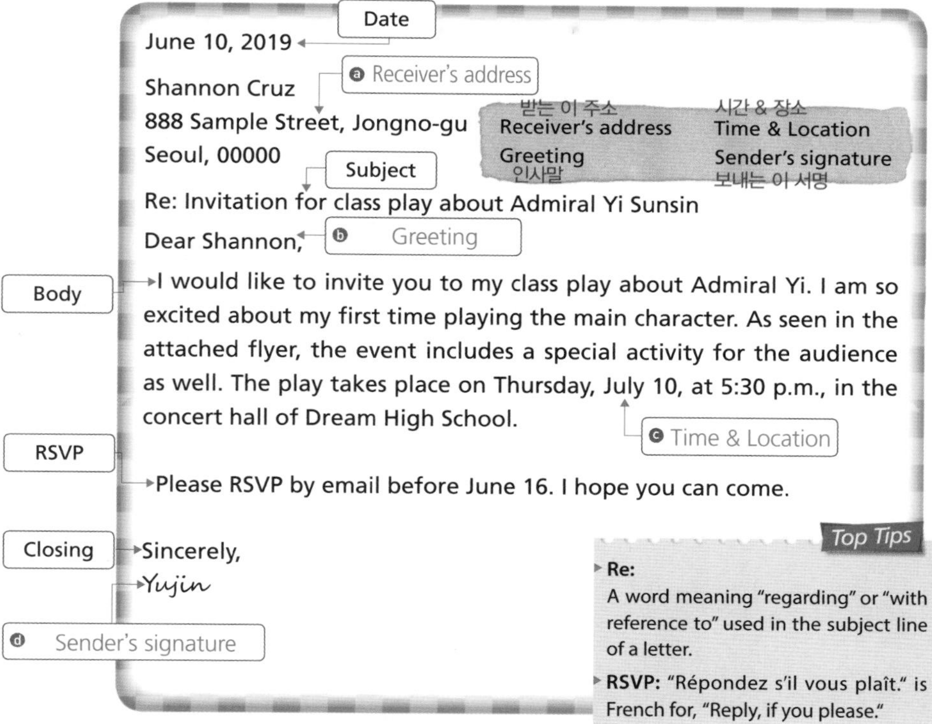

Date
June 10, 2019
ⓐ Receiver's address
Shannon Cruz
888 Sample Street, Jongno-gu
Seoul, 00000
받는 이 주소 Receiver's address
시간 & 장소 Time & Location
Greeting 인사말
Sender's signature 보내는 이 서명
Subject
Re: Invitation for class play about Admiral Yi Sunsin
Dear Shannon,
ⓑ Greeting
Body
I would like to invite you to my class play about Admiral Yi. I am so excited about my first time playing the main character. As seen in the attached flyer, the event includes a special activity for the audience as well. The play takes place on Thursday, July 10, at 5:30 p.m., in the concert hall of Dream High School.
ⓒ Time & Location
RSVP
Please RSVP by email before June 16. I hope you can come.
Closing
Sincerely,
Yujin
ⓓ Sender's signature

Top Tips

- **Re:** A word meaning "regarding" or "with reference to" used in the subject line of a letter.
- **RSVP:** "Répondez s'il vous plaît." is French for, "Reply, if you please."

Step 2 **Imagine you would like to invite a friend to a school event. Use the information in the poster to complete the following outline to write an invitation letter.** 학교 행사에 친구를 초대한다고 가정하고, 포스터의 정보를 이용하여 초대장의 개요를 완성해 봅시다.

Part of the invitation (초대장 일부)		On Your Own
Date 날짜		September 10, 2019
Receiver's address 받는 이 주소		123 Sample Street, Jongno-gu Seoul, 45678
Subject 주제	관련	Re: Invitation for Minguk High School Festival
Greeting 인사말		Dear Sujin,
Body 본문	시간	Time: Friday, September 27, 9 a.m.
	장소	Location: Minguk High School
	회신 요청	RSVP: by email before September 16
Closing 맺는말		Sincerely yours
Sender's signature 보낸 사람의 서명		Jisu

어구

subject 명 주제
greeting 명 인사말
attach 동 붙이다, 첨부하다
- the *attached* file (첨부된 파일)

flyer 명 (광고·안내용) 전단
take place 개최되다, 일어나다
- The film festival *takes place* in October. (그 영화제는 10월에 개최된다.)

sincerely 부 진심으로

해석

2019년 6월 10일
Shannon Cruz
00000
서울 종로구 샘플가 888
이순신 장군에 관한 학급 연극 행사 초대 관련
친애하는 Shannon에게
저는 이순신 장군에 관한 학급 연극에 당신을 초대하고 싶습니다. 제가 처음 주인공을 맡아 매우 설렙니다. 첨부한 안내문에서 보듯, 이 행사는 관객을 위한 특별한 활동도 포함하고 있습니다. 연극은 7월 10일 목요일 오후 5시 30분에 드림 고등학교 공연장에서 개최됩니다.
6월 16일 전에 이메일로 참석 여부를 알려 주세요. 저는 여러분이 오실 수 있길 바랍니다.
진심을 담아
유진

Top Tips
- Re: 편지의 주제란에 쓰이는 단어로 regarding, with reference to는 '~ 관련'이라는 뜻이다.
- RSVP: "Répondez s'il vous plaît'라는 프랑스어의 약어로 영어로는 "Reply, if you please."로 "회답 주시기 바랍니다."라는 뜻이다.

Step 3 **Based on the information in Step 1 and Step 2, write your own invitation letter.** Step 1, Step 2의 정보에 근거하여 자신만의 초대장을 써 봅시다.

Date September 10, 2019

Receiver's address Sujin Kim 123 Sample Street, Jongno-gu Seoul, 45678

Re: Invitation for Minguk High School Festival

Dear Sujin,

I would like to invite you to the Minguk High School Festival. I am so excited about your coming and joining our fun activities. As seen in the attached flyer, the event includes face painting, a music concert, a dance battle, and a photo exhibition. The festival takes place on Friday, September 27 at 9 a.m. in / at Minguk High School.

Please RSVP by email before September 16.

I hope you can come.

Closing Sincerely yours,

Sender's signature Jisu

Top Tips

▸ **Expressions to close a letter:**

Love / Warmly /
Best / Warm regards /
Respectfully yours /
Sincerely yours

| 구문 해설 |

- I **would like to** invited you to ... .: would like to는 '~하고 싶다'라는 뜻이다.
- I am so **excited about** ... .: be excited about[at/by]은 '~에 대해 들뜨다, 흥분하다'라는 뜻이다.
- As seen in the attached flyer, the event includes ... .: As절 안의 주어와 동사 **it is**가 생략된 형태이다.

Self-Edit Read your letter and correct any mistakes. 편지를 읽고 고쳐 봅시다.

Step 4 **Read your partner's letter and check the following:**
짝의 편지를 읽고 고쳐 봅시다.

Peer Feedback

- I understand what he / she intends to say in the letter. 짝이 이 편지에서 말하고자 하는 바를 이해한다. ☆☆☆☆☆
- I think that his / her letter is easy to follow. 짝의 편지는 이해하기 쉽다. ☆☆☆☆☆
- I think most of the words in the letter are correctly used. 편지의 대부분 단어가 적절히 사용되었다. ☆☆☆☆☆
- I think most of the sentences in the letter are grammatically correct. 편지의 대부분 문장이 문법적으로 정확하다. ☆☆☆☆☆

어구

exhibition ⓝ 전시회, 전시

해석

2019년 9월 10일
김수진
45678
서울시 종로구 샘플가 123번지
민국고등학교 축제 초대 관련
친애하는 수진에게,
저는 당신을 민국고등학교 축제에 초대하고자 합니다. 오셔서 우리의 재미있는 활동에 함께해 주실 것을 생각하니 설렙니다. 첨부된 안내문에서 보시듯, 이 행사는 페이스 페인팅, 음악회, 춤 경연, 사진 전시회를 포함하고 있습니다. 축제는 9월 27일 금요일 9시에 민국고등학교에서 열립니다.
9월 16일 전에 이메일로 참석 여부를 알려 주세요. 당신이 오실 수 있기를 바랍니다.
진심을 담아
지수

Top Tips
• 편지를 끝마치는 표현
Love / Warmly /
Best / Warm regards /
Respectfully yours /
Sincerely yours
편지를 맺는말로 서명하기 전에 쓰는 표현이다. [-올림]

Wrap Up

교과서 p.120

꽃 게임 **The Flower Game**

Step 1 **Listen to the conversation and guess the answer to the quiz question.** 대화를 듣고 퀴즈 질문에 대한 답을 추측해 봅시다.

- The answer to the quiz question is a(n) ___rose___. 그 퀴즈 질문에 대한 답은 '장미'이다.

Script

M: Ta-da! Here's a flower quiz for you! Guess what flower I describe.
W: Okay. I'm ready.
M: Name this flower. When found in Colorado, the fossil of this flower was about 35 million years old. What flower is this?
W: Oh, no. I haven't got a clue. Give me a clue.
M: Okay. This flower gives perfume a nice smell. So, it is very important in the perfume industry.
W: Is it an orchid?
M: No. I'll give you another clue. The name of this flower comes from the Latin word "rosa," which means "love."
W: I think I got it!

해석

남: 짜잔! 꽃 퀴즈를 낼게! 내가 설명하는 꽃이 무슨 꽃일지 맞혀 봐.
여: 좋아. 준비됐어.
남: 이 꽃의 이름을 말해 봐. 콜로라도에서 발견되었을 때 이 꽃의 화석의 나이는 3천5백만 살이었어. 이것은 무슨 꽃?
여: 오, 이런. 모르겠어. 힌트를 줘.
남: 알았어. 이 꽃은 향수에 좋은 냄새가 나도록 해 줘. 그래서 이 꽃은 향수 산업에서 매우 중요해.
여: 난초니?
남: 아니. 다른 힌트를 줄게. 이 꽃의 이름은 라틴어 '사랑'을 의미하는 'rosa'에서 왔어.
여: 알겠어!

| 구문 해설 |

- When found in Colorado, the fossil of this flower was about 35 million years old.: When과 found 사이에 주어와 동사 it was가 생략된 형태이다.
- **I haven't got a clue.**: "나는 전혀 모르겠어."라는 뜻으로 무언가에 관해 또는 어떻게 하는지에 관해 아무것도 모를 때 사용하는 비격식 표현으로 clue는 '단서'라는 뜻이다.
- **Give me a clue.**: "힌트를 좀 줘."라는 뜻이다.

어구

ta-da ㉿ 짜잔
describe ⓢ 서술하다, 묘사하다
- ***Describe*** **how you did it.** (당신이 그것을 어떻게 했는지 서술해 보세요.)

fossil ⓜ 화석(the shape of a bone, a shell, or a plant or animal that has been preserved in rock for a very long period)
perfume ⓜ 향수, 향내

힌트

퀴즈의 꽃은 향이 좋고 향수 산업에 많이 쓰이며 꽃 이름은 '사랑'이라는 의미의 라틴어 'rosa'에서 유래되었다.

Step 2 **Search the Internet for more flower facts. Make three question cards (easy, medium, and difficult) about flowers.** 꽃에 관한 더 많은 사실을 인터넷에서 찾아 꽃에 관한 세 가지 질문 카드(쉬운, 중간, 어려운) 만들어 봅시다.

Yellow quiz (Easy level) 노란 퀴즈 (쉬운 단계) 	Your question: e.g. The first German Emperor never forgot his mother making a crown with this flower. What's this flower? 독일의 첫 황제는 그의 어머니가 이 꽃으로 왕관을 만들어 준 것을 결코 잊지 못했습니다. 이 꽃은 무엇인가요?
Red quiz (Medium level) 빨간 퀴즈 (중간 단계) 	Your question: The bulb of this flower was more valuable than gold in Holland in the 1600s. What's this flower? 이 꽃의 알뿌리는 1600년대 네덜란드에서는 금보다 더 가치 있었습니다. 이 꽃은 무엇입니까? (정답: Tulip 튤립)
Purple quiz (Difficult level) 보라 퀴즈 (어려운 단계) 	Your question: This flower was considered a sacred flower by ancient Egyptians and was used in burial rituals. What's this flower? 이 꽃은 고대 이집트인들에 의해 신성한 꽃으로 간주되었고 장례식에 사용되었습니다. 이 꽃은 무엇입니까? (정답: Lotus flower 연꽃)

어구

medium ⓗ 중간의
purple ⓗ 보라색의

Step 3 **In your group, play the board game according to the following rules.** 모둠별로 다음 규칙에 따라 보드게임을 해 봅시다.

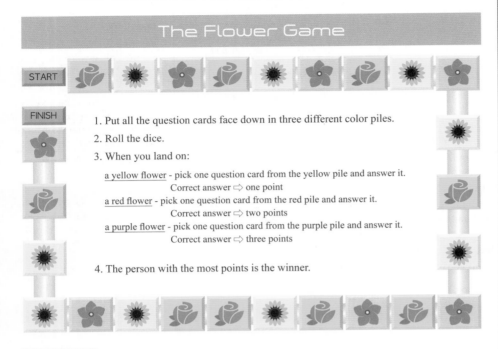

The Flower Game

START

FINISH

1. Put all the question cards face down in three different color piles.
2. Roll the dice.
3. When you land on:

   a yellow flower - pick one question card from the yellow pile and answer it.
   Correct answer ⇨ one point
   a red flower - pick one question card from the red pile and answer it.
   Correct answer ⇨ two points
   a purple flower - pick one question card from the purple pile and answer it.
   Correct answer ⇨ three points

4. The person with the most points is the winner.

Grammar Review

> 부사절에서 「주어+be동사」의 생략

when, while, though, if 등의 접속사가 이끄는 부사절에서 주어가 주절의 주어와 같고 be동사가 사용된 경우에 「주어+be동사」를 생략할 수 있다.

e.g. **If necessary**, I can cook dinner tonight. (필요하다면 오늘 저녁은 내가 할 수 있어.)

> 동명사의 의미상의 주어

동명사의 의미상의 주어가 문장의 주어와 일치하지 않는 경우는 동명사 앞에 소유격이나 목적격을 의미상의 주어로 써서 그 의미를 명확히 해 준다.

e.g. We celebrated **his** winning the contest. (우리는 그가 대회에서 우승한 것을 축하했다.)
I remember **him** saying it. (나는 그가 그렇게 말한 것을 기억한다.)

어구

pile 명 더미, 쌓아 놓은 것

dice 명 주사위

• Roll the ***dice***. (주사위를 굴려라.)

land on ~에 다다르다, 착륙하다

해석

1. 모든 질문 카드를 문제가 아래로 향하도록 세 가지 다른 색 카드 모음에 놓는다.
2. 주사위를 굴린다.
3. 노란 꽃에 도착하면 – 노란색 카드 모음에서 질문 카드를 골라 답한다. → 정답은 1점
   빨간 꽃에 도착하면 – 빨간색 카드 모음에서 질문 카드를 골라 답한다. → 정답은 2점
   보라색 꽃에 도착하면 - 보라색 카드 모음에서 질문 카드를 골라 답한다. → 정답은 3점
4. 가장 많은 점수를 딴 사람이 이긴다.

Check Up

01 두 문장이 일치하도록 빈칸에 적절한 말을 쓰시오.

(1) If you are in need, don't hesitate to ask me for help.
= If _________ _________, don't hesitate to ask me for help.

(2) The boat had drifted almost 300 miles when it was found a week after the accident.
= The boat had drifted almost 300 miles when _________ a week after the accident.

02 빈칸에 들어갈 표현으로 적절한 것은?

A: I really appreciate _________ to share your thoughts on this.
B: Don't mention it. It's the least I could do.

① you take the time
② taking the time
③ your taking the time
④ you to have been taken
⑤ that you should take time

교과서 p.121

세계의 꽃 축제

Flower Festivals Around the World

Look at the pictures of various flower festivals around the world. Search the Internet for the missing information to fill in the blanks.
세계의 다양한 꽃 축제 사진을 보고 인터넷에서 정보를 찾아 빈칸을 채워 봅시다.

Rose Festival

When: The first week of June
Where: Kazanlak, Bulgaria
What people do: Young people wear folk costumes and pick roses to celebrate the day.

Chiang Mai Flower Festival

When: The first weekend of February
Where: Chiang Mai, Thailand
What people do: People watch the flower festival parade on the street.

Flower Carpet

When: Every two years in August
Where: The Grand Place in Brussels, Belgium
What people do: Volunteers get together at the Grand Place to create a giant carpet of flowers.

Madeira Flower Festival

When: Every year in April
Where: Madeira Island, Portugal
What people do: Children walk in a parade and dance to celebrate the start of the spring season.

| 구문 해설 |

- **Every two years** in August: every two years는 '2년마다 한 번씩'이라는 뜻으로 every other[second] year로 바꿔 쓸 수 있다.
- Volunteers get together at the Grand Place **to create** a giant carpet of flowers.: to created는 to부정사의 부사적 용법 중 '~하기 위하여'라는 뜻의 목적을 나타낸다.

Search for information about flower festivals in Korea, and talk about which festival you would like to go to most. Then, complete the following ticket to the festival. 한국의 꽃 축제에 관한 정보를 찾아보고, 어느 축제에 가장 가고 싶은지 대화해 봅시다. 그러고 나서, 축제에 표를 완성해 봅시다.

TICKET TO Yeosu FESTIVAL 여수 축제 입장권

~으로부터 FROM	Yongsan, Seoul 서울, 용산
TO ~에게	Yeosu, Jeonnam 전남, 여수
DATE 날짜	March 15, 2019 2019년 3월 15일
TIME 시간	9:00 a.m. 오전 9시

어구

costume ⓜ 의상, 복장
- They were dressed up in brightly colored national *costumes*. (그들은 밝은 색깔의 민속 의상으로 차려입고 있었다.)

celebrate ⓓ 기념하다, 축하하다
- How do people *celebrate* New Year in your country? (당신 나라에서는 새해를 어떻게 기념하나요?)

parade ⓜ 행렬, 행진

해석

장미 축제
언제: 6월 첫 주
어디서: 불가리아, 카잔락
사람들이 하는 활동: 젊은이들이 전통 의상을 입고 그날을 기념하기 위해 장미꽃을 딴다.

치앙마이 꽃 축제
언제: 2월 첫 주말
어디서: 태국, 치앙마이
사람들이 하는 활동: 사람들은 거리에서 꽃 축제 행렬을 구경한다.

꽃 카펫
언제: 2년마다 8월에
어디서: 벨기에, 브뤼셀의 The Grand Place
사람들이 하는 활동: 자원봉사자들이 커다란 꽃 카펫을 만들기 위해 The Grand Place에 모인다.

마데이라 꽃 축제
언제: 매년 4월
어디서: 포르투갈, 마데이라섬
사람들이 하는 활동: 봄의 시작을 축하하기 위해 아이들이 행진하고 춤을 춘다.

교과서 p.122

The Language of Flowers

❶ Have you ever wondered why your favorite flower is your favorite? ❷ Why do you prefer roses to peonies? ❸ What many people don't realize is that we tend to favor the one flower that best complements our personality.

현재완료(경험) / prefer *A* to *B*: B보다 A를 선호하다 / 관계대명사(= the thing which) / 명사절 접속사 / ~하는 경향이 있다 / 주격 관계대명사

❹ Different flowers symbolize different characteristics, meanings, and emotions. ❺ Many assume that a person's preference for a particular flower indicates that they are most like the attributes associated with that flower. ❻ In the past, people even invented a secret language of flowers and used it frequently in their daily lives. ❼ Learning the special symbolism of flowers became popular during the 1800s when each flower was assigned a particular meaning.

명사절 접속사 / 명사절 접속사 / 지시형용사 / 주어(동명사) / 2형식 동사 / 보어 / 수동태

❽ Even though meanings and traditions change depending on time and culture, flowers have been loved for a long time as a way to express emotions.

~이긴 하지만 / ~에 따라 / 현재완료 수동태

❾ Do you wonder what flowers say about your personality? ❿ Why don't you take the following quiz? ⓫ Please don't take the result too seriously. ⓬ It's just for fun!

~하는 게 어때

Choose Your Favorite Flower

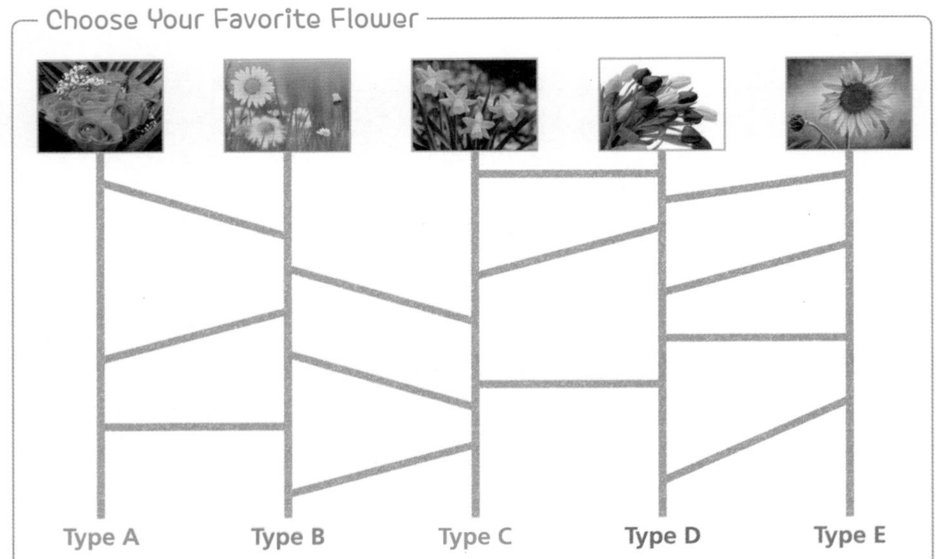

어구

complement ⓢ 보완하다, 덧붙이다
- **We *complement* one another perfectly.** (우리는 서로를 완벽하게 보완해 준다.)

cf. **compliment** ⓢ 칭찬하다

personality ⓜ 성격, 개성
- **The children all have very different *personalities*.** (그 아이들은 모두 성격이 아주 많이 다르다.)

indicate ⓢ 나타내다
- **Research *indicates* that eating habits are changing fast.** (연구는 식습관이 빠르게 바뀌고 있음을 보여 준다.)

assume ⓢ 추정하다
- **It is generally *assumed* that stress is caused by too much work.** (스트레스는 과로 때문에 유발된다고 일반적으로 추정된다.)

attribute ⓜ 속성
- **Patience is one of the most important *attributes* in a teacher.** (인내는 교사의 가장 중요한 자질 중 하나이다.)

assign ⓢ 맡기다, 배정하다
- **The teacher *assigned* a different task to each of the children.** (교사는 아이들에게 각각 다른 과제를 하나씩 맡겼다.)

구문 연구

❶ **Have** you **ever wondered** why your favorite flower is your favorite?
과거부터 현재까지의 경험에 관해 묻는 현재완료시제이다. 경험을 물을 때는 ever, never, before, once 등의 부사와 함께 자주 쓰인다.

❷ Why do you **prefer** roses **to** peonies?
prefer *A* to *B*는 'B보다 A를 선호하다'라는 뜻이다.
e.g. I much **prefer** jazz **to** rock music. (나는 록음악보다 재즈를 더 좋아한다.)

❸ **What many people don't realize is that** we tend to favor the one flower **that** best complements our personality.
문장의 주어는 What many people ~ realize이고 동사는 is, 첫 번째 that 이하가 문장의 보어이다. What은 선행사를 포함하는 명사절을 이끄는 관계대명사이며, 첫 번째 that은 보어로 쓰인 명사절을 이끄는 접속사이다. 두 번째 that은 the one flower를 선행사로 하는 주격 관계대명사이다.

❺ Many assume **that** a person's preference for a particular flower indicates **that** they are most like the attributes associated with **that** flower.
첫 번째 that은 assume의 목적어가 되는 명사절을 이끄는 접속사, 두 번째 that은 indicates의 목적어가 되는 명사절을 이끄는 접속사이다. 그리고 세 번째 that은 명사 flower를 수식하는 지시형용사이다. the attributes와 associated 사이에 「관계대명사+be동사」인 which are가 생략되어 있다.

❼ **Learning** the special symbolism of flowers **became popular** during the 1800s when each flower **was assigned** a particular meaning.
문장의 주어부는 Learning the special ... flowers로, 동명사 Learning이 주어 역할을 하고 있다. 동사는 became이고, 2형식 동사이므로 보어로 형용사 popular가 왔다. 부사절 when 이하에서 each flower와 assign은 수동의 의미 관계이므로 수동태(was assigned)가 쓰였다.

❽ **Even though** meanings and traditions change **depending on** time and culture, flowers **have been loved** for a long time as a way to express emotions.
Even though는 '비록 ~이긴 하지만'이라는 양보의 뜻을 갖는 부사절을 이끄는 종속접속사이다. depending on은 '~에 따라'라는 뜻이며, have been loved는 과거부터 현재까지 계속 사랑 받고 있다는 의미이므로 현재완료 수동태가 쓰였다.

Grammar Check

>관계대명사 what *vs.* 접속사 that
관계대명사 what은 선행사를 포함하고 있으며, the thing(s) which[that]의 의미를 갖는다. 문장에서 주어, 목적어, 보어 역할을 한다. 관계대명사 what 뒤에는 불완전한 문장의 형태가 온다.
e.g. **What surprised me was the way she treated her children.** (나를 놀라게 했던 것은 그녀가 아이들을 다루는 방식이었다.)
She realized what he had meant. (그녀는 그가 의미한 바를 깨달았다.)
This is exactly what I have wanted. (이것이 정확하게 내가 원했던 것이다.)

명사절을 이끄는 종속접속사 that도 문장에서 주어, 목적어, 보어의 역할을 한다. 그러나 접속사 that 이하에는 완전한 문장의 형태가 온다.
e.g. **It was rather a shock that she forgot me so quickly.** (그녀가 나를 그렇게 빨리 잊었다는 것은 다소 충격이었다.)
I regret that I did not take your advice. (나는 너의 충고를 받아들이지 않았던 것을 후회한다.)
The important thing is that you are happy. (중요한 것은 네가 행복하다는 것이다.)

해석

꽃의 언어
❶ 여러분은 여러분이 가장 좋아하는 꽃을 왜 가장 좋아하는지에 관해 궁금하게 생각해 본 적이 있나요? ❷ 왜 여러분은 모란보다 장미를 더 좋아할까요? ❸ 많은 사람이 인식하지 못하고 있는 것은 우리가 우리의 성격을 가장 잘 보완해 주는 꽃을 선호하는 경향이 있다는 것입니다.
❹ 꽃마다 서로 다른 성격, 의미, 감정을 상징합니다. ❺ 많은 사람이 어떤 사람의 특정 꽃에 대한 선호는 그들이 대체로 그 꽃과 관련된 특성과 유사함을 나타낸다고 여깁니다. ❻ 과거에, 사람들은 심지어 비밀 꽃말을 만들어 그것을 그들의 일상 생활에서 빈번하게 사용하였습니다. ❼ 꽃의 특별한 상징을 배우는 것은 각각의 꽃이 특별한 의미를 부여 받았던 1800년대에 인기를 얻게 되었습니다.
❽ 의미나 전통이 시간이나 문화에 따라 달라진다 할지라도 꽃은 오랫동안 감정을 표현하는 방법으로 사랑 받아 왔습니다.
❾ 여러분은 꽃이 여러분의 성격에 관해 무엇이라고 하는지 궁금합니까? ❿ 다음 퀴즈를 풀어 볼까요? ⓫ 결과를 너무 심각하게 받아들이지는 마세요. ⓬ 그냥 재미 삼아 하는 것입니다!

"What type of person are you? Your favorite flower says you're .... "

Type A

❶ You're a people person and have a love for traveling. ❷ Unlike (~와 달리(전치사)) others, you don't mind change and actually adapt to (~에 적응하다) it well. ❸ You're sensitive and relaxed and give great advice.

Type B

❹ You always aim to (~을 목표로 하다) be optimistic and look on the bright side of things (낙관하다). ❺ You are a good friend, and have a great sense of humor. ❻ You love to make others laugh (make+목적어+목적격 보어(동사원형)). ❼ You like to spend your time in nature.

Type C

❽ You're active and warm! ❾ You're an optimist and you make friends very easily. ❿ You've been described (현재완료 수동태) as the life of the party, and you genuinely light up the room when you walk in.

Type D

⓫ You're artistic. ⓬ You're a hard worker and you're good at (~을 잘하다) doing multiple things at the same time (동시에). ⓭ Although (비록 ~이지만) you work hard for greatness, you prefer to (prefer+to부정사: ~하는 것을 선호하다) generally have a calm and peaceful life.

Type E

⓮ You pursue perfection in everything ^(that) you do and you try to bring (try+to부정사: ~하려고 노력하다) out the best in others. ⓯ Some may consider you behind the times (시대에 뒤처진), but you just know perfection when you see it.

(https://petalsnetworkblog.wordpress.com/tag/what-does-your-favourite-flower-say-about-you/
https://www.buzzfeed.com/apentak720/what-does-your-favorite-flower-say-about-you-1b817?utm_term=.ryxlZexbG8#.ymwx6rA8VG)

▪ **⓰ What do you think about the description of your type? ⓱ Talk with your partner about whether you think it's accurate or not.**

어구

people person 명 (비격식) 사람들과 어울리기 좋아하는 사람 (**a person who enjoys or is particularly good at interacting with others**)
- **She's an extrovert, a real *people person*.** (그녀는 외향적인 사람이야, 진짜 사람 좋아하는 사람이지.)

sensitive 형 감성적인

optimistic 형 낙관적인 반 **pessimistic**

optimist 명 낙관론자

genuinely 부 진정으로, 순수하게
- **The people seem *genuinely* glad to see you.** (그 사람들은 당신을 만난 것을 진심으로 기뻐하는 것 같다.)

bring out ~을 끌어내다, 발휘되게 하다
- **Crisis *brings out* the best in her.** (위기가 닥치면 그녀의 능력이 최고조로 발휘된다.)

behind the times 시대에 뒤떨어진 유 **old-fashioned**
- **Their fashions are *behind the times*.** (그들의 패션은 시대에 뒤떨어져 있다.)

구문 연구

❻ You love to **make others laugh**.
「make+목적어+목적격 보어」는 '~을 …하게 하다'라는 뜻이다. make의 목적어 others와 목적격 보어 laugh가 능동의 의미 관계이므로 목적격 보어로 동사원형이 왔다.

❿ You'**ve been described** as the life of the party, and you genuinely light up the room when you walk in.
have been described는 '설명되어진다'라는 뜻의 현재완료 수동태(have been p.p.) 구문이다.

⓭ **Although** you work hard for greatness, you **prefer to** generally **have** a calm and peaceful life.
Although는 양보의 의미를 나타내는 접속사이다. 「prefer+to부정사」는 '~하는 것을 선호하다'라는 뜻이다. to부정사 대신에 동명사 형태를 쓸 수도 있다.

⓮ You pursue perfection in everything you do and you **try to bring out** the best in others.
everything과 you 사이에 목적격 관계대명사 that이 생략되었다. 「try+to부정사」는 '~하려고 노력하다'라는 뜻이다. 반면, 「try+동명사」는 '시험 삼아 ~해 보다'라는 뜻이다.

⓯ Some **may** consider you behind the times, but you just know perfection when you see it.
may는 '~일지도 모른다'는 추측의 조동사이다. you와 behind 사이에 to be가 생략된 형태이다.

해석

당신은 어떤 종류의 사람인가요? 당신이 좋아하는 꽃은 여러분이 다음과 같다고 알려 줍니다.

A 타입
❶ 당신은 사람들과 어울리기 좋아하는 사람이며 여행을 좋아합니다. ❷ 다른 사람들과 달리 당신은 변화를 꺼리지 않으며 사실 그것에 잘 적응합니다. ❸ 당신은 감성적이고 여유로우며 조언을 잘합니다.

B 타입
❹ 당신은 항상 낙관적이고자 하며 사물의 긍정적 측면을 바라봅니다. ❺ 당신은 좋은 친구이고 유머 감각이 탁월합니다. ❻ 당신은 다른 사람들을 웃게 하는 것을 좋아합니다. ❼ 당신은 자연에서 시간 보내는 것을 좋아합니다.

C 타입
❽ 당신은 활동적이며 온화합니다! ❾ 당신은 낙관주의자이고 친구를 아주 쉽게 사귑니다. ❿ 당신은 파티의 활기를 북돋우는 사람으로 묘사되고 있으며, 당신이 오면 진정으로 분위기를 밝게 해 줍니다.

D 타입
⓫ 당신은 예술적입니다. ⓬ 당신은 열심히 일하는 사람이며 동시에 다수의 일을 하는 데 능숙합니다. ⓭ 비록 당신은 위대해지려고 열심히 일하지만, 대체로 고요하고 평화로운 삶을 선호합니다.

E 타입
⓮ 당신은 당신이 하는 모든 일에 완벽을 추구하며 다른 사람들에게서도 최선을 끌어내고자 합니다. ⓯ 몇몇은 당신이 시대에 뒤떨어진다고 생각할 수도 있지만, 당신은 그저 척 보면 완벽함을 알아봅니다.
⓰ 당신 타입의 설명에 관해 어떻게 생각하는가? ⓱ 짝과 함께 그것이 맞는지 그렇지 않은지에 관해 대화해 봅시다.

Grammar Check

prefer의 쓰임
- **prefer**+목적어+**to**+명사
  e.g. **I prefer spring to fall.** (나는 가을보다 봄이 더 좋다.)
- **prefer**+동명사
  e.g. **I much prefer playing in the open air** (**to reading indoors**). (나는 (집에서 독서하기보다) 밖에서 노는 것이 훨씬 좋다.)
- **prefer**+**to**부정사
  e.g. **I prefer to start early.** (일찍 출발하는 편이 낫다.)
- **prefer**+**that**절
  e.g. **I prefer that you** (**should**) **wait here.** (당신은 여기서 기다리는 게 좋겠다.)

Word Play

A. Match the words with their correct meanings. 단어와 올바른 의미를 서로 연결해 봅시다.

1. particular 특정한		ⓐ connected, joined, related 관계된, 연관된, 관련된
2. associated 연관된		ⓑ to carry or cause to go from one place to another 한 장소에서 다른 곳으로 수송하게 하거나 이동하게 하다
3. significant 중요한		ⓒ of or belonging to a single or specific person or thing 어떤 하나의 또는 특정한 사람 또는 사물의 또는 그에 속한
4. declare 선포하다		ⓓ very important; very large or noticeable 아주 중요한; 아주 크거나 현저한
5. transport 이동시키다		ⓔ a country or army that is invading another country 다른 나라를 침략하는 국가 또는 군대
6. bravery 용기		ⓕ injured or damaged by burning 화재에 의해 다치거나 손상된
7. invader 침략자		ⓖ entirely, thoroughly, absolutely, fully 전적으로, 철저히, 완전히, 충분히
8. destroy 파괴하다		ⓗ to make clearly known or announce officially 분명히 알리거나 공식적으로 선언하다
9. burnt 탄		ⓘ to ruin; to tear down or break up 폐허로 만들다; 해체하거나 부수다
10. completely 완전히		ⓙ courageous behavior or the quality of being courageous 용기 있는 행동 또는 용감한 특성

B. Fill in the blanks with the appropriate words from the exercise above.
위에서 적절한 단어를 찾아 빈칸을 채워 봅시다.

1. He was one of the most __significant__ musicians of the last year.
그는 작년에 가장 중요한 음악가 중 한 명이었다.
2. The building was __burnt__ down to ashes.
그 건물은 타서 재로 변했다.
3. He __declare__d his intention to become the best soccer player in the world.
그는 세계 최고의 축구 선수가 되겠다는 의지를 분명히 했다.
4. His __bravery__ saved the little girl's life.
그의 용기는 그 소녀의 생명을 구했다.
5. Her life changed __completely__ when she got a new job.
그녀의 삶은 새로운 직업을 구한 뒤 완전히 바뀌었다.
6. Flower seeds are __transport__ed by wind.
꽃씨는 바람에 의해 이동된다.
7. Nuclear war can __destroy__ all living things.
핵전쟁은 모든 생명을 파멸시킬 수 있다.
8. Is there a __particular__ type of book he enjoys?
그가 즐기는 특정한 유형의 책이 있나요?
9. These symptoms might be __associated__ with his skin cancer.
이러한 증상들은 그의 피부암과 관련 있을 수도 있다.
10. Chinese emperors began constructing the wall 2,000 years ago to keep out __invader__s.
중국 황제들은 침략군을 막기 위해 2000년 전에 그 장벽을 건축하기 시작했다.

어구

belong to ~에 속하다, ~ 소유이다
- **Who does this bag *belong to*?** (이 가방 누구 거죠?)

noticeable ⓗ 현저한, 주목할 만한, 중요한
- ***noticeable* progress** (현저한 진보)

quality ⓜ 자질, 특성

tear down ~을 파괴하다, 해체하다
- **They will *tear down* old buildings.** (그들은 오래된 건물들을 허물 것이다.)

어구

ash ⓜ 재

intention ⓜ 의사, 의도, 목적
- **He has announced his *intention* to retire.** (그는 은퇴할 의사를 발표했다.)

symptom ⓜ 증상, 징후

construct ⓓ 건설하다, 구성하다 ⓤ **build, make, create**
- **They *constructed* their own shelter.** (그들은 그들만의 은신처를 만들었다.)

keep out 막다, 출입을 금하다
"Private property. *Keep out*." ("사유지임. 들어오지 마시오.")

단원 평가

01 대화의 빈칸에 적절한 것은?

> **M:** I heard you are volunteering as a student teacher. Do you like it?
> **W:** Yes, I love the job. You know, I feel confident teaching young children.
> **M:** Good for you. What do you usually do with the students?
> **W:** We do various fun activities. For example, yesterday we went outside and had a flower hunt.
> **M:** That sounds exciting. Are your students curious about flowers and plants?
> **W:** Yes, they are. And I myself enjoyed going on flower hunts with them.
> **M:** That sounds cool. ______________________
> **W:** Why not? You are always welcome to join.

① I totally agree with you.
② I wonder what happens to them.
③ I'd better not apply for the position.
④ I was wondering if I could join you next time.
⑤ I'm curious about what it means to me.

02 대화의 빈칸에 적절하지 않은 것은?

> **M:** What symbolizes the art club?
> **W:** I think a rose. Can you guess why?
> **M:** ______________ What does that represent?
> **W:** It represents love and passion.

① I'm clueless.
② I don't know.
③ I have no idea.
④ I don't mean it.
⑤ I haven't got a clue.

03 대화의 빈칸에 들어갈 말로 가장 적절한 것을 |보기|에서 고르시오.

> **W:** I just read an article about career choices.
> **M:** Was it interesting?
> **W:** Yes. It talked about some unique jobs. For example, do you know what flower therapists do?
> **M:** (1) ______________________ What kind of job is that?
> **W:** They cure people using the beauty and smell of flowers.
> **M:** That sounds very interesting. Considering how people feel when they get flowers, I'm sure flower therapy works.
> **W:** I agree. (2) ______________________ I like flowers and people.
> **M:** Then you should look more into it.

|보기|

ⓐ I haven't got a clue.
ⓑ I'm afraid not.
ⓒ I think the job suits me.
ⓓ I'm glad you liked it.
ⓔ That doesn't matter.

04 자연스러운 대화가 되도록 ⓐ~ⓓ를 바르게 배열하시오.

> ⓐ Sure, you can. But try not to frighten them.
> ⓑ All right. That's good.
> ⓒ I was wondering if I could feed the birds.
> ⓓ Okay. I'll be sure not to do that.

(   )-(   )-(   )-(   )

05 |보기|에서 적절한 단어를 골라 문장을 완성하시오. (필요하면 형태를 바꿀 것.)

|보기|

declare　associate　creep　transport

The country __________ its independence from Spain in 1816.

06 문맥에 맞게 괄호 안의 단어를 적절한 형태로 고쳐 빈칸에 쓰시오.

(1) He was ____________ by their aggressive comments. (rage)

(2) Bad eating habits could seriously ____________ your health. (danger)

07 네모 안에서 적절한 것을 고르시오.

(1) Tom talks so loudly. Jane doesn't like [his coming / him come] here.

(2) Though [preparing /prepared] in haste, the festival was a great success.

08 빈칸에 들어갈 주제문으로 가장 적절한 것은?

> ____
> For example, a particular flower may have a certain meaning in one country. That same type of flower may have a completely different meaning in another country. Also, some flowers have very special meanings in some countries. Many of these flowers are national flowers. The stories behind how certain flowers have become associated with particular countries are quite interesting.

① Flowers have symbolic meanings in many literary texts.
② Different flowers represent different personalities.
③ It is interesting to learn about why people favor a certain flower.
④ Flowers have various meanings, depending on the culture or country.
⑤ Flowers have been used for a long time as a way to express emotions.

[09~10] 다음 글을 읽고, 물음에 답하시오.

> The story of the peony started one snowy night. Wu Zetian, the only female in Chinese history to rule as empress, once ordered that all the flowers in her garden were to bloom in winter. The flowers, afraid of the empress, all bloomed, except for the peonies.

> (A) Though seemingly completely ①destroying, the following spring, the burnt branches surprisingly blossomed into beautiful flowers. Wu Zetian and many others were amazed ②that the flowers had come back to life.
> (B) This enraged the empress and she ③ordered all of the peonies to be removed from the capital city, Chang'an. So she had all the peonies in the city ④transported to Luoyang, another important city during that time. She then ordered the people of the city to burn them.
> (C) Afterwards, Wu Zetian declared the peony to be the national flower of the Tang Dynasty. The Chinese have ⑤such great appreciation for the peony that over 200 Chinese poets have written more than 500 poems to celebrate it.

09 글의 흐름으로 보아, 주어진 글 다음에 이어질 글의 순서로 가장 적절한 것은?

① (A) – (C) – (B)
② (B) – (A) – (C)
③ (B) – (C) – (A)
④ (C) – (A) – (B)
⑤ (C) – (B) – (A)

10 윗글의 밑줄 친 부분 중 어법상 틀린 것은?

① ② ③ ④ ⑤

[11~13] 다음 글을 읽고, 물음에 답하시오.

In German history, the cornflower is associated with the beautiful Louise of Prussia, who was the mother of William, the first Emperor of Germany.

(A) Before the close of the century, that little boy was crowned Emperor of United Germany. Needless to say, he never forgot his mother making a crown with cornflowers when he was a child.

(B) It is said that during the battle of Jena and Auerstedt (1806), Queen Louise escaped from Berlin with her two sons. On the way to Koenigsberg, their wagon broke down, and they got off and waited by the road until the damage was repaired.

(C) Excited by their mother's suggestion, the little boys ran off and picked a lot of flowers. The queen then made a crown from the flowers and placed it on the head of her older son. Little William, not to be left out, begged his mother to make one for him, which she did.

(D) Not wanting her boys to worry about ________, the queen told them to look at the countless beautiful cornflowers that were growing nearby. "Go," she said, "and gather some of those flowers, and I shall make a crown for you."

11 글의 흐름으로 보아 주어진 글 다음에 이어질 글의 순서를 쓰시오.

(　　)－(　　)－(　　)－(　　)

12 윗글의 내용과 일치하는 것은?

① Louise의 큰아들은 후에 통일 독일의 황제가 되었다.
② 예나와 아우어슈테트 사이의 전쟁 동안 Louise 여왕은 두 아들과 베를린으로 도피했다.
③ 도피 도중 여왕 일행의 마차가 완전히 고장 나서 고칠 수 없게 되었다.
④ 어린 William은 어머니께 자기도 화관을 만들어 달라고 애원했다.
⑤ 여왕은 아들들에게 화관을 만들어 주려고 수레국화를 꺾었다.

13 윗글의 빈칸에 들어갈 말로 가장 적절한 것은?

① the delay　② the departure
③ the suggestion　④ the flowers
⑤ the farewell

[14~15] 다음 글을 읽고, 물음에 답하시오.

In Scotland, the story of the thistle goes back to the rule of Alexander III. In 1263, there was a great battle between the Danes and the Scots. The northern Danish invaders, under King Haakon, succeeded in landing on the coast of Scotland, not far from where Alexander's army was encamped. Their invasion went almost (A) [uncovered / undetected]. In the darkness, the Danish soldiers crept secretly toward the Scottish camp. Victory seemed (B) [certain / unlikely] until a shoeless Danish soldier stepped on a thistle. The soldier's sharp cry of pain awoke the Scottish soldiers. <u>They fought with (the, and, invaders, were, Danish, bravery, that, skill, driven, such) from the Scottish shore</u>. Since that time, the Scotch thistle has been considered the (C) [national / native] flower of Scotland.

14 윗글의 (A), (B), (C) 각 네모 안에서 가장 적절한 것은?

	(A)		(B)		(C)
①	uncovered	······	certain	······	national
②	uncovered	······	unlikely	······	native
③	undetected	······	unlikely	······	national
④	undetected	······	unlikely	······	native
⑤	undetected	······	certain	······	national

15 윗글의 밑줄 친 문장이 다음 우리말과 일치하도록 괄호 안의 어구를 바르게 배열하시오.

그들은 매우 용감하고 능숙하게 싸워서 덴마크 침략자들은 스코틀랜드 해안에서 쫓겨났다.

→ ________________________________

LESSON 6

Youth Can Change the World

Check what you already know.
알고 있는 것에 표시해 봅시다.

- [ ] I'm going to spend more time with my family.
  나는 가족과 더 많은 시간을 보낼 것이다.
- [ ] Just a moment (while I think).
  (제가 생각하는 동안) 잠깐 기다려 줘요.

- [ ] **Ms. Taylor, a famous soccer player,** will be visiting our school tomorrow.
  유명한 축구선수인 Talyor씨가 내일 우리 학교를 방문할 것이다.
- [ ] A girl said, **"I'll talk about my story from now on."** 한 소녀가 말했다. "저는 이제부터 제 이야기를 하려고 합니다."

Think Ahead **Have you ever done any volunteer work? If so, talk about how it felt to do something good for others.** 봉사 활동을 해 본 적이 있나요? 만약 그렇다면, 다른 사람들을 위해 무언가 좋은 일을 하는 것은 어떤 기분이었는지 이야기해 봅시다.

Sample It felt good to feed elderly people because it made them happy.
노인들에게 식사를 대접하는 것이 그들을 행복하게 해 주기 때문에 좋다.

In this lesson, I will ... 이 단원에서, 나는 …

Listening & Speaking	Reading	Writing	Culture
• learn to express intentions. 의도를 표현하는 법을 배울 것이다. • learn to ask for a moment to think about something. 무언가에 관해 생각할 시간을 잠깐 요청하는 법을 배울 것이다.	• read about a teen entrepreneur. 청소년 기업가에 관해 읽을 것이다.	• write a paragraph about a volunteer experience. 봉사 활동 경험에 관해 한 단락을 쓸 것이다.	• learn about various NGOs around the world. 세계의 다양한 비정부 기구들에 관해 배울 것이다.

Key Expressions

- I'm planning to ... . 나는 ~하려고 한다.
- Let me think about that for a moment. 잠깐 그것에 관해 생각 좀 해 보겠습니다.
- I really like **this feeling of being a part of the community.** 나는 공동체의 일원이 된다는 이 기분이 정말 좋다.
- She **said** she **would** be able to overcome any trouble **from then on.** 그녀는 이제부터 어떤 역경도 극복할 수 있을 거라고 말했다.

Starting Out

교과서 pp.126~127

Look at the following infographic about volunteer activities and match each phrase to the correct picture.
봉사 활동에 관한 다음 인포그래픽을 보고 각 어구를 맞는 그림과 연결해 봅시다.

Help to Feed Animals	Clean Up the Neighborhood	Care for the Blind
동물 먹이 주는 것을 도와주다	이웃을 청소하다	시각 장애인을 보살피다

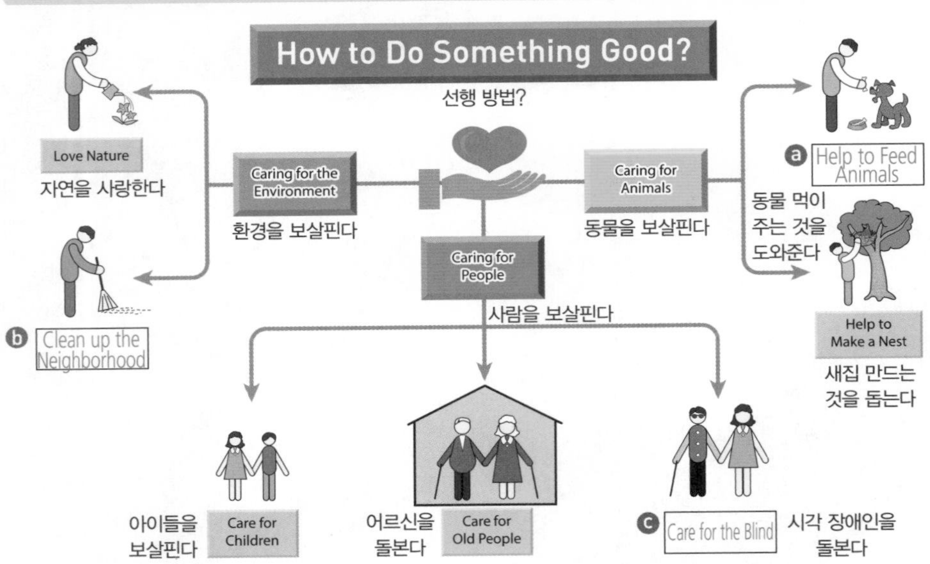

What tip does the DJ give to make your day happier?
여러분의 하루를 더 행복하게 만들기 위해 DJ는 어떤 방법을 알려 주었는가?

ⓐ Sing a song 노래를 불러라 ✔ⓑ Smile at people 사람들에게 웃어 주어라 ⓒ Listen to music 음악을 들어라

Script

W: Hello and thanks for tuning in to *Dream High Music*. I'm DJ Jisu. How are you feeling today? Just another normal day? Here's a quick tip to help make your day happier. Share your bright, warm smile with everybody around you. Smile at everyone you see! It's very easy. Do you doubt this works? Trust me. It works. Researchers say that performing small, simple acts of kindness helps make a happier mood. Remember you have the ability to change the world into a better place. Now, here's a song for you! "Happy."

해석

여: 안녕하세요. 'Dream High Music'을 들어주셔서 감사합니다. 저는 디제이 지수입니다. 오늘 어떠신가요? 또 다른 평범한 날일 뿐인가요? 여러분의 하루를 더 행복하게 하는 것을 빠르게 도와줄 팁을 소개합니다. 여러분 주변의 모두에게 여러분의 밝고 따뜻한 미소를 나눠 주세요. 여러분이 만나는 모두에게 웃어 주세요! 아주 쉬워요. 이것이 효과가 있을지 의심스럽나요? 저를 믿으세요. 효과가 있습니다. 작고 간단한 친절한 행동이 더 행복한 기분을 만드는 데 도움을 준다고 연구자들은 말합니다. 여러분은 세상을 더 좋은 곳으로 변화시키는 능력이 있음을 기억하세요. 이제 여러분을 위한 노래를 들려 드립니다! 'Happy.'

| 구문 해설 |

- **Remember** you have the ability to change the world into a better place.: 명령형이며, Remember의 목적어가 되는 명사절을 이끄는 접속사 that이 생략되어 있다.

어구

feed ㊀ 먹이다, 공급하다
- **Did you *feed* the cat?** (고양이 밥 줬니?)

care for 돌보다
㊟ **take care of, look after**
- **She moved back home to *care for* her elderly parents.** (그녀는 연로한 부모님을 보살피기 위해 다시 집으로 이사를 했다.)

cf. care for ~을 좋아하다
- **I don't really *care for* spicy food.** (나는 사실 매운 음식은 좋아하지 않는다.)

blind ㊔ 눈이 먼, 시각 장애인의
- **the *blind*** 시각 장애인 (= **blind people**)

힌트

인포그래픽에서 각 그림은 ⓐ 동물에게 먹이를 주는 모습 ⓑ 청소를 하는 모습 ⓒ 시각 장애인을 도와주는 모습이다.

어구

tune in (to something) 프로그램을 청취하다

normal 보통의, 평범한
㊟ **usual, ordinary**
- **Under *normal* circumstances, I would say "yes."** (보통 때 같으면 내가 '좋다'라고 했을 것이다.)

힌트

DJ는 하루를 행복하게 만드는 방법으로 "Smile at everyone you see!"라고 소개하고 있다.

Random Acts of Kindness

❶ There is a saying, "One good turn deserves another." ❷ That means if you do someone a favor, they will probably repay you. ❸ And the same can be said for random acts of kindness. ❹ There's nothing complicated about a random act of kindness. ❺ It covers just about anything that you do purely for someone else's benefit. ❻ It could be smiling at everyone you come across or bringing a cup of tea to a friend. ❼ The idea has proved very popular. ❽ In the U.S., Random Acts of Kindness Day is celebrated every year on February 17, as an unofficial holiday. ❾ The purpose of this special day is to urge people to be kind to each other, especially those they don't know, without any specific reason.

(선행은 선행으로 보답 받는다. / 바로 앞 문장 지칭 / 조동사 수동태 / 거의 (= almost, nearly) / 목적격 관계대명사 / to부정사의 명사적 용법(보어))

| 구문 해설 |

❶ There is a saying, "**One good turn deserves another.**": One good turn deserves another.는 "선행은 선행으로 보답 받는다."라는 뜻의 속담이다. 우리말 속담 "가는 정이 있으면 오는 정도 있다"와 유사한 의미이다.

❷ **That** means if you do someone a favor, they will probably repay you.: That은 앞 문장의 속담을 지칭한다.

❸ And the same **can be said** for random acts of kindness.: the same(똑같은 것)을 주어로 하는 조동사 수동태(조동사+be+p.p.)의 문장이다.

❹ There's **nothing complicated** about a random act of kindness.: 형용사는 명사 앞에서 명사를 수식하는 것이 일반적이나 -thing으로 끝나는 대명사의 경우 대명사 뒤에서 수식한다.

❺ It covers just about anything **that** you do purely for someone else's benefit.: that은 do의 목적어로 쓰인 목적격 관계대명사이다.

What are some random acts of kindness you can do for someone today?
여러분이 오늘 누군가를 위해 할 수 있는 우연한 선행 활동은 무엇인가?

Sample

I can bring my friends some cookies. 나는 친구들에게 쿠키를 좀 가져다줄 수 있다.

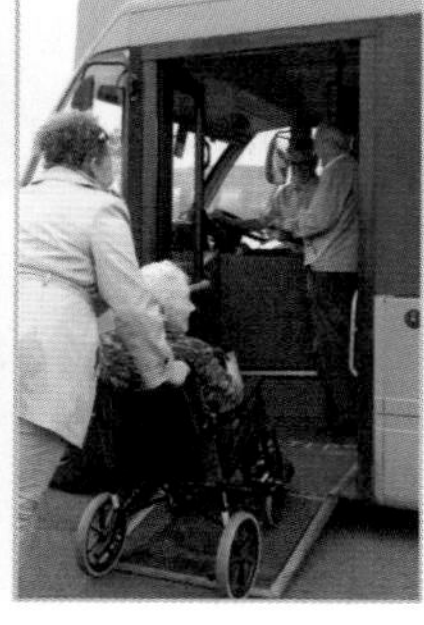

어구

random 형 우연한, 뜻밖의, 무작위의, 임의의

random acts of kindness 우연한[뜻밖의] 친절

deserve 동 ~을 받을 만하다, ~을 해야 마땅하다
- The report *deserves* careful consideration. (그 보고서는 신중히 고려해 볼 만하다.)

favor 명 호의, 친절

repay 동 갚다, 보답하다
유 pay back, return

complicated 형 복잡한, 어려운
반 simple

purely 부 순전히, 전적으로
- It's *purely* a matter of budget. (그것은 순전히 예산 문제이다.)

benefit 명 이익

come across 우연히 만나다, 우연히 발견하다
- She *came across* some old photographs in a drawer. (그녀는 우연히 서랍 속에서 옛날 사진 몇 장을 발견했다.)

urge 동 재촉하다, 촉구하다
- I *urge* you to support the report. (나는 당신이 그 보고서를 지지할 것을 촉구합니다.)

specific 형 구체적인, 특정한

해석

우연히 베푼 친절

❶ "선행은 선행으로 보답 받는다."라는 속담이 있다. ❷ 이는 만약 당신이 누군가에게 선의를 베풀면, 그들이 아마 보답할 것이라는 의미이다. ❸ 똑같은 의미가 '우연히 베푼 친절'에도 적용될 수 있다. ❹ 우연한 친절은 그리 복잡할 것이 없다. ❺ 그것은 그저 당신이 누군가의 이익을 위해 하는 어떤 일이든지 거의 다 포함한다. ❻ 우연히 만난 사람에게 웃어 주거나 친구에게 차 한 잔을 대접하는 일 등일 수 있다. ❼ 그 아이디어는 매우 호응을 얻었다. ❽ 미국에서는 매해 2월 17일을 비공식 휴일로 '우연한 친절의 날'을 기념한다. ❾ 이 특별한 날의 목적은 사람들로 하여금 서로에게, 특히 그들이 모르는 누군가에게, 어떤 특별한 이유 없이, 친절하도록 촉구하는 것이다.

Listen & Speak 1

교과서 p.128

A Listen and choose what the man will do. 듣고 남자가 무엇을 할지 골라 봅시다.

ⓐ 

ⓑ 

✓ⓒ 

Don't miss when you listen.
- I'm planning to … . 나는 ~하려고 해.
- Is there any reason for you to …? 네가 ~하려는 이유가 있니?

Script

W: What are you going to do during the weekend?
M: I'm planning to volunteer at a nursing home.
W: That sounds nice. Is there any reason for you to do that?
M: I'd like to help others in need.

해석

여: 주말에 뭐 할 거니?
남: 요양원에서 자원봉사를 할 계획이야.
여: 멋지구나. 네가 그 일을 하는 이유가 있니?
남: 나는 어려움에 처한 사람들을 돕고 싶어.

| 구문 해설 |
- **What are you going to** do during the weekend?: What are you going to do …?는 '너는 무엇을 하려고 하니?'라는 뜻으로 가까운 장래의 계획을 묻는 표현이다. 유사한 표현으로 What are you planning to do …? / What are your plans for …? / What will you do …? 등이 있다.
- **I'm planning to** volunteer at a nursing home.: I'm going to-V는 '나는 ~할 계획이다, 나는 ~하려고 하다'라는 뜻으로 앞으로의 계획이나 의도를 밝히는 표현이다. 유사한 표현으로 I'm going to-V가 있다.

어구

volunteer ⓢ 자원봉사하다 ⓜ 자원봉사자
nursing home 양로원 (a private hospital, especially one for old people)
cf. **nursery** ⓜ 유아원 (a place where children who are not old enough to go to school are looked after)
in need 어려움에 처한, 궁핍한
- A friend ***in need*** is a friend indeed. (어려울 때 친구가 진짜 친구이다.)

힌트

여자가 남자의 주말 계획을 물었을 때 남자는 "I'm planning to volunteer at a nursing home."이라고 대답하고 있다.

B Listen again and complete the dialogue. 다시 듣고 대화를 완성해 봅시다.

A What are you going to do ___during the weekend___?
B I'm planning to ___volunteer at a nursing home___.
A That sounds nice. Is there any reason for you to do that?
B I'd like to ___help others in need___.

◎ Now, practice the dialogue with your partner. 이제, 짝과 대화를 연습해 봅시다.

1 

after graduation / travel around the world / learn about other cultures
졸업 후 / 세계 여행을 하다 / 다른 문화에 관해 배우다

2 

after the exam / go to a concert / see some live music
시험 후 / 콘서트에 가다 / 라이브 공연을 보다

3 

On Your Own

어구

graduation ⓜ 졸업
- It was my first job after ***graduation***. (그것은 내가 졸업 후 잡은 첫 직업이었다.)

예시 대화

A: What are you going to do after graduation?
B: I'm planning to travel around the world.
A: That sounds nice. Is there any reason for you to do that?
B: I'd like to learn about other cultures.

해석

A: 졸업 후에 무엇을 할 거니?
B: 세계 여행을 갈 계획이야.
A: 멋지구나. 네가 그 일을 하려는 이유가 있니?
B: 나는 다른 문화에 관해 배우고 싶어.

C Listen and choose what the speakers are talking about.

듣고 화자들이 무엇에 관해 이야기하고 있는지 골라 봅시다.

✓ ⓐ 

ⓑ 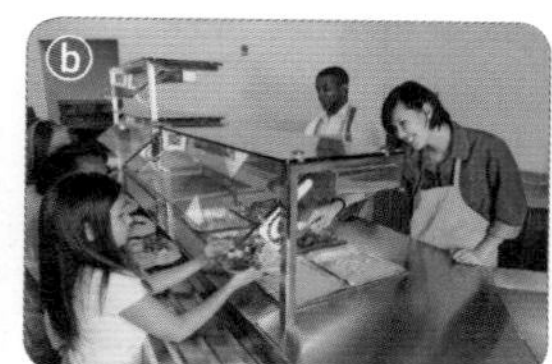

ⓒ 

Script

M: What are you reading?
W: It's a magazine. I bought it to help out the homeless.
M: How does that help out the homeless?
W: Well, it's a magazine that homeless and unemployed people sell. They use the money they earn to support themselves.
M: How do they get the magazines to sell?
W: The publisher gives them the magazines, and they just sell them. Journalists and celebrities donate their talents to publish the magazine.
M: What a great idea! In the long run, it can help the homeless get out of their bad situation.
W: That's right. So I'm planning to subscribe to the magazine from next month.

해석

남: 무엇을 읽고 있니?
여: 잡지야. 노숙자들을 돕기 위해 잡지를 샀어.
남: 잡지 사는 게 어떻게 노숙자들을 돕지?
여: 음, 이것은 노숙자와 실업자들이 파는 잡지거든. 그들은 생활하기 위해 자신들이 번 돈을 사용해.
남: 그들이 어떻게 팔 잡지를 구해?
여: 출판사가 그들에게 잡지를 주고, 그들은 팔기만 하면 돼. 기자들과 유명인들이 잡지를 출판할 수 있도록 재능 기부를 해.
남: 훌륭한 생각이구나! 결국, 이 잡지가 노숙자들이 자신들이 처한 나쁜 상황에서 빠져나오도록 도울 수 있구나.
여: 맞아. 그래서 나는 다음 달부터 그 잡지를 정기 구독할 예정이야.

| 구문 해설 |

• In the long run, it can help **the homeless** get out of their bad situation.: 「the+형용사」는 복수명사의 의미를 지닌다.

어구

homeless ⓗ 노숙자의
• the ***homeless*** (노숙자) (= homeless people)

celebrity ⓜ 유명 인사
• TV ***celebrities*** (텔레비전 유명 연예인들)

donate ⓓ 기부[기증]하다
• He ***donated*** thousands of pounds to charity. (그는 자선 단체에 수천 파운드를 기부했다.)

in the long run 결국에는
㊒ finally, after all, eventually, in the end, at last
• That will help you ***in the long run***. (그렇게 하는 것이 결국에는 너에게 도움이 될 것이다.)

subscribe 구독(신청)하다
• Do you ***subscribe*** to a newspaper? (신문을 정기 구독하시나요?)

힌트

두 사람은 노숙자와 실업자들이 자생하는 데 도움을 주는 잡지에 관해 대화하고 있다.

163쪽으로 가서 다시 듣고 빈칸을 채워 봅시다.

Dictation Go to page 163. Listen again and fill in the blanks.

M: What are you reading?
W: It's a __magazine__. I bought it to help out the __homeless__.
M: How does that help out the homeless?
W: Well, it's a magazine that homeless and __unemployed__ people sell. They use the money they earn to support themselves.
M: How do they get the magazines to sell?
W: The publisher gives them the magazines, and they just sell them. Journalists and __celebrities__ donate their talents to publish the magazine.
M: What a great idea! In the long __run__, it can help the homeless get out of their bad situation.
W: That's right. So I'm planning to __subscribe__ to the magazine from next month.

Listen & Speak 2

교과서 p.129

A Listen and choose what the speakers are talking about.

듣고 화자들이 무엇에 관해 이야기하고 있는지 골라 봅시다.

✓ ⓐ 

ⓑ 

ⓒ 

Don't miss when you listen.

- Let me think about that for a moment. 잠깐 생각 좀 해 보고요.
- Why don't we ...? 우리 ~하는 게 어때?

Script

M: When do you think we should post an ad for volunteers?
W: Let me think about that for a moment. Hmm… I think we should do it early next week.
M: Okay. Why don't we post it next Monday?
W: That would be nice.

해석

남: 자원봉사자 구인 광고를 언제 붙여야 한다고 생각하니?
여: 잠깐 생각해 볼게. 흠… 다음 주 초에 붙여야겠어.
남: 좋아. 다음 주 월요일에 붙이는 게 어때?
여: 그게 좋겠어.

| 구문 해설 |

- **Let me think about that for a moment.**: 질문에 대한 답이나 결정을 내리기 전 잠깐 생각할 시간을 달라고 상대에게 요청하는 표현이다. 유사한 표현으로 Let me think. / Let me think about it. / Let me think for a while. / Can you give me more time to think about that? 등이 있다.
- **Why don't we** post it next Monday?: Why don't we ...?는 '~하는 게 어때?', '~하자'라고 상대방에게 제안할 때 쓰는 표현이다. 유사한 표현으로 Let's ... . / Why not ...? / Shall we ...? / How about -ing? 등이 있다.

어구

post ⓢ 게시하다, 공고하다
- A copy of the letter was ***posted*** on the notice board. (게시판에 그 편지 사본이 붙어 있었다.)

ad ⓜ 광고 (advertisement)

힌트

화자들은 구인 광고를 언제 게시할 것인지에 관해 대화하고 있다.

B Listen again and complete the dialogue. 다시 듣고 대화를 완성해 봅시다.

A When do you think we should post an ad for volunteers ?
B Let me think about that for a moment. Hmm... I think we should do it early next week .
A Okay. Why don't we post it next Monday?
B That would be nice.

◎ **Now, practice the dialogue with your partner.** 이제, 짝과 대화를 연습해 봅시다.

1 

meet up to study / in the morning / meet at 9 a.m.
공부하려고 만나다 / 오전에 / 오전 9시에 만나다

2 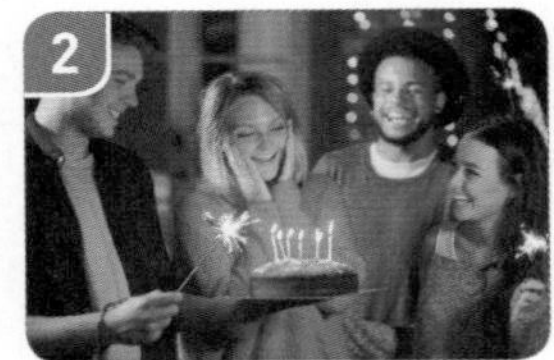

leave for the birthday party / as early as possible / leave at 2 p.m.
생일 파티에 가다 / 가능한 한 일찍 / 오후 2시에 가다

3 

On Your Own

어구

meet up 만나다
- They sometimes ***meet up*** to watch a movie. (그들은 가끔 만나 영화를 본다.)

as ... as possible 될 수 있는 대로, 가급적 ~한
- Finish the work ***as soon as possible.*** (일을 가능한 한 빨리 끝내라.)

예시 대화

A: When do you think we should meet up to study?
B: Let me think about that for a moment. Hmm… I think we should do it in the morning.
A: Okay. Why don't we meet at 9 a.m.?
B: That would be nice.

해석

A: 우리 공부하려고 언제 만날까?
B: 잠깐 생각 좀 해보고. 음 …… 오전에 만나야 겠어.
A: 좋아. 오전 9시 어때?
B: 그게 좋겠다.

C Listen and choose the appropriate relationship between the speakers.
듣고 화자들의 관계로 적절한 것을 골라 봅시다.

ⓐ Reporter 기자 — Show guest 손님
ⓑ Translator 통역가 — Writer 작가
✓ⓒ Interviewer 인터뷰하는 사람 — Volunteer applicant 자원봉사 지원자

Script

W: So, why do you want to volunteer for our program?
M: I believe it will be a great opportunity for me to help the physically challenged. Also, recording audio books for the blind is what I can handle while studying.
W: Okay. Can you tell me your strengths for this volunteer position?
M: Well, I have a good voice. I've also volunteered as a storyteller for children at the community library.
W: That's great. I think you are the right person that we are looking for.
M: Thank you. Anyway, what types of books would I be recording?
W: Let me think about that for a moment. Umm… I think children's books will be appropriate, considering your background.
M: Okay. Thank you so much.

해석

여: 그래서, 우리 프로그램에 자원봉사하고 싶은 이유가 뭔가요?
남: 이 프로그램에 자원봉사하는 것이 제가 신체 장애인을 도울 훌륭한 기회일 거라고 믿고 있습니다. 또한, 시각 장애인을 위한 오디오 북을 녹음하는 것은 제가 공부하면서 할 수 있는 일입니다.
여: 좋아요. 이 자원봉사 일에 맞는 자신의 장점을 말해 주실 수 있나요?
남: 음, 저는 목소리가 좋습니다. 저는 또한 지역 도서관에서 어린이들을 위한 구연동화 성우로 자원봉사를 했습니다.
여: 훌륭하네요. 당신이 우리가 찾고 있는 적임자군요.
남: 감사합니다. 그런데, 어떤 종류의 책을 제가 녹음하게 될까요?
여: 잠깐 생각해 볼게요. 음 … 당신의 경험을 고려하면 어린이 도서가 맞을 거 같습니다.
남: 네. 정말 감사합니다.

어구

translator 명 번역가, 통역사

applicant 명 지원자
- There were over 500 ***applicants*** for the job. (그 일자리에 지원자가 500명이 넘었다.)

the physically challenged 신체 장애인 유 **physically handicapped, physically disabled**

strength 명 장점, 힘
반 **weakness**
- The ability to keep calm is one of her many ***strengths.*** (침착함을 유지하는 능력은 그녀의 많은 장점 가운데 하나이다.)

힌트

Job Interview의 상황이다. 여자는 남자에게 왜 그 일을 하고자 하는지, 자신의 장점은 무엇인지에 대해 질문하고 있다. 이에 유념하여 두 사람 사이의 관계를 유추한다.

163쪽으로 가서 다시 듣고 빈칸을 채워 봅시다.

Dictation Go to page 163. Listen again and fill in the blanks.

W: So, why do you want to volunteer for our program?
M: I believe it will be a great __opportunity__ for me to help the __physically__ challenged. Also, recording audio books for the blind is what I can handle while studying.
W: Okay. Can you tell me your __strengths__ for this volunteer position?
M: Well, I have a good voice. I've also volunteered as a storyteller for children at the __community__ library.
W: That's great. I think you are the right person that we are looking for.
M: Thank you. Anyway, what __types__ of books would I be recording?
W: Let me think about that for a moment. Umm… I think children's books will be __appropriate__, considering your background.
M: Okay. Thank you so much.

Real-life Project

교과서 pp.130~131

사회적 벤처 아이디어 만들기 **Creating a Social Venture Idea**

Step 1 **Listen to the announcement about Youth Venture Camp, and complete the following poster.**
청소년 벤처 캠프에 관한 공지 사항을 듣고, 다음 포스터를 완성해 봅시다.

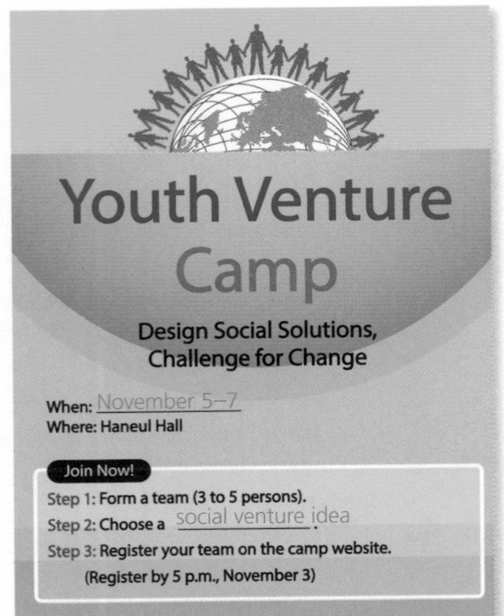

Youth Venture Camp
Design Social Solutions, Challenge for Change
When: November 5~7
Where: Haneul Hall
Join Now!
Step 1: Form a team (3 to 5 persons).
Step 2: Choose a social venture idea.
Step 3: Register your team on the camp website.
(Register by 5 p.m., November 3)

해석

청소년 벤처 캠프
사회적 해결책을 디자인하라, 변화를 위해 도전하라
언제: 11월 5~7일
어디서: 하늘 홀
지금 신청하세요!
1단계: 팀을 구성한다 (3~5인).
2단계: 사회적 벤처 아이디어를 정한다.
3단계: 캠프 웹사이트에 팀을 등록한다.
(11월 3일 오후 5시까지 등록하세요)

Top Tips

▸ **Social ventures aim to find what society's most urgent social problems are and to find creative ways to solve them.**
Nowadays, more and more young people are starting their own social ventures.

Script

M: Dream High School is planning to host Youth Venture Camp at Haneul Hall from November 5 to November 7. We'd like to invite students who have valuable venture ideas to this great event. If you'd like to join the camp, follow these three simple steps. First, form a team with 3 to 5 persons. Second, choose a social venture idea. Lastly, register your team on the camp website. Registration ends on November 3 at 5 p.m. Join us now and learn how to develop your ideas for creative social solutions!

해석

남: 드림 고등학교는 11월 5일부터 7일까지 하늘 홀에서 청소년 벤처 캠프를 주최할 계획입니다. 이 훌륭한 행사에 소중한 벤처 아이디어가 있는 학생들을 초대하고자 합니다. 캠프에 참가하고 싶으시면, 간단한 다음 세 단계를 따라 주세요. 첫째, 세 명에서 다섯 명으로 팀을 만드세요. 둘째, 사회적 벤처 아이디어를 선정하세요. 마지막으로, 여러분의 팀을 캠프 웹사이트에 등록하세요. 등록은 11월 3일 오후 5시에 마감합니다. 지금 참가해서 창의적인 사회 문제 해결을 위해 여러분의 아이디어를 발전시키는 법을 배우세요!

Step 2 **Imagine your group was planning to participate in Youth Venture Camp. Using the sample dialogue on page 131, create your own social venture idea.** 여러분 모둠이 청소년 벤처 캠프에 참여한다고 상상하고, 131쪽에 있는 예시 대화를 활용하여 여러분만의 사회적 벤처 아이디어를 만들어 봅시다.

다룰 사회 문제:
Social problem to address:
Recycling 재활용

Creating your social venture idea
사회적 벤처 아이디어 만들기

여러분의 사회적 벤처 아이디어:
Your social venture idea:
A door-to-door service for recycling old electronic devices
낡은 전자기기 재활용을 위한 호별 방문 서비스

어구

venture ⓜ 벤처(사업), (사업상의) 모험
• a new ***venture*** (신규 개발 사업)

valuable ⓗ 가치 있는, 소중한, 귀중한

registration ⓜ 등록, 신고
ⓓ **register** 등록하다

meaningful ⓗ 의미 있는, 중요한
ⓤ **significant, important**

힌트

공지 사항에서 모집 기간을 'from November 5 to November 7'이라고 명시하고 있다. 두 번째 단계는 할 일은 사회적 벤처 아이디어를 선택하는 것이다.

Top Tips
사회적 벤처는 가장 긴급한 사회적 문제가 무엇인지를 찾고 그것들을 해결하기 위해 창의적인 방법을 고안하는 데 그 목표를 두고 있다.
요즘, 점점 더 많은 젊은이들이 자신들만의 사회 벤처를 창업하고 있다.

어구

address ⓓ (문제, 상황 등을) 다루다, 고심하다
• **Your essay does not *address* the real issues.** (네 수필은 진짜 쟁점들에 대해서는 고심을 하지 않고 있어.)

Sample Dialogue

A What social problem should we address?
B Let me think about that for a moment. Umm... . Why don't we deal with the issue of recycling?
C That's a great idea. Many people don't seem to know how to recycle properly.
D Right. Also, I sometimes feel that throwing away old electronic devices is quite inconvenient.
A Okay, then what kind of venture should we do?
D What about a door-to-door service for recycling old electronic devices?
B Great! We can build a website so that people can request the service online.
C We need a team name. How about "Young Passionate Earth Keepers"? I think the name literally represents us.
D I like that name. I think we can make a meaningful impact on society.
A I agree. People will recycle more easily and conveniently through our venture, and we can make them aware of the importance of recycling.

해석

A 우리가 어떤 사회 문제를 다루어야 할까?
B 잠깐만 생각 좀 해 보고. 음 …. 우리 재활용 문제를 다루면 어떨까?
C 정말 좋은 생각이다. 많은 사람이 적절하게 재활용하는 방식을 잘 모르는 듯해.
D 맞아. 또, 나는 때때로 낡은 전기 제품을 버리는 것이 꽤 불편하게 느껴져.
A 맞아. 그러면 우리가 어떤 종류의 벤처를 해야 할까?
D 낡은 전기 제품을 재활용하기 위한 호별 방문 서비스는 어떨까?
B 좋아! 우리는 온라인으로 서비스를 요청할 수 있도록 웹사이트를 만들 수 있어.
C 팀 이름이 필요해. '젊고 열정 있는 지구 지킴이들'은 어때? 내 생각에 그 이름이 말 그대로 우리를 대표한다고 생각해.
D 그 이름이 맘에 든다. 나는 우리가 사회에 의미 있는 영향을 미칠 수 있다고 생각해.
A 동의해. 사람들은 우리 벤처를 통해 더 쉽고 편리하게 재활용을 할 거고 우리는 그들에게 재활용의 중요성을 인지하게 할 수 있어.

어구

deal with ~을 다루다, 처리하다
• **Her poems often *deal with* the subject of death.** (그녀의 시는 흔히 죽음이라는 주제를 다룬다.)
recycling ⓜ 재활용
throw away 버리다
• **We should *throw away* the computers that can't be recycled.** (재활용될 수 없는 컴퓨터는 버려야 한다.)
electronic device 전자 기구
inconvenient ⓗ 불편한
ⓜ **inconvenience** 불편
passionate ⓗ 열정적인
literally ⓟ 문자[말] 그대로
• **Translations that are done too *literally* often don't sound natural.** (너무 문자 그대로 된 번역은 종종 자연스럽지 않다.)
impact ⓜ 영향
• **the environmental *impact* of tourism** (관광이 환경에 미치는 영향)

Step 3 **Based on Step 2, complete the following registration form for Youth Venture Camp.** Step 2에 근거하여 다음 청소년 벤처 캠프 신청서를 완성해 봅시다.

Youth Venture Camp Registration Form 청소년 벤처 캠프 신청서	
Team name 팀 이름	(Sample) Young Passionate Earth Keepers 젊은 열정적인 지구 지킴이들
Team members 팀원	Jisu Kim, Suyeon Yang, Jay Choi
Social problem to address 다룰 사회 문제	Recycling 재활용
Your social venture idea 여러분의 벤처 아이디어	A door-to-door service for recycling old electronic devices 낡은 가전제품 재활용을 위한 호별 방문 서비스
Expected social impact 기대되는 사회 영향	We can help people recycle more easily and conveniently, and make them aware of the importance of recycling. 우리는 사람들이 더 쉽고 편하게 재활용하는 것을 돕고 재활용의 중요성을 알게 할 수 있다.

어구

registration from 신청서

Step 4 **Present your team's social venture idea to the class.**
여러분 팀의 사회적 벤처 아이디어를 학습에 소개해 봅시다.

Self-Check

I can express intentions. 의도를 표현할 수 있다.	☐ Yes ☐ No ➡ Listen & Speak 1
I can ask for a moment to think about something. 잠깐 생각할 시간을 요청할 수 있다.	☐ Yes ☐ No ➡ Listen & Speak 2

Language in Focus

교과서 pp.132~133

A Guess the meanings of the words in bold from the contexts.

굵게 표시된 단어의 뜻을 문맥에서 추측해 봅시다.

1. I just **assumed** that the world I was living in was all there was in India.
나는 그저 내가 사는 세상이 인도의 전부라고 여겼다.

It is generally **assumed** that animals can smell better than people.
동물들이 사람보다 냄새를 더 잘 맡을 수 있다고 일반적으로 추정된다.

assume: 추정하다

2. Joining the project, they break **stereotypes** and take on new challenges.
프로젝트에 참여하면서 그들은 고정 관념을 깨고 새로운 도전을 시작합니다.

There are many **stereotypes** related to blood type.
혈액형과 관련된 많은 고정 관념이 있다.

stereotype: 고정 관념

| 구문 해설 |

- I just **assumed** that the world I was living in was all there was in India.: assume은 「assumed+목적어(that절)」 형태나 「assume+목적어+목적격 보어(to부정사)」 형태로 쓰인다.

  e.g. He **assumed that** the economy would continue to improve.
  (그는 경제가 계속 개선될 거라고 생각했다.)
  Let's **assume** what he says **to be** true. (그가 말하는 것이 사실이라고 생각하자.)

어구

assume ⓢ 추정하다
- I had ***assumed*** him to be a Belgian. (나는 그가 벨기에 사람이라고 추정했었다.)

stereotype ⓜ 고정 관념 ⓢ 정형화하다
- I'll break the ***stereotype*** people have about me. (나는 사람들이 나에 대해 가지는 고정 관념을 깰 것이다.)

take on (일, 책임 등을) 맡다, ~하기로 결정하다, 고용하다, 착수하다, (특성을) 띠다
- She ***took on*** more responsibilities when she was promoted. (그녀는 승진하면서 더 많은 책임을 맡았다.)

힌트

assume은 타동사로 '(증거는 없으나) 사실이라고 보다[생각하다], 추정[추측]하다'라는 뜻이며 stereotype은 명사로 '고정 관념'이라는 뜻이다.

B Complete the sentences with the words in the box.

상자 속 단어를 이용하여 문장을 완성해 봅시다.

care 마음 쓰다 contribute 기여하다 initiative 주도권

1. Truly, she believes that everyone in the world could take initiative to improve society.
진정으로, 그녀는 세상 사람 모두가 사회를 개선하기 위해 솔선할 수 있다고 믿는다.

2. I'm so proud that I can contribute to this change.
나는 내가 이 변화에 기여할 수 있어서 매우 자랑스럽다.

3. Things look different when I care about people in need.
내가 도움이 필요한 사람들에게 관심을 가질 때 상황은 달라 보인다.

On Your Own Write your own sentences using the words and expressions given in A and B.
A와 B에 주어진 단어와 표현을 사용하여 자신만의 문장을 써 봅시다.

Sample
I assumed that the project would contribute to economic growth.
나는 그 프로젝트가 경제 성장에 기여할 것으로 추정했다.
She took initiative to break the stereotype people had about them.
그녀는 그들에 대한 편견을 깨뜨리기 위해 솔선했다.

| 구문 해설 |

- I'm so proud **that** I can contribute to this change.: that은 원인이나 이유를 설명하는 접속사로 '~해서, ~이므로'라는 뜻으로 해석한다.

  e.g. I was so glad **that** you were alive. (당신이 살아 있어서 정말 기뻐요.)

어구

initiative ⓜ 진취성, 주도권, 계획
- We should take the ***initiative*** in this matter. (이 문제에서는 능동적으로 행동을 취해야 한다.)

힌트

take initiative to-V ~하려고 솔선하다
contribute to ~에 기여하다
care about ~에 관심을 갖다, ~에 마음 쓰다

Word Study

C Pay attention to the words in bold and talk with your partner about how they are formed.

굵게 표시된 단어에 집중해서 그것들이 어떻게 형성되었는지 짝과 이야기해 봅시다.

- I'm the only **breadwinner** in my family. 나는 우리 집에서 유일하게 생계비를 버는 사람이다.
- This **spellchecker** can help you correct the spelling of words.
  이 철자 확인 프로그램은 단어의 철자를 교정하는 데 도움을 줄 수 있다.

◎ Fill in each blank with one word formed by combining two words in the box.
상자 속 두 단어를 합성하여 만든 단어로 빈칸을 채워 봅시다.

maker	keeper	law	time

1. A __lawmaker__ is someone such as a politician who is responsible for proposing and passing new laws.
   입법자는 새로운 법을 제안하고 통과시키는 책임이 있는 정치인 같은 사람이다.
2. A __timekeeper__ is a person or an instrument that records or checks the time.
   시간 기록원[기록계]은 시간을 기록하거나 표시하는 사람이나 도구이다.

⊕ Think of more words formed by combining two words.
두 단어를 연결하여 만들어진 더 많은 단어를 생각해 봅시다.

Word Group
lawbreaker 범법자
pathfinder 길잡이, 개척자

| 구문 해설 |
- A lawmaker is someone **such as** a politician **who is** responsible for proposing and passing new laws.: such as는 '~같은'이라는 뜻이고, who는 a politician을 받는 주격 관계대명사로 쓰였다.

어구
breadwinner ⓜ 생계비를 버는 사람, 가장
- Paul is the ***breadwinner*** of the family. (Paul은 집안의 벌이를 하는 사람이다.)

lawmaker ⓜ 입법자
- The ***lawmaker*** failed to get reelected. (그 국회의원은 재선에 실패했다.)

politician ⓜ 정치인
pathfinder ⓜ 길잡이, 개척자
be responsible for ~에 책임이 있다

힌트
명사와 명사가 합쳐져서 이루어진 합성어로 두 명사의 의미를 모두 담고 있다. 동사에 붙는 접미사 -er은 '~하는 사람[도구]'의 의미를 지닌다.

Grammar Study 1

D Compare the following pairs of sentences and find the difference between them.

문장들을 비교해 보고 차이점을 찾아봅시다.

- Age may not matter in the job. The job is to address social challenges.
  그 일에 있어서 나이는 중요하지 않다. 그 일은 사회적 난제를 다루는 것이다.
  Age may not matter in **the job of addressing social challenges**.
  사회적 난제를 다루는 그 일에 있어 나이는 중요하지 않다.
- The team came to the conclusion. The conclusion was to start a new project.
  그 팀은 결론에 이르렀다. 그 결론은 새로운 프로젝트를 시작하는 것이었다.
  The team came to **the conclusion of starting a new project**.
  그 팀은 새로운 프로젝트를 시작한다는 결론에 이르렀다.

◎ Based on your findings, match the sentence parts below to form complete sentences. 알아낸 바에 근거하여 아래 문장의 일부를 연결하여 문장을 완성해 봅시다.

1. The researchers came to the conclusion • — • ⓐ of taking care of the elderly patient.
2. The volunteer was assigned the task • — • ⓑ of conducting their experiment again.

(Answer: 1 — ⓑ, 2 — ⓐ)

| 구문 해설 |
- The volunteer was **assigned the task** of taking care of the elderly patient.: assign the volunteer the task 구문에서 목적어 the volunteer가 수동태 문장의 주어로 쓰였다.

어구
matter ⓢ 중요하다, 문제가 되다
- It doesn't ***matter*** to me what you do. (당신이 뭘 하든 내겐 중요하지 않다.)

experiment ⓜ 실험
- I decided to conduct an ***experiment***. (나는 실험을 하기로 결정했다.)

힌트
연구자들은 어떤 결론을 내렸는지 자원봉사자는 어떤 일을 맡았는지를 설명해 주는 내용과 연결한다.

해석
1. 연구자들은 그들의 실험을 다시 실시해야 한다는 결론에 이르렀다.
2. 그 자원봉사자는 노인 환자를 보살피는 일을 맡게 되었다.

Language in Focus

Grammar Point

동격의 of

동격 표현은 명사나 대명사의 의미를 보충하거나, 다시 말하기 위해 또 다른 명사나 명사 상당 어구를 뒤에 두는 것이다.
「명사+of+동명사(또는 명사)」 동격 구문에서 of는 '~라는', '~인'이라는 뜻으로 해석한다.
e.g. His dream **of** going abroad was finally realized. (외국에 가겠다는 그의 꿈은 마침내 실현되었다.)

Grammar Study 2

E Compare the following pairs of sentences and find the difference between them. 문장들을 비교해 보고 차이점을 찾아봅시다.

- She said, "**I will** be able to overcome any trouble **from now on**."
  그녀가 말했다. "나는 이제부터 어떤 어려움도 극복할 수 있을 거야."
  She said that **she would** be able to overcome any trouble **from then on**.
  그녀가 그녀는 그때부터 어떤 어려움도 극복할 수 있을 거라고 말했다.
- Tom said, "The inspector **came here** to examine the case."
  Tom이 말했다. "그 감사관은 그 사건을 조사하려고 이곳에 왔어."
  Tom said that the inspector **had gone there** to examine the case.
  Tom은 그 감사관이 그 사건을 조사하기 위해 거기에 갔었다고 말했다.

◎ Based on [A], complete the sentences in [B]. [A]에 근거하여 [B] 문장을 완성해 봅시다.

[A]

[B]

Minsu told Nancy that one of ___his___ plans ___was___ to improve ___his___ English. Nancy asked Minsu when he ___was___ going to start the class, and he said that he ___would___ start it ___the___ ___following[next]___ ___day___.

| 구문 해설 |

- Nancy **asked** Minsu **when** he was going to start the class.: 간접화법 문장으로 직접화법 문장은 Nancy asked Minsu, "When are you going to start the class?"이다.

Grammar Point

화법 전환에서 부사구의 변화

직접화법을 간접화법으로 전환하여 표현을 전달하는 시점에 맞춰 부사구를 변화시켜 준다.

- last year → the year before / the previous year
- yesterday → the day before / the previous day
- tomorrow → the next day / the following day
- now → then / at that time
- ago → before / earlier
- here → there
- this → that

어구

inspector ⓔ 조사관, 감독관
- The ***inspector*** monitored how the money was being spent. (감독관은 그 돈이 어떻게 쓰이고 있는지를 감독했다.)

examine ⓢ 조사[검토]하다
- These ideas will be ***examined*** in more detail. (이런 생각들은 더 자세히 검토될 것이다.)

힌트

직접화법을 간접화법으로 전환할 때는 전달하는 시점에 맞춰 인칭, 시제, 부사구를 바꿔 써야 한다.

해석

[A]
A: 나는 인터넷으로 영어 강의를 들을 계획이야. 너도 알다시피, 내 계획 중 하나가 내 영어를 향상하는 거잖아.
B: 응, 알고 있어. 언제 강의를 시작할 거야?
A: 내일 시작할 거야.
B: 잘됐다!
[B]
민수는 Nancy에게 자신의 계획 중 하나가 자신의 영어를 향상하는 거라고 말했다. Nancy는 민수에게 그가 언제 강의를 시작할지 물었고, 그는 그다음 날 시작할 거라고 말했다.

Before You Read

교과서 p.134

A **The graph below categorizes the social ventures in Korea according to their type of service. Guess the missing service types and complete the graph.** 아래 그래프는 한국의 사회적 벤처를 그 서비스 분야에 따라 분류한 것이다. 빈칸의 서비스 유형을 추측하여 그래프를 완성해 봅시다.

Social Welfare

Education

Environment

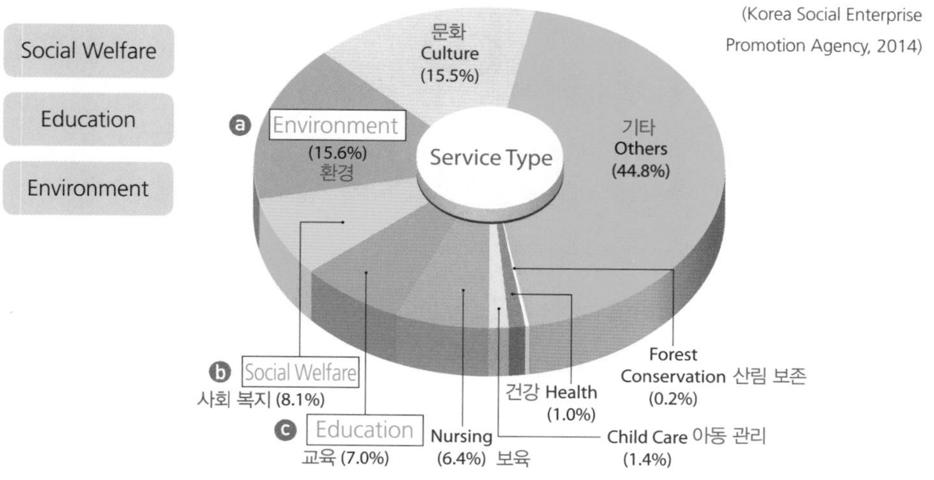

어구

categorize ⓢ 분류하다, 범주에 넣다

conservation ⓜ 보호, 보존, 관리
- He is interested in wildlife *conservation.* (그는 야생 동물 보호에 관심이 있다.)

social welfare 사회 복지

nursing ⓜ 보육

B **Reading Strategy: Identifying Facts and Opinions**
읽기 전략: 사실과 의견 파악하기

It is important to know the difference between a fact and an opinion. A fact is something that can be backed up with evidence and expresses what is done or happens. An opinion is based on a belief or view and expresses how someone feels. 사실과 의견 사이의 차이를 아는 것은 중요하다. 사실은 근거로 뒷받침될 수 있는 것이며 행하여지거나 일어난 일을 표현한다. 의견은 신념이나 관점에 근거하고 누군가가 어떻게 느끼는지를 표현한다.

e.g.

Paul's Cuisine is a restaurant that opened in the early 1970s. I think the restaurant is the best one in town. They serve many different kinds of dishes. Among them, I believe their spaghetti is the best one.

※ Fact: ▭ Opinion: ▭

Paul's Cuisine은 1970년대 초에 문을 열었던 식당이다. 〈사실〉 나는 그 식당이 마을에서 최고라고 생각한다. 〈의견〉 그들은 많은 다양한 종류의 음식을 제공한다. 〈사실〉 그중에서도, 나는 스파게티가 최고의 음식이라고 생각한다. 〈의견〉

◈ Read the following sentences. Mark F if it is a fact, and mark O if it is an opinion.
다음 문장을 읽고, 사실이면 F, 의견이면 O로 표시해 봅시다.

1. Student volunteers help us learn English. F
2. We play soccer together on the girls' soccer team in our community. F
3. I think something small like this can help inspire a young generation to make a difference. O
4. I believe there really is something you can do to help people. O

어구

evidence ⓜ 증거, 근거
- We found further scientific *evidence* for this theory. (우리는 이 이론에 관해 추가적인 과학적 증거를 발견했다.)

be based on ~에 기초하다, ~에 근거하다
- The film *is based on* a cartoon. (그 영화는 만화에 기초하고 있다.)

view ⓜ 견해, 관점

inspire ⓢ 격려하다, 영감을 주다

generation ⓜ 세대

힌트

1, 2는 실제 일어난 일을 표현하고 있다. 3, 4의 문장은 I think, I believe로 시작하므로 글쓴이의 관점이나 신념에 근거한 의견이다.

해석

1. 학생 자원봉사자들은 우리가 영어 배우는 것을 도와준다.
2. 우리는 마을 소녀 축구팀에서 함께 축구를 한다.
3. 나는 이와 같은 작은 어떤 일이 젊은 세대가 변화를 만들도록 영감을 주는 데 도움이 될 수 있다고 생각한다.
4. 나는 사람들을 돕기 위해 여러분이 할 수 있는 일이 정말로 있다고 믿는다.

| 구문 해설 |

- I think something small like this can help **inspire** a young generation **to make** a difference.: 「inspire+목적어+목적격 보어(to부정사)」는 '~가 …하도록 격려하다[영감을 주다]'라는 뜻이다.

Reading

교과서 p.135

Never Too Young to Make a Difference

❶ A growing number of young people are learning early in life that they can start their own venture and lead social change. ❷ They define success not only by what they achieve for themselves, but also by what they do for others. ❸ The following story of a social entrepreneur shows that age may not matter in the job of addressing social challenges. ❹ You, too, can be someone that leads positive change.

a number of+복수 명사: 많은 ~ / are: 동사 수일치(복수) / that: 명사절 접속사(목적어) / not only A but also B: A뿐만 아니라 B도 역시 / that: 명사절 접속사(목적어) / of: 동격의 of(the job = addressing social challenges) / that: 주격 관계대명사

Q How do the young people mentioned above define success?
위에 언급된 젊은이들은 성공을 어떻게 정의하는가?

정답: They define success not only by what they achieve for themselves, but also by what they do for others. 그들은 성공을 자신을 위해서 성취하는 것뿐만 아니라 다른 사람들을 위해서 그들이 하는 것으로 정의한다.

Q What do you think the next paragraph will be about?
다음 단락은 무엇에 관한 것이라고 생각하는가?

Sample I think the next paragraph will be about a young social entrepreneur whose success made a positive change.
나는 다음 문단이 성공이 사회에 긍정적 영향을 주었던 어떤 젊은 사회적 기업가에 대한 것이라고 생각한다.

해석

변화를 만들기에 결코 너무 어리지 않다

❶ 점점 더 많은 젊은이가 그들 자신의 벤처를 시작해서 사회 변화를 이끌 수 있다는 것을 어린 시절에 배우고 있다. ❷ 그들은 자신을 위해서 성취하는 것뿐 아니라 다른 사람들을 위해서 그들이 하는 것으로 성공을 정의한다. ❸ 사회적 기업가의 다음 이야기는 힘든 사회적 과제를 다루는 일에 있어서 나이가 중요하지 않을 수 있다는 것을 보여 준다. ❹ 여러분 또한 긍정적인 변화를 이끄는 사람이 될 수 있다.

Pay Attention

L4 The following story of a social entrepreneur shows that age may not matter in **the job of addressing social challenges.**

➡ 동격의 of로 the job은 곧 addressing social challenges를 의미한다.

어구

venture 명 벤처(사업), (사업상의) 모험

define 동 정의하다, 규정하다
- **The term is difficult to *define*.** (그 용어는 정의하기가 힘들다.)

achieve 동 이루다, 성취하다
유 **accomplish, fulfill, carry out**

entrepreneur 명 사업가, 기업가 (**a person who sets up businesses and business deals**)

matter 동 문제가 되다, 중요하다 명 문제
- **The children *matter* more to her than anything else in the world.** (그녀에게는 아이들이 세상 다른 무엇보다 더 중요하다.)

address 동 (문제·상황 등에 대해) 고심하다, 다루다(**to deal with or discuss**)

challenge 명 도전

positive 형 긍정적인
반 **negative**

구문 연구

❶ **A growing number of young people are** learning early in life **that** they can start their own venture and lead social change.
「a number of+복수 명사」는 '많은 ~'이라는 뜻으로 복수 취급하므로 동사 are가 왔다. that은 learn의 목적어가 되는 명사절을 이끄는 접속사이다.

❷ They define success **not only by what they achieve for themselves, but also by what they do for others**.
not only *A* but also *B*는 'A뿐만 아니라 B도'라는 뜻으로 *B* as well as *A*로 바꿔 쓸 수 있다. by의 목적어로 각각 what절이 병렬 구조를 이루고 있다.

❸ The following story of a social entrepreneur shows **that** age may not matter in **the job of addressing social challenges**.
that은 shows의 목적어가 되는 명사절을 이끄는 접속사로 쓰였다. of는 동격의 의미 관계를 나타내므로 the job은 addressing social challenges를 가리킨다.

❹ You, too, can be someone **that** leads positive change.
that은 주격 관계대명사로 선행사 someone을 수식한다.

Grammar Check

동격의 of
동격의 의미 표현에 사용되는 전치사 **of**는 '~라는, ~인'이라는 뜻으로 해석한다.
e.g. **The volunteer was assigned the task of taking care of the elderly patient.** (자원봉사자는 노인 환자를 돌보는 임무를 맡았다.)
〈the task = taking care of the elderly patient〉

다양한 형태의 동격 의미 표현
- 동격의 that

e.g. **The report that he was killed in a traffic accident was a shock to his family.** (그가 교통사고로 죽었다는 보도는 그의 가족에게 충격이었다.)
〈The report = he was ...〉
- 동격의 ,(콤마)

e.g. **Juhui, my younger sister, is very good at English.** (내 여동생 주희는 영어를 아주 잘한다.)
〈Juhui = my younger sister〉

「a number of+복수 명사」 *vs.* 「the number of+복수 명사」
「**a number of**+복수 명사」는 '많은 ~'이라는 뜻으로 복수, 「**the number of**+복수 명사」는 '~의 수'라는 뜻으로 단수 취급한다.
e.g. **A number of students are wearing glasses.** (많은 학생들이 안경을 쓰고 있다.)
The number of students wearing glasses is quickly increasing. (안경을 쓰는 학생들의 수가 빠르게 증가하고 있다.)

Check Up

01 밑줄 친 부분 중 어법상 틀린 것을 골라 바르게 고치시오.

(1) A growing number of young people ① is learning early in life ② that they can start ③ their own venture and ④ lead social change.

(2) The following story ① of a social entrepreneur shows ② what age may not ③ matter in the job ④ of addressing social challenges.

02 두 문장이 일치하도록 빈칸에 알맞은 말을 쓰시오.

(1) Success depends on effort as well as on talent.
= Success depends _________ _________ on talent, _________ _________ on effort.

(2) He gave up the idea that he would buy a car.
= He gave up the idea _________ buying a car.

Reading

교과서 p.136

❶ The zones of poverty seemed just a part of the crowded city, always there, unchanging. ❷ With a little girl dreaming for a better future, however, the seeds of hope began to grow in the slums. ❸ "I'm the only breadwinner in my family. ❹ I couldn't have been happier now that I've learned to drive a rickshaw. ❺ I am hopeful that it will double my income and help my children's studies," said a 33-year-old woman. ❻ She became the first electric rickshaw driver in her community. ❼ "Student volunteers help us learn English. ❽ We play soccer together on the girls' soccer team in our community. ❾ I really like this feeling of being a part of the community. ❿ I feel more confident than ever." ⓫ A girl living in the slums said that she could gain courage and confidence. ⓬ She said she would be able to overcome any trouble from then on. ⓭ All this change was possible through the project Ummeed, the idea of 16-year-old Avani Singh. ⓮ In New Delhi, where female drivers are rare, Ummeed, which means "hope" in Hindi, is carving out a space for female mobility. ⓯ Ummeed provides a training program in which women from the slums of the city are taught to become rickshaw drivers, along with other support activities. ⓰ This gives women an opportunity for economic independence and allows them to reclaim space in the public sphere.

- The zones of poverty: 주어 / seemed: 동사 / just a part of the crowded city, always there, unchanging: 보어부
- began to grow: to부정사, 동명사 모두 목적어로 취함
- breadwinner: 합성명사(bread+winner)
- couldn't have been happier: 더할 나위 없이 행복했다
- now that: 접속사
- help us learn: help+목적어+목적격 보어(동사원형)
- of: 동격 of (this feeling = being a part of the community)
- 간접화법(직접화법: ... said, "I can gain courage and confidence.")
- 간접화법(직접화법: ... said, "I'll be able to overcome any troubles from now on.")
- the idea of 16-year-old Avani Singh: 동격
- where: 관계부사 / Ummeed: 주어 / which: 주격 관계대명사(계속적 용법) / is carving out: 동사
- in which: 선행사+전치사+관계대명사
- are taught: 수동태 / along with: ~와 더불어
- This: 앞 문장의 내용을 가리킴
- allows them to reclaim: allow+목적어+목적격 보어(to부정사)

Q Why was the 33-year-old woman happy about learning to drive a rickshaw? 왜 33세 여성은 릭쇼를 운전하는 것을 배우는 것에 대해 행복해했는가?

정답: She was happy about learning to drive a rickshaw because she could double her income and help her children's studies. 그녀는 자신의 수입을 두 배로 늘릴 수 있고 아이들의 학업을 도울 수 있었기 때문에 릭쇼를 운전하는 것을 배우는 것에 대해 행복해했다.

해석

❶ 가난한 그 지역은 변하지 않은 채로 항상 거기에 있으면서 복잡한 도시의 한 부분인 것처럼 보였다. ❷ 그러나 한 어린 소녀가 더 나은 미래를 꿈꾸면서 슬럼가 안에서 희망의 씨앗이 싹트기 시작했다. ❸ "저는 집에서 유일하게 생계비를 버는 사람입니다. ❹ 릭쇼를 운전하는 법을 배운 지금 저는 지금보다 더 행복할 수는 없을 겁니다. ❺ 저는 제 직업이 수입을 두 배로 만들고 자식들의 공부를 도울 것이라고 기대합니다."라고 33세의 한 여성이 말했다. ❻ 그녀는 공동체에서 최초의 전기 릭쇼 운전기사가 되었다. ❼ "학생 자원봉사자들은 우리가 영어를 배우는 것을 돕습니다. ❽ 우리는 공동체의 소녀 축구팀에서 축구를 함께하죠. ❾ 저는 공동체의 한 부분이라는 이 느낌을 정말 좋아합니다. ❿ 저는 어느 때보다 더 자신감이 넘칩니다." ⓫ 슬럼가에 사는 한 소녀는 자신이 용기와 자신감을 얻을 수 있었다고 말했다. ⓬ 그녀는 그 이후로 어떤 어려움도 극복할 수 있을 거라고 말했다. ⓭ 이 모든 변화는 16살 Avani Singh의 아이디어인, Ummeed 프로젝트를 통해 가능해졌다. ⓮ 여성 운전기사가 드문 뉴델리에서 힌두어로 '희망'을 뜻하는 Ummeed는 여성의 이동성을 위한 자리를 얻어 내고 있다. ⓯ Ummeed는 다른 지원 활동들과 함께 슬럼가 출신 여성들이 릭쇼 운전기사가 되도록 배우는 훈련 프로그램을 제공한다. ⓰ 이것은 여성들에게 경제적 독립을 위한 기회를 제공하고 그들이 공공 영역에서 자리를 확보하도록 한다.

★ Highlight

L2 Highlight *a little girl* in L2. Who is indicated by the phrase?
2행의 'a little girl'에 표시해 봅시다. 누가 그 구절로 지칭되고 있는가?

➡ a little girl은 16행의 Avani Singh를 가리킨다.

Pay Attention

L11 I really like **this feeling of being a part of the community.**

➡ 동격의 of 표현으로 this feeling은 being a part of the community의 의미이다.

L13 She **said she would be able to overcome any trouble from then on.**

➡ 간접화법에서 전달 동사의 시제가 과거(said)인 경우 인칭과 시제, 시간 부사구를 전달 시점에 맞춰 바꾼다.

어구

poverty ㊎ 가난
breadwinner ㊎ 가장, 생계비를 버는 사람
rickshaw ㊎ 인력거, 릭쇼(a simple vehicle that is used for carrying passengers in Asia)
opportunity ㊎ 기회
independence ㊎ 독립, 자립
reclaim ㊕ 되찾다, 개척하다
- The team *reclaimed* the title from their rivals. (그 팀은 경쟁팀에게서 타이틀을 되찾았다.)

sphere ㊎ 영역, 구, 층
- the political *sphere* (정치권)

carve out ~을 노력하여 얻다, ~을 개척하다
- Anyone can succeed if he *carves out* a new market. (새로운 시장을 개척한다면 누구든지 성공할 수 있다.)

구문 연구

❹ **I couldn't have been happier** now **that** I've learned to drive a rickshaw.
couldn't be happier는 '더할 나위 없이 행복하다'라는 뜻이다. that은 접속사로 형용사 · 자동사 등에 이어지는 절을 이끌어 '…이라는[하다는] 것을 ~하게 되어'로 해석한다.
e.g. I am very happy **that** you have agreed to my proposal. (당신이 저의 제안에 동의해 주셔서 정말 기쁩니다.)

❾ I really like **this feeling of being a part of the community**.
of는 동격을 나타내는 전치사로 this feeling은 being a part of the community를 의미한다.

❿ I feel **more** confident **than ever**.
more ... than ever는 '여느 때보다 더 ~한'이라는 뜻을 갖는다.

⓫ A girl living in the slums **said that she could gain courage and confidence**.
A girl living in the slums said, "I can gain courage and confidence."라는 직접화법 문장을 간접화법으로 바꾼 것이다. 직접화법을 간접화법으로 바꿀 때는 시제와 부사구의 쓰임에 유의해야 한다.

⓬ She **said she would be able to overcome any troubles from then on**.
She said, "I will be able to overcome any troubles from now on.'의 직접화법을 간접화법으로 바꾼 문장이다. 전달 시점 기준에 맞춰 피전달문의 주어(I → she), 시제(will → would), 부사구(now → then)가 변화되었다.

⓮ In New Delhi, **where** female drivers are rare, **Ummeed, which** means "hope" in Hindi, **is carving out** a space for female mobility.
where는 장소를 나타내는 관계부사이다. which는 주격 관계대명사로 계속적 용법으로 쓰이고 있으며 선행사는 Ummeed로 and it의 의미이다. 주어는 Ummeed, 동사는 is carving out이다.

⓯ Ummeed provides a training program **in which** women from the slums of the city are taught to become rickshaw drivers, **along with** other support activities.
which는 선행사 a training program을 수식하는 관계대명사절로 전치사 in이 앞에 위치해 있다. 이런 경우에는 which를 that으로 바꿔 쓸 수 없다.

Grammar Check

>화법 전환에서 부사구의 변화
직접화법을 간접화법으로 전환할 때 전달 동사의 시제가 과거인 경우 피전달문의 시제, 인칭, 부사구의 변화에 유념한다.
e.g. **Minsu said to Nancy, "I took the course last year."**
(민수는 Nancy에게 "나는 그 과정을 작년에 들었어."라고 말했다.)
→ **Minsu told Nancy that he had taken the course the year before.**
Nancy asked Minsu, "Are you going to the movies tomorrow?"
(Nancy는 민수에게 "내일 영화 보러 가니?"라고 물었다.)
→ **Nancy asked Minsu if he was going to the movies the following day.**

>전치사+관계대명사
선행사가 전치사의 목적어가 될 때 전치사는 관계대명사 앞에 위치할 수 있다. 그러나 관계대명사 **that**은 이 형태로 쓸 수 없다.
e.g. **This is the house which he was born in.**
= **This is the house in which he was born.** (○)
= **This is the house that he was born in.** (○)
(이 집은 그가 태어난 집이다.)

Check Up

01 다음을 간접화법으로 바꿔 쓸 때 문장을 완성하시오.

She said, "I will be able to overcome any troubles from now on."
→ She said that ______________________________.

02 본문에 쓰인 표현을 이용하여 빈칸을 완성하시오.

(1) 나는 우리 가족에서 유일한 가장이다.
I'm the only _________ in my family.

(2) 나는 여느 때보다 자신감에 넘친다.
I feel _________ confident _________ _________.

Reading

교과서 p.137

❶ Here is an interview with Avani, the founder of Ummeed.
동격
❷ Let's hear from her.

Reporter: ❸ How does it feel to give an opportunity to the women you work with?
가주어 / 진주어 / 관계대명사절

Avani: ❹ It's overwhelming. ❺ It's amazing to see their energy and passion. ❻ Joining the project, they break stereotypes and take on new challenges. ❼ I'm so proud that I can contribute to this.
가주어 / 진주어 / 분사구문(= As they join the project) / 접속사 / ~에 기여하다

Reporter: ❽ What do you think you've learned through all of this?
간접의문문

Avani: ❾ I've lived in this city all my life, and somehow I just assumed that the world I was living in was all there was in India. ❿ Even though I would see the slums on my way to school, I never looked into them that much. ⓫ Things look different, however, when I care about people in need and try to come up with solutions for them.
명사절 접속사(목적어) / 종속절 주어 / 동사 / 비록 ~이긴 하지만 / ~로 가는 길에 / 보어(형용사) / ~에 관심을 가지다 / 도움이 필요한 / 생각해 내다 / = people in need

Q What did Avani experience through Ummeed?
Avani는 Ummeed를 통해 무엇을 경험했는가?

정답: She experienced that things looked different when she cared about people in need and tried to come up with solutions for them. 그녀는 그녀가 도움이 필요한 사람들에게 관심을 기울이고 그들을 위한 해결책을 찾아내려고 할 때 상황이 다르게 보인다는 것을 경험했다.

해석

❶ 여기 Ummeed의 설립자인 Avani와의 인터뷰를 실었다. ❷ 그녀에게 들어 보자.

기자 ❸ 당신이 함께 일하는 여성들에게 기회를 주는 것은 어떤 기분인가요?

Avani ❹ 굉장하죠. ❺ 그들의 에너지와 열정을 보는 것은 놀랍습니다. ❻ 프로젝트에 참가하게 되면서 그들은 고정 관념을 깨고 새로운 도전을 받아들입니다. ❼ 저는 이 프로젝트에 기여할 수 있어서 무척 자랑스럽습니다.

기자 ❽ 이 모든 것을 통해 당신은 무엇을 배웠다고 생각합니까?

Avani ❾ 평생 저는 이 도시에서 살았고 웬일인지 제가 사는 세계가 인도의 전부라고 생각했어요. ❿ 학교 가는 길에 슬럼가를 보곤 했지만, 결코 그 안을 그렇게 많이 들여다보지 않았어요. ⓫ 그러나 제가 도움이 필요한 사람들에 관심을 가지고 그들을 위한 해결책들을 생각해 내려고 할 때 상황은 다르게 보입니다.

One More Step

L7 The word *stereotypes* means ________ thoughts in this context.
'고정 관념'이라는 단어는 이 문맥에서 ____한 생각을 의미한다.

ⓐ innovative 혁신적인
✓ⓑ fixed 고정된
ⓒ changing 변하는
ⓓ different 다른

➡ stereotype(고정 관념)이라는 단어의 의미를 설명하는 문장이다.

어구

founder 명 창립자, 설립자 동 **found** 설립하다

overwhelming 형 압도적인, 엄청난 유 **tremendous**

assume 동 추정하다
- It is reasonable to ***assume*** that the economy will continue to improve. (경제가 계속 개선될 것으로 추정하는 것은 타당하다.)

take on (일 등을) 맡다, 책임지다
- I can't ***take on*** any extra work. (전 어떤 일도 추가로 더 맡을 수가 없어요.)

contribute to ~에 기여하다
- What do you think you can ***contribute to*** our company? (당신은 우리 회사에 무엇을 공헌할 수 있다고 생각하십니까?)

on one's way to ~로 가는 길에

care about ~에 마음을 쓰다, ~에 관심을 가지다
- She doesn't ***care about*** other people's feelings. (그녀는 다른 사람의 감정에 신경 쓰지 않는다.)

come up with 생각해 내다, 찾아내다

구문 연구

❸ How does **it** feel **to give** an opportunity to the women you work with?
it은 가주어, to give 이하가 문장의 진주어이다. you work with는 앞의 the women을 수식하는 관계대명사절로 the women과 you 사이에 목적격 관계대명사가 생략되어 있다.

❺ **It**'s amazing **to see their energy and passion**.
It은 가주어, to see 이하가 진주어이다.

❻ **Joining the project**, they **break** stereotypes and **take on** new challenges.
Joining the project는 분사구문으로 절로 바꾸면 As they join the project이다. 주절의 동사는 break와 take on이다.

❼ I'm **so** proud **that** I can **contribute to** this.
「so+형용사/부사+that」은 '너무 ~해서 …하다, …해서 매우 ~하다'라는 뜻이다. 여기서 that은 원인이나 이유를 나타내는 부사절 접속사로 '~해서, ~이므로'라고 해석한다.

❽ **What do you think** you've learned through all of this?
원래 Do you think? What have you learned through all of this? 두 개의 문장이 하나로 연결된 형태로 What have ...? 의문문이 think의 목적어가 된 간접의문문이다. 이때 문장의 동사가 think이기 때문에 의문사가 문장의 앞으로 나와 What do you think you've ...?의 형태가 되었다.

❾ I've lived in this city all my life, and somehow I just assumed **that the world I was living in was** all there was in India.
that은 assumed의 목적어를 이끄는 명사절 접속사로 쓰였다. that이 이끄는 종속절의 문장 구조를 살펴보면 the world I was living in이 주어, was가 동사, all there was in India는 보어부이다. the world와 I 사이에는 목적격 관계대명사가 생략되어 있다.

❿ **Even though** I would see the slums on my way to school, I never looked into them that much.
even though는 '비록 ~이긴 하지만'이라는 뜻이다.

Grammar Check

>가주어/가목적어 it

to부정사구나 **that**절이 문장의 주어나 목적어로 올 경우 그 자리에 **it**을 쓰고, 문장의 원래 주어나 목적어는 뒤로 돌린다. 이때 주어 자리에 쓰이는 **it**을 가주어, 목적어 자리에 쓰이는 **it**을 가목적어라고 한다. 문장의 원래 주어는 진주어, 원래 목적어는 진목적어라고 한다. 이때 **it**은 해석하지 않는다.

• 가주어

e.g. **It is important to help people in need.** (어려움에 처한 사람들을 돕는 것은 중요합니다.)

• 가목적어

e.g. **Teenagers may find it difficult to resist peer pressure.** (10대들은 또래의 압력에 저항하는 것을 힘들어 할 수도 있다.)

>간접의문문

의문문이 문장 일부가 된 형태(주로 목적어)를 말한다. 의문문의 어순이 「접속사+주어+동사」의 어순으로 바뀜에 유의한다. 의문사가 없는 의문문의 경우 접속사 자리에 **if**나 **whether**를 써 준다. 주절의 동사가 **think**, **imagine**, **suppose** 등일 때는 접속사가 문장의 앞으로 나옴에 유의한다.

e.g. **I wonder.+Where is she from?**
→ **I wonder where she is from.** (나는 그녀가 어디 출신인지 궁금하다.)
Do you think?+What does she want to do?
→ **What do you think she wants to do?** (그녀가 무엇을 하기를 원한다고 생각하니?)

Check Up

01 밑줄 친 부분 중 어법상 틀린 것을 골라 바르게 고치시오.

I've lived in this city all my life, and somehow I just assumed ① what the world I was living in ② was all there was in India. ③ Even though I would see the slums on my way to school, I never looked into them that much. Things look ④ different, however, when I care about people in need and try ⑤ to come up with solutions for them.

02 본문에 쓰인 표현을 이용하여 빈칸을 완성하시오.

(1) 그 프로젝트에 참여하면서 그들은 고정 관념을 깨뜨리고 새로운 도전을 하게 됩니다.
Joining the project, they break __________s and take on new challenges.

(2) 이것은 새로운 해결책을 만드는 데 기여할 것이다.
This will __________ __________ creating solutions.

교과서 p.138

Reporter: ❶ Why do you think it's important to empower women and young girls?
기주어 / 진주어

Avani: ❷ We're getting them to realize their potential and to realize they can do something big with their lives. ❸ Our project is a really small step if you look at it from a worldly perspective. ❹ But I think [something small like this] can help inspire a young generation to make a difference.
get+목적어+목적격 보어(to부정사) / 목적격 보어(to부정사) / 명사+ly = 형용사(세속적인) / 목적어(동사원형)

Reporter: ❺ What's one thing you know that you wish everybody knew?
wish 가정법 과거

Avani: ❻ I believe there really is something [you can do] to help people. ❼ Don't just think, "I feel really bad, but what can I do?" ❽ There's something big out there—or even something small—that everyone can do.
(that)

❾ How do you feel about Avani? ❿ Truly, she believes that everyone in the world could take initiative to improve society. ⓫ As our world becomes smaller and global problems become bigger, we need difference-makers now more than ever. ⓬ Don't forget that Avani is just your age. ⓭ You are never too young to start making a difference.
문장 부사 / 명사절 접속사 / 솔선해서 ~하다 / 접속사(~함에 따라) / 어느 때보다 더 / …하기에는 너무 ~하다[너무 ~해서 …할 수 없다] / to부정사, 동명사 모두 목적어로 취함

(http://ideas.ted.com/entrepreneur-avani-singh-ummeed/)

Q What are some ways you can make a positive change in your community? Share your ideas with your partner. 여러분이 여러분의 공동체에 긍정적인 변화를 일으킬 수 있는 몇 가지 방법은 무엇인가? 여러분의 의견을 짝과 나눠 봅시다.

Sample I think we can practice random acts of kindness like smiling at people we encounter during the day. We can make people happier, thus making a positive change. 나는 하루 동안 우리가 마주치는 사람들에게 미소를 지어 주는 것과 같은 우연한 친절을 실천할 수 있다고 생각한다. 우리는 사람들을 더 행복하게 해 줄 수 있고, 따라서 긍정적인 변화를 일으키게 된다.

해석

기자 ❶ 왜 여성들과 어린 소녀들에게 권한을 갖게 해 주는 것이 중요하다고 생각합니까?

Avani ❷ 우리는 그들의 잠재력을 깨닫게 해 주고 그들이 자신의 인생에서 큰일을 할 수 있다는 것을 깨닫게 해 주고 있습니다. ❸ 당신이 세속적인 시각으로 본다면 우리의 프로젝트는 정말 작은 발걸음입니다. ❹ 그러나 저는 이런 작은 일이 젊은 세대가 변화를 만들어 내도록 격려하는 데 도움이 될 수 있다고 생각합니다.

기자 ❺ 당신이 생각하기에 모든 사람이 알았으면 하는 한 가지는 무엇입니까?

Avani ❻ 저는 여러분이 사람들을 돕기 위해 할 수 있는 무엇인가가 분명히 있다고 생각합니다. ❼ "나는 정말 안타깝지만, 내가 무엇을 할 수 있겠어?"라고 생각하지 마십시오. ❽ 저기 어딘가에 모든 사람이 할 수 있는 어떤 큰 일이–혹은 작은 일일지라도–있답니다.

❾ 여러분은 Avani에 대해 어떻게 느끼는가? ❿ 사실, 그녀는 세계의 모든 사람이 사회를 개선하는 데 솔선할 수 있다고 믿는다. ⓫ 우리 세계가 더욱 작아지고 세계의 문제들은 더욱 커짐에 따라, 우리는 그 어느 때보다 더 지금 변화를 만들어 내는 사람들이 필요하다. ⓬ Avani가 여러분의 나이라는 것을 잊지 마라. ⓭ 여러분은 차이를 만들어 내는 것을 시작하기에 결코 너무 어리지 않다.

Pay Attention

L3 We're **getting** them **to realize** their potential and **to realize** they can do something big with their lives.

➡ 「get+목적어+목적격 보어(to부정사)」는 '목적어가 ~하도록 하다'라는 뜻으로 목적어와 목적격 보어의 관계가 능동의 관계일 때 to부정사를 목적격 보어로 쓴다. 그러나 목적어와의 관계가 수동일 때는 과거분사를 목적격 보어로 쓴다.

Pay Attention

L12–L13 There's **something big** out there—or even **something small**—that everyone can do.

➡ -thing으로 끝나는 대명사의 경우 형용사가 명사 뒤에서 수식한다.

어구

empower ⓢ 권한[자율권]을 주다
- The movement actively *empowered* women and gave them confidence in themselves. (그 운동은 여성들에게 적극적으로 자율권을 주어 그들이 스스로에게 자신감을 갖게 했다.)

potential ⓜ 잠재력
- All children should be encouraged to realize their full *potential*. (모든 아동이 자신의 잠재력을 충분히 발휘할 수 있도록 격려 받아야 한다.)

perspective ⓜ 관점, 시각

inspire ⓢ 격려하다, 영감을 주다 ⓨ motivate, encourage

generation ⓜ 세대
- a *generation* gap (세대 차이)

initiative ⓜ 진취성, 주도권
- He took the *initiative* in the movement. (그는 솔선하여 그 운동을 일으켰다.)

improve ⓢ 개선하다

구문 연구

❶ Why do you think **it**'s important **to empower women and young girls**?
it's important 이하는 think의 목적어로 쓰인 간접의문문 형태이다. it은 가주어, to empower 이하가 진주어이다.

❷ We're **getting them to realize** their potential and **to realize** they can do something big with their lives.
「get+목적어+목적격 보어(to부정사)」는 '~로 하여금 …하도록 하다'라는 뜻이다. 목적어와 목적격 보어의 관계가 능동일 때는 목적격 보어로 to부정사가 오고, 수동일 때는 목적격 보어로 과거분사가 온다.

❺ What's one thing you know that you **wish** everybody **knew**?
that이 이끄는 문장에서는 현재 사실과 반대의 내용을 가정하고 있으므로 wish 가정법 과거의 형태가 쓰이고 있다.

❽ There's something big out there—or even **something small**—**that** everyone can do.
-thing으로 끝나는 대명사를 형용사가 수식할 때는 대명사 뒤에서 수식한다. that은 목적격 관계대명사이다.

❿ **Truly**, she believes **that** everyone in the world could **take initiative** to improve society.
Truly는 문장 전체를 수식하는 부사이다. that은 believes의 목적어절을 이끄는 명사절 접속사이다. take initiative는 '솔선하다'라는 뜻이다.

⓫ **As** our world becomes smaller and global problems become bigger, we need difference-makers now more than ever.
As는 시간의 경과를 나타내는 접속사로 '~함에 따라'로 해석한다.
e.g. **As** she grew older, she gained in confidence. (그녀는 나이가 들면서 자신감이 커졌다.)

⓭ You are never **too** young **to** start making a difference.
「too+형용사/부사+to부정사」는 '…하기에 너무 ~하다'라는 뜻으로 쓰였다. 따라서 「never too ~ too ...」는 '…하기에 결코 ~하지 않다'라는 뜻이다.

Grammar Check

>I wish 가정법
「I wish+주어+동사의 과거형」은 '~이면 좋을 텐데'라는 뜻의 가정법 과거 문장이다. 「I wish+주어+had+p.p.」는 '~였으면 좋을 텐데'라는 뜻의 가정법 과거완료 문장이다. I'm sorry that ... 구문을 이용하여 직설법으로 고쳐 쓸 수 있다.
e.g. I wish I **could travel** around the world.
→ I'm sorry that I can't travel around the world.
(세계 일주 여행을 할 수 있다면 얼마나 좋을까.)
I wish you **had called** earlier.
→ I'm sorry that you didn't call earlier.
(좀 더 일찍 전화해 줬으면 좋았을 텐데.)

>get+목적어+목적격 보어(to-V/p.p.)
get은 목적어와 목적격 보어의 관계가 능동일 때는 목적격 보어로 **to**부정사를, 수동일 때는 과거분사를 쓴다.
e.g. I **get** the man **to repair** my watch. (나는 그 남자가 내 시계를 고치게 했다.)
I must **get** my watch **repaired.** (나는 내 시계를 고쳐야 했다[수리를 맡겨야 했다].)

>too+형용사/부사+to부정사
'~하기에는 너무 …하다, 너무 …해서 ~할 수 없다'라는 뜻으로 「so+형용사/부사+that... can't」를 이용하여 바꿔 쓸 수 있다.
e.g. The problem is **too difficult** for me **to solve.**
= The problem is **so difficult that** I can't solve it.
(그 문제가 너무 어려워서 나는 풀 수 없다.)

Check Up

01 밑줄 친 부분 중 어법상 틀린 것을 골라 바르게 고치시오.

We're getting them ① realize their potential and to realize they can do something big with their lives. Our project is a really small step if you look at it from a ② worldly perspective. But I think ③ something small like this can help ④ inspire a young generation ⑤ to make a difference.

02 우리말과 일치하도록 문장을 완성하시오.

(1) 당신은 변화를 시작하기에 결코 너무 어리지 않다.
You are never ________ young ________ ________ making a difference.

(2) 그녀는 세상 모든 사람이 사회를 개선하기 위해 솔선할 수 있다고 믿는다.
She believes that everyone in the world could take ________ to improve society.

After You Read 1

교과서 p.139

A **Read the following reflections of Avani on her project. Based on your understanding of the main text, choose the one that is least related to her story.** 프로젝트에 대한 Avani의 반성을 읽고 본문 이해에 근거하여 그녀의 이야기와 가장 관련이 적은 것을 골라 봅시다.

ⓐ The first English lesson with the girls turned out to be successful. They are all super excited about the weekly lessons and about learning a new language!
소녀들과 함께하는 첫 영어 수업은 성공적이었다. 그들은 모두 매주 하는 수업과 새로운 언어를 배운다는 데 무척 신이 나 있다!

✓ⓑ More and more students have become interested in terrace farming. Today, five new students joined our project to plant trees in the school garden!
점점 더 많은 학생이 테라스 농장 가꾸기에 흥미를 보이고 있다. 오늘은 다섯 명의 새로운 학생들이 학교 정원에 나무를 심는 우리의 프로젝트에 참여했다!

ⓒ Kohinoor, a single mother with two little children, has been chosen to be awarded the first rickshaw! Seeing her smile made me so happy.
두 아이를 가진 홀보듬엄마인 Kohinoor가 첫 번째 릭쇼를 받기로 결정되었다! 그녀가 웃는 것을 보니 나는 매우 행복해졌다.

B **Complete the sentences and put them in the correct order. Then, share what you learned from Avani's story with classmates.**
문장을 완성하고 순서대로 배열해 봅시다. Avani의 이야기로부터 배운 점을 급우들과 나눠 봅시다.

1\. Avani established Ummeed and trained women to drive rickshaws.

2\. Avani would pass near the slums on her way to school, not seriously thinking about people living in them.

3\. Ummeed helped women and young girls realize their potential and overcome their troubles.

4\. Avani turned her attention to people in need and thought about how she could help them.

(2) → (4) → (1) → (3)

I learned from Avani's story that ....

Sample I learned from Avani's story that a creative solution can change someone's life and make our society happier. 나는 Avani의 이야기로부터 하나의 창의적인 해결책이 누군가의 삶을 바꾸고 우리 사회를 더 행복하게 할 수 있다는 것을 배웠다.

Self-Check	How much do you understand?	If you need help,
Words	☆ ☆ ☆ ☆ ☆	look up the words you still don't know. 어휘 찾아보기
Structures	☆ ☆ ☆ ☆ ☆	review the "Pay Attention" sections. 섹션 복습하기
Contents	☆ ☆ ☆ ☆ ☆	read the text again while focusing on its meaning. 다시 읽어보기

어구

turn out ~으로 밝혀지다, ~로 드러나다
- **The job *turned out* to be harder than we had thought.** (그 일은 우리가 생각했던 것보다 더 힘든 것으로 밝혀졌다.)

award 동 수여하다 명 상

힌트

Avani의 프로젝트에서는 여성을 위한 영어 수업과 축구, 전기 인력거(electric rickshaw) 운전 교육을 실시한다.

어구

establish 동 설립하다
유 **found, set up**
- **The committee was *established* in 1980.** (그 위원회는 1980년에 설립되었다.)

seriously 부 심각하게
- **They are *seriously* concerned about security.** (그들은 보안을 심각하게 우려하고 있다.)

turn one's attention to ~로 주의를 돌리다

힌트

Avani는 학교 가는 길에 지나게 되는 슬럼가에 관심을 가지고 어떻게 그들을 도울 수 있을지 고민했고 Ummeed 프로젝트를 생각해 내어 실천했다.

해석

1. Avani는 Ummeed를 설립하고 여성들이 릭쇼를 운전하도록 훈련했다.
2. Avani는 학교 가는 길에 슬럼을 지나가곤 했는데, 그곳에 사는 사람들에 대해 그다지 심각하게 생각하지 않았다.
3. Ummeed는 여성과 어린 소녀들이 그들의 잠재력을 깨닫고 그들의 문제를 극복하도록 도왔다.
4. Avani는 도움을 필요로 하는 사람들에게 주의를 기울였고 그녀가 어떻게 그들을 도울 수 있을지에 대해 생각했다.

Writing Lab

교과서 pp.140~141

자원봉사 경험 **A Volunteer Experience**

Step 1 **Read the following interview and answer the questions.**
다음 인터뷰를 읽고 물음에 답해 봅시다.

Interviewer *Tell us more about your new project. What are you currently doing?*
Jinsu I'm currently helping children from multicultural families learn Korean. I read interesting stories to them.
Interviewer *Why did you start the project?*
Jinsu I volunteered at a public library last year, and I thought children might need somebody to read to them.
Interviewer *What future plans do you have?*
Jinsu I will design a volunteer training program this month. I am planning to train 20 volunteers by next year.
Interviewer *I wish you good luck.*

Volunteer Award Winner 봉사상 수상자

Jinsu Kim 김진수
Dream High School
드림 고등학교

Q1. Why did Jinsu start the project? 진수는 왜 그 프로젝트를 시작했는가?
He said that he __had volunteered__ at a public library __the year before[the previous year]__, and he had thought children might need somebody to read to them. 그는 작년에 공립 도서관에서 봉사 활동을 하며 아이들이 그들에게 책을 읽어 줄 누군가가 필요할 수도 있겠다 생각했다고 말했다.

Q2. What are his future plans? 그의 장래 계획은 무엇인가?
He said that he __would design__ a volunteer training program __that month__.
He also said that he __was planning to__ train 20 volunteers by the following year.
그는 그달에 자원봉사 훈련 프로그램을 설계할 거라고 말했다. 그는 또한 내년까지 20명의 자원봉사자를 교육할 계획이라고 말했다.

Step 2 **Ask your partners about their most memorable volunteer experiences and write down their answers to the interview questions.**
짝에게 가장 기억에 남을 만한 봉사 경험에 관해 물어보고 인터뷰 질문에 그 대답을 적어 봅시다.

Q1. What was your most memorable volunteer experience?
가장 기억에 남는 자원봉사 경험은 무엇이니?
Sample The most memorable volunteer experience for me was tutoring an elementary school student.
가장 기억에 남는 자원봉사 경험은 초등학교 학생을 가르치는 것이었어.

Q2. When did you start the volunteer work? 자원봉사 일을 언제 시작했니?
Sample I started the volunteer work two years ago. 나는 2년 전에 자원봉사 일을 시작했어.

Q3. Why did you volunteer? 왜 자원봉사를 했니?
Sample I volunteered because I like children. 나는 아이들을 좋아하기 때문에 자원봉사를 했어.

Q4. What did you learn from your volunteer experience? 자원봉사 경험에서 배운 것은 무엇이니?
Sample I learned from the experience that helping people in need made me happy.
나는 그 경험을 통해 도움이 필요한 사람들을 돕는 것이 나를 행복하게 한다는 것을 배웠어.

Q5. Do you want to volunteer in the near future? What are you planning to do?
조만간 자원봉사를 하고 싶니? 무엇을 할 계획이니?
Sample Yes, I do. I am planning to volunteer as a soccer coach next year.
응, 하고 싶어. 나는 내년에 축구 코치로 자원봉사를 할 계획이야.

어구

currently 부 현재
- **This matter is *currently* being discussed.** (이 문제는 지금 논의 중이다.)

multicultural 형 다문화의
- **We live in a *multicultural* society.** (우리는 다문화 사회에 산다.)

public 형 공공의

memorable 형 기억할 만한
- **He still recalls the *memorable* speech.** (그는 아직까지 그 인상적인 연설을 떠올린다.)

힌트

진수가 인터뷰에서 한 말을 전달하는 것이므로 간접화법으로 표현하도록 한다. 간접화법으로 표현할 때는 인칭, 시제, 부사구를 전달하는 시점에 맞춰 쓴다.

해석

회견자 당신의 새로운 프로젝트에 관해 좀 더 얘기해 주시죠. 최근에는 어떤 일을 하고 계십니까?
진수 저는 최근에 다문화 가정 아이들이 한글을 배우는 것을 돕고 있습니다. 저는 그들에게 재미있는 이야기를 읽어 주죠.
회견자 왜 그 프로젝트를 시작하게 되었나요?
진수 저는 작년에 공공 도서관에서 봉사 활동을 했는데, 아이들이 그들에게 책을 읽어 줄 누군가가 필요할지도 모른다고 생각했습니다.
회견자 어떤 장래 계획을 갖고 계십니까?
진수 저는 이번 달에 자원봉사자 훈련 프로그램을 만들 것입니다. 내년까지 20명의 자원봉사자를 훈련하려고 계획하고 있습니다.
회견자 행운을 빕니다.

| 구문 해설 |

- He said that he **had volunteered** at a public library **the year before** ... .: 간접화법 문장으로 직접화법으로 고치면 He said, "I volunteered at a public library last year ... ."이다.
- He said that he **would design** a volunteer program **that** month.: 직접화법으로 고치면 He said, "I will design a volunteer program this month."이다.

Step 3 **Based on the information in Step 2, complete the following paragraph about your partner's most memorable volunteer experience.**
Step2의 정보에 근거하여 짝의 가장 기억에 남을 자원봉사 경험에 관한 다음 단락을 완성해 봅시다.

My partner's most memorable volunteer experience was <u>tutoring an elementary school student</u>. Asked when he/she started the volunteer work, he/she said that <u>he/she had started the volunteer work two years before</u>. For the reason why he/she volunteered, he/she said that <u>it was because he/she liked children</u>. He/She learned from the experience that <u>helping people in need made him/her happy</u>. For his/her future volunteer plans, he/she said that he/she was planning to <u>volunteer as a soccer coach the following year</u>.

해석 내 짝의 가장 인상적인 자원봉사는 초등학교 학생들을 가르치는 것이었다. 그(녀)가 언제 자원봉사 활동을 시작했느냐는 질문을 받았을 때 그(녀)는 2년 전에 자원봉사 활동을 시작했다고 말했다. 자원봉사를 한 이유에 대해 그(녀)는 아이들을 좋아하기 때문이라고 대답했다. 그(녀)는 그 경험으로부터 도움이 필요한 사람들을 돕는 것이 그(녀)를 행복하게 한다는 것을 배웠다. 장래 자원봉사 계획에 대해 그(녀)는 다음 해에 축구 코치로 자원봉사를 할 계획이라고 말했다.

Top Tips

▸ **Expressions for time and location change in reported speech** 간접화법에서 시간과 장소의 변화에 관한 표현

last year	➡	the year before / the previous year
yesterday	➡	the day before / the previous day
now	➡	at that time / then
tomorrow	➡	the next day / the following day
ago	➡	before / earlier
here	➡	there
this	➡	that

Self-Edit Read your paragraph and correct any mistakes.
단락을 읽고 고쳐 봅시다.

| 구문 해설 |

- **Asked** when he/she started the volunteer work, he/she said that he had started ... .: Asked 앞에 Being이 생략된 분사구문으로 '질문을 받았을 때'라는 뜻이다.

Step 4 **Read your partner's paragraph and check the following:**
짝의 단락을 읽고 다음을 확인해 봅시다.

Peer Feedback

- I understand what he / she intends to say in the paragraph. 짝이 단락에서 말하고자 하는 바를 이해한다. ☆☆☆☆☆
- I think that his / her paragraph is easy to follow. 짝의 단락은 이해하기 쉽다. ☆☆☆☆☆
- I think most of the words in the paragraph are correctly used. 단락에 쓰인 대부분의 단어가 정확하게 사용되었다. ☆☆☆☆☆
- I think most of the sentences in the paragraph are grammatically correct. 단락에 사용된 대부분의 문장이 문법적으로 정확하다. ☆☆☆☆☆

어구

previous ⓗ 이전의
following ⓗ 그다음의
at that time 그 당시에
location ⓜ 장소, 위치

힌트

간접화법으로 전환 시 시제, 인칭, 부사(구)에 유의한다.

Wrap Up

교과서 p.142

자원봉사 박람회 **A Volunteer Opportunity Fair**

Step 1 **Listen and complete the volunteer information card.**
듣고 봉사자 정보 카드를 완성해 봅시다.

Will you help me find a good volunteer opportunity?
제가 좋은 봉사 활동 기회를 찾도록 도와주시겠어요?

Volunteer Information Card 봉사자 정보 카드

Name 이름: Alisa Lee

Things you are good at or like 잘하거나 좋아하는 것들:
- Being around ___children___, studying English, ___playing soccer___, raising pets 아이들과 어울리기, 영어 공부하기, 축구 하기, 애완동물 키우기

Work experience 활동 경험:
- Worked as a volunteer tutor at a nursery school ___two years___ ago 2년 전에 유아원에서 자원봉사 교사로 활동함.
- Worked as an assistant coach for a kids' ___soccer team___ last year 작년에 아동 축구팀의 보조 코치로 활동함.

Available times 가능 시간:
- Wednesdays & ___Thursdays___ after school 방과 후 수요일과 목요일

Script

W: Hi, I'm Alisa Lee. I'm planning to volunteer while studying. I'd like to do something that matches with my personality and interests. I'm very outgoing and sociable. I especially like being around children. Studying English, playing soccer, and raising pets are things I really like doing. As for my previous work experience, I worked as a volunteer tutor at a nursery school two years ago. I also worked as an assistant coach for a kids' soccer team last year. I prefer to volunteer on Wednesdays and Thursdays after school. Will you help me find a good volunteer job?

해석

여: 안녕하세요, 저는 Alisa Lee입니다. 저는 공부하면서 자원봉사를 하려고 합니다. 저는 저의 성격과 관심사에 맞는 무언가를 하고 싶어요. 저는 매우 활동적이고 사교적이랍니다. 저는 특히 아이들과 있는 것을 좋아해요. 영어 공부하기, 축구 하기, 애완동물 기르기가 제가 정말 좋아하는 일이랍니다. 이전 봉사 활동 경험으로는, 저는 2년 전에 유아원에서 자원봉사 교사로 일했습니다. 또 작년에는 어린이 축구팀의 보조 코치로도 일했습니다. 저는 수요일과 목요일 방과 후에 자원봉사를 하는 게 더 좋습니다. 제가 좋은 자원봉사 일을 찾는 데 도움을 주시겠어요?

Step 2 **In groups, discuss a good volunteer opportunity for Alisa. Complete the given sentences based on your discussion.**
모둠별로 Alisa에게 적절한 봉사 활동을 토론하고, 토론에 근거하여 주어진 문장을 완성해 봅시다.

Our group recommends ___coaching a sport___ for Alisa's volunteer work. She likes ___to play soccer___. She has work experience doing that. She said that she had worked as ___an assistant coach for a kids' soccer team the year before___. Furthermore, she is available on ___Wednesdays and Thursdays after school___. Given all of this information, we think ___the work of coaching a sport___ is right for her. 우리 모둠은 Alisa의 자원봉사 활동으로 스포츠 코치를 추천합니다. 그녀는 축구 하는 것을 좋아합니다. 그녀는 그런 일을 한 경험도 있어요. 그녀는 작년에 어린이 축구팀의 보조 코치로 일했다고 했습니다. 게다가 그녀는 수요일과 목요일 방과 후에 일할 수 있습니다. 이런 모든 정보를 고려하면, 우리는 스포츠 코치 업무가 그녀에게 적절하다고 생각합니다.

어구

available ⓗ (시간이) 여유 있는, 이용할 수 있는
- Will she be ***available*** this afternoon? (오늘 오후에 그녀가 시간이 될까요?)

outgoing ⓗ 외향적인, 사교적인 (= sociable)
- an ***outgoing*** personality (외향적인 성격)

raise ⓢ 양육하다, 기르다 ⓤ bring up

previous ⓗ 이전의

tutor ⓜ 개인 지도 교사 ⓢ 가르치다, 개인 교습하다

nursery school 유치원, 유아원 (a school for very young children)

assistant ⓜ 보조, 조수 ⓗ 보조의
- an ***assistant*** manger (부지배인)

coach ⓜ (스포츠 팀의) 코치

힌트

Step 1의 정보를 보고 Alisa가 좋아하는 것, 이전의 경력, 그리고 봉사 가능한 요일을 고려하여 답안을 작성한다.

어구

recommend ⓢ 추천하다
- Could you ***recommend*** a suitable course for my daughter? (제 딸에게 적절한 강좌를 추천해 주시겠어요?)

furthermore ⓟ 더욱이, 뿐만 아니라 ⓤ moreover

Top Tips

▸ **Popular Volunteer Opportunities Among Teenagers:**

Tutoring children
Preserving the environment
Assisting at a cultural event
Helping at a hospital
Coaching a sport
Doing administrative work

| 구문 해설 |

• She said that she had worked as an assistant coach for a kids' soccer team the year before.: 간접화법 문장으로 직접화법으로 바꾸면 She said, "I worked as an assistant coach for a kids' soccer team last year."이다.

Step 3 **Present your group's suggestion for Alisa's volunteer work to the class.** Alisa의 봉사 활동으로 여러분 모둠이 제안하는 것을 학급에 발표해 봅시다.

Grammar Review

> 화법 전환에서 부사구의 변화

직접화법을 간접화법으로 전환하여 표현할 때는 전달하는 시점에 맞춰 인칭대명사, 시제, 부사구/수식어구를 변화시켜 준다.

• last year → the year before / the previous year • yesterday → the day before / the previous day
• now → at that time / then • tomorrow → the next day / the following day
• ago → before / earlier • here → there • this → that

e.g. She said to me, "I'm really happy **now**." (그녀는 나에게 "나는 지금 정말 행복해."라고 말했다.)
→ She told me that she was really happy **then**.

> 동격의 of

동격 표현은 명사나 대명사의 의미를 보충하거나, 다시 말하기 위해 또 다른 명사나 명사 상당 어구를 뒤에 두는 것이다. 「명사+of+동명사[명사]」 동격 구문에서 of는 '~라는', '~인'으로 해석한다.

e.g. **The idea of having a single career** is becoming an old-fashioned one.
(하나의 직업만 갖겠다는 생각은 구식이 되어가고 있다.) 〈the idea = having a single career〉
The volunteer was assigned **the task of taking care of the elderly patient**.
(자원봉사자는 노인 환자를 보살피는 임무를 부여 받았다.) 〈the task = taking care of the elderly patient〉

어구

preserve ⓢ 지키다, 보존하다
• **Salt is used to *preserve* food.** (소금은 음식을 보존하는 데 사용된다.)

assist ⓢ 돕다
• **We will *assist* you in finding somewhere to live.** (당신이 살 곳을 찾도록 우리가 도와주겠어요.)

administrative ⓗ 관리[행정]상의
• **an *administrative* job** (행정 직종)

Top Tips
• 10대들 사이에서 인기 있는 봉사 활동
어린이 과외
환경 보호
문화 행사 보조
병원 봉사
스포츠 지도
행정 보조

Check Up

01 다음을 간접화법으로 바꿔 쓸 때 빈칸을 완성하시오.

(1) Tom said, "I volunteered at a public library last year."
→ Tom said that ______________________.

(2) She said, "I'll visit the community center tomorrow."
→ She said that ______________________.

02 우리말과 일치하도록 주어진 어구를 활용하여 빈칸을 완성하시오.

외국에 가겠다는 그의 꿈은 마침내 실현되었다.
________ ________ ________ ________ ________ was finally realized. (of, go abroad)

세계의 비정부 기구들

NGOs Around the World

교과서 p.143

Read about the following non-governmental organizations (NGOs) around the world, and identify what issues they deal with.
세계의 비정부 기구에 대해 읽고, 그들이 다루는 문제가 무엇인지 찾아봅시다.

BRAC

Founded in 1972 / Headquarters: Dhaka, Bangladesh

BRAC is a development organization dedicated to ending poverty by empowering the poor. It aims to create various opportunities for the poor people around the world.

해석 BRAC
1972년 설립 / 본부: 방글라데시, 다카
BRAC은 가난한 사람들에게 힘을 부여함으로써 가난을 끝내도록 하는 데 헌신하고 있는 개발 기구이다. 그것은 세계의 가난한 사람들을 위한 다양한 기회를 창출하는 데 목표를 두고 있다.

Médecins Sans Frontières

Founded in 1971 / Headquarters: Geneva, Switzerland

Médecins Sans Frontières (MSF) is a humanitarian organization that delivers emergency aid to people affected by wars, natural disasters, and a lack of health care. MSF offers assistance to people in need, regardless of race, religion, or gender.

해석 국경 없는 의사회
1971년 설립 / 본부: 스위스, 제네바
국경 없는 의사회(MSF)는 전쟁, 자연재해, 그리고 의료 시스템 부족으로 영향을 받는 사람들에게 긴급 구호를 하는 인도적 단체이다. MSF는 인종, 종교, 또는 성에 상관없이 도움이 필요한 사람들에게 도움을 제공한다.

Danish Refugee Council

Founded in 1956 / Headquarters: Copenhagen, Denmark

The Danish Refugee Council works in more than 30 countries around the world. Through humanitarian activities like providing refugee shelters, food, and financial assistance, it helps people in conflict zones.

해석 덴마크 난민 위원회
1956년 설립 / 본부: 덴마크, 코펜하겐
덴마크 난민 위원회는 세계 30여 개국 이상에서 활동한다. 난민 피난처, 음식, 재정 지원을 제공하는 것과 같은 인도주의적 활동을 통해, 분쟁 지역의 사람들을 돕는다.

Gaia Amazonas

Founded in 1990 / Headquarters: Bogota, Colombia

Gaia Amazonas works with the native peoples of the Northwest Amazon to protect the region's outstanding cultural and biological diversity.

해석 가이아 아마조나스
1990년 설립 / 본부: 콜롬비아, 보고타
가이아 아마조나스는 북서부 아마존의 뛰어난 문화적, 생물학적 다양성을 보호하기 위해 그곳의 원주민들과 함께 활동하고 있다.

- **They deal with** various issues such as empowering the poor, helping people affected by wars and natural disasters, and conserving the environment.

그 기관들은 가난한 사람들을 지원하고, 전쟁과 자연재해로 피해를 입은 사람들을 돕고, 환경을 보존하는 것과 같은 다양한 문제를 다룬다.

| 구문 해설 |

- Médecins Sans Frontieres(MSF) is a humanitarian organization **that** delivers emergency aid to people affected by wars, natural disasters, and a lack of health care.: that은 a humanitarian organization을 수식하는 관계대명사이고, people과 affected 사이에 who are가 생략되었다.

Search the Internet for more NGOs around the world, and present them to the class. 세계 여러 비정부 기구를 인터넷에서 찾아보고 학급에 발표해 봅시다.

NGOs around the world

어구

found 동 설립하다
headquarters 명 본부
humanitarian 형 인도주의적인
- Should the world resume ***humanitarian*** aid to North Korea? (세계는 북한에 인도주의적 지원을 재개해야 하는가?)

emergency 명 비상(사태)
disaster 명 재난, 재해
- a natural ***disaster*** (천재지변)

regardless of ~에 상관없이
- The club welcomes all new members ***regardless of*** age. (그 클럽에서는 나이에 상관없이 모든 신입 회원을 환영한다.)

refugee 명 난민, 망명자
shelter 명 대피처, 주거지
- Human beings need food, clothing and ***shelter***. (인간은 의식주가 필요하다.)

financial 형 재정[금융]의
conflict 명 갈등, 충돌
- a ***conflict*** between two cultures (두 문화 간의 충돌)

outstanding 형 뛰어난, 두드러진
- Tom received the award for his ***outstanding*** achievement. (Tom은 그의 놀라운 성과로 그 상을 받았다.)

biological diversity 생물 다양성 유 biodiversity

힌트

각 국제기구는 세계 곳곳에서 가난한 사람들을 지원하고, 자연재해와 전쟁으로 인한 피해자들을 돕고, 자연을 보존하는 일 등을 한다.

Young People Who Are Changing the World

Malala's Story

" One child, one book, and one pen can change the world. "

Malala Yousafzai
Children's and Women's Rights Activist
Place of Birth: Pakistan

❶ Malala Yousafzai was born (수동태(be동사+p.p.)) in Mingora, Pakistan, (which is) located in the country's Swat Valley. ❷ She started speaking (동명사, to부정사 모두 목적어로 취함) out for the education of girls and women in 2008, when she was only 11. ❸ After the Taliban began attacking (동명사, to부정사 모두 목적어로 취함) girls' schools in Swat, Yousafzai gave a speech titled, "How dare (감히 ~하다니) the Taliban take away my basic right to education?" ❹ In early 2009, she began blogging for the BBC about living under the Taliban's threats to deny her an education. ❺ She was shot (수동태(be동사+p.p.)) by the Taliban because of (~때문에) this (앞 문장의 내용을 가리킴) at the age of 15. ❻ However, she survived and never stopped her work for education rights. ❼ Since (~이래로) the attack, she has become (현재완료) internationally known for her courage in refusing to be silenced and her (동명사의 의미상의 주어) continuing fight for the right of everyone to receive an education. ❽ She became the youngest winner of the Nobel Peace Prize in 2014, alongside (~와 함께) Indian child rights activist Kailash Satyarthi. ❾ Yousafzai's book (주어), *I Am Malala: The Story of the Girl Who Stood Up for Education and Was Shot by the Taliban,* (동격) has been published (동사1 / 현재완료 수동태(have[has] been+p.p.)) in over 27 countries and inspired (동사2) many people around the world.

(http://www.biography.com/people/malala-yousafzai-21362253)

- ❿ **Let's hear more from Malala.**

Malala Yousafzai Nobel Peace Prize Speech

어구

speak out for ~에 찬성하는 의견을 밝히다
cf. **speak out against** ~에 반대하는 의견을 밝히다
attack ⓢ 공격하다 ⓜ 공격
dare ⓢ 감히 ~하다
- **How *dare* you talk back to me!** (감히 네가 어떻게 나한테 말대답을 할 수가 있어!)

take away ~을 박탈하다
- **Why do you want to *take away* my rights?** (왜 나의 권리를 빼앗으려고 하는 겁니까?)

threat ⓜ 위협, 협박
deny ⓢ 부인하다, 거절하다, 주지 않다
refuse ⓢ 거절[거부]하다
- **She *refused* to accept that there was a problem.** (그녀는 문제가 있다는 것을 받아들이기를 거부했다.)

silence ⓢ ~을 침묵시키다
activist ⓜ (정치, 사회 운동 등의) 운동가, 활동가

구문 연구

❸ After the Taliban **began attacking** girls' schools in Swat, Yousafzai gave a speech titled, "**How dare** the Taliban take away my basic right to education?"
begin은 동명사와 to부정사를 모두 목적어로 취할 수 있는 동사인데, 여기서는 목적어로 동명사가 왔다. titled 앞에는 which was가 생략되었다. 동사 dare가 의문문에 쓰이면 조동사처럼 쓰여 뒤에 동사원형(take away)이 오며 '감히 ~하다니'라는 뜻으로 해석한다.

❺ She **was shot** by the Taliban because of **this** at the age of 15.
was shot은 수동태 구문으로 shot은 shoot의 과거분사형이다. this는 앞 문장의 내용을 가리킨다.

❼ **Since** the attack, she **has become** internationally known for her courage in refusing to be silenced and **her** continuing fight for the right of everyone to receive an education.
과거의 한 시점 이후로(Since the attack) 현재까지 지속되고 있으므로 현재완료시제를 사용했다. her는 동명사(continuing)의 의미상 주어이다. 동명사의 의미상 주어는 소유격이나 목적격으로 동명사 앞에 써 준다.

❾ **Yousafzai's book, *I Am Malala: The Story of the Girl Who Stood Up for Education and Was Shot by the Taliban,* has been published** in over 27 countries and inspired many people around the world.
Yousafzai's book과 이어지는 명사구 *I Am Malala: The Story of the Girl Who Stood Up for Education and Was Shot by the Taliban*이 동격을 이루고 있다. 주어(Yousafzais book ... *the Taliban*)와 동사 publish가 수동의 관계이므로 현재완료 수동태 형태인 has been published가 왔다.

Grammar Check

>수동태
주어가 대상이 되어 행위를 받는 수동의 의미 관계일 때는 수동태(be동사+p.p.)를 쓴다. 현재완료 수동태는 「have[has]+been+p.p.」의 형태를 취한다.
e.g. **The book was written in 1919.** (그 책은 1919년에 쓰여졌다.)
The book has been published in over 27 countries. (그 책은 27개국 이상에서 출간되고 있다.)

>동사 dare
dare는 '감히 ~하다'라는 뜻의 동사인데, 의문문, 부정문, 감탄문에서 조동사처럼도 쓰여 그 뒤에 동사원형이 온다.
e.g. **How dare you say such a thing?** (어떻게 감히 그런 말을 하니?)
보통은 일반동사와 같이 부정문이나 의문문을 형성하고, 뒤에 to부정사가 온다.
e.g. **He does not dare to do it.** (그는 감히 그럴 용기가 없다.)

해석

세계를 변화시키고 있는 젊은이들
Malala의 이야기
"한 명의 어린이, 한 권의 책 그리고 한 자루의 펜이 세계를 변화시킬 수 있습니다."
Malala Yousafzai
아동, 여성 인권 운동가
출생지: 파키스탄
❶ Malala Yousafzai는 파키스탄의 스왓계곡에 위치한 밍고라에서 태어났다. ❷ 그녀는 겨우 11살이었던 2008년 소녀들과 여성들의 교육을 지지하는 발언을 시작했다. ❸ 탈레반이 스왓에 있는 여학교를 공격하기 시작한 후에 Yousafzai는 "어떻게 감히 탈레반은 나의 기본적 교육권을 빼앗으려 하는가?"라는 제목의 연설을 했다. ❹ 2009년 초, 그녀는 자신의 교육을 허락하지 않는 탈레반의 위협 하에 사는 것에 관해 BBC 블로그에 글을 올리기 시작했다. ❺ 그녀는 15세의 나이에 이 때문에 탈레반에게 총격을 당했다. ❻ 그렇지만 그녀는 살아남았고 교육권을 향한 그녀의 활동을 멈추지 않았다. ❼ 그 공격 이후로 그녀는 침묵하기를 거부하고 모든 사람이 교육을 받을 권리를 위해 계속 투쟁하는 그녀의 용기로 국제적으로 유명해지게 되었다. ❽ 그녀는 인도의 아동 권익 운동가인 Kailash Satyarthi와 함께 2014년 가장 어린 노벨평화상 수상자가 되었다. ❾ Yousafzai의 책 "나는 Malala입니다: 교육을 위해 저항하다 탈레반에 의해 총격 당한 소녀의 이야기"는 27개국 이상에서 출판되었으며 전 세계 많은 사람에게 영감을 불어넣었다.
• ❿ Malala에 대해 더 들어 보자.

Malala Yousafzai의 노벨평화상 수상 연설

교과서 p.145

Kelvin's Story

“Whatever things I've learned, I'll share them with my friends, colleagues, and loved ones.”

Kelvin Doe
Inventor, Radio DJ
Place of Birth: Sierra Leone

❶ Kelvin Doe was brought up (수동태(be동사+p.p.)) in a small town in Sierra Leone. ❷ He has built generators, batteries, and small electronic devices using parts (which) he found in the trash. ❸ He takes (동사1) things that (주격 관계대명사) would otherwise ((만약) 그렇지 않으면) have been thrown out (현재완료 수동태) and, with almost no formal training, turns (동사2) them into useful products. ❹ Kelvin Doe's inventions are especially valuable in his home country of Sierra Leone, where (관계부사), according to Kelvin, the lights there only turn on “about once a week.” ❺ Kelvin builds batteries and generators to provide (to부정사의 부사적 용법(목적)) electricity for his family. ❻ At the age of 14, he created his own FM transmitter and used it as his community's first radio station, where (관계부사) he is known as (be known as: ~로 알려지다) DJ Focus. ❼ He entertains the entire neighborhood. ❽ Also, he even employs his friends. ❾ Kelvin says he hopes to use (to부정사의 명사적 용법(목적어)) his radio station as a way for youth (to debate의 의미상의 주어) in Sierra Leone to debate issues in their area. ❿ He says he plans to build a windmill to provide (to부정사의 부사적 용법(목적)) more stable electricity for his town.

(http://www.takepart.com/article/2012/11/27/move-over-mozart-15-year-old-inventor-kevin-doe-wows-mit)

어구

generator ⓜ 발전기
- **The factory's emergency *generators* were used during the power outage.** (정전 중에는 공장의 비상 발전기를 썼다.)

invention ⓜ 발명, 발명품

provide *A* for *B* B에게 A를 공급하다
cf. provide *A* with *B* A에게 B를 공급하다
- **He can *provide* a lot of food *for* them.** (그는 그들에게 많은 식량을 공급할 수 있다.) (= **He can *provide* them *with* a lot of food.**)

transmitter ⓜ 전송기, 송신기

entertain ⓢ 즐겁게 해 주다, 접대하다
- **He *entertained* us for hours with his stories and jokes.** (그는 이야기와 농담으로 몇 시간 동안 우리를 즐겁게 해 주었다.)

debate ⓢ 논의하다 ⓜ 토론, 토의

windmill ⓜ 풍차

- ⓫ **Let's hear more from Kelvin.**

Kelvin Doe's TED Talk

구문 연구

❶ Kelvin Doe **was brought up** in a small town in Sierra Leone.
bring up은 '양육하다, 기르다'라는 뜻으로 양육되는 것이므로 수동태 형태로 쓰였다.

❷ He has built generators, batteries, and small electronic devices using parts he found in the trash.
devices와 using 사이에 관계대명사와 be동사인 which are가 생략되었고 parts와 he 사이에 목적격 관계대명사 which[that]가 생략되었다.

❸ He **takes** things **that would otherwise have been thrown out** and, with almost no formal training, **turns** them into useful products.
otherwise는 '(만약) 그렇지 않으면'이라는 뜻이고, 문장의 동사는 takes와 turns이다. that은 things를 선행사로 하는 주격 관계대명사이다. 관계대명사절의 동사부는 주어(things)와 동사(throw out)가 수동의 의미 관계이므로 현재완료 수동태(would have been thrown out)를 쓰고 있다.

❺ Kelvin builds batteries and generators **to provide** electricity **for** his family.
to provide는 목적을 나타내는 부사적 용법의 to부정사이다. '제공하기 위해'로 해석한다. provide *A* for *B*는 'B에게 A를 공급하다'라는 뜻의 표현으로 provide his family with electricity로 바꿔 쓸 수 있다.

❻ At the age of 14, he created his own FM transmitter and used it as his community's first radio station, **where** he is known as DJ Focus.
where는 접속사와 부사의 역할을 동시에 하는 관계부사로, and there의 의미이다.

❾ Kelvin says he hopes **to use** his radio station as a way **for youth** in Sierra Leone **to debate** issues in their area.
hope는 to부정사를 목적어로 취하는 동사로 '~하기를 희망하다'라는 뜻이다. to debate는 a way를 수식하는 형용사적 용법의 to부정사이고, for youth는 to부정사 to debate의 의미상의 주어이다.

해석

Kelvin의 이야기
"제가 배운 것은 무엇이든지 그것들을 저는 제 친구들, 동료들 그리고 사랑하는 사람들과 공유할 것입니다."
Kelvin Doe
발명가, 라디오 DJ
출생지: 시에라리온

❶ Kelvin Doe는 시에라리온의 작은 마을에서 자랐다. ❷ 그는 그가 쓰레기 더미에서 찾아낸 부품을 활용하여 발전기, 배터리와 작은 전자기기들을 만들었다. ❸ 그는 그렇지 않으면 버려졌을 물건들을 가져다가, 거의 정규 교육을 받지 않았는데도, 그것들을 쓸모 있는 제품으로 만들어 낸다. ❹ Kelvin Doe의 발명품들은, Kelvin에 따르면 그곳에선 '거의 일주일에 한 번 정도' 전깃불이 들어오는, 그의 고국인 시에라리온에서는, 특히나 매우 소중하다. ❺ Kelvin은 그의 가족에게 전기를 공급하기 위해 배터리와 발전기를 만든다. ❻ 14세의 나이에 그는 자신만의 FM 송신기를 만들었고 그것을 그 지역 사회의 첫 라디오 방송국으로 사용했는데, 거기서 그는 DJ Focus로 알려져 있다. ❼ 그는 전 이웃을 즐겁게 해 주고 있다. ❽ 또한, 그는 심지어 그의 친구들을 고용한다. ❾ Kelvin은 그의 라디오 방송국을 시에라리온의 젊은이들이 그 지역의 현안을 토론하는 방편으로 사용하기를 바란다고 말한다. ❿ 그는 마을에 좀 더 안정적으로 전기를 공급하기 위해 풍차를 만들 계획을 하고 있다고 말한다.

• ⓫ Kelvin에 대해 좀 더 들어 보자.

Kelvin Doe의 TED Talk

Grammar Check

› 관계부사 where
관계부사는 문장에서 접속사와 부사의 역할을 하는 관계사이다. 선행사가 장소 개념일 때 관계부사 **where**를 쓴다. 부사는 문장의 필수 성분이 아니므로 관계대명사와는 달리 관계부사가 이끄는 절은 완전한 문장이 온다.
e.g. **He visited the office where she worked as a secretary.** (그는 그녀가 비서로 일하던 사무실을 방문했다.)
관계부사 **where**는 계속적 용법으로 사용되어 앞의 선행사를 부연 설명하기도 한다.
e.g. **Tom came from New York, where I had been for my vacation.** (Tom은 뉴욕에서 왔는데, 그곳은 내가 방학을 보냈던 곳이다.)

› to부정사를 목적어로 취하는 동사
to부정사는 '앞으로의 할 일'이라는 미래의 의미가 담겨 있어서 소망, 계획, 기대, 의도 등을 나타내는 동사(**wish, hope, plan, expect, want** 등)는 **to**부정사를 목적어로 취한다.
e.g. **He hopes to be a teacher.** (그는 교사가 되기를 희망한다.)
He plans to attend the meeting. (그는 그 회의에 참석할 계획이다.)

Word Play

Complete the crossword puzzle. 십자말풀이를 완성해 봅시다.

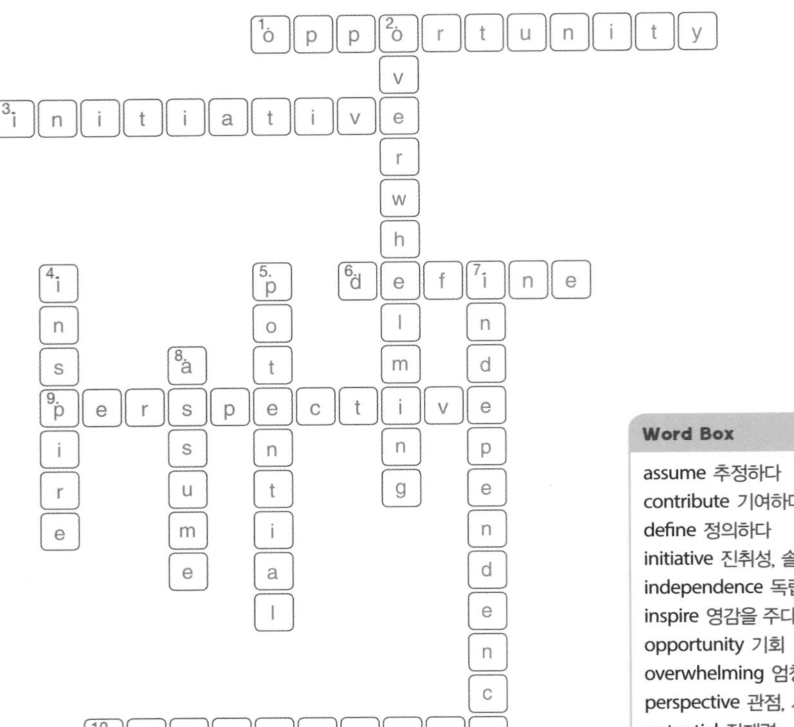

Word Box

assume 추정하다
contribute 기여하다
define 정의하다
initiative 진취성, 솔선, 주도
independence 독립
inspire 영감을 주다, 고무하다
opportunity 기회
overwhelming 엄청난, 압도적인
perspective 관점, 시각
potential 잠재력

▶ Across ▶

1. I'd like to take this __opportunity__ to thank my colleagues for their support.
저는 동료들의 지지에 감사하기 위해 이런 기회를 마련하고 싶었습니다.

3. He took early __initiative__ and won two opening games.
그는 초기에 주도권을 잡았고 두 개막 경기에서 승리했다.

6. The term "mental illness" is difficult to __define__.
'정신병'이란 용어는 정의를 내리기 힘들다.

9. Try to see the issue from a different __perspective__.
다른 시각에서 이 쟁점을 보려고 해 봐.

10. The three sons also __contribute__ to the family business.
세 아들은 또한 가업에 기여하고 있다.

▼ Down ▼

2. The __overwhelming__ majority supported the proposal.
압도적인 다수가 그 제안을 지지했다.

4. The actors' enthusiasm __inspire__d the kids.
배우의 열정이 아이들을 고무했다.

5. All children should be encouraged to realize their full __potential__.
모든 아이는 자신의 완전한 잠재력을 실현하도록 격려를 받아야 합니다.

7. He is still fighting for his country's __independence__
그는 여전히 조국의 독립을 위해 싸우고 있다.

8. It is generally __assume__d that stress is caused by too much work.
일반적으로 스트레스는 과중한 업무에서 온다고 여겨진다.

어구

colleague 명 동료 (one of a group of people who work together)

majority 명 다수

enthusiasm 명 열정, 열의
형 **enthusiastic** 열정적인
- He had a real ***enthusiasm*** for the work. (그는 그 일에 진정한 열정을 지니고 있었다.)

be caused by ~에 기인하다, ~에 의해 야기되다
- Climate change ***is caused by*** various human activities. (기후 변화는 다양한 인간 활동에 기인한다.)

01 대화의 빈칸에 들어갈 말로 가장 적절한 것을 |보기|에서 고르시오.

W: (1) ______________________________
M: I believe it will be a great opportunity for me to help the physically challenged. Also, recording audio books for the blind is what I can handle while studying.
W: Okay. (2) ______________________________
M: Well, I have a good voice. I've also volunteered as a storyteller for children at the community library.
W: That's great. I think you are the right person that we are looking for.
M: Thank you. Anyway, what types of books would I be recording?
W: (3) ______________________________ Umm... I think children's books will be appropriate, considering your background.
M: Okay. Thank you so much.

|보기|

ⓐ Can you tell me your strengths for this volunteer position?
ⓑ Let me think about that for a moment.
ⓒ Why do you want to volunteer for our program?
ⓓ When do you think you can start?
ⓔ What are your plans for the future?

02 대화의 빈칸에 들어가기에 <u>어색한</u> 것은?

A: When do you think we should meet up to study?
B: ______________________ Hmm... I think we should do it in the morning.
A: Okay. Why don't we meet at 9 a.m.?
B: That would be nice.

① Let me see.
② Let me see that one, please.
③ Just a moment while I think.
④ Let me think about that for a moment.
⑤ Let me think for a while.

03 자연스러운 대화가 되도록 ⓐ~ⓓ를 바르게 배열하시오.

ⓐ I'm planning to volunteer at a nursing home.
ⓑ That sounds nice. Is there any reason for you to do that?
ⓒ What are you going to do during the weekend?
ⓓ I'd like to help others in need.

(　　)-(　　)-(　　)-(　　)

04 문맥상 빈칸에 들어갈 말로 가장 적절한 것은?

M: What are you reading?
W: It's a magazine. I bought it to help out the homeless.
M: How does that help out the homeless?
W: Well, it's a magazine that homeless and unemployed people sell. They use the money they earn to support themselves.
M: How do they get the magazines to sell?
W: The publisher gives them the magazines, and they just sell them. Journalists and celebrities donate their talents to publish the magazine.
M: What a great idea! In the long run, it can help the homeless get out of their bad situation.
W: That's right. So ______________________.

① I'm thinking of selling the magazine to my friends
② I plan to build another homeless shelter in our community
③ I'm planning to subscribe to the magazine from next month
④ I'm going to donate some books and clothes to charity
⑤ I'm planning to give them useful information for the position

[05~06] 빈칸에 들어갈 말로 적절한 것을 | 보기 |에서 고르시오.

| 보기 |

contribute　stereotype　care　assume

05

What do you think you can _________ to our company?

06

She doesn't _________ about other people's feelings.

07 두 문장이 일치하도록 문장을 완성하시오.

The team came to the conclusion. The conclusion was to start a new project.
= The team came to the conclusion _________ _________ a new project.

[08~09] 다음 글을 읽고, 물음에 답하시오.

How do you feel about Avani? Truly, she believes that everyone in the world could take initiative to improve society. As our world becomes smaller and global problems become bigger, we need difference-makers now more than ever. Don't forget that Avani is just your age. You are (start, never, to, young, making, too) a difference.

08 우리말과 일치하도록 괄호 안의 어구를 바르게 배열하시오.

여러분은 변화를 만들기 시작하는 데 있어 결코 너무 어리지 않습니다.

→ ______________________________

09 다음 빈칸에 들어갈 말로 적절한 것을 윗글에서 찾아 쓰시오.

If you do something on your own _________, you plan it and decide to do it yourself without anyone telling you what to do.

10 다음 안내문의 내용과 일치하지 <u>않는</u> 것은?

Youth Venture Camp
Design Social Solutions,
Challenge for Change

When: November 5-7
Where: Haneul Hall

Join Now!
Step 1: Form a team (3 to 5 persons).
Step 2: Choose a social venture idea.
Step 3: Register your team on the camp website.
(Register by 5 p.m., November 3)

① 캠프는 11월 5일부터 7일까지 열린다.
② 하늘 홀에서 행사가 진행된다.
③ 캠프 참여를 위해서는 3~5명으로 팀을 구성해야 한다.
④ 캠프 현장에서 벤처 창업 아이디어를 구상해야 한다.
⑤ 마감 시간은 11월 3일 오후 5시이다.

[11~13] 다음 글을 읽고, 물음에 답하시오.

The zones of poverty seemed just a part of the crowded city, always there, unchanging.

(A) She became the first electric rickshaw driver in her community. "Student volunteers help us learn English. We play soccer together on the girls' soccer team in our community. I really like this feeling ① of being a part of the community. I feel more confident than ever."

(B) With a little girl dreaming for a better future, however, the seeds of hope began to grow in the slums. "I'm the only breadwinner in my family. I couldn't have been happier now ② that I've learned to drive a rickshaw. I am hopeful that it will double my income and help my children's studies," said a 33-year-old woman.

(C) Ummeed provides a training program ③ which women from the slums of the city are taught to become rickshaw drivers, along with other support activities. This gives women an opportunity for economic independence and allows them ④ to reclaim space in the public sphere.

(D) A girl living in the slums said that she could gain courage and confidence. She said, "I will be able to overcome any troubles from now on." All this change was possible through the project Ummeed, the idea of 16-year-old Avani Singh. In New Delhi, ⑤ where female drivers are rare, Ummeed, which means "hope" in Hindi, is carving out a space for female mobility.

11 글의 흐름으로 보아, 주어진 글 다음에 이어질 글의 순서를 쓰시오.

(　　)-(　　)-(　　)-(　　)

12 윗글의 밑줄 친 부분 중 어법상 틀린 것은?

① ② ③ ④ ⑤

13 윗글의 밑줄 친 부분을 간접화법으로 바꿔 쓰시오.

→ ______________________________

[14~15] 다음 글을 읽고, 물음에 답하시오.

Here is an interview with Avani, the founder of Ummeed. Let's hear from her.

Reporter: ______________________

Avani: It's overwhelming. It's amazing to see their energy and passion. (A) [Joining / Join] the project, they break stereotypes and take on new challenges. I'm so proud that I can contribute to this.

Reporter: What do you think you've learned through all of this?

Avani: I've lived in this city all my life, and somehow I just assumed (B) [that / what] the world I was living in was all there was in India. Even though I would see the slums on my way to school, I never looked into them that much. Things look (C) [different / differently], however, when I care about people in need and try to come up with solutions for them.

14 윗글의 빈칸에 들어갈 질문으로 가장 적절한 것은?

① When did you start your project?
② Where do you see yourself in five years?
③ What makes you happy in your life?
④ How does it feel to give an opportunity to the women you work with?
⑤ Why have you become interested in educating women and young girls?

15 윗글의 (A), (B), (C) 각 네모 안에서 가장 적절한 것은?

	(A)		(B)		(C)
①	Join	……	that	……	different
②	Join	……	what	……	differently
③	Joining	……	that	……	differently
④	Joining	……	what	……	differently
⑤	Joining	……	that	……	different

Achievement Test 2 Lesson 4-6

교과서 pp.149~151

[1~3] Listen and answer the question.

듣고 질문에 답해 봅시다.

1. What is the man most likely to say next?

남자가 다음에 할 말로 가장 적절한 것은?

① I'll give it a try. 한번 해 볼게.
② I'm sorry to hear that. 그런 소식을 듣게 되어 유감이다.
③ You'll do better next time. 다음번엔 잘할 거야.
④ I'll never play the game again. 다시는 그 게임을 하지 않을 거야.
✓⑤ I guess we have the same tastes. 우린 취향이 같은가 봐.

Script

W: What did you do yesterday?
M: I played *Super Potato*, an old video game with my brother.
W: I'm surprised you played the game! That's my favorite!
M: ______________________________

해석

여: 너 어제 뭐 했니?
남: 난 형과 함께 'Super Potato'라는 옛날 비디오 게임을 했어.
여: 그 게임을 했다니 놀라운데! 그게 내가 가장 좋아하는 거야!
남: ______________________________

해설 여자는 남자가 자신이 가장 좋아하는 게임을 했다는 것에 놀랐다고 말했으므로 남자는 자신과 좋아하는 게임이 일치하는 여자에 대해 서로의 취향이 같다고 응답하는 것이 가장 어울린다. have the same tastes는 '취향이나 기호가 같다'라는 표현이다.

2. What is the purpose of the speech?

담화의 목적은 무엇인가?

① to share ideas for making a flower soap
꽃 비누를 만들기 위한 아이디어를 나누려고
② to introduce a new product to customers
새로운 상품을 고객에게 소개하려고
✓③ to give information on the tour activities
관광 활동에 관한 정보를 알려 주려고
④ to explain the meanings of flower names
꽃 이름의 의미를 설명하려고
⑤ to talk about what was learned from the tour
관광에서 배웠던 것에 관해 말하려고

Script

M: Welcome, everyone. I'm Martin Choi, your guide today. We're now standing at the Rose Garden. This is where we're going to start our tour. Let me tell you the main activities of today's tour. The first activity is going to be trail walking around the garden. While walking, we'll learn about the names and meanings of various kinds of roses. Next will be soap making. We'll make natural soaps with flower oil. You can take home the soaps you make. Feel free to ask me if you have any questions during the tour. Let's begin!

해석

남: 여러분을 환영합니다. 저는 오늘 여러분의 안내원 Martin Choi입니다. 우리는 현재 로즈 가든에 있습니다. 여기가 우리가 관광을 시작할 곳입니다. 오늘 관광의 주요 활동에 관해서 말씀 드리겠습니다. 첫 번째 활동은 정원을 돌아보는 둘레길 산책입니다. 걸으면서 우리는 다양한 장미들의 이름과 의미에 관해 배울 것입니다. 다음 활동은 비누 만들기입니다. 우리는 꽃 기름으로 천연 비누를 만들 것입니다. 여러분은 여러분이 만드는 비누를 집에 가져갈 수 있습니다. 관광 중에 질문이 있으면 저에게 편하게 질문하세요. 시작합시다!

해설 남자는 여행 안내원으로 로즈 가든 투어에 참여하는 관광객에게 관광에서 하게 될 두 가지 활동에 관한 정보를 제공하고 있다.

3. Check T if the statement is true, and F if it is false.

진술이 맞으면 T, 틀리면 F에 표시해 봅시다.

(1) The man is volunteering at a homeless shelter. □T ☑F
남자는 노숙인 보호소에서 봉사 활동을 하고 있다.

(2) The woman is going to purchase a subscription to the magazine. ☑T □F
여자는 그 잡지를 정기 구독할 것이다.

Script

M: What are you reading?
W: It's a magazine. I bought it to help out the homeless.
M: How does that help out the homeless?
W: Well, it's a magazine that homeless and unemployed people sell. They use the money they earn to support themselves.
M: How do they get the magazines to sell?
W: The publisher gives them the magazines, and they just sell them. Journalists and celebrities donate their talents to publish the magazine.
M: What a great idea! In the long run, it can help the homeless get out of their bad situation.
W: That's right. So I'm planning to subscribe to the magazine from next month.

해석

남: 무엇을 읽고 있니?
여: 잡지야. 노숙자들을 돕기 위해 잡지를 샀어.
남: 잡지 사는 게 어떻게 노숙자들을 돕지?
여: 음, 이것은 노숙자와 실업자들이 파는 잡지거든. 그들은 자신들의 생활하기 위해 자신들이 번 돈을 사용해.
남: 그들이 어떻게 팔 잡지를 구해?
여: 출판사가 그들에게 잡지를 주고 그들은 팔기만 하면 돼. 기자들과 유명인들이 잡지를 출판할 수 있도록 재능을 기부해.
남: 훌륭한 생각이구나! 결국, 이 잡지가 노숙자들이 자신들이 처한 나쁜 상황에서 빠져나오도록 도울 수 있구나.
여: 맞아. 그래서 나는 다음 달부터 그 잡지를 정기 구독할 예정이야.

해설 (1) 대화에서 남자는 노숙인을 돕기 위해 잡지를 사서 읽고 있으나 직접 노숙인 보호소에서 봉사 활동을 하지는 않는다.
(2) 여자는 남자가 설명한 잡지 구독의 취지에 동감하고 노숙자와 실업자들이 자립할 수 있도록 돕는 잡지를 다음 달부터 정기 구독할 것이라고 말하고 있다.

[4~5] Choose the one that best fits in the blank.

빈칸에 가장 적절한 것을 골라 봅시다.

4.

A: What are you going to do after graduation?
B: ______________________________
A: That sounds nice. Is there any reason for you to do that?
B: I'd like to learn about other cultures.

① I don't know what to do. 뭘 할지 모르겠어.
② I'll teach you how to sign up for the tour. 여행 신청 방법을 내가 가르쳐 줄게.
✔③ I'm planning to travel around the world. 나는 세계 여행을 하려고 해.
④ I was wondering if I could ask you a favor. 도움을 청해도 될지 궁금해서요.
⑤ I've never thought about my future career. 난 내 장래 직업에 관해 생각해 본 적이 없어.

해석

A: 졸업 후엔 뭘 할 계획이니?
B: 세계 여행을 하려고 해.
A: 멋지구나. 그렇게 하려는 이유가 있니?
B: 나는 다른 문화에 관해 배우고 싶어.

해설 A가 졸업 후의 계획을 물었으므로 그에 맞는 응답을 찾는다. B는 '다른 문화를 배우고 싶어서'라고 답변하고 있으므로 가장 어울리는 응답은 ③이다.

5.

A: Do you know what flower therapists do?
B: ______________ What kind of job is that?
A: They cure people using the beauty and smell of flowers.
B: That sounds very interesting.

① Of course. 물론이지.
✔② I haven't got a clue. 전혀 모르겠는데.
③ That makes sense. 그거 말 된다.
④ I haven't decided yet. 아직 결정하지 못했어.
⑤ What a great job it is! 참 멋진 일이구나!

해석

A: 너는 꽃 치료사가 하는 일이 뭔지 아니?
B: 전혀 모르겠는데. 그건 어떤 종류의 직업이니?
A: 그들은 꽃의 아름다움과 향을 이용해서 사람들을 치유해.
B: 매우 흥미로운데.

해설 A는 꽃 치료사가 하는 일에 대해 B가 알고 있는지를 질문했다. 빈칸 다음에서 그것이 어떤 일이냐고 묻고 있고 A가 그 직업에 관해 설명해 주고 있으므로 B의 응답으로 가장 어울리는 말은 I haven't got a clue.(전혀 모르겠다.)이다.

[6~8] Choose the one that is not grammatically correct.

문법적으로 적절하지 않은 것을 골라 봅시다.

6.

Though seemingly completely ① destroying, the following spring, the burnt branches surprisingly ② blossomed into beautiful flowers. Wu Zetian and many others ③ were amazed that the flowers had come back to life. Afterwards, Wu Zetian declared the peony ④ to be the national flower of the Tang Dynasty. The Chinese have such great appreciation for the peony ⑤ that over 200 Chinese poets have written more than 500 poems to celebrate it.

해석

비록 겉보기에 완전히 파괴된 것 같았지만, 다음 해 봄에, 불탄 가지들은 놀랍게도 아름다운 꽃들을 피워 냈다. Wu Zetian과 다른 많은 사람은 그 꽃들이 다시 살아나서 놀랐다. 그 후에, Wu Zetian은 모란을 당 왕조의 나라꽃으로 선포했다. 중국인들은 모란의 진가를 너무도 높이 인정해서 200명 이상의 중국 시인들이 모란을 찬양하기 위해 500편 이상의 시들을 지었다.

해설 ① '가지들이 완전히 파괴된'이라는 수동의 의미가 되어야 하므로 과거분사 형태인 destroyed가 되어야 한다. 양보의 뜻을 갖는 분사구문에서 접속사를 생략하지 않은 형태로 Though 다음에 they were가 생략되었다.

7.

Classifying things ① means putting them in specific categories. By ② being so, we know immediately ③ what they do and how they are different from other objects. You can classify items in all kinds of ways, ④ using size, shape, purpose, color, and so on. Scientists also use the skill of classification to more ⑤ accurately understand how things relate or connect.

해석

물건들을 분류하는 것은 우리가 그것들을 특정 범주에 놓는 것을 의미한다. 그렇게 함으로써 우리는 그것들의 용도가 무엇이며 그것들이 다른 것들과 어떻게 다른지 즉시 안다. 여러분은 크기, 모양, 목적, 색깔 등을 사용하여 모든 방법으로 물건들을 분류할 수 있다. 과학자들 또한 사물들이 어떻게 관련되거나 연결되어 있는지 더 정확하게 이해하기 위해 분류하기 기술을 사용한다.

해설 ② 「By V-ing」의 형태는 맞으나 문맥상 putting them in specific categories라는 의미이므로 대동사 do로 받아야 한다.

8.

"Student volunteers help us ① learn English. We play soccer together on the girls' soccer team in our community. I really like this feeling ② of being a part of the community. I feel more confident than ever." A girl living in the slums said that she ③ could gain courage and confidence. She said she ④ would be able to overcome any trouble from ⑤ now on.

해석

"학생 자원봉사자들은 우리가 영어를 배우는 것을 돕습니다. 우리는 공동체의 소녀 축구팀에서 축구를 함께하죠. 저는 공동체의 한 부분이라는 이 느낌을 정말 좋아합니다. 저는 어느 때보다 더 자신감이 넘칩니다." 슬럼가에 살고 있는 한 소녀는 자신이 용기와 자신감을 얻을 수 있었다고 말했다. 그녀는 그 이후로 어떤 어려움도 극복할 수 있을 거라고 말했다.

해설 ⑤ 간접화법의 시제 일치 문제로 전달 동사의 시제가 과거이므로 시간의 부사구 from now on은 from then on으로 바꿔야 한다.

[9~10] Rewrite the underlined sentences.

밑줄 친 문장을 다시 써 봅시다.

9. Tom said, "I will visit the community center tomorrow."

➡ Tom said that he would visit the community center the following[next] day.

해석

Tom은 "나는 내일 지역 센터를 방문할 거야."라고 말했다.
➡ Tom은 그가 다음날 지역 센터를 방문할 거라고 말했다.

해설 직접화법을 간접화법으로 전환할 때는 전달 동사 said의 시제에 맞춰 will은 would로, 시간 부사구 tomorrow는 the following day 또는 the next day로 바꿔 쓴다.

10. Though she was frightened, she tried to stay calm and concentrate on her mission.

➡ Though frightened, she tried to stay calm and concentrate on her mission.

해석

그녀는 겁이 났지만, 침착하게 그녀의 임무에 집중하려고 노력했다.

해설 양보의 분사구문에서 의미를 명확하게 하기 위해 접속사를 생략하지 않았다. frightened 앞에는 being이 생략되었다.

[11~13] Choose the word that best fits the blank from the given words.

주어진 단어에서 빈칸에 가장 적절한 것을 고르시오.

intruder 침략자 / stereotype 고정 관념 substitute 대용품 / initiative 주도권

11. A(n) substitute is something that you have or use instead of something else.

해석

대용품은 네가 뭔가 다른 것 대신 가지고 있거나 사용하는 것이다.

해설 substitute 명 대용품

12. A(n) stereotype is a fixed, general idea or group of characteristics that a lot of people believe represent a particular type of person or thing.

해석

고정 관념은 다수의 사람이 특정 유형의 사람이나 사물을 대표한다고 믿는 고정되고 보편적인 생각이나 일군의 특성들이다.

13. A(n) intruder is a person who goes into a place where they are not supposed to be.

해석

침입자는 있지 않아야 할 곳에 들어온 사람이다.

해설 intruder 명 침입자

[14~15] Read the passage and answer the questions.

글을 읽고 질문에 답해 봅시다.

> Your inference is just a(n) (A) [educated / pure] guess and should be based only on what is observed and what you already know. ___ⓐ___, if you hear a rooster crowing while you are partially asleep in bed, you combine the evidence—the crowing rooster—and your knowledge of sunrises and infer that the sun is coming up. An inference is not a(n) (B) [fact / imagination] and may turn out to be incorrect; it is only one of many possible explanations. For instance, the rooster could be crowing because there is an intruder in his pen. ___ⓑ___, it's a good idea to consider (C) [alternatives / solutions] to your inference in case it turns out to be incorrect.

해석

여러분의 추론은 단지 지식을 갖고 하는 추측이고 그 추론은 오직 관찰된 것과 여러분이 이미 알고 있는 것에 근거해야 한다. 예를 들어, 만약 여러분이 침대에서 선잠이 들어 있는 동안에 수탉이 우는 소리를 듣는다면, 여러분은 그 증거–울고 있는 수탉–와 일출에 관한 지식을 결합하여 해가 뜨고 있다고 추론할 것이다. 추론은 사실이 아니고 오류가 있는 것으로 판명될 수도 있다. 왜냐하면, 그것은 단지 많은 가능한 설명 중 하나일 뿐이기 때문이다. 예를 들어, 그 수탉은 닭장 안에 침입자가 있어서 울고 있는 것일 수도 있다. 그러므로 그것이 틀린 것으로 밝혀질 경우를 대비하여 여러분의 추측에 관하여 대안들을 생각해 두는 것이 좋은 생각이다.

14. Choose the words that best complete (A), (B), and (C).

(A), (B), (C)에서 가장 적절한 것을 골라 봅시다.

	(A)		(B)		(C)
①	educated	–	imagination	–	alternatives
②	educated	–	imagination	–	solutions
✓③	educated	–	fact	–	alternatives
④	pure	–	fact	–	solutions
⑤	pure	–	imagination	–	alternatives

해설 문맥상 추론(inference)은 어느 정도 알고 있는 상태에서 지식을 가지고 하는 것이라는 의미이므로 (A)에는 educated가 적절하다. (B)에는 추론은 사실이 아니라서 틀린 것으로 판명될 수 있다는 내용이 자연스러우므로 fact가 적절하다. (C)에는 추론이 틀릴 경우에 대비하여 준비해 두는 다른 선택을 의미하는 것이므로 alternatives가 적절하다.

15. Choose the pair that best fits ⓐ and ⓑ.

ⓐ와 ⓑ에 가장 적절한 것을 골라 봅시다.

✓① For example 예를 들어 – Therefore 그러므로
② Thus 그러므로 – However 하지만
③ For instance 예를 들어 – In contrast 반대로
④ Moreover 더욱이 – In short 요약하면
⑤ In addition 게다가 – That is 즉

해설 ⓐ 다음에 예에 해당하는 내용이 오므로 For example이 적절하다. ⓑ 다음에는 앞 내용에 대한 결과가 오므로 Therefore가 적절하다.

[16~17] Read the passage and answer the questions.

글을 읽고 질문에 답해 봅시다.

In Scotland, the story of the thistle goes back to the rule of Alexander III. In 1263, there was a great battle between the Danes and the Scots.

(A) They fought with such bravery and skill that the Danish invaders were driven from the Scottish shore. Since that time, <u>the Scotch thistle has been considered the national flower of Scotland</u>.

(B) The northern Danish invaders, under King Haakon, succeeded in landing on the coast of Scotland, not far from where Alexander's army was encamped. Their invasion went almost undetected.

(C) In the darkness, the Danish soldiers crept secretly toward the Scottish camp. Victory seemed certain until a shoeless Danish soldier stepped on a thistle. The soldier's sharp cry of pain awoke the Scottish soldiers.

해석

스코틀랜드의 엉겅퀴 이야기는 Alexander 3세의 통치 시대로 거슬러 올라간다. 1263년에 덴마크와 스코틀랜드 사이에 큰 전쟁이 있었다.

(B) Haakon 왕 휘하의 북부 덴마크 침략자들은 Alexander의 군대가 주둔하고 있던 곳에서 멀지 않은 스코틀랜드 해안에 상륙하는 데 성공했다. 그들의 침공은 거의 들키지 않고 진행되었다.

(C) 어둠 속에서 덴마크 군인들은 스코틀랜드 진지를 향해 몰래 기어갔다. 맨발의 한 덴마크 군인이 엉겅퀴를 밟기 전까지는 승리가 확실해 보였다. 그 군인은 날카로운 고통의 비명을 질렀고 이 소리가 스코틀랜드 군인들을 깨우고 말았다.

(A) 그들은 매우 용감하고 능숙하게 싸워서 덴마크 침략자들은 스코틀랜드 해안에서 쫓겨났다. 그때 이후로 스코틀랜드 엉겅퀴는 스코틀랜드의 나라꽃으로 여겨지게 되었다.

16. Put the passages in the right order.

글을 순서대로 배열해 봅시다.

(B) – (C) – (A)

해설 주어진 글은 엉겅퀴 꽃을 소재로 어떻게 그 꽃이 스코틀랜드 국화로 사랑받게 되었는지 그 유래를 알려 주는 덴마크군과 스코틀랜드군의 전쟁에 얽힌 일화를 소개하고 있다. 따라서 이어지는 글은 덴마크 Haakon왕 부대의 침입을 설명한 (B), 그리고 엉겅퀴를 밟은 군사의 비명이 스코틀랜드군을 깨웠다는 내용의 (C), 스코틀랜드군이 비명소리로 덴마크군의 침입을 알고 전쟁에서 승리하여 오늘날 엉겅퀴가 스코틀랜드의 국화로 여겨지고 있다는 (A)로 연결되는 것이 자연스럽다.

17. Write the reason of the underlined part in your own words. 밑줄 친 부분의 이유를 자신의 말로 써 봅시다.

Sample The thistle helped the Scots detect the Danish invaders and thus contributed to the victory of the Scots.

해석

엉겅퀴는 스코틀랜드군이 덴마크 침략군을 탐지하는 데 도움을 주었고 스코틀랜드군의 승리에 기여하였다.

해설 밑줄 친 부분은 "스코틀랜드 엉겅퀴가 스코틀랜드의 국화로 여겨지고 있다"는 내용이므로 그에 대한 이유를 찾는다. 침략군이 엉겅퀴를 밟아 고통스러운 비명을 질렀고 그 때문에 스코틀랜드군은 적군의 침략을 알아차려 전쟁에서 승리하였다. 그러한 내용을 영작한다.

18. Choose the one that does NOT fit the context.
문맥과 어울리지 않는 것을 골라 봅시다.

Being in the presence of flowers encourages happy emotions and heightens overall feelings of satisfaction. ① Flowers have an immediate impact on happiness. ② All the study participants expressed excited smiles upon receiving flowers, showing delight and appreciation. ✓③ Flowers represent specific meanings. ④ The participants in the study reported feeling less depressed and anxious after receiving flowers. ⑤ They also showed a higher sense of enjoyment and overall satisfaction.

해석
꽃이 있다는 것은 행복한 감정을 불러일으키고 전반적인 만족감을 고조시킨다. 꽃은 행복감에 즉각적인 영향을 준다. 모든 실험 참가자들은 꽃을 받자마자 신이 난 웃음을 지었으며, 기쁨과 감사를 표현했다. 꽃은 특별한 의미를 나타낸다. 실험 참가자들은 꽃을 받은 후 덜 우울하고 덜 불안해졌다고 보고했다. 그들은 또한 더 즐겁고 전반적으로 만족함을 보여 주었다.

해설 꽃의 긍정적인 영향에 관한 글로 단락의 주제는 꽃이 있으면 행복한 감정이 생기고 만족감이 고조된다는 내용이다. 내용 중 ③은 꽃의 상징성에 관한 것으로 전체 내용과 관련이 없다.

[19~20] Read the passage and answer the questions.
글을 읽고 질문에 답해 봅시다.

Reporter: How does it feel to give an opportunity to the women you work with?
Avani: It's overwhelming. It's amazing to see their energy and passion. Joining the project, they break stereotypes and take on new challenges. I'm ⓐ (this, proud, so, contribute, can, to, I, that).
Reporter: ____________ⓑ____________
Avani: We're getting them to realize their potential and to realize they can do something big with their lives. Our project is a really small step if you look at it from a worldly perspective. But I think something small like this can help inspire a young generation to make a difference.

해석
기자: 당신이 함께 일하는 여성들에게 기회를 주는 것은 어떤 기분인가요?
Avani: 굉장하죠. 그들의 에너지와 열정을 보는 것은 놀랍습니다. 프로젝트에 참가하게 되면서 그들은 고정 관념을 깨고 새로운 도전을 받아들입니다. 저는 이 프로젝트에 기여할 수 있어서 무척 자랑스럽습니다.
기자: 왜 여성들과 어린 소녀들에게 권한을 갖게 해 주는 것이 중요하다고 생각합니까?
Avani: 우리는 그들의 잠재력을 깨닫게 해 주고 그들이 자신의 인생에서 큰일을 할 수 있다는 것을 깨닫게 해 주고 있습니다. 당신이 세속적인 시각으로 본다면 우리의 프로젝트는 정말 작은 발걸음입니다. 그러나 저는 이런 작은 일이 젊은 세대가 변화를 만들어 내도록 격려하는 데 도움이 된다고 생각합니다.

19. Rearrange the words in ⓐ to complete the sentence. ⓐ에 주어진 단어를 재배열하여 문장을 완성해 봅시다.

I'm so proud that I can contribute to this.

해설 「so+형용사+that」 구문을 이용해서 배열한다.

20. Which one of the following is the most appropriate question for ⓑ?
ⓑ의 질문으로 가장 적절한 것은?

① When did you start your project?
당신은 언제 프로젝트를 시작했나요?
② How did you come to know the young girls?
당신은 어떻게 그 소녀들을 알게 되었나요?
③ Is there any particular reason you want to be a social entrepreneur?
당신이 사회적 기업가가 되고자 하는 특별한 이유가 있나요?
④ What do you think are the most necessary items for the people living in the area?
당신은 그 지역에 사는 사람들에게 가장 필수적인 것이 뭐라고 생각하나요?
✓⑤ Why do you think it's important to empower women and young girls?
당신은 왜 여성들과 소녀들에게 권한을 갖게 해 주는 것이 중요하다고 생각하나요?

해설 Avani가 그들로 하여금 잠재력을 깨닫고 자신들이 뭔가를 할 수 있다는 것을 일깨워 주고자 한다고 답하고 있으므로 ⓑ에는 왜 그들에게 자율적인 권한을 갖도록 해 주는 것이 중요한지를 묻는 질문이 가장 적절하다.

정답과 해설

Lesson 1

Check Up

p.21 01 (1) are
(2) was
(3) are
02 Never did I expect to see him there.
p.23 01 (1) the picture means (2) I made (3) it will
02 When asked the question, he said he couldn't remember.
p.25 01 (1) are → is
(2) are → is
02 Using appropriate body language helps them understand your message.
p.27 01 (1) alike → like
(2) like → alike
02 Pay attention to what the speaker says.
p.29 01 (1) regarded → regarding
(2) concerned → concerning
02 My parents don't allow me to go to parties.
p.31 01 (1) hearing
(2) identifying
02 Though thin, the dog looked healthy.
p.36 01 (1) did I
(2) did he
(3) do they
02 Sending a text message to many people simultaneously is an efficient way to communicate.

p.21

01 (1) 주어가 Some이므로 복수 동사 are가 적절하다.
(2) of 다음에 오는 명사의 수에 따라 동사의 수가 결정되므로 was가 적절하다.
(3) 분수는 of 다음에 오는 명사의 수에 따라 동사가 결정되므로 are가 적절하다.
02 부정어가 문장의 앞에 나가게 되면 「부정어+조동사+주어+동사원형」의 어순이 된다.

p.23

01 의문사가 이끄는 절이 문장의 주어나 목적어, 보어가 될 경우 의문문의 어순이 아니라 「의문사+주어+동사」의 평서문 어순이 된다.
02 부사절의 주어가 주절의 주어와 같고, 부사절의 동사가 be동사일 때 부사절의 주어와 be동사를 생략할 수 있다.

p.25

01 동명사 주어는 단수 취급한다.
02 동명사구 using appropriate body language가 주어부가 되고 동명사구가 주어이므로 단수 동사 helps가 온 뒤, help의 목적어인 them과 목적격 보어 understand your message가 마지막에 온다.

p.27

01 (1) 뒤에 목적어 a fool이 왔으므로 alike 대신에 전치사 like를 써야 한다.
(2) 동사 were의 보어로 쓰일 수 있는 것은 alike이다.
02 what절이 전치사 to의 목적어가 되는 간접의문문 형태를 이용한다.

p.29

01 (1) 문장의 동사가 called이므로 regarded는 전치사 regarding의 형태가 되어야 한다. regarding: ~에 관하여
(2) 문장의 동사가 wrote이므로 concerned는 전치사 concerning의 형태가 되어야 한다. concerning: ~에 관하여
02 「allow+목적어+목적격 보어(to부정사)」의 형태를 이용한다.

p.31

01 (1) to가 전치사이므로 동명사의 형태가 되어야 한다. look forward to: ~을 학수고대하다
(2) to가 전치사이므로 동명사의 형태가 되어야 한다. be used to: ~에 익숙하다
02 접속사 though 다음에 주어와 동사 it was가 생략된 형태로 형용사 thin을 쓴 다음 the dog looked healthy를 쓴다.

p.36

01 부정어가 문장의 앞으로 나가면 「부정어+조동사+주어+동사원형」의 어순이 된다.
02 동명사구 sending a text message to many people simultaneously가 주어가 되고 an efficient way to communicate가 보어가 되므로 보어를 받는 문장의 동사가 필요하다. 동명사 주어는 단수 취급하므로 is를 써서 문장을 완성한다.

단원 평가

01 ③ 02 ② 03 ⓓ-ⓑ-ⓒ-ⓐ 04 ② 05 (1) includes (2) regarded (3) concerning 06 ⑤ 07 (1) how I could win the election (2) Little did I know that 08 ⑤ 09 ⑤ 10 using 11 (A) strengthens (B) enables 12 ⑤ 13 ③ 14 electing → elected 15 ①

01 주어진 문장은 학급 회장이 다른 학생들의 모범이 되어야 한다는 내용이다. 따라서 내가 최고의 모범이 되겠다는 말 앞에 오는 것이 자연스럽다.
02 주어진 문장은 그것들을 어떻게 생각하느냐는 뜻이므로 그것에 대한 의견을 말하는 내용 앞에 와야 한다.
03 웹사이트 가입이 안 된다는 문제 제기 후에 그에 대한 해결책이 제시되고, 이후 고마움을 표현하는 순서가 자연스럽다.
04 학급 회장 선거에서 낙선한 후보의 공약을 당선된 친구가 실시하도록 제안하자는 말에 대해 "그 친구도 좋아할 거야."라고 말하는 것이 자연스럽다.
05 (1) 주절의 동사가 필요하다.

(2) 절이 하나뿐이므로 문장의 동사가 필요하다.
(3) '~에 관하여'라는 뜻을 갖는 것은 concerning이다.

06 (A) 주어 One에 호응하는 단수 동사가 필요하다.
(B) 주어 자리이므로 동명사 형태가 적절하다.
(C) '~하는 것'이라는 뜻을 갖고 선행사를 포함하는 관계대명사가 적절하다.

07 (1) 간접의문문 구문이므로 「의문사+주어+동사」의 순서가 되어야 한다.
(2) 부정어가 문장 맨 앞에 나오면 「부정어+조동사+주어+동사원형」과 같이 주어, 동사가 도치된다.

08 ⑤ 글쓴이를 제외한 다른 후보들은 학생회 임원의 경험이 있거나 인기가 많다고 했으므로 선거가 쉽지(easy) 않을 것이라고 하는 것이 적절하다.

09 학급 회장 선거에서 할 연설을 준비하는 요령에 관한 글이므로 ⑤ '학급 회장 선거 연설 요령'이 제목으로 가장 적절하다.

10 practice의 목적어이므로 동명사 형태가 되어야 한다.

11 (A) 본동사가 필요한 자리이며, 주어가 동명사 Using이므로 단수 동사를 써야 한다. strong의 동사형은 strengthen이다.
(B) 본동사가 필요한 자리이며, 주어가 동명사 maintaining이므로 단수 동사를 써야 한다. able의 동사형은 enable이다.

12 ⑤ 유진이는 마지막 단락에서 '강력한 목소리가 될 것이다(I will be a powerful voice.)'라고 말하고 있다.

13 (A) 뒤에 완전한 문장이 나오므로 접속사 that을 써야 한다.
(B) 동사가 없으므로 are를 써야 한다.
(C) 앞의 voice를 대신하는 대명사이며 의미상 '수줍음 많은 학생의 목소리'를 받아야 하므로 복수 those를 써야 한다.

14 elect는 '~을 선출하다'라는 뜻의 타동사로, 의미상 '내가 학급 회장으로 선출되면'의 뜻이므로 과거분사 형태가 되어야 한다.

15 ①이 포함된 문장은 주어가 없으므로 동명사(using) 형태의 주어가 필요하다.

Lesson 2

Check Up

p.61 **01** (1) others
(2) the other
(3) the others
02 Have you ever been to Korea before?

p.63 **01** (1) may
(2) should
02 To know is one thing and to teach is another.

p.65 **01** (1) discussed about → discussed
(2) reached at → reached
(3) access toward → access
02 Wherever you stay, a reservation is essential during the high season.

p.67 **01** (1) itself → themselves
(2) oneself → herself
02 Getting their help was not as good a solution as I thought.

p.72 **01** (1) wherever
(2) whenever
02 It was as beautiful a house as I expected. / It was a house as beautiful as I expected.

p.61

01 (1) 수를 정확히 알지 못하는 대상에 관해 '몇몇은 ~, 나머지는 …'이라는 뜻을 갖는 것은 some, others이다.
(2) 둘 중에서 '하나는 ~, 나머지 하나는 …'이라는 뜻을 갖는 것은 one, the other이다.
(3) 수를 아는 대상에 관해 '몇몇은 ~, 나머지 모두는 …'이라는 뜻을 갖는 것은 some, the others이다.

02 Have you ever been to ...?: ~에 가 본 적이 있나요?

p.63

01 (1) '~했을지도 모른다'라는 뜻을 갖는 것은 「may have p.p.」이다.
(2) '~했어야만 했다'라는 뜻을 갖는 것은 「should have p.p.」이다.

02 *A* is one thing. *B* is another. 표현을 이용한다.

p.65

01 (1) discuss는 타동사이므로 전치사 about이 필요 없다.
(2) reach는 타동사이므로 전치사 at이 필요 없다.
(3) access 역시 타동사이므로 전치사 toward가 필요 없다.

02 「Wherever+주어+동사」 구문을 이용하여 영작한다.

p.67

01 (1) 주어가 They이므로 재귀대명사는 주어와 일치해서 themselves가 되어야 한다.
(2) 주어 She에 맞춰 oneself는 herself가 되어야 한다.

02 동명사구(getting their help)가 주어가 되고 「as+형용사+관사+명

사+as」 구문이 보어가 된다.

p.72

01 (1) '우리가 간 곳 어디든지'라는 뜻이 되어야 하므로 wherever가 적절하다.
(2) '내가 우울할 때마다'라는 뜻이 되어야 하므로 whenever가 적절하다.

02 「as+형용사+관사+명사+as」 구문을 이용하여 영작한다.

단원 평가

01 ① 02 ① 03 ⓑ-ⓐ-ⓓ-ⓒ 04 ③ 05 ①
06 (1) visible (2) audible 07 ③ 08 ③ 09 ② 10 ⑤
11 ① 12 ② 13 ③ 14 to take with you wherever you go 15 edible

01 요리를 배움으로써 누릴 수 있는 장점들에 관한 내용이므로 '요리의 이점'이 주제로 가장 적절하다.

02 슈퍼히어로가 되지 않아도 이룰 수 있는 꿈을 말하는 상대방에게 "그건 지금도 할 수 있어."라고 말하는 것이 자연스럽다.

03 수박으로 장미를 만드는 장면을 본 적이 있는지 물은 후 이에 대한 대답이 나오고, 다음으로 인터넷상의 동영상을 확인하는 순서가 자연스럽다.

04 여자는 아침 식사를 거르면 오히려 점심과 저녁을 더 먹게 되어 살이 찌게 된다고 말하고 있다.

05 ① 과거의 일을 기억하는 것이므로 동명사 형태가 되어야 한다. remember 다음에 to부정사가 오면 '미래에 ~할 것을 잊다'라는 뜻이다.

06 명사에 -ible을 붙이면 '~할 수 있는'이라는 뜻을 갖는 형용사가 된다.
(1) visible: 눈에 보이는
(2) audible: 들을 수 있는

07 음식은 위대한 미술 작품을 보거나 음악을 듣는 것만큼 큰 만족감을 준다는 내용이다.

08 전체의 수를 알 수 없는 상황에서 '어떤 사람들은 ~, 나머지 사람들은 …'이라는 뜻으로 쓰이는 것은 some, others이다.

09 (A) Food를 가리키므로 단수로 받아야 한다.
(B) 앞의 great steps를 수식하는 형용사적 용법의 to부정사가 되어야 한다.
(C) appear는 2형식 동사이므로 형용사나 명사를 보어로 취한다.

10 두 가지 이상의 사람, 장소, 사물들이 얼마나 같고 다른지를 보여 주는 것은 비교하기와 대조하기이다.

11 음식을 아름답게 만들거나 음식 재료로 예술 작품을 만들기 위한 노력을 말하는 글이므로 '음식을 예술로 바꾸려는 노력'이 주제로 가장 적절하다.

12 (A) 음식을 그저 보기 좋게 내놓는 것과 그것을 진정한 예술 작품으로 만드는 것은 별개라는 내용이므로 however(그러나)가 적절하다.
(B) 인터넷상에서 찾아볼 수 있는 동영상을 예로 들고 있으므로 For example (예를 들어)이 적절하다.

13 음식 예술은 오래 가지 않으므로 상하기 전에 빨리 먹어야 한다는 흐름이 자연스럽다.

14 동사를 수식하는 부사적 용법의 to부정사를 먼저 쓰고 뒤에 '네가 어디에 가든지'라는 뜻을 가진 wherever you go를 쓴다.

15 edible은 '먹기에 적절하거나 안전한'이라는 뜻이다.

Lesson 3

Check Up

p.97 01 (1) to do → do
(2) went → go
(3) feel → to feel
02 I want to know what you did yesterday.

p.99 01 (1) used to play
(2) used to watch
02 It is doubtful if John did his homework by himself.

p.101 01 (1) good
(2) such
02 I saw her falling off the wall.

p.103 01 (1) 필수적
(2) 추가적
02 She spends an hour reading books every day.

p.105 01 (1) had imagined
(2) had broken
02 too far to walk home from here

p.107 01 (1) Without
(2) Without, music
02 The singer will tell people why he canceled his tour.

p.112 01 (1) why
(2) which
02 Without water, people would not live.

p.97

01 (1) make는 사역동사이므로 목적격 보어로 동사원형이 온다.
(2) let은 사역동사이므로 목적격 보어로 동사원형이 온다.
(3) cause는 목적격 보어로 to부정사가 온다.

02 know의 목적어가 되는 what절은 간접의문문이 되므로 「의문사+주어+동사」의 어순으로 쓴다.

p.99

01 '과거에 ~하곤 했다'라는 뜻이 적절한데, 과거의 습관을 나타내는 것은 used to이다. be used to는 '~에 익숙해지다'라는 뜻이다.

02 if절이 doubtful의 목적어가 된다. by himself는 '혼자서'라는 뜻이다.

p.101

01 (1) 보어 자리이므로 형용사 good이 적절하다.
(2) 뒤에 형용사와 명사가 왔으므로 such가 적절하다.

02 「saw+목적어(her)+목적격 보어(falling off)」의 순서로 쓴다.

p.103

01 (1) 꼭 필요한 정보이다.
(2) 추가적인 정보를 제공한다.

02 「spend+시간+V-ing」 구문을 이용하여 영작한다.

p.105

01 (1) 결과보다 상상한 것이 더 먼저 일어난 일이므로 대과거가 적절하다.
(2) 그녀가 집에 도착한 것보다 누군가가 집에 침입한 것이 더 먼저 일어난 일이므로 대과거가 적절하다.

02 「too+형용사+to부정사」 구문을 이용하여 완성한다.

p.107

01 「If it were not for+명사」는 「Without+명사」로 바꿔 쓸 수 있다.

02 the reason why에서 선행사 the reason이 생략된 형태로 영작한다.

p.112

01 (1) The reason을 선행사로 받는 것은 관계부사 why이다.
(2) 선행사가 The reason이고 앞에 전치사 for가 있으므로 관계대명사 which가 들어가야 한다. for which는 why로 바꿔 쓸 수 있다.

02 「Without+명사, 주어+조동사의 과거형+동사원형」 구문을 이용하여 영작한다.

단원 평가

01 ④ 02 ⓒ-ⓐ-ⓓ-ⓑ 03 it is really annoying 04 ④ 05 ⑤ 06 ④ 07 ② 08 ③ 09 ⓐ keep ⓑ spend ⓒ improve 10 Without trees, how would our life change? 11 ② 12 ① 13 ③ 14 ① 15 ②

01 앞에 광고지가 너무 어질러져 있는 상황이 나왔고, 뒤에 사람들이 전단지를 뿌리는 것이 짜증 난다고 말하므로 전단지가 종이 낭비일 뿐이라는 말이 들어가는 것이 가장 적절하다.

02 에어컨을 끄자고 하자 왜 꺼야 하는지 반문하고 그에 대한 설명이 이어진 다음 동의하는 순서로 배열하는 것이 자연스럽다.

03 it 다음에 동사 is, annoying을 수식하는 부사 really가 온 다음 annoying이 온다.

04 뽁뽁이가 열 손실을 줄인다는 말은 뽁뽁이를 왜 붙여야 하는지 이해하지 못하는 아들에게 하는 말로 이어지는 것이 자연스럽다.

05 물이 건강과 관련이 있다는 이야기 뒤에 물로 인한 질병으로 많은 사람이 사망했던 과거 이야기가 나오는 것이 가장 자연스럽다. 물이 시간을 의미한다는 일반적인 진술 뒤에 아프리카 사람들이 물을 얻기 위해 오랜 시간 걷는 예시가 와야 한다.

06 물을 구하기 위해 먼 길을 가는 한 소녀에 관한 이야기이다.

07 ② 근처의 샘을 가기 위해 새벽에 출발했다.

08 ③ 문장에 동사가 두 개가 될 수 없으므로 동사 think는 쓰일 수 없다. 분사구문 형태가 되어야 한다.

09 ⓐ 내용상 아이들이 학교에 머무는 것이므로 keep이 적절하다.
ⓑ 시간을 쓰는 것이므로 spend가 적절하다.
ⓒ 결국, 아이들이 학교에 감으로써 삶, 꿈, 미래가 모두 나아지는 것이므로 improve가 적절하다.

10 나무가 없는 비현실적인 일에 관해 가정하는 것이므로 「without 가정법 과거」를 쓴다. without 가정법 과거는 「Without+명사, 주어+조동사의 과거형+동사원형」의 형태이다.

11 ⓐ와 ⓑ 모두 빈칸 앞의 내용이 원인, 빈칸 뒤의 내용이 결과에 해당하므로 원인과 결과를 나타내는 대표적인 접속 부사인 Hence와 Therefore가 적절하다.

12 (A) '~하곤 했다'라는 뜻의 과거의 습관을 나타내는 「used+to부정사」 구문이다.
(B) '~인지 아닌지'라는 뜻을 갖는 접속사 if가 적절하다.
(C) 명사를 뒤에서 수식하는 분사의 형태인데, work가 행해지는 것이므로 과거분사가 적절하다.

13 This may be why로 주어진 문장이 시작하므로 이 문장의 원인이 되는 내용 뒤에 오는 것이 자연스럽다. 주어진 문장의 they가 가리키는 것이 essential things이고, 중요한 것들을 구하기 쉽다는 사실이 주어진 문장의 원인으로 적절하다.

14 ① 일어나기 어려운 일에 대한 가정은 가정법 과거로 표현하므로, will이 아닌 과거형 would가 쓰여야 한다.

15 ② what 뒤에는 불완전한 문장이 오는데 완전한 문장이므로 what 대신 이유를 나타내는 접속사 why가 적절하다.

Lesson 4

Check Up

p. 143 **01** (1) to read
(2) It
02 She asked me to get out and I did so immediately.

p.145 **01** (1) I will forget → I forget
(2) 없음
(3) there will be → there is
02 (1) which were
(2) that was
(3) which was

p.147 **01** (1) how
(2) how
02 Everybody helped clean up after the party.

p.149 **01** (1) 접속사
(2) 관계사
02 If you have any difficulty, ask me for help.

p.154 **01** (1) do, so
(2) does, so
02 Back up your files, in case your computer is damaged.

p.143

01 (1) for me가 의미상의 주어로 왔으므로 to부정사가 적절하다. to read 이하가 진주어이다.
(2) to view 이하가 문장의 진짜 주어이므로 가주어가 필요하다.

02 「ask+목적어(me)+목적격 보어(to get out)」 구문과 대동사 did so를 이용한다.

p.145

01 in case절에서는 현재시제가 미래시제를 대신한다.

02 「관계대명사+be동사+분사(현재분사/과거분사)」의 형태로 쓰일 때 관계대명사와 be동사를 생략할 수 있다.

p.147

01 (1) not sure의 목적어절을 이끌고 '어떻게'를 의미하는 것은 how이다.
(2) figure out의 목적어절을 이끌고 '얼마나 많은 시간을 쓰는지'의 '얼마나'를 의미하는 것은 how이다.

02 「help+동사원형」의 형태로 영작한다.

p.149

01 (1) that 이하가 완전한 문장이고 is의 보어가 되는 명사절을 이끌고 있으므로 명사절 접속사로 쓰였다.
(2) that 이하가 목적어가 빠진 불완전한 문장이므로 관계대명사로 쓰였다.

02 if조건절에서는 현재시제가 미래시제를 대신한다.

p.154

01 (1) 동사구 send them a fax before lunch를 대신할 수 있는 것은 do so이다.
(2) try it out을 대신할 수 있는 것은 do so인데, 주어가 she이므로 does so의 형태로 쓴다.

02 in case는 '~일 경우에 대비하여'라는 뜻의 조건절을 이끈다. in case가 이끄는 절에서는 현재시제가 미래시제를 대신한다.

단원 평가

01 ③ **02** ① **03** ⓑ-ⓐ-ⓓ-ⓒ **04** Are you aware that humans share a large amount of DNA with cats? **05** ④ **06** ④ **07** ① **08** ② **09** ③ **10** ④ **11** categories, accurately **12** ④ **13** ③ **14** ① **15** ④

01 여자가 물건을 사기 전에 온라인으로 물건을 찾아보고 가격을 비교하는 데 시간이 많이 걸린다고 했으므로 빈칸에 들어갈 말로는 ③이 적절하다.

02 어떻게 알게 되었는지 묻는 말은 자신 스스로 증명한 과학자에 관한 책을 읽었다는 말 앞에 와야 자연스럽다.

03 어제 한 일을 묻는 말이 가장 먼저 오고, 그에 대한 대답이 온 다음, 같은 책을 읽었다는 말과 취향이 같다는 말이 연결되어야 자연스럽다.

04 Are you aware that ...?(~에 대해 알고 있니?)을 이용하여 의문문을 완성한다. share *A* with *B*는 'A를 B와 공유하다'라는 뜻이고, a large amount of는 '많은 양의'라는 뜻이다.

05 ④ in case가 이끄는 절은 조건의 부사절이기 때문에 미래시제를 쓸 수 없고, 현재시제가 미래시제를 대신한다.

06 ④ because절의 주어가 John이므로 do so 대신 does so를 써야 한다.

07 추론에 관한 설명과 예시에 관한 글이다.

08 ② '관찰되어진 것'이라는 의미가 되어야 하므로 수동태인 is observed가 적절하다.

09 '~일 경우에 대비하여'라는 뜻의 표현이 적절하다.

10 doing so는 'putting them in specific categories'를 대신하므로 주어진 문장은 그다음에 위치해야 한다.

11 분류하기는 사물들을 특정한 카테고리에 넣는 것이고, 과학자들은 사물이 어떻게 관련되거나 연결되는지 더 정확하게 이해하기 위해 그 기술을 활용한다.

12 ④ 태양계 모형은 행성 실험을 위해 고안된 것이 아니라 어떻게 행성이 태양 주위를 도는지 이해하기 위해 사용된다.

13 (A) the way와 how는 같이 쓸 수 없으므로 that을 써야 한다.
(B) 주어가 The ingredient list이므로 단수로 받아야 한다.
(C) help는 목적격 보어로 동사원형이나 to부정사를 취한다.

14 기상 예보로 이야기를 시작하고, (C)의 do so는 (A)의 마지막 문장 속 동사구를 가리키며, 마지막으로 (B)에 앞서 나왔던 예측하기에 관한 내용이 오는 게 자연스럽다.

15 ④ 관찰하기에서의 핵심은 정확하고 사실적이어야 한다는 것이다.

Lesson 5

Check Up

p.179 **01** (1) one
(2) completely
02 depending, on
p.181 **01** (1) to be removed
(2) transported
02 except, for
p.183 **01** Though, seemingly, completely, destroyed
02 such great appreciation for the peony that
p.185 **01** ②
02 Not, knowing
p.187 **01** forgot his mother making
02 Needless, to, say
p.189 **01** (1) was → has been
(2) certainly → certain
02 such bravery and skill that[such skill and bravery that]
p.194 **01** (1) in, need
(2) found
02 ③

p.179

01 (1) 뒷문장의 another와 연결되는 one이 적절하다. 범주 내의 여러 대상 가운데 '어느 하나'를 지칭할 때는 one, '또 다른 하나'를 지칭할 때는 another를 쓴다.
(2) 바로 뒤의 형용사 different를 수식해야 하므로 부사 completely가 적절하다.
02 '~에 따라'라는 뜻을 갖는 것은 depending on이다.

p.181

01 (1) order는 목적격 보어로 to부정사가 오는데, 목적어 all of the peonies가 옮겨지는 것이므로 수동의 형태가 되어야 한다. to부정사의 수동태는 「to be p.p.」의 형태이다.
(2) have의 목적격 보어로 동사원형과 과거분사가 올 수 있는데, 목적어 all the peonies in the city와의 관계가 수동이므로 과거분사 형태가 적절하다.
02 '~을 제외하고'라는 뜻을 갖는 것은 except for이다.

p.183

01 though, when, while, if 등의 접속사가 이끄는 부사절에서 주어가 주절의 주어와 같고, 동사가 be동사일 때 주어와 be동사를 생략할 수 있다.
02 「such+형용사+명사+that」 어순으로 배열한다.

p.185

01 ② tell은 목적격 보어로 to부정사가 오므로 to look의 형태가 되어야 한다.
02 분사구문으로 바꿔 쓸 수 있다. 먼저 접속사와 주어를 생략하고, 동사를 현재분사 형태로 바꾼다. 현재분사의 부정은 분사 앞에 부정어를 써 준다.

p.187

01 '과거에 ~했던 일을 잊다'라는 뜻은 「forget+동명사」로 나타낸다. his mother는 동명사의 의미상 주어로 목적격이나 소유격의 형태로 동명사 앞에 써 준다.
02 needless to say: 말할 필요도 없이

p.189

01 앞에 '~이후로'라는 부사구가 있으므로 과거시제가 아닌 현재완료시제를 써야 한다.
02 seemed의 보어가 되어야 하므로 형용사가 적절하다. 부사는 보어로 쓰일 수 없다.

p.194

01 부사절의 주어가 주절의 주어와 같고, 동사가 be동사일 때 주어와 be동사를 생략할 수 있다.
02 appreciate는 동명사를 목적어로 취하고, 동명사의 의미상 주어는 목적격이나 소유격의 형태로 동명사 앞에 써 준다.

단원 평가

01 ④ **02** ④ **03** (1) ⓐ (2) ⓒ **04** ⓒ-ⓐ-ⓓ-ⓑ **05** declared **06** (1) enraged (2) endanger **07** (1) his coming (2) prepared **08** ④ **09** ② **10** ① **11** (B)-(D)-(C)-(A) **12** ④ **13** ① **14** ⑤ **15** such bravery and skill that the Danish invaders were driven

01 남자는 여자가 학생 교사로 자원봉사 활동하는 것에 대해서 흥미를 보이고 있다. 빈칸 앞에는 여자가 아이들과 함께하는 꽃 채집 활동이 즐거웠다는 내용이고 남자는 That sounds cool.이라고 답하고 있으므로 다음번에 같이 참여해도 되는지 묻는 말(I was wondering if could I join you next time.)이 자연스럽다.
02 문맥상 전혀 모르겠다는 내용이 어울린다. ④는 "그럴 의도는 아니다. / 그런 뜻이 아니다."라는 뜻으로 빈칸에 맞지 않는다.
03 그것이 어떤 종류의 직업이냐고 묻는 질문이 이어지는 것으로 보아 (1)에는 꽃 치료사가 하는 일을 모르겠다는 내용이 와야 한다. (2)에는 여자가 꽃과 사람을 좋아하므로 자신과 맞는 직업이라고 생각한다는 표현이 어울린다.
04 새 모이를 줄 수 있는지 묻는 말이 제일 먼저 오고, 그에 대한 대답으로 새를 겁주지 말라는 말이 온 다음 그러지 않겠다는 말이 오는 것이 자연스럽다.
05 declare: 선포하다
06 명사 앞에 붙는 접두어 en-은 '~하게 하다'라는 의미를 지닌 동사를 파생한다.
(1) enrage: 화나게 하다
(2) endanger: 위험하게 하다
07 (1) like의 목적어인 동명사 coming의 의미상의 주어가 필요하다. 동명사의 의미상 주어는 소유격으로 동명사 앞에 쓴다. 참고로 like는 동명사와 to부정사 모두 목적어로 취할 수 있다.
(2) 부사절 Though it was prepared in haste.에서 주어와 be동사(it was)가 생략되었다. 주어와의 의미 관계로 보아 수동의 의미이므로 과거분사 prepared가 적절하다.
08 이 단락은 예시를 통해 다양한 문화권과 국가에서 꽃이 다양한 의미를 지니고 있다는 것을 설명하고 있으므로 주제문은 그러한 중심 내용을 포함

한 ④가 적절하다.

09 모란이 꽃을 피우지 않은 것이 왕후를 격노하게 했고, 격노한 왕후는 모란을 없애라고 명령한다. 하지만 거의 파괴된 거 같아 보였던 모란은 다음 해 꽃을 피우게 되었고 그것으로 인해 모란은 나라꽃으로 선포되었다는 흐름이 자연스럽다.

10 ① 문맥상 Though they were seemingly completely destroyed ...(겉보기에는 (타 버린 가지가) 완전히 파괴된 것 같았지만)의 의미이므로 destroying이 아니라 destroyed가 적절하다.

11 수레국화는 프로이센의 Louise 여왕과 관련이 있다고 언급한 주어진 글 다음에는 여왕이 두 아들을 데리고 피난을 가다가 마차 고장으로 잠시 머물게 되면서 아들들이 겁먹지 않도록 길가의 수레국화를 꺾어서 왕관을 만들어 줬다는 일화가 오고, 통일 독일의 첫 황제가 된 아들이 어머니가 국화로 왕관을 만들어 준 것을 절대 잊지 않았다는 내용이 이어져야 자연스럽다.

12 ① Louise의 작은 아들이 후에 황제가 되었다.
② 여왕은 두 아들과 베를린에서 도망쳐 쾨니히스베르크로 가는 중이었다.
③ 일행은 마차를 고치는 동안 기다리고 있었다.
⑤ 여왕은 두 아들에게 꽃을 꺾어 오게 시켰다.

13 빈칸에는 앞의 내용, 즉 마차가 고장 나서 지체하게 된 일로 두 아들이 걱정하는 것을 원치 않는다는 문맥이 어울리므로 the delay(지체, 지연)가 적절하다.

14 (A) 문맥상 '들키지 않고'라는 뜻의 undetected가 적절하다. uncovered: 폭로된
(B) 문맥상 '승리가 확실해 보였다'는 말이 되어야 하므로 certain이 적절하다. unlikely: ~할 것 같지 않은
(C) '나라꽃'이 되어야 하므로 '국가의, 국가적인'이라는 뜻을 갖는 national이 적절하다. native: 토착의

15 「such+명사+that+주어+동사」의 어순으로 배열한다. '매우 ~해서 …하다'라는 뜻이다.

Lesson 6

Check Up

p.219	01	(1) ① is → are
		(2) ② what → that
	02	(1) not, only, but, also
		(2) of
p.221	01	she would be able to overcome any troubles from then on
	02	(1) breadwinner
		(2) more, than, ever
p.223	01	① what → that
	02	(1) stereotype
		(2) contribute, to
p.225	01	① realize → to realize
	02	(1) too, to, start
		(2) initiative
p.230	01	(1) he had volunteered at a public library the year before[the previous year]
		(2) she would visit the community center the next[following] day
	02	His, dream, of, going, abroad

p.219

01 (1) ① 「a number of+복수 명사」는 복수로 취급한다.
(2) ② show의 목적어가 되는 명사절 접속사가 와야 하는데, 뒤에 완전한 문장이 왔으므로 that이 적절하다.

02 (1) *A* as well as *B*는 not only *B*, but also *A*로 바꿔 쓸 수 있다.
(2) the idea와 buy a car가 동격이므로 동격을 나타내는 of를 이용해 바꿔 쓸 수 있다.

p.221

01 주어 I는 she로, 전달 동사의 시제가 과거이므로 미래시제는 과거시제로, 부사 now는 then으로 바꿔 쓴다.

02 (1) breadwinner: 가장, 생계비를 버는 사람
(2) more ... than ever: 어느 때보다 더 ~한

p.223

01 ② assumed의 목적어절을 이끄는 접속사가 필요한데 접속사 이하 문장이 완전한 문장이므로 what 대신에 that을 써야 한다.

02 (1) stereotype: 고정 관념
(2) contribute to: ~에 기여하다

p.225

01 ① get은 목적어와 목적격 보어를 취하는 5형식 동사로 쓰였는데, 목적어와 목적격 보어의 관계가 능동일 때는 to부정사가 목적격 보어로 온다.

02 (1) '~하기에는 …하지 않다'라는 뜻은 「not[never] too ... to」 구문으로 나타낸다.
(2) initiative: 주도권, 진취성

p.230

01 (1) 주어 I는 he로, 전달 동사의 시제가 과거이므로 volunteered는 과거완료 had volunteered로 고치고, 부사구 last year는 the year before나 the previous year로 고친다.
(2) 주어 I는 she로, 전달 동사의 시제가 과거이므로 will visit는 visited로 고치고, 부사 tomorrow는 the next day나 the following day로 고친다.

02 그의 꿈(his dream)이 외국에 가는 것(go abroad)이므로 동격의 of를 이용하여 나타낸다.

단원 평가

01 (1) ⓒ (2) ⓐ (3) ⓑ 02 ② 03 ⓒ-ⓐ-ⓑ-ⓓ 04 ③ 05 contribute 06 care 07 of, starting 08 never too young to start making 09 initiative 10 ④ 11 (B)-(A)-(D)-(C) 12 ③ 13 She said (that) she would be able to overcome any troubles from then on. 14 ④ 15 ⑤

01 남자의 대답으로 보아 (1)에는 지원 이유를 묻는 질문이, (2)에는 지원자의 장점을 묻는 질문이 어울린다. (3)에는 질문에 대해 생각할 시간을 요청하는 표현이 필요하다.

02 ②를 제외한 나머지는 모두 잠시 생각할 시간을 달라는 표현이다. 그러나 Let me see that one, please.는 "저걸로 보여 주세요."라는 뜻으로 대화에 적절하지 않다.

03 먼저 주말 계획을 묻고 요양원에서 자원봉사하려고 한다는 응답이 와야 한다. 그 이유를 묻는 질문과 다른 사람들을 돕고자 한다는 취지를 말하는 응답 순서로 이어져야 자연스럽다.

04 노숙인들과 실직자들을 돕는 취지로 발행되는 잡지를 구독함으로써 그들의 자립을 돕는 내용을 언급하고 있으므로 다음 달부터 잡지를 정기 구독하겠다는 내용이 어울린다.

05 contribute to: ~에 기여하다

06 care about: ~에 마음을 두다, ~에 관심 갖다

07 동격을 나타내는 전치사 of를 이용하여 바꿔 쓸 수 있다. of가 전치사이므로 뒤에는 동명사(구)가 와야 한다.

08 「too+형용사/부사+to부정사」는 '~하기에는 너무 …하다, 너무 …해서 ~할 수 없다'라는 뜻의 구문이다. '너무 어리지 않다'는 부정의 내용이므로 never too young to start making으로 영작하는 것이 적절하다. making 이하는 start의 목적어가 되는 동명사구이다.

09 initiative: 진취성, 계획, 주도권

10 ④ 캠프에 참여하기 위해서는 사전에 팀을 꾸려 벤처 창업 아이디어를 결정해야 한다.

11 주어진 글은 가난한 지역이 혼잡한 도시의 일부로 변하지 않고 있다는 내용이며 이어지는 내용은 한 소녀로 인해 슬럼가 여성들의 삶이 변화되었다는 것이다(With a little girl dreaming for a better future, however,...). 이러한 변화는 Ummeed라는 프로젝트로 인해 가능했으며 그 프로젝트에 관한 설명이 이어지는 순서가 적절하다.

12 ③ 문맥상 '그 프로그램에서(in the program)'라는 의미가 적절하므로 which 앞에 전치사 in이 필요하다.

13 직접화법의 전달 동사가 과거이므로(said) 전달하려는 내용의 인칭, 시제, 시간 부사구를 그에 맞게 바꿔 준다. 내용을 전달하는 간접화법에서는 콤마(,)는 that으로, I는 she, will은 would, from now on은 from then on으로 바꾼다.

14 "It's overwhelming. It's amazing to see their energy and passion."이라고 시작하는 응답의 내용으로 보아 함께 일하는 여성들에게 기회를 주는 것에 대해 어떻게 느끼냐는 질문이 가장 자연스럽다.

15 (A) 뒤에 절이 이어지고 있으므로 분사구문의 형태가 필요하다.
(B) assumed의 목적어가 되는 명사절을 이끄는 접속사 that이 적절하다.
(C) look의 보어 자리이므로 형용사 different가 적절하다.

Memo

Memo